Hugo Kuhn / Kleine Schriften Band 1

Dichtung und Welt im Mittelalter

HUGO KUHN

DICHTUNG UND WELT
IM MITTELALTER

MCMLXIX

J. B. METZLERSCHE VERLAGSBUCHHANDLUNG

STUTTGART

2., unveränderte Auflage 1969

———

© J.B.Metzlersche Verlagsbuchhandlung
und Carl Ernst Poeschel Verlag GmbH in Stuttgart
1959/1969. Printed in Germany
Druck: Karl Grammlich, Pliezhausen

VORWORT ZUR 1. AUFLAGE

DIESE SAMMLUNG bisher verstreuter Aufsätze beruft sich nicht wissen-schaftsgeschichtlich auf die Einheit der Person oder der Forschungsrich-tung. Ihre Einheit liegt im Gegenstand: der Literatur des deutschen Mittel-alters, der sie in einzelnen, jedoch über den ganzen Zeitraum sich verbin-denden Ansätzen neue Zugänge erschließen will, nachdem die alten vielfach verschüttet, die heute gebräuchlichen z. T. unsicher geblieben sind. Ihre Rechtfertigung sucht sie gerade in einer Vielfalt der methodischen und der interpretierenden Ansätze, denen allerdings eines gemeinsam ist: die Frage nach den verbindlichen Aussagen der Gestalt deutscher Dichtungen des Mittelalters. Das will der Titel als etwas Einheitliches und Gemeinsames andeuten.

Ursprünglich stand er für einen weiter gefaßten Plan, nämlich die Ge-sichtspunkte der hier vereinigten Arbeiten als geschlossenes System zu-sammenzufassen. Angesichts des Widerstreits zwischen historischer und funktionalistisch-strukturalistischer Betrachtung, wie er, oft nicht einmal klar erkannt, auch die Literaturwissenschaft unserer Tage durchkreuzt, schien es mir von früh an schwer begreiflich, daß die in der Geistes-geschichte und historischen Erkenntniskritik der zwanziger Jahre schon aufscheinenden historischen Epochen-Strukturen nicht mit Hilfe der neue-ren Tatsachen- und der neueren Strukturen-Forschung weitergeführt wer-den könnten. Dem dienten fürs Mittelalter die verschiedenen Ansätze, die, von einzelnen Gegenständen wie von methodischen Fragen veranlaßt, in den hier gesammelten Arbeiten durchgeprobt wurden. Vor dem Plan aber, sie zu einem System der Beziehungen zwischen Literatur und ge-schichtlicher Welt im Mittelalter zusammenzubauen, resigniere ich heute. Nicht nur, weil er mir mehr und mehr zurücktrat vor der Aufgabe einer historischen Darstellung. Sondern es will mir heute scheinen, als ob der Versuchscharakter, die essayistische Anlage der Aufsätze jener systemati-schen Aufgabe gerechter würde als ein meist vergeblich geschlossenes Sy-stem. In diesem Sinn mag der Band nun auch als systematisches Prolegomenon vor die historische Darstellung treten, die mich jetzt in Fesseln schlägt.

Die hier vereinigten Arbeiten blieben im wesentlichen in der Gestalt, in der sie, meist vor nicht langer Zeit, erschienen und z. T. schon in die Forschung eingegangen sind. Seitherige Literatur wurde in Anmerkungs-Hinweisen berücksichtigt.

Für treue Hilfe bei den Korrekturen habe ich Lore und Hans Fromm zu danken.

München, Juli 1959   Hugo Kuhn

VORWORT ZUR 2. AUFLAGE

Das Buch erscheint unverändert in zweiter Auflage. Seine Gegenstände und Methoden blieben aktuell oder aktualisierbar. Die Gliederung: theoretisch-systematische Versuche zu Anfang, Bemühung um Texte im zweiten Teil, wurde deutlicher hervorgehoben. Gleichzeitig erscheint ein weiterer Band gesammelter Schriften unter dem Titel »Text und Theorie«.

München, Juli 1969   Hugo Kuhn

INHALT

I.

II.

ZUR DEUTUNG DER KÜNSTLERISCHEN FORM
DES MITTELALTERS

DAS INTERESSE UND VERSTÄNDNIS, das man heute ganz allgemein der mittelalterlichen Kunst entgegenbringt, stammt nicht in direkter Folge aus der deutsch-romantischen Wiederentdeckung des Mittelalters vor rund 150 Jahren[1]. Zwar haben die Wissenschaften den damals ergriffenen Gegenstand stetig weiter gefördert. Für das allgemeine Bewußtsein des 19. Jahrhunderts aber versank bald das romantische Bild vom Mittelalter, zusammen mit all den anderen Wunschbildern der Romantik, vor dem Andrang empirischer Realitäten. An seinem Ausgang träumte das 19. Jahrhundert höchstens von der Kultur und Kunst der Renaissance.

Erst die seit den neunziger Jahren sich stärker und stärker meldenden Zweifel an diesem Weltbild, die seither in der Katastrophe zweier Weltkriege grausame Bestätigung fanden, haben erneut das Interesse am Mittelalter heraufgeführt. Seit den zwanziger Jahren wurde es auch in der breiteren Öffentlichkeit Mode, verband sich mit der eigenen Unsicherheit zum Wunschbild religiöser, philosophischer, politischer Erneuerung. Das gilt in besonderem Maße auch für die mittelalterliche Kunst.

Die moderne *bildende Kunst* hatte sich seit Ende des 19. Jahrhunderts immer deutlicher von der perspektivisch-räumlichen und farblichen Illusion der Gegenstände abgewandt, die von der Renaissance bis zum Impressionismus ihre Formen bestimmte. Sie suchte eine neue, eine unmittelbare objektive Form, statt der Abbildungskunst eine Bedeutungskunst, wie sie vor allem der Expressionismus verwirklichen wollte, suchte nach neuen, objektiven Bindungen des Künstlers, suchte für das Werk nach einer Gemeinde, nach Wänden für ihre Bilder[2]. In der Kunst des Mittelalters aber sah man all das verwirklicht; hier waren Formen – in romanischen Miniaturen etwa und ebenso noch in spätgotischen Holzschnitten –, die ihrem religiösen Inhalt unmittelbar Ausdruck gaben, ohne Umweg über die perspektivisch-räumliche Illusion; hier war der Künstler noch in seiner 'Reihe', in der Bauhütte, der Zunft und ihrer Tradition eingeordnet; hier war das Publikum noch im wahrsten Sinne des Wortes Gemeinde. So begann man, die mittelalterliche Kunst fast wie etwas Zeitgenössisches aufzunehmen, und das hat sich seither bis in die breite Öffentlichkeit hinein durchgesetzt.

Anders jedoch wirkte sich die gleiche Tendenz bei der *Dichtung* aus. Auch sie hatte sich seit den achtziger Jahren revolutionär gegen Gefühl und Illusion gewandt, suchte verbindlichere Inhalte und 'objektivere' Formen. Aber sie hat sich dabei auch dem Mittelalter eher ab- als zugewandt, obwohl die mittelalterliche Dichtung nicht minder 'objektiv' formt als die bildende Kunst, wie etwa das vielleicht noch am stärksten wiederbelebte geistliche Spiel zeigen kann. Auch der Dichter ist im Mittelalter noch ganz gebunden in Traditionen seines Standes, als Geistlicher, Ritter, Bürger. Auch sein Publikum ist noch geschlossene 'Gemeinde', sei es im religiösen, sei es im ständischen oder gesellschaftlichen Sinn. Jedoch, was von der bildenden Kunst des Mittelalters aus der romantischen Entdeckung im 19. Jahrhundert lebendig geblieben war und in Illustrationen und Architektur dekorativ abgenutzt wurde, dem konnten die Revolutionäre am Ende des Jahrhunderts ein sozusagen frisch entdecktes Mittelalter entgegensetzen: statt 'gemütvoller' Bürgerlichkeit den kühnen 'Expressionismus' romanischer oder spätgotischer, die herbe Größe 'klassischer' Kunst des frühen 13. Jahrhunderts. Im Bereich der Dichtung blieben solche Neuentdeckungen fast ganz aus. Und es blieb vor allem auch der Impuls aus, den die mittelalterliche Form der bildenden Kunst gab – wenn man vom geistlichen Spiel absieht. Die mittelhochdeutsche Dichtung z. B. war doch im 19. Jahrhundert intensiver gekannt als heute. Sie schien seinem psychologischen Verständnis viel zugänglicher als die bildende Kunst des Mittelalters. Vor allem das Nibelungenlied wirkte wie ein Symbol dieser Auffassung, von der Romantik über Hebbel bis Richard Wagner, und noch am Beginn des ersten Weltkrieges stand das Wort von der Nibelungentreue. Gerade darum mag man sich heute von diesen Dichtungen, vom Nibelungenlied, Tristan, Parzival eher abgewandt haben; sie scheinen fast zu sehr mit dem '19. Jahrhundert' infiziert. Was aber in mittelalterlicher Dichtung, vor allem auch lateinischer, der heutigen Tendenz eher entsprechen würde, ist meist zu schwer zugänglich.

Fast entgegengesetzt verhält sich die moderne *Musik* zum Mittelalter. Gerade hier hat in den letzten Jahrzehnten die gleiche Wendung – die Wendung zu objektiven Formen, zur Erneuerung der Tradition und zur Erneuerung des Publikums als Gemeinde – immer breitere Kreise von der 'subjektiven' Musik des 19. Jahrhunderts abgezogen. Aber diese Tendenz erreicht hier das wirkliche Mittelalter überhaupt nicht. Sie inspiriert sich an der Musik des Barock, und es ist überaus charakteristisch, daß, um ein Bedürfnis nach 'mittelalterlicher' Form auch hier zu befriedigen, das Schlagwort von der 'gotischen' Kunst Bachs aufkam. Auch die in weite Kreise gedrungene Pflege alter Liedmusik reicht doch gerade nur bis an den Rand des Mittelalters, ins 16. Jahrhundert zurück, überschreitet also nicht einmal die Schwelle der modernen Dur-Moll-Tonalität. Wo der Versuch gemacht wird, wirklich mittelalterliche Musik öffentlich vorzuführen, wirkt sie – ganz im Gegensatz zu der liturgisch wiederbelebten gregorianischen Musik – meistens erschreckend durch ihre Richtungslosigkeit im Melodischen, durch den zugleich scharfen und weichen, gänzlich unaufgelösten Klang ihrer Mehrstimmigkeit.

Überblickt man so die moderne Stellung zur mittelalterlichen Kunst, Dichtung und Musik, so ergibt sich zweierlei. 1. Aus seiner eigenen Krise heraus sieht das moderne Bewußtsein in allen drei Künsten gleiche Grundelemente im Mittelalter noch ideal verwirklicht, die heute überall vermißt und neu gesucht werden: einmal ein anderes Verhältnis der Form zu ihrem Inhalt: die Objektivität der Form; zum zweiten ein anderes Verhältnis des Künstlers zum Werk: die Traditionalität; drittens ein anderes Verhältnis des Werks zu seinem Publikum: die Gemeinschaftsgebundenheit. Es sind ähnliche Wunschbilder, wie sie auch sonst die moderne Rückwendung zum Mittelalter bestimmen: Flucht aus der subjektiven Freiheit in objektive Bindung, aus Rationalität in irrationale Bedeutung, aus Bewußtseins-Philosophie in Ontologie, aus Immanenz in Transzendenz. Zeigt sich darin eine Überwindung der Neuzeit an? Ist es nur eine Flucht? 2. Diese Grundelemente aber erfassen das wirkliche, das geschichtliche Mittelalter in jeweils ganz verschiedener Weise: Wird bei der bildenden Kunst heute etwa die Gesamtheit der mittelalterlichen Entwicklung aufgenommen, von ihren romanischen Anfängen über die klassischen Werke des 12.–13. Jahrhunderts bis in die spätgotische Kunst, so scheint mindestens die volkssprachliche Dichtung des Mittelalters den modernen Tendenzen schon nicht mehr zu genügen, die Musik des Mittelalters aber wird umgekehrt mit ihnen noch nicht einmal erreicht.

So sieht sich die moderne gefühlsmäßige Anschauung von mittelalterlicher Form vor die historische Wahrheitsfrage gestellt. Was ist künstlerische Form im Mittelalter wirklich gewesen? Drei Haupteinwänden hat sie von da her standzuhalten.

Einmal: sind die Elemente der Objektivität, Traditionalität und Gemeinschaftsgebundenheit der Form nicht zu eng für die vielfältigen historischen Tatsachen mittelalterlicher Formen? Gelten sie für das ganze Mittelalter? Gibt es überhaupt 'mittelalterliche' Form? Von der Kunstgeschichte her wird uns der Blick geschärft für die wesensmäßigen Einschnitte in der mittelalterlichen Formentwicklung [3]. Ähnliche Epochen aber wie die der romanischen und gotischen Form gelten auch für die zwei anderen Künste, für Dichtung und Musik, ja für alle Gebiete mittelalterlichen Lebens [4]. Hat es überhaupt Sinn, gegenüber solcher Vielfalt im Flusse der Entwicklung von einem gleichbleibenden 'mittelalterlichen' Formcharakter zu sprechen?

Im Gegensatz dazu eine zweite Schwierigkeit: Die gleichen Grundelemente, die hier zu eng erscheinen, scheinen in anderer Beziehung zu weit. 'Objektive' Formen zeigen fast alle naiven, alle primitiven Epochen, von den Ägyptern an bis zur Kunst der Naturvölker. Nun teilt die mittelalterliche künstlerische Form sicher wesentliche Züge mit primitiven Frühstufen. DAGOBERT FREY zeigte eine weitgehende Übereinstimmung der mittelalterlichen Bildentwicklung auch mit der Entwicklung der Kinderzeichnung[5]. Zugleich aber trennt doch der allergrößte Abstand die mittelalterliche Kunst von jeder 'primitiven' – das braucht ja nicht weiter ausgeführt zu werden. Wie also bestimmen sich die *spezifisch* mittelalterlichen Formen jener allgemeinen 'Objektivität'?

Auch das dritte Problem kann nur mit einem Schlagwort angedeutet werden; es ist das der Analogie der drei Künste. Ihre Formen sind verschiedener Herkunft, sie haben verschiedenes Material, verschiedenes Handwerk, verschiedene Tradition – was ist ihnen gemein? Gewiß, die kultur- und geistesgeschichtlichen Hintergründe. Doch diese geben noch keine Form. Die 'wechselseitige Erhellung der Künste' hat bisher nur formale Analogien beigebracht, die eher eine Verdunkelung waren. Gibt es trotzdem gemeinsame Grundelemente der künstlerischen Form?

Für die rein historische Frage bleiben so die künstlerischen Formen des Mittelalters historische Tatsachen, die man zwar immer genauer zu differenzieren, zu gruppieren sucht – aber nur selten einheitlich zu deuten weiß[6]. Gerade darum steht hier immer die Vielfalt im Vordergrund, nicht die Einheit. Trotzdem kann keine historische Wissenschaft der allgemeinen Deutung entraten. Aber sie nimmt sie, versteckt oder offen, immer mit aus ihrem eigenen Zeitbewußtsein. So ist es auch für die mittelalterliche Kunst. Die modernen Tendenzen zu einer neuen Objektivität der Formen sind ja längst in vielfacher Gestalt auch in der wissenschaftlichen Arbeit am Mittelalter wirksam geworden[7].

Gibt es also für die historische Erkenntnis als Letztes dann doch nur jenen geistesgeschichtlichen Perspektivismus der Deutung, dem immer nur eine, uns zugewandte Seite der Vergangenheit sichtbar wird[8]? Muß unsere Erkenntnis vor der Gesamtheit der mittelalterlichen Wirklichkeit resignieren? Ich glaube nicht. Zwar sieht jeder, nach dem bekannten Bild, vom Würfel immer höchstens drei Flächen zugleich, die drei anderen bleiben abgewandt im Dunkeln. Aber, um im Bild zu bleiben: wenn es je einem menschlichen Geist gegeben wäre, alle sechs Flächen zugleich zu sehen – sähe er dann noch einen Würfel? Einzig die perspektivische Beschränkung auf einen 'Standpunkt' gibt doch unserer Vorstellung zugleich das geometrische *Konstruktionsprinzip,* das den Würfel, eben durch die perspektivische Sicht, für uns überhaupt erst zum Würfel macht. Nur durch die – in der Jugend unbewußt erlernte – perspektivische Ergänzung wird doch unser

Seh-Feld überhaupt erst zum Seh-Raum, in dem wir uns blind zwar auch bewegen, aber niemals exakte Wirklichkeit finden könnten.

Ohne Bild gesprochen: Die lebendige *Anschauung* der Vergangenheit nehmen wir alle, auch der Historiker, aus unserer Zeit, aus unserem Gefühl, aus unseren Tendenzen. Diese Anschauung aber bleibt, ohne Korrektur durch wissenschaftlich-historisch gewonnene *Begriffe,* blind; sie trifft die historischen Tatsachen nur so vage, wie die moderne Objektivitätsmode die mittelalterliche Kunst trifft. Umgekehrt aber bleiben die historischen Begriffe so lange leer, als wir sie nicht mit unseren zeitbedingten Anschauungen bewußt zu verbinden wagen. Wir müssen aus dem perspektivischen Relativismus der Standpunkte zu einem methodischen kritischen Selbstbewußtsein finden, das aus unserer zeitbedingten Anschauung eine perspektivische Ganzheit des Gegenstandes zu konstruieren wagt. Erst wenn wir historisch nicht mehr nur nach Tatsachen fragen [9], sondern jeweils zugleich nach unserem methodischen '*Konstruktions*'-*Prinzip ihrer Tatsächlichkeit,* dann, aber dann auch wirklich, vermitteln wir echte, lebendige und, wagen wir es zu sagen, absolute Erkenntnis. Fragen wir also in diesem Sinne: Was ist Mittelalter, was ist mittelalterliche Kunst? – so fragen wir zugleich nach uns. Und umgekehrt: Immer wenn wir nach uns fragen, müssen wir zugleich nach der *Richtigkeit* unserer Anschauungen, unserer historischen Wunschbilder, fragen.

Was enthält, so gesehen, das moderne Bild von der 'Objektivität' der mittelalterlichen künstlerischen Form? Was ist daran richtig? Wörtlich genommen ist es zunächst einmal ganz einseitig. Denn man kann mit ebensoviel Recht, wenn nicht mit größerem, die mittelalterliche Kunst wie früher subjektiv nennen gegenüber der neuzeitlichen. Die neuzeitliche bildende Kunst gibt doch erst wirkliche, greifbar und meßbar objektive Gegenstände wieder! Das ist z. B. der Sinn der Entdeckung der Linearperspektive. Die Freude an der perspektivischen Konstruktion, die von Mantegna bis in den Manierismus des Tintoretto hinein unmittelbar stilbildend wirkt, stammt aus der tieferen Freude über eine wirkliche Entdeckung der Welt und des Menschen in ihrer meßbaren Räumlichkeit – nicht anders als die Naturwissenschaft seit Galilei und die neuzeitliche Bewußtseinsphilosophie, die durch Kant dann ihre klassische Begründung erhielt. Ebenso gibt erst die neuzeitliche Dichtung 'wirkliche' menschliche Situationen, die neuzeitliche Musik 'wirkliche', nämlich auf ein einheitliches harmonisches Bezugssystem gesetzmäßig beziehbare Tonbewegungen.

Dieser *quantitativen,* meß- und greifbaren Objektivität der modernen Kunst hat die mittelalterliche allerdings eine andere, eine *qualitative* Objektivität voraus. Sie erreicht eine Unmittelbarkeit objektiver *Bedeutung,* die seit der Renaissance der Kunst verschlossen blieb. Aber sie erreicht dafür noch keine konkrete Wirklichkeit der Welt und des Menschen in Raum und Zeit. Sie bleibt typisierend, sie gibt 'Universalien' statt wirklicher Gegenstände, und gibt sie in willkürlich subjektiver Schematik. Das gilt für alle drei Künste in entsprechender Weise. Nicht also sind die mittelalterlichen künstlerischen Formen – wie die mittelalterlichen Lebens-Formen überhaupt – objektiv schlechthin, gegenüber subjektiver neuzeitlicher Form. Sondern sie sind anders objektiv als die neuzeitlichen. Heute versucht man allenthalben aus der neuzeitlichen Bewußtseins-Objektivität wieder zu entrinnen, nicht nur in der Kunst, sondern auch in der Philosophie, wofür die Existenzphilosophie ein Symptom ist, auch religiös, durch die Hinwendung zur 'objektiven' Liturgie usw. Gibt aber diese Rückwendung zum Mittelalter die Rettung, als die sie vielen erscheint?

Welcher Art ist genauer gesehen diese 'andere' Objektivität? Suchen wir sie zunächst in der bildenden Kunst auf. Die Architektur der Renaissance und des Barock drückt in ihrer Wandgliederung das architektonische Grundverhältnis von Last und Kraft sichtbar mit Hilfe jener Formen aus, die von der Antike stammen, insbesondere Säule und Gebälk. Sie werden zwar dekorativ verwendet, immer aber liegt ihnen dieses Verhältnis als rationales Zweckprinzip zugrunde, Ergebnis der Gegenüberstellung von berechnendem Subjekt und gegebenem Zweck. Und wenn sie, erst zu Ende des 19. Jahrhunderts, abgelöst werden durch Formen, die aus neuen technischen Möglichkeiten des Last-Kraft-Ausgleichs in der homogenen Baumasse gewonnen werden, so stammen auch diese Formen nur noch entschiedener aus zweckmäßig-rationaler Überlegung und geben keineswegs die Möglichkeit zu einer neuen Metaphysik des Raumes, an die manche glauben möchten.

Die Wandgliederung der Renaissance und des Barock, und damit auch der von ihr eingeschlossene Raum, bezieht nun auch ihren Maßstab ausdrücklich auf menschliches Maß. Geschieht das noch in der Renaissance im Sinne einfacher Proportionen, besonders gern durch Rechteck- und Kreismuster, Kassetten usw. maßstäblich sichtbar gemacht – so will der Barock zwar durch Übersteigerung ins Kolossale dem Raum jene Transzendenz wiedergeben, die er in der Renaissance eingebüßt hatte. Auch hier aber wird diese Transzendenz gerade dardurch gewonnen, daß man den Menschen, den Betrachter, in eine Sockelzone bannt, die ausdrücklich mit *seinem* Maß vergleichbar bleibt. Von ihr aus gemessen erst wird die 'kolossale' Übersteigerung der Säulen, Pilaster und Gebälke wirksam. Ebenso gewinnt der barocke Bau die 'gewaltige' Raumillusion durch raffinierte Verschleierung der wirklichen Raumverhältnisse, d. h. also wieder durch Übertreibung des vom Standpunkt des Beschauers aus Vergleichbaren. So entsteht dann der Eindruck von menschlicher Kleinheit und jenseitiger

Größe der Kirche und ihres Geschehens, den der Baumeister wollte und auch erreichte – freilich nur mit den Mitteln täuschender Illusion.

In einer mittelalterlichen Kirche, romanisch wie gotisch, wird man vergeblich nach Anhaltspunkten zum messenden Vergleich mit dem eigenen Maß suchen. Zwar hat ja mindestens der Altartisch notwendig menschliches Maß im Raum. Aber er steht hier ebenso wie der Beschauer außerhalb eines rationalen Maß-Verhältnisses zu Wandgliederung und Raum. Kein Sockel, kein Fenster, keine Verkröpfung, kein Absatz eines Pfeilers, auch keine Tür und kein Gestühl gibt im romanischen oder gotischen Bauwerk einen subjektiven Vergleichsmaßstab ab – sogar da nicht, wo antike Formen auftauchen. Der Raum ist hier für den Beschauer immer unverhältnismäßig, d. h. sowohl zu groß als zu klein. Es ist charakteristisch, daß in romanischer wie gotischer Zeit die gleichen Architekturformen für größten wie kleinsten Maßstab, etwa als Konsolen, Sakramentshäuschen, Chorgestühl u. dgl. Verwendung finden. Wie unleidlich verändern moderne, maßstäblich bestimmte Gestühle die mittelalterlichen Kirchenräume!

Das meint keineswegs, daß mittelalterliche Bauten, Werke von Menschenhand, des menschlichen Maßes entbehrten wie etwa Naturgegenstände, Bäume, Felsen usw. Das menschliche Maß geht auch in sie als Grundmaß ein, nicht anders als bei der antiken und neuzeitlichen Architektur. Aber es ist im Mittelalter nicht im Sinne starrer, simultaner Proportionen zugrunde gelegt, die, auf den gegenüberstehenden Beschauer berechnet, überwiegend quantitativ erlebt werden. Sondern es stammt hier aus den undistanzierteren, ursprünglicheren, aber auch noch willkürlicheren Beziehungen des Raum-Bewegungsgefühls, wirkt in rhythmischen, sukzessiven Abläufen. Sie lassen sich noch nicht wie bei der neuzeitlichen Architektur auf rein quantitative Distanzerlebnisse zurückführen, deren davon losgelöster *Zweck* dann die 'Bedeutung' des Raumes wäre – sie bleiben selbst vermischt mit der 'Qualität' von Bewegungs-Vollzügen.

Sind also diese mittelalterlichen Räume noch nicht maßstäblich auf den Beschauer bezogen, so doch in anderer Weise. Zunächst zieht ihn die rhythmische Pfeiler- oder Säulenfolge nach der Tiefe zu unmittelbar in den Raum hinein, nimmt sein tätiges Hineinschreiten vorweg – romanisch oft durch rhythmischen Stützenwechsel, gotisch durch die Aufgliederung der Stützen betont. Nach der Höhe zu aber führt der ebenso rhythmisch, nicht proportional maßstäblich bestimmte Last-Kraft-Aufbau. Im romanischen Bau ist es ein Aufsteigen homogener Massen: Stützenzone, Wandzone, Fensterzone, Decke – vielfach durch Lisenen, Rundbogenfriese und Zwerggalerien als Aufsteigen und Ausschwingen symbolisch geleitet, durch Bildschmuck und plastische Zier mit symbolischem Inhalt erfüllt. Im gotischen Bau aber sind diese Kraft-Leitlinien nicht mehr nur 'symbolisch' der Mauersubstanz aufgeprägt, sondern nun ganz real selbst gebaut: die Mauer selbst ist auf-

gelöst in Strukturteile und -schichten, die Kraftlinien steigen als Dienste
und Verstrebungen von unten auf bis ins Gewölbe, indes die funktionslos
gewordene Wand sich in die immaterielle Transzendenz bemalter Glasfen-
ster auflöst. Nicht dem gegenüberstehenden Betrachter, sondern dem unmittelbar Mithandelnden sprechen diese mittelalterlichen Räume. So bauen
sie ihre vorwiegend religiöse Funktion 'qualitativ' objektiv auf: als Räume
eines wesentlich sakramentalen Vollzugs, der nicht nur im Meßopfer, sondern auch in den mehr als heute wichtigen prozessionsförmigen Handlungen vor sich geht. Vollzugskunst statt Beschauerkunst, Vollzugsraum
statt Beschauerraum enthalten ebenso die mittelalterlichen Plastiken und
Bilder. Nicht umsonst bleibt ja mittelalterliche Plastik, auch im klassischen
12. Jahrhundert, immer an die Architektur angelehnt, bleibt sie Gewand-
plastik. Sie will nicht frei plastisch im Betrachterraum stehen, sondern sie
schafft den Raum, indem sie seinen architektonischen Vollzug in den Leitlinien ihrer Falten inhaltlich tätig aufnimmt: noch magisch-symbolisch in
sich kreisend in den Faltenlinien romanischer Figuren und Bilder, realistischer plastisch ausschwingend in den S-Linien, Haarnadelfalten usw. der
Gotik. Und auch die sogenannte 'kontinuierende Darstellung' mittelalterlicher Buch-, Wand- und Tafelbilder, in der zeitlich und örtlich verschiedene Vorgänge auf *einer* Bild-Fläche erscheinen, hat ganz ebenso den
Grund, daß diese Bilder nicht als nachmeßbarer Fensterausschnitt 'betrachtet' sein wollen, sondern vollziehend 'gelesen'. Alle mittelalterliche
bildende Kunst weiß noch nichts von dem einheitlichen, auf einen gegenüberstehenden Betrachter bezogenen Raum der Neuzeit. Sie enthält einen
sozusagen zeithaltigen Raum, einen Raum, der zeitlich-tätig vollzogen werden will.

Diese Unterscheidung stellt zunächst nur fest, gibt noch keine Erklärung.
Ja, der heute oft gepriesene Zusammenhang der mittelalterlichen Form mit
ihrem religiösen 'Zweck' erschwert mehr die Einsicht als er sie erleichtert.
Wir wollen ihr deshalb auf einem anderen, noch kaum in diese Diskussion
gezogenen Gebiet näher zu kommen suchen.

Im 12. Jahrhundert entstand in der Provence eine ritterliche Lyrik, deren
Inhalte und Formen sich, für Jahrhunderte vorbildlich, über ganz Europa
ausbreiteten: der Minnesang. Auch er ist so wenig 'Lyrik' in unserem Sinne
wie mittelalterliche Bilder 'Kunst' sind. Diese Gedichte sind Lieder, Kunst-
lieder, der Dichter war zugleich Erfinder der Melodie. Jedoch nicht Kunst-
lieder in der Weise, daß die 'durchkomponierte' Musik alle Nuancen der
Empfindung und der Stimmung des Gedichtes auszukosten weiß wie etwa
bei Hugo Wolf. Auch nicht Lieder im Sinne neuzeitlich objektiver Formen
wie etwa der protestantische Choral. Sondern es sind, wie hier im einzelnen
zu zeigen nicht möglich ist, ebenfalls Formen eines räumlich-zeitlichen Voll-

zugs der gedanklich, sprachlich, metrisch und musikalisch nebeneinander gespannten Struktur[10].

Ihrem Inhalt nach sind es Liebeslieder, und sie tragen den Ton der persönlichsten, erlebnisunmittelbarsten Aussprache der Empfindung. Eben darum wirkt es geradezu bestürzend, wenn man dann feststellen muß, daß diese Liebesbekenntnisse in Wahrheit konventionelle, tausendfach wiederholte und variierte Formeln sind.

Wie löst sich das Rätsel? Um Inhalt und Form zugleich zu erklären, müssen wir den *Charakter dieser Liebe* etwas näher ins Auge fassen. Sie richtet sich nie an Mädchen, und auch die eigene Ehefrau bleibt satzungsgemäß ausgeschlossen; die 'Minne' gilt immer der Frau eines anderen. Diese Liebe aber ist immer unerfüllt, unglücklich, Liebesklage. Nicht eigentlich, um den Ehebruch, der in der Erhörung läge, zu vermeiden. Er ist überhaupt kein Problem; Minne und Ehe liegen in ganz verschiedenen, nicht zusammenhängenden Schichten der gleichen Menschen. Aber auch wo der Minnesänger das Glück heimlich genossener Liebeserfüllung besingen will, erfaßt er es nur beim Abschied, beim Leid der Trennung: es ist die Situation des Tagelieds, die sich noch in Shakespeares »Romeo und Julia« lebendig findet. In all den Liedern des *trûrens,* der Klage über unerhörte Liebe, sublimiert sich jedoch das Liebesleid auch nicht zu einer einheitlichen Situation, Stimmung, Empfindung – geschweige zur Einsicht in eine höhere Liebesnotwendigkeit der Entsagung wie in Goethes tiefsten Liebesgedichten oder bei Rilke. Sondern es äußert sich doch immer nur als Bitte, ja Forderung der körperlichen Liebesvereinigung, des körperlichen *Vollzugs* der Liebe.

Darin nun liegt bereits die Antwort auf das Rätsel dieser Dichtung. Dem Minnesänger *ist* die Liebe noch gar nicht ein Schatz subjektiver Empfindungen, die er, glücklich oder unglücklich, aussagen könnte wie all die Dichter seit der Renaissance. Sondern sie ist ihm noch ausschließlich Zwang zum Vollzug, und das heißt eben zum körperlichen Vollzug. Wo aber dieser Vollzug erlangt würde, da ginge entweder das Ich gleichsam darin unter; es verschmölze mit seinem Objekt zu einem neuen Doppelwesen, das durch die Institution der Ehe in die Wirklichkeit von Kirche, Arbeit, Stand und Staat eingeordnet würde. Darum schließt sich für den Minnesänger die eheliche Liebe aus. Erhält sich aber das Ich beim Vollzug die Aussage, in freier Liebesvereinigung also, dann bleibt dieser Vollzug nur ganz einseitig bestimmt: als voluptas, die den Partner nur zum Werkzeug der eigenen Lust gebraucht. So ist es in der Tat überall da, wo im Mittelalter die *glückliche* Liebe gedichtet wird: mit den aus der Antike, aus Ovid vererbten Mitteln erscheint sie rein als voluptas von den lateinischen Gedichten der Carmina burana und den französischen Pastourellen an bis zum Decamerone. So wirkt die Liebe zum größten Teil auch in der älteren arabischen Minne-

dichtung, mit der der europäische Minnesang sonst wesentliche Züge gemein hat. Erst die provenzalischen Trobadores haben jene Liebesdichtung
gefunden, die zwar die Liebe auch noch nicht anders zu fassen weiß denn
als körperlichen Vollzug, aber nun als negativen: als Vollzug der Entbehrung. Diese Liebesdichtung erst hält die Geliebte, die Frau, in einer echten,
ethisch wertvollen Beziehung fest, ja erhöht sie zum Symbol der Standes-
kultur des internationalen Rittertums – wenn man nicht Platons Gastmahl
und christliche Gottesliebe als Vorbild ansehen will[11]. Denn auch dort erscheint die höchste Liebe nur als Entbehrung, als Nichtbesitz, als Leid.
Spezifisch mittelalterlich jedoch realisiert der Minnesang diese Einsicht nur
in der Form des konkreten Vollzugs. Diese Entbehrungsklage, die als 'Dienst'
vollziehbar gewordene dauernde Liebesbindung ist, stellt sich dann aber
als gesellschaftliche Zentralform in die Mitte der ganzen ritterlich-höfischen
Kultur; der Minnedienst, der Frauendienst wird zur höchsten, ganz ins
freie, freiwillige Spiel sublimierten Gestalt der ritterlich-höfischen Lebensform überhaupt, des Lehensdienstes.

Das Minnelied sagt also nicht die subjektive, persönliche Liebe selbst.
Sondern die Liebe ist hier ja nichts als Vollzug. Minnesang meint nicht
Rede zur Geliebten über erlebte Liebe, so sehr es auch auf den ersten Blick
so aussehen kann. Sondern seine Anknüpfungen und Wendungen, seinen Sitz
im Leben und seine Geschichte versteht nur, wer genauer sieht. Minnesang ist immer nur Rede zur höfischen Gesellschaft über die höfische Rolle
der Liebe, die in der Form des persönlichen Dienstes dargestellt und vollzogen wird. Die Paradoxien des Minnesangs – Glück durch Leid, Sittlich-
keit durch 'Ehebruch', gesellschaftliche Bindung durch den gesellschaftlichen Betrug verheimlichter Liebesbeziehungen – diese Paradoxien stabi-
lisieren den Urzwang der Geschlechter zueinander, noch ohne jede Subli-
mierung ins Geistige, ins Gefühl, rein als 'negativen' Vollzug, als Dienst-
Leistung, und machen ihn so zur Zentralfigur der realen Lebens-Bindungen
der ritterlich-höfischen Welt.

So sind im Minnesang Inhalt und Form überaus eng verbunden, ja sie
sind geradezu identisch. Und damit stoßen wir auf den tieferen Grund für
die Objektivität der mittelalterlichen Form überhaupt. Sie ist auch in der
Kunst nicht deshalb so objektiv, weil sie einen objektiveren (etwa religiösen)
Inhalt darzustellen hätte als heute. Das Minnelied hat ja überhaupt noch
keinen Inhalt im eigentlichen Sinn, den es darstellen könnte, hat noch gar
nicht die Liebe, das Gefühl der Liebe, zur Aussage, sondern es baut im
Vollzug seiner metrisch-musikalischen Formstruktur die Liebe auf als Minne-
Dienst, als höchste, fast kultische Vollzugsform seiner ständischen Umwelt.
Sein Vollzug fällt also mit seinem Inhalt zusammen, weil dieser Inhalt selbst
nichts anderes als Vollzug ist, ritterlich-höfische Dienst-Form, ständischer
Kult, wenn man so will.

Damit enthält diese Form, wie die Kunst im Mittelalter überhaupt, eine substanzielle Dichte, eine objektive Intensität der Liebesbindung, wie sie kein neuzeitliches Gedicht, das Subjekt und Objekt, Form und Inhalt trennen muß, jemals wieder erreichen kann. Diese Objektivität geht jedoch, wie hier zugleich deutlich wird, auf Kosten des Inhaltes. Denn die Liebe als solcher Dienst-Vollzug setzt zwar zum erstenmal zwischen Mann und Frau eine wirkliche Bindung – die um so objektivere, fast metaphysische Realität enthält, je unpersönlicher sie ist. Sie bleibt so nur eben auch ganz unpersönlich, ganz schematisch. Noch nicht Ich und Du, einmalige Personen, haben sich hier in der Liebe erkannt. Darum behält auch diese 'Minne' noch etwas Starres, etwas Unmenschliches, bleibt reiner physischer Liebeszwang. Die Geliebte wird immer nur als Ziel des Liebesvollzugs sichtbar, sie ist noch nicht unverwechselbare Person, um ihrer selbst willen geliebt. Und die Liebe vermag auch den Liebenden noch nicht zusammenzuschmelzen zur Einheit und Ganzheit der Person. Die 'hohe Minne' besteht für ihn sozusagen nur während des Vollzugs ihrer Form und nur, soweit der Sänger Glied der ritterlich-höfischen Gesellschaft ist. Es gibt andere Stände, die nicht daran teilhaben, wie die Bauern; ihnen gegenüber erlaubt darum eine besondere ritterliche Dichtungsgattung, die Pastourelle, alle Motive der voluptas-Liebe. Und es gibt mannigfache andere Schichten im Ritter selbst, die von dieser ethisch sublimierten Dienstform nicht getroffen werden. Das spätere Mittelalter bildet diese Mehrschichtigkeit und den immer radikaleren Gegensatz der verschiedenen Schichten, der religiösen, der ständisch-politischen, der ständisch-spielerischen, der privaten Existenz, mit stärkstem Naturalismus heraus – nicht anders als die mittelalterliche Motette Texte ganz verschiedener Form, verschiedenen Inhalts, ja verschiedener Sprache zu einem nur im Vollzug einheitlichen Ganzen vereinigt.

Damit haben wir uns schon dem Ziel unserer Erörterung genähert. Es ist hier nicht möglich, die gleichen Zusammenhänge auch für andere Bereiche, etwa das höfische Epos, die lateinische Literatur, die Musik des Mittelalters ausdrücklich zu entwickeln. So bleiben nur kurz einige allgemeine Schlüsse zu ziehen.

Wenn wir am Minnesang eine mittelalterlich 'objektive' Form aus ihrem Inhalt als Vollzugsform verstanden haben – weil ihr 'Inhalt', die Geschlechterliebe, hier als Nicht-Besitz objektiv vollziehbarer 'Dienst' geworden ist – so leuchtet die Analogie unmittelbar ein, die diese weltliche Lebensform und Gesellschaftskultur mit dem religiösen Bereich verbindet. *Die* Liebe, die im höchsten und weitesten Sinn sich 'negativ', d. h. in unaufhörlichem Dienst nur *vollziehen* kann und muß, weil ihr Gegenstand *nie* Besitz werden kann, ist die Liebe zu Gott. Christus als Bräutigam der nicht Besitzenden, der Jungfrauen – so zieht es sich als noch ganz konkret-sinnliche Dienstfigur denn auch mit immer wieder erneuter Intensität durch das ganze Mittelalter.

In diesem Zusammenhang liegt nun zugleich die Erklärung für die metaphysische Räumlichkeit aller mittelalterlichen Kunst. Noch stehen ja für uns mittelalterlicher Vollzugsraum und neuzeitlicher Beschauerraum sozusagen ungewertet sich gegenüber. Nun ist aber auch der Raum seinem Wesen nach das Nichtfaßbare, ja Nicht-seiende 'zwischen' den Wänden, 'zwischen' den Dingen – nicht die Luft zwischen ihnen, sondern recht eigentlich ein wirkendes 'Nichts'. Der Raum ist, abstrakt gesprochen, der selbst nichtseiende Ort alles Seienden, der doch allem sein Sein zuweist und möglich macht. Das zieht sich von Aristoteles' Bestimmung des Raumes als $\mu\eta \; \delta\nu$ durch die philosophischen Definitionen bis hin zu Kants Raum als Form der subjektiven »reinen Anschauung«.

Gott selbst aber – wie ihn auch die mittelalterliche Vereinigung von Christentum und antiker Philosophie zu erfassen sucht – ist der Unsichtbare oder recht eigentlich der nie Erscheinende, der nie Seiende: weil er das Sein selbst ist. Wird Gott darum nur wirksam, je mehr ich das irdische Entbehren, das Nichthaben seiner selbst als Dienst vollziehe[12] – und zugleich mich als von ihm Erkannten erkenne, wie es Augustin am entschiedensten formuliert hat –, so erhält auch der ganz ebenso vollzogene mittelalterliche Raum eine unmittelbar metaphysische Qualität: er wird zum Ort, zum Vollzug Gottes selbst. Daher die *Räumlichkeit* der Bau- und Bildwerke, aber auch der Wortkunst und der Musik im Mittelalter: direkt begründet im religiösen Bereich, analog dazu in den weltlichen Lebensgebieten. Ein auf den Betrachter, auf das Subjekt bezogener Raum kann gewiß mehr Gefühl und Bedeutung enthalten – objektiv aber bleibt er immer nur Illusion, kein $\mu\eta \; \delta\nu$, sondern ein $o\dot{\nu}\varkappa \; \delta\nu$, ein objektives Nichts. Darum gibt es seit der Renaissance auch in der Kunst keine objektive Räumlichkeit mehr. Seither enthält der Raum hier wie in der Philosophie den mißlichen Akzent der Illusion.

Der religiöse Vollzug und der Raum der religiösen Kunst halten so unter den mittelalterlichen Formen die stärksten Kräfte fest. Sie fassen das *ganze Sein,* ihr Vollzug enthält *alle Menschen* als *Gemeinde,* und sie haben sich denn auch am stärksten lebendig bewahrt, im religiösen Kult sogar unmittelbar bis heute.

Alle anderen mittelalterlichen Formen stehen in Analogie zu ihnen, sind aber beschränkter, betreffen nur einen Ausschnitt des Seins und der Welt – so wie der Minnedienst und Minnesang eine kultische Analogie zum religiösen Dienst darstellt, aber nur für einen beschränkten Kreis des Seins und eine ständisch beschränkte 'Gemeinde'. Aber es muß betont werden: solche Analogie hat nur in den seltensten Fällen etwas zu tun mit religiöser Deutung und Durchdringung dieser Formen. Ein 'Gradualismus' in solchem

Sinne, eine bewußte 'Frömmigkeit' der weltlichen Lebensformen aus dem Bewußtsein ihrer religiösen Analogie heraus ist im frühen und hohen Mittelalter kaum jemals beabsichtigt worden – und zum Glück, denn sonst wären diese Lebensformen und Dichtungen nicht die Kunstwerke, die sie sind. Die Analogie der Vollzugsformen, die durch das ganze mittelalterliche Sein hindurchgeht, bleibt zwar durchaus nicht unbewußt. Sie bildet ganz im Gegenteil sogar den Leitgedanken der höfischen Epik z. B. bei Chrestien von Troyes wie Hartmann von Aue und Wolfram von Eschenbach und fast blasphemisch benutzt im Tristan Gottfrieds von Straßburg. Immer aber bedeutet das nur eine Analogie der Formen, nie einen direkt religiösen Sinn des ritterlichen Lebensbereiches. Es sei nur noch einmal an die Paradoxien des Minnesangs erinnert, die ja die inhaltliche Abschließung der formal analogen Lebensbereiche Religion und Rittertum fast mit Absicht pflegten. Allgemeiner gesagt: die formale Analogie-Einheit der Welten schließt im Mittelalter eine Sinn-Einheit der Welt, der verschiedenen Weltdinge, fast zwangsläufig aus. Auch der religiöse Vollzug selbst ist ja dem Mittelalter in seiner *Bedeutung* nicht abhebbar bewußt – das gilt noch bis in die philosophische Metaphysik hinein –, auch er wird nur im sakramentalen Vollzug als höchster Form fast 'magisch' realisiert.

Auch im eigentlich religiösen Bereich bedeutet so die mittelalterliche Vollzugswirklichkeit doch auch eine Einschränkung des Sinnes. Gott ist zwar im Mittelalter mit fast magischem Zwang in seinem Dienst gegenwärtig. Was aber Augustin z. B. nicht minder als Vollzug erfaßt, zugleich jedoch auch als Erkenntnis jenseits des Vollzugs realisiert hatte, das versteht das ganze Mittelalter, schon seit Gregor dem Großen, letzten Endes nur naiv realistisch, barbarisiert. Das gleiche gilt für das Verständnis der antiken Philosophie. Noch bis in die Gipfel mittelalterlicher Metaphysik hinein bleibt diese Beschränkung sichtbar; auch sie hat als Weltform stärkere Substanz denn als Welterkenntnis. Die Scholastik setzt das Sein aller Dinge in die 'Universalien', die Art- und Gattungsbegriffe als Seinsformen – mögen diese mit den Realisten als substanziell oder mit den Nominalisten als substanzlos zu gelten haben. Diese Universalien nun sind wie der Raum eine reine Ordnung, sind nicht-seiendes Sein; und zu Recht. Daß jedoch auch sie nicht in unmittelbarer, platonisch-augustinischer Begründung auf das Seiende bezogen werden, sondern wie der mittelalterliche Raum nur vollzogen werden können, vollzogen in aristotelischem Abstraktionsverfahren – das bleibt im letzten Sinne ein entscheidender Mangel des mittelalterlichen Seinsbewußtseins. Ganz allgemein gilt für das Mittelalter: der fast magischen Intensität seiner Räume und Vollzugsformen steht überall ein Mangel an Inhalt und Wirklichkeitsbegründung gegenüber – ein allzu naiver Optimismus und Schematismus der Verbindung von Zeit und Unendlichkeit, von Weltreich und Gottesreich, von Wirklichkeit und Begriff.

Wenn heute viele bewundernd und verlangend zur mittelalterlichen Objektivität der Formen, zur mittelalterlichen Substanz der Räume und Vollzüge zurückblicken, so dürften sie doch zugleich diesen fast prinzipiellen Mangel an begründeter Wirklichkeit im Mittelalter nie vergessen. Unsere Formen können, trotz aller Katastrophen, nur aus den neuzeitlichen Voraussetzungen heraus weiterentwickelt werden – gerade wenn sie wieder neu 'objektiv' werden sollen.

STRUKTUR UND FORMENSPRACHE IN DICHTUNG
UND KUNST

DIE VERGLEICHENDE BETRACHTUNG VON WERKEN der Kunst und der Dichtung wirkt auf viele Forscher heute so anziehend wie je. Aber sie hat ebensoviele Gegner, darunter so temperamentvolle wie E. R. CURTIUS. Das liegt daran, daß man noch nicht klar gefragt hat, was hier Vergleichen heißt und was man vergleichen kann.

Man muß beim Vergleich von Kunst und Literatur, wie ich glaube, mindestens drei Schichten oder Vorgänge im Werk unterscheiden. Erstens das *Vorgegebene,* also einerseits alles was *Inhalt* des Werks heißen kann: Gegenstand (Ikonographie), Vorwurf, Motiv, Stoff, auch den Bau-Zweck in der Architektur; andrerseits aber auch alles Psychische, Soziale, Geschichtliche, das durch die Person und Zeit des *Künstlers* ins Werk eingeht.

Zweitens die Form im engeren Sinn, die *Formensprache,* d. h. das was der Künstler in dem besonderen Medium seiner Kunst erfindet, also: Sprachklänge und Vorstellungen in Worten und Sätzen (= Dichtung), Striche und Farben auf Leinwand, Papier usw. (= Malerei), sogar wirkliche Raumteile und Raumbegrenzungen aus Stein usw. (= Architektur). Die so erfundenen Formen beziehen sich gewiß meistens 'nachahmend' auf Gegenstände (Motive, Inhalte, Bau-Bilder[1] usw.). Aber *vorher,* d. h. *bevor* man die Formen als gelungene oder mißlungene Nachahmung beurteilen kann, muß die Übertragung in eines jener Medien erfolgen (Sprache, Farbe, Raumform usw.), die im Grunde, gegenüber dem wirklichen Gegenstand, ganz künstlich, ganz abstrakt sind (wie die Sprache gegenüber den Sachen, Papier und Farbe zur Bezeichnung von Gegenständen im Raum usw.)[2]. Diese Übertragung muß man 'können'[3]. Jedes Form-Material hat seine Gesetze.

Auf den Stoff, den Gegenstand usw. bezieht sich die besondere Formensprache jeder Kunst erst in einer dritten Schicht des Werks zurück. Ich möchte sie Form im weiteren Sinn nennen oder *Gestalt.* Hierher gehört auch die 'Nachahmung'. Aber beim Umweg über jene künstlichen, abstrakten Medien der zweiten Schicht erweitert sich das Nachahmen, weit über bloßes Abbilden hinaus. Es wird zum bedeutungsvollen, sinngebenden Gestalten. Das ist die eigentliche Leistung des dichterischen und künstlerischen Werks. In Antike, Mittelalter und bis zum 18. Jahrhundert beurteilte man sie gegenständlich-objektiv. Seit der Romantik hat man sie der Subjektivität des Künstlers zugeschrieben. Im Gegenschlag dazu versucht man sie heute wieder möglichst objektivistisch zu sehen: ihre konsequenteste, aber auch gefährlichste Theorie gibt heute vielleicht MARTIN HEIDEGGER; er sieht in dieser Leistung den Prozeß der Wahrheit, des Seins selbst am Werk.

Man darf die drei Schichten des Werks natürlich nicht mißverstehen als getrennte Bestandteile oder gar als Stufen im psychologischen Schaffen des Künstlers und Dichters. Sie sind nur zusammen und zugleich greifbar. Oder genauer: die eigentliche Tätigkeit des Künstlers und des Dichters, die Übertragung in jene Form-Medien der zweiten Schicht, enthält und meint immer auch die erste und dritte. Aber wir müssen sie *unterscheiden,* wenn wir klar fragen wollen, was Vergleichen von Kunst und Dichtung heißt – ganz abgesehen von den ästhetischen Problemen, die hier beiseite bleiben können.

Was kann man also vergleichen? Die erste Schicht? Innen- und Umwelt des Künstlers und Dichters, die hier ins Werk eingehen, sind nicht vergleichbar, denn sie sind *identisch;* identisch sogar mit der Welt aller andern Menschen. Natürlich wählt jeder Künstler und jeder Dichter Teile aus der gemeinsamen Welt aus, generell und individuell, nach seiner Veranlagung, seiner Zeit, seinem Wissen und Glauben, und Form-spezifisch, gemäß dem besonderen Medium seiner Kunst: der bildende Künstler das Sichtbare, der Dichter das Vorstellbare usw. Aber diese Auswahl beurteilt sich dann schon von der zweiten und dritten Schicht aus. Der Stoff wird in der Form und Gestalt verzehrt – die ständige Fehlerquelle naiver Stoffuntersuchungen! Hierher gehören im Grunde auch die geistesgeschichtlichen Vergleiche von Kunst und Literatur: sie bekommen als bloße Ideen- oder Bewußtseinsgeschichte nur das Stoffliche im Werk zu fassen, das doch durch Form und Gestalt umgewandelt wird.

Was vergleicht man in der zweiten Schicht? Die Form-Erfindung, die Formensprache. Hier gibt es gewiß Ähnlichkeiten. Architektur kann malerisch wirken oder sogar a-tektonisch (wie im Spätbarock), Malerei und Dichtung plastisch oder tektonisch (wie in der italienischen Hochrenaissance). Man sieht, wir handeln hier vom Hauptgebiet des Stilvergleichs, genauer von WÖLFFLINS berühmten »Grundbegriffen«. Aber auch die anderen Stilbegriffe im engeren Sinn gehören hierher (auch Epochenbegriffe wie 'gotisch' oder 'barock' und Übertragungen wie 'spätgotischer Barock' usw.). – 'Malerisch' bedeutet nun gewiß auch in der Malerei eine extreme, aber zeitgebundene Möglichkeit, ein Stilphänomen neben anderen. Zugleich aber ist 'malerisch' in der Malerei doch alles technisch und künstlerisch dort Mögliche, auch der 'plastische', 'lineare' Stil usw. In der Architektur oder der Dichtung ist es – eine Metapher. Sie kann Nuancen architektonischer oder dichterischer Möglichkeiten sekundär, impressionistisch, metaphorisch beschreiben (das war zum Teil auch Wölfflins Absicht). Die genuinen Form-Absichten und Form-Möglichkeiten der Architektur oder der Dichtung kann sie aber niemals treffen. Welch langen Kampf mußte im 18. Jahrhundert die Poesie führen um ihre Befreiung aus der Malerei, welchen Kampf führt noch heute die Malerei gegen das 'Poetische', das Illustrative, literarisch Erzählende aus dem 19. Jahrhundert!

Das weiß natürlich die Stilvergleichung auch. Sie *mußte* deshalb das eigentlich Vergleichbare der Stil-Metaphern in psychologischen, soziologischen, geistesgeschichtlichen Voraussetzungen der Stile vermuten (wie auch Wölfflins »Anschauungsform« letzten Endes)[4]: le style c'est l'homme. Damit aber verläßt sie die Formensprache und kehrt zurück in die erste Schicht, die vorgegebene Innen- und Umwelt des Künstlers. Das dort Gesagte gilt dann auch hier.

Freilich, die Formensprache des Werks ist gewiß kein autonomer Bereich. Neben dem 'Wollen' und 'Können' des besonderen Mediums (Farbe, Sprache usw.) wirken auch hier andere und weitergreifende Tendenzen, Gegenwirkungen, Stil-Brüche[5]. Diese Wandlungen begreift man nicht aus der Formensprache selbst, aber auch nicht aus der ersten Schicht, den stofflichen oder geistesgeschichtlichen Voraussetzungen. Hier verwandelt sich die *Leistung* des Werks, die Auffassung und die Absicht der *Gestalt*.

Erlaubt diese dritte Schicht echte Vergleiche? Eine neue »Kunst-« oder »Dichtungswissenschaft« bemüht sich um sie. Soweit sie nicht in einem punktuellen und herumtastenden Interpretieren-um-jeden-Preis stecken bleibt, *vergleicht* sie aber nicht mehr, sondern sie *systematisiert* die Leistung von Kunst und Poesie. Denn diese Leistung, die sinngebende Aussage von Seins-Gestalt, kann man nicht mehr einfach vergleichen. Man muß sie *verstehen,* d. h. systematisch einordnen in den Sinn der Kultur, der Epochen, des Seins überhaupt.

Wir schließen: In der ersten Schicht, der des gegebenen Stoffes, herrscht Identität, nicht Vergleichbarkeit. Die zweite Schicht, die der Form-Erfindung, enthält im Grunde Unvergleichbares. In der dritten Schicht, der gestaltenden Leistung, tritt systematische Zuordnung an die Stelle des Vergleichs. Ergebnis also: man kann überhaupt nicht vergleichen? Das wäre ein falscher Schluß. Ihm widerspricht schon die Tatsache, daß auch die Geistesgeschichte, die Stilgeschichte und die Gestaltwissenschaft, so wenig klar ihre Voraussetzungen waren, doch überall fruchtbare Ergebnisse beim Vergleich von Kunst und Dichtung erzielten, daß sie fruchtbar und notwendig wirkten für biographische, zeit- und motivgeschichtliche Einzelprobleme, zur Epochenbestimmung, für die Kunst- und Dichtungsästhetik und für die Erkenntnis ihres systematischen Zusammenhangs. Nur genügt es nicht, von einer Schicht ausgehend die Einheit der drei Schichten im Kunstwerk bloß stillschweigend vorauszusetzen. Sie wird dabei zu leicht verfehlt. Man darf nicht deskriptiv mehr oder weniger wesentliche Außenseiten von Kunst und Dichtung vergleichen, noch weniger 'interessante' Aspekte durch den Vergleich erst schaffen. Sondern es gilt *die Ansichten* vom künstlerischen und dichterischen Werk zu gewinnen, die die Identität des stofflich Gegebenen (erste Schicht), die Besonderheit der Formensprachen (zweite Schicht) und den systematischen Sinn der Gestaltungen (dritte Schicht) *ausdrücklich und bewußt vereinigen.* Damit hat man auch die *Qualität,* den dichterischen und künstlerischen Wert erst mit in den Blick genommen. Ohne ihn bleibt jeder Vergleich überhaupt nur eine sekundäre Spielerei.

Eine solche Ansicht ist das, was Goethe, etwas psychologisch zwar und schwer greifbar, die »Konzeption« nennt [6]. Dasselbe möchte ich mit einem allgemeineren, aber auch ganz vorläufigen Begriff *Struktur* nennen. (Das Wort ist auch nur eine Metapher aus der Architektur, aber die falschen Übertragungen lassen sich nun leicht vermeiden.) [7] Statt theoretischer Deduktionen aber möchte ich lieber an einem Beispiel aus dem Mittelalter andeuten, was hier gemeint sein soll und gemeint sein kann.

Man rühmt seit je Chrétien de Troyes als Schöpfer oder mindestens Vollender des höfischen Epos des Hochmittelalters. Chrétiens Romane werden nun in der Regel verstanden als unterhaltende Darstellung der feudalen Ideologie (erste Schicht): eine bunte Reihe von Episoden, die sich am Bande der ritterlich-galanten Aventiure aufreihen. Sieht man jedoch diese Episodenfolge z. B. in seinem ersten erhaltenen Werk, dem Erec, sorgfältiger an, so entdeckt man darin eine ziemlich strenge epische Struktur (zweite Schicht). Im ersten Teil dieses Werks werden drei Episoden ineinander geschachtelt; Erec nimmt 1. an Artus' Jagd auf den weißen Hirsch teil und seine Dame gewinnt am Ende den damit verbundenen Schönheitspreis, er wird 2. von einem Zwerg in seiner Ehre tief gekränkt, gewinnt aber Genugtuung, er gewinnt 3. im Kampf den Sperberpreis und mit ihm Enite, seine Frau. Eine Episode geht unabgeschlossen in die andere über, nach Erecs Sieg lösen sie sich in umgekehrter Reihenfolge auf. Im zweiten Teil des Werks ist die epische Struktur etwas anders; auf einer neuen Ausfahrt mit Enite erlebt Erec acht Abenteuer, aber sechs davon gehören paarweise zusammen: im zweiten und fünften begehrt ein Graf Enite zu erwerben, im dritten und sechsten kämpft Erec sogar mit einem und demselben riesenstarken Zwerg, im vierten und achten kommt er mit Enite zum Artushof.

Diese scheinbar spielerische Erfindung trägt aber zugleich einen bestimmten Sinn (dritte Schicht). Im ersten Teil steigt Erec unfreiwillig aus seinem Ritterleben bei Artus Stufe um Stufe herab bis zum beleidigten, Geld-, Waffen- und Herbergs-losen Fremdling. Als solcher aber gewinnt er, mit erborgten Waffen und ebenso 'unfreiwillig', die ebenfalls verarmte Enite, die schönste Dame, und durch sie den Sieg im Sperberturnier. Erst mit Enite zusammen steigt er dieselben Stufen wieder herauf, bis zur glanzvollen Bestätigung: er als bester Ritter, Enite als schönste Dame am mythisch-ritterlichen Artushof.

Den Übergang zum zweiten Teil des Epos bildet nun aber eine Katastrophe dieses hohen Daseins; Erec wird dieses Glücks unwürdig, weil er es in bloßem Genuß festhält. Als er das erkennen muß, bietet er sich und Enite noch einmal, nun aber freiwillig, dem Schicksal, der Aventiure dar. Wieder steigen sie drei Stufen hinab, aber tiefer: bis zum Scheintod Erecs und dem Todesentschluß Enitens in der Mitte und Wende ihres Abenteuerwegs. Erst nach neuem Zusammenfinden auf dieser tiefsten Stufe steigen sie ebenso wieder empor zu schönerem Glück, das die vorhin nicht erwähnte siebente Episode (Joie de la court) allegorisch bestätigt und die achte über das irdische Glück des Artushofs emporhebt.

Faßt man diesen Sinn noch tiefer, so ergibt sich die klare Lehre: Die Minne, die Gemeinschaft von Rittertüchtigkeit und Frauenschönheit ist zwar im Sinne feudaler Ideologie Voraussetzung des höchsten Ranges; aber dieser Rang besteht nur, wenn er nicht im Genuß als Besitz festgehalten wird, sondern wenn man ihn in Tätigkeit dem Schicksal, der Aventiure preisgibt und ihn so, demütig, als Geschenk von oben empfängt. Das ist, wie der Deutsche Hartmann von Aue Chrétiens kristallklare Komposition deutend ergänzt, die Analogie irdisch-ritterlichen Weltdienstes zum aufs Jenseits gerichteten Gottesdienst, die das große Thema der französischen und deutschen klassisch-höfischen Dichtung überhaupt bildet [8].

Diese fast primitive Analyse, die nur die epische Handlung des ersten hochmittelalterlichen Ritterepos als Strukturgefüge betrachtete, führt hier also vom Stofflichen, der Ritter-Ideologie, über die freie Form-Phantasie der epischen Episodenverknüpfung bis zur sinngebenden Leistung der Gestalt. Was nutzt das für den Vergleich mit bildender Kunst? Geistesgeschichtliche Identitäten wie 'Idealismus', stilgeschichtliche Metaphern wie 'gotische Einheit' usw. bieten sich hier nicht an. Betrachtet man aber – ohne jede Übertragung von Begriffen – ein so fernes Gebiet wie die Architektur zwischen 1150 und 1200 auf ihre Struktur hin, so ergibt sich etwas Überraschendes: unter den mit der Dichtung ganz unvergleichlichen Bedingungen und Formgesetzen architektonischer Raum- und Wand-Formung findet sich – nicht in der massiven romanischen Baukunst und nicht in der systematisch verhärteten Hoch- und Spätgotik, sondern gerade in der frühgotischen Übergangskunst, die in Frankreich Chrétien an Originalität und in Deutschland Hartmann von Aue an gleich genialer Rezeption wertmäßig und zeitlich zugeordnet ist – ein ganz entsprechender Strukturgedanke. Hier wird Last und Kraft weder in antiker noch in neuzeitlicher Statik dargestellt, sondern dynamisch in *tektonischen Leitlinien*; Säule oder Pfeiler lösen

sich auf in ein Bündel von 'Diensten', d. h. nur rationalen, nicht statischen
Trägern jedes einzelnen Druckes; im Äußern des Baues leitet sich das dann,
auch mehr rational als statisch, ab ins System der Stützen und Streben.
Schon das entspricht der dichterischen Struktur im Chrétienschen Epos.
Auch hier war der Mensch nicht gesehen als antik oder neuzeitlich individuelle, ganzheitliche Gestalt, sondern aufgebaut, fast wie ein System, aus
rationalen Tugenden, die ihn stützen und leiten: Ehre, Treue, Adel, Rittertüchtigkeit und Schönheit; eine Ganzheit höfischen Daseins ergab sich nur
aus dem 'aufstrebenden' Zusammenwirken von Ritter und Dame in der
Minne – dies zugleich auch die 'Struktur' des höfischen Minnedienstes und
Minnesangs!

Und auch das rationale architektonische System hat seinen strukturellen
Sinn und seine Herkunft eben daraus, daß alle diese frühgotisch-dynami-
schen Kräftelinien sich zusammenordnen, aneinanderlehnen, zu einer stei-
nernen Darstellung der *Analogie*[9]. Sie aber umschließt irdisch das religiöse
Geheimnis der Kathedrale, das in ihr vollzogene Meßopfer. Die analogia
entis zwischen Gottesdienst und Weltdienst, die das höfische Epos mit seinen
strukturellen Mitteln in der irdischen Welt bewußt darstellt, diese analogia
entis baut auch die frühgotische Architektur mit ihren Mitteln bewußt als
Analogie zwischen dem Gottesdienst selbst, dem Vollzug des Meßopfers,
und seiner irdisch-steinernen Schale. Von hier aus ließen sich dann auch
viele Einzelheiten der geschichtlichen Entwicklung, des Verhältnisses von
französischer Originalität und deutscher Rezeption, der Beziehung von
Architektur und Plastik, von Struktur und Formensprache überhaupt, auch
für die dichterischen Gattungen, erklären.

Ich muß mich hier mit dieser Andeutung begnügen. Noch ein Beispiel
aber soll die Vergleichbarkeit der Struktur in Kunst und Dichtung erläu-
tern, zum Kontrast aus der Gegenwart genommen. Das Rätsel der abstrakten Malerei beunruhigt die Wissenschaft wie das Publikum. Beide fragen im
allgemeinen gequält: Warum?, und der Rausch der Enthusiasten, die auf
isolierte Form- und Farbharmonien hinweisen, bestärkt diese Frage nur
noch mehr. Man kann aber leicht lernen, die Bilder von Kandinsky, von
Klee, von Picasso zu lesen wie Bilderrätsel, wenn man auch hier, statt auf
die isolierte Formensprache (zweite Schicht) zu starren, auf ihre mit dem
Gegenstand (erste Schicht) und der Bedeutungsgestalt (dritte Schicht) verbindende Struktur achtet. Das scheint zuerst paradox, da doch der 'Gegenstand' hier gerade weggefallen ist. In Wirklichkeit halten die Linien und Farben der abstrakten Bilder ihre Funktion für die erste und dritte Schicht,
für Gegenstand und Raumgestalt auf geradezu raffinierte Weise fest, sie
haben sie nur – aus hier nicht zu erörternden, z. T. sehr berechtigten Gründen – von jeder Möglichkeit illustrativer Deutung oder Mißdeutung gelöst[10]. Ihre Bilder werden so zur Darstellung der isolierten aber raffinier-

testen Bedeutungs- und Raum-*Funktionen* von Linie und Farbe: Kampf des Tiefen mit dem Flachen, des Dünnen mit dem Dicken usw. bei Kandinsky, Bilderbogen naivster Raum- und Dingrätsel bei Klee, Geklirr entleerter Kulturrudimente im Reich der reinen Raumgestalten bei Picasso – das sagt ihre Struktur. Ihr Sinn aber und ihre verführerische Schönheit liegt darin, daß sie die gereinigte Erkenntnis der Form-Funktionen nicht wieder auf wirkliche Gegenstände anwenden (wie noch die 'einfachen' Expressionisten), sondern sie isoliert *genießen* als mystischen Rausch für die Eingeweihten, letzten Endes nur noch für sich selbst.

Gibt es auch dazu Vergleichbares in der Literatur? Auf direktem Wege, im Bereich der Formensprache gewiß nicht: die Sprache kann nicht so vom Gegenständlichen abstrahieren wie Linie und Farbe – gerade der Versuch der Dadaisten führte das ad absurdum. Wenn es vergleichbare Literatur gibt, dann muß sie im Medium der Sprache, also auf ganz anderem Wege aber in gleicher Struktur-Verbindung, die gleiche, unerhört sublimierte Qualität, aber auch den gleichen Rausch der introvertierten Erkenntnis verwirklichen.

Ich will hier aus den vielen Möglichkeiten des Vergleichbaren (z. B. Hesses »Glasperlenspiel«, Thomas Manns »Doktor Faustus« usw.) zum Schluß nur eine überraschende herausgreifen. Wo könnte man heute Erkenntnis selbst so aktiv bis in die Sprache hinein wirksam, so von all ihren illustrativen und traditionellen Inhalten gereinigt sehen, zugleich aber, wieder bis in die Sprache hinein, so sehr nur noch zum Rausch der Selbst-Objektivierung des Seins verwendet, als – bei Heidegger? Er repräsentiert, gerade durch den Schwebezustand seiner das Sein interpretierenden Sprach-'Dichtung', ein genaues Pendant zur abstrakten Malerei.

Die Zeitanalyse gehörte keineswegs zur Aufgabe dieses Versuchs. Wir sehen aber, was ich mit meinen Ausführungen andeuten wollte und angerichtet habe. Nämlich: nur solche Ansichten der künstlerischen Werke, die durch alle drei Schichten des Werks bis zum eigentlichen Kern seiner Leistung führen, können in jeder Epoche zu einem fruchtbaren Vergleich von Kunst und Literatur verhelfen. Und zweitens: in dem Begriff der Struktur, den ich hier, sehr kurz nur, zu demonstrieren versucht habe, liegt vielleicht eine solche Möglichkeit.

SOZIALE REALITÄT UND DICHTERISCHE FIKTION
AM BEISPIEL DER
HÖFISCHEN RITTERDICHTUNG DEUTSCHLANDS

SOZIOLOGIE, WIE ENG ODER WEIT man ihren Begriff faßt, und Literaturwissenschaft berühren sich notwendig in manchen Tatsachen und Aspekten. Die Literatur tritt empirisch in den Aufgabenkreis der systematischen
oder historischen Soziologie, wenn sie dieser als beteiligtes, beeinflussendes
oder auch störendes Moment der gesellschaftlichen Struktur begegnet. Das
reicht etwa vom Buch als Exportartikel bis zur geschichtlichen Rolle der
literarischen 'Salons' im französischen 18. Jahrhundert. Solche Zusammenhänge können an sich mit den statistischen, historischen oder auch systematischen und typologischen Methoden der Soziologie angegangen werden[1]. Soziologie ergreift die Literatur aber auch grundsätzlich: als ein Element im Gesamtaufbau der Kultur, mit dessen gesellschaftlichen Aspekten
sie sich ja immer irgendwie auseinandersetzen muß – die Literatur und im
engeren Sinn die Dichtung also als soziologisch relevantes menschliches
Verhalten und als 'Kulturgut'[2].

Auch die Literaturwissenschaft begegnet ihrerseits Sachverhalten und
Fragen soziologischer Art. Einmal, wenn soziale Zusammenhänge bei der
Interpretation von Werken notwendig berücksichtigt werden müssen. Es
gibt vielfache Standes- und Gesellschaftsdichtung; die literarischen Formen enthalten immer ein Element von Konvention; literarische Gattungen
wie z. B. das Drama verweisen ausdrücklich auf Gesellschaftsstrukturen;
Wert und Wirkung sind immer in ihrer komplizierten Relation zu berück-
sichtigen usw[2]. Und auch hier ergibt sich notwendig noch eine zweite, eine
systematische Begegnung aus der schon erwähnten soziologischen Relevanz
der Dichtung, der Sprache überhaupt (z. B. Sprachgemeinschaft, Gemein-
schaftsbereiche wie Kult oder gesellschaftliche Unterhaltung, prophetische
Ansprüche des Einzelnen an Gruppen).

Solche Berührungen – es bleibe dahingestellt, wie sie in die eine oder
andere Wissenschaft oder zwischen beide gehören mögen; auf die gegenständliche Berührung als solche kommt es zunächst an – legten es nahe,
daß sich beide, mindestens im Empirischen, praktisch und methodisch leicht

zusammenfügen ließen zur Erhellung der gemeinsamen Tatbestände. Das aber ist, wenn wir die Gegenwart wie die relativ kurze Wissenschaftsgeschichte beider Disziplinen überblicken, sehr selten versucht worden und – mit erstaunlich geringem Ertrag. Zwar spürt der echte Literarhistoriker auch die soziologischen Belange seinen Gegenständen gleichsam unbewußt, 'aus dem Handgelenk', ab – aus seiner Übersicht über Fülle und Vielfalt des Materials und aus seinem (mehr oder weniger) genuinen Verständnis der Dichter und Werke, die ja lebendige Menschen und Organismen in lebendigen Situationen sind. Und es wird auch dem Soziologen in seinem métier so gehen, wenn er auf literarische Dinge stößt, zumal der Sinn für Dichtung ein allgemeiner Bildungsinhalt ist, der sogar für verbreiteter gilt als etwa die Musikalität. Aber das bleibt beidemal doch ein höchst unklares Verständnis von unsicherem Wert, und vor allem: es genügt angesichts der Differenzierung und Vielfalt in Methoden und Ergebnissen beider Disziplinen heute nicht mehr, um die Aufgaben, die sich auch nur an Berührungsstellen der oben skizzierten Art ergeben, wirklich zu bewältigen – ganz abgesehen von den heute noch wichtigeren Aufgaben, die aus den Methodenkrisen in beiden Disziplinen erwachsen sind.

Eben diese methodischen Schwierigkeiten sind wohl vor allem schuld daran, daß der Forscher, der in ganz bestimmten Fragen bei der anderen Wissenschaft Hilfe sucht, so oft entweder unbefriedigt oder aber mit höchst anfechtbaren Ergebnissen heimkehrt. Von den Begriffs- und Methodenproblemen der Soziologie zu sprechen sei Berufeneren überlassen. In der Literaturwissenschaft aber findet der Außenstehende eine nicht minder verwirrende Vielfalt der Einstellungen, Grundsatzfragen und Methoden vor. Sie wurde ja, im heutigen Sinn, in dem Augenblick erst geboren, als die großen normativen Welt- und Seinsordnungen versanken, in denen bisher auch die Dichtung ihre feste Stelle zu haben schien, nämlich in der Romantik. Und auch das feste Schema der Tatsächlichkeit, das sie dann im 19. Jahrhundert wenigstens im Rückgang auf die Subjektivität der Dichter zu finden glaubte – in Empfindung, Erlebnis usw., in Kausalzusammenhängen stofflicher und psychologischer Art – erwies sich am Ende als trügerisch. So kam es auch hier zu der immer schnelleren Folge wissenschaftsgeschichtlicher Revolutionen seit dem späten 19. Jahrhundert, die aus immer neuen Stand- und Blickpunkten auch immer neue Wahrheiten und mit ihnen auch immer neue Tatsachen der Dichtungsgeschichte sichtbar machten – Geistesgeschichte, Stilgeschichte, Dichtungswissenschaft als Gestaltenlehre, um nur die allgemeinsten Rahmenbegriffe zu nennen. Man darf keineswegs und gerade hier nicht glauben, daß das, was dabei herauskam – also z. B. die Georgesche Heroenverehrung GUNDOLFS, NADLERS Literaturgeschichte der deutschen Stämme, KAYSERS Strukturenlehrbuch oder die dialektischmaterialistischen Dichtungs-Interpretationen von GEORG LUKÁCS – nur Sub-

jektivität oder Doktrinen enthielte. Gerade der Dichtung gegenüber – die
zeitgenössisch in einer Folge ähnlicher Revolutionen ja auch mit- und vorausging – sind alle diese Gesichtspunkte zum großen Teil auch richtig, auch
'wahr', sie sind sogar noch viel zu wenig verschieden, bunt, vielseitig, um
die komplexe Erscheinung dichterischen Schaffens und dichterischer Schöp-
fungen in gleicher Vielfalt aufzufangen. Aber schon das monströse Bild, das
entstand, wo immer man versuchte, sie einfach zu addieren oder auch nur
vorsichtig zusammenzuordnen [4] – gerade es beweist, daß es mit diesem
Nebeneinander nicht seine Richtigkeit haben kann. Und das gilt noch viel
stärker vom Verhältnis zu den Nachbarwissenschaften. Auch die bisherigen
Versuche, soziologische Methoden zur Interpretation und Deutung von
Dichtungen konkret heranzuziehen (und nicht nur über die 'Grenzprobleme' zu reden), haben bisher nur zu ergebnislosen Additionen oder zu
heterogenen Wahrheiten geführt – mindestens für die Literaturwissenschaft [5].

Bleiben wir innerhalb der Literaturwissenschaft: woran liegt das hier?
Seit dem (scheinbaren) Ende des Positivismus, seitdem also die Normati-
vität einer problemlosen, eindimensional faktischen Tatsächlichkeit für die
Dichtung fraglich geworden war, wurde eben die Tatsächlichkeit der Dichtung, der Literatur, selbst zum Problem – zum wissenschaftlichen wie zum
Lebensproblem der Dichtung! Die nicht zu ordnende Vielfalt der Ansichten
war gerade der Versuch, zwar nicht alle, aber doch eine ganze Anzahl aller
zwischen Himmel und Erde möglichen Antworten darauf zu finden. Wissenschaftliche Voraussetzung aber blieb die im 19. Jahrhundert errungene
und ständig erweiterte 'Vollständigkeit des Materials'. Sie bietet noch immer
– annäherungsweise – den 'idealen Beweis' für die jeweilige Auffassung
von der 'Tatsächlichkeit' oder, wie man heute gerne sagt, der 'Seinsweise'
dieses Materials als Dichtung. Es würde viel zu weit führen, wollte man
die Auffassungen selbst im einzelnen kritisch mustern. Sie stammen z. T.
aus der traditionell gewordenen Ästhetik des 19. Jahrhunderts, z. T. von
außen, aus Nachbarwissenschaften, meist sind es überhaupt Kombinationen
verschiedenster Herkunft. Sie alle aber versuchen sich, tiefer gesehen, nur
in der Gliederung und Deutung ihres 'Materials' statt in seinem methodischen Verständnis (wobei die Vollständigkeit als solche keineswegs preis-
gegeben werden darf – trotz ihrer immer größeren Schwierigkeit!). Und
sie werden eben deshalb (hier wie in anderen Wissenschaften) nicht durch
ihre Falschheit, sondern gerade durch ihre Wahrheit, durch den Widerspruch
des Richtigen gegen das auch Richtige in gewissem Maße ad absurdum
geführt. Was sich, wie gesagt, an den Grenzen der Wissenschaft wiederholt
und so auch von ihrem Verhältnis zur Soziologie gilt.

Man sagt nicht ohne Recht: von den Methoden spricht, wer von den
Sachen nichts versteht! Doch hier ist etwas anderes gemeint. Gerade um
aus der Vielfalt von Methoden zur Sache zu kommen, d. h. um statt vieler

auch richtiger Aspekte den Aspekt der Dichtung selbst wiederzufinden,
muß das in den letzten Jahrzehnten locker gewordene Verhältnis zwischen
den Tatsachen der Dichtung und den Aspekten ihrer Tatsächlichkeit wieder gefestigt, muß die Fülle möglicher Ansichten durch ein bewußtes methodisches Fragen nach dieser einen (wenn auch komplexen) Tatsächlichkeit ersetzt werden. Das bedeutet noch keine Antwort. Aber schon die Frage,
die bewußte Reflexion: was kann den in der Dichtung gegebenen Tatsachen
gemäß jeweils von Dichtungen gelten und was nicht, in welcher Ebene und
Weise von Realität befinden sie sich – ein neuer Rationalismus in diesem
Sinne statt Irrationalität, Mythisierung, 'interessanten' Aspekten usw. –
wird mit der Zeit klärend wirken.

Soviel zur Bestimmung der eigentümlichen Schwierigkeiten auch im
Grenzgebiet soziologischer und literaturwissenschaftlicher Tatsachen. Damit stellt sich aber auch das Verhältnis der beiden Disziplinen anders dar.
So wenig man bei der Differenziertheit und komplizierten Fragwürdigkeit
der Methoden darauf rechnen darf, daß in die andere Wissenschaft übergreifende Fragen gleichsam intuitiv aus der Sache heraus sich beantworten
ließen, so wenig darf man sich andrerseits darauf Hoffnung machen, Begriffe, Methoden und Ergebnisse einfach addieren, bewährtes Handbuch-
wissen übernehmen zu können. Denn auch die soziologischen Tatsachen-
und System-Probleme der Literaturwissenschaft finden sich nicht am Rand,
sondern stecken im Kern der Fachwissenschaft. Die 'soziologische Dimension' der Literaturwissenschaft ist kein 'Grenzgebiet'. Sie greift nicht nur
ein in irgendwelche 'Tatsachen' der Literaturwissenschaft – in die Dichter-
biographie, in die Traditionalität von Stoffen und Stilen, in die gesellschaftlichen Funktionen, Leistungen und Ansprüche der Werke, – sondern sie
nimmt immer schon teil an der 'Tatsächlichkeit' dieser Tatsachen. Wie die
dichterischen Werke zur sozialen Realität stehen, welche soziale Realität sie
selbst darstellen – das ist immer schon ein Aspekt der Prinzipienfragen der
Literaturwissenschaft selbst, der Frage nach der Tatsächlichkeit ihrer Tatsachen, ist damit bereits ein Bestandteil aller bestehenden Methoden und
Ergebnisse, ihrer methodischen Situation überhaupt. Mit dem Aufzählen der
Versuche, die die Beziehung zur Soziologie als Grenzgebiet behandeln, ist
insofern auch nichts über die wirklichen Beziehungen und über die wirk-
lichen Ergebnisse gesagt. Diese verbergen sich meist in kaum vermuteten
Darstellungen und Zusammenhängen, in denen von Soziologie nicht die
Rede ist.

Der soziologische Wert solcher Untersuchungen – das sei nochmals betont –
kann sich heute kaum mehr auf die Intuition des literarischen Fachwissen-
schaftlers gründen. Dazu gehören Kenntnisse und Erfahrungen, gehört eine
Terminologie und eine Gedankenarbeit, die er nicht aufbringen kann. Auch
beim Glücksfall einer wirklich umfassenden doppelten Ausbildung wäre

das Ergebnis durchaus noch zweifelhaft. Man kann die ernsthafte, die ver-
zweifelte Tatsache des modernen Spezialistentums nicht verharmlosen oder
bagatellisieren. Denn neben der Soziologie – und, wenn anders sie wirklich berufen wäre, die geisteswissenschaftlichen Fachdisziplinen mit der Zeit
in sich aufzunehmen, dann eben in ihr – steht für den Literaturwissenschaft-
ler die Geschichte, die Kunst- und Musikwissenschaft, Philosophie, Theologie usw. mit einem jeweils anderen, aber gleichberechtigten Anspruch
auf genuine Anwendung im Kern seiner eigenen Facharbeit. Das Problem
der Spezialisierung ist wohl nicht unlösbar. Die methodische Besinnung auf
die 'Tatsächlichkeit' der jeweiligen Tatsachen – also so etwas wie die 'philosophische Dimension' der Fachwissenschaften, ein kritischer Aspekt zum
empirischen der 'soziologischen Dimension' – kann eine neue normative
Gemeinsamkeit der speziellen Disziplinen schaffen, die auch wieder ein ge-
sichertes Übernehmen einzelner Tatsachen oder Methoden aus einer Wissenschaft in die andere ermöglichte. Vorläufig aber finden sich wenig Ansätze
dazu – weder in den Fachwissenschaften, noch in den (nur aus diesem Mangel heraus neben ihnen entwickelten) 'Grundwissenschaften', noch in der
philosophischen oder soziologischen Systematik.

Der Literarhistoriker kann sich also, mindestens vorläufig, nicht vermes-
sen, den soziologischen Aspekt seiner Tatsachen auch soziologisch zu interpretieren. Aber er kann doch etwas in dieser Richtung tun, und genau besehen ist es nicht wenig. Er kann, rein innerhalb seiner Wissenschaft, demonstrieren, wie jeweils in der Tatsächlichkeit der Dichtung ihr soziologischer Aspekt erscheint – und wo er erscheint. Er kann mit andern Worten
die in die Soziologie hinüberreichenden Tatsachen seines Bereichs in literar-
historisch genuiner Weise aufbereiten und so vielleicht dem Soziologen
– wenn anders sie diesen so noch interessieren – die Möglichkeit an die Hand
geben, sie nun, als wirklich der Dichtung gemäße Tatsachen, auch soziologisch zu bearbeiten. Die Hoffnung freilich, daß eine solche Zusammenarbeit gelingen könnte, ist vorläufig ebenfalls nicht groß. Denn zu gering
ist das methodische Bewußtsein in eigener Sache noch in allen Wissenschaften, zu groß ist notwendig das Maß von persönlicher Prägung und
Entscheidung in jedem einzelnen Falle.

Es ist jedenfalls Zeit, aus diesen allgemeinen Fragestellungen auszubre-
chen und das methodisch Erörterte in praktischer Interpretation zu verwenden – nicht einfach, um es zu konkretisieren oder nachzuprüfen, sondern um es in die Realität hinein zu erweitern. Es gelte nach dem Gesagten
als gegeben, daß auch dieser Versuch sich hier nur in der Literaturwissenschaft bewegen kann; wir können auch von Tatsachen und Problemen der
Dichtung, die vielleicht der Soziologie zugehören, hier nur unter dem Teil-
aspekt der Literaturgeschichte handeln und ohne soziologische Terminologie. Und es gelte ebenso als gegeben, daß wir nur an einem Beispiel

aus der Dichtungsgeschichte die 'soziologische Dimension' literaturwissenschaftlicher Arbeit zu erfahren versuchen können – nicht durch systematische Aufzählung der 'Grenzprobleme' noch der vorzugsweise soziologisch bedingten oder Soziologisches bedingenden Tatsachen. Ich wähle – abgesehen von der beschränkten Zuständigkeit des 'Spezialisten', die mich ins deutsche Mittelalter weist – ein Beispiel, das als ausgesprochener Fall soziologisch bedingter und soziologisch wirkender Literatur zunächst fast problemlos erscheint im Sinne der oben angeschnittenen Grenz- und Methodenfragen. Dieser Modellfall ist die höfische Ritterdichtung des hohen Mittelalters, die, in Frankreich im 12. Jahrhundert original geschaffen und gültig ausgebildet, in Deutschland allein unter den damaligen europäischen Ländern eine charakteristische frühe Nach- und Umbildung erfahren hat.

Die soziologische Bedingtheit dieser Literatur im Rittertum vor allem Frankreichs steht außer Zweifel. Es ist nicht nötig, hier die geschichtliche Entwicklung und die soziale Struktur des Rittertums zu schildern, die seltsame Delegation von Rechten und Pflichten im feudalen Lehnswesen, die Unterschiede von Vasallität und Ministerialität, die verschiedene geschichtliche Rolle in Frankreich und Deutschland usw. Hier genügt es, darauf hinzuweisen, daß das Rittertum, das im Waffenhandwerk wie in politischen und Verwaltungs-Aufgaben seit dem 12. Jahrhundert in den Vordergrund trat, sehr schnell auch zum kulturell führenden Stand aufstieg, dessen 'Komment' sich Kaiser und Fürsten unterwarfen, vor dem auch die alte Kulturtradition des geistlichen Standes in der Öffentlichkeit zeitweilig verblaßte, die Schranken der Nationen, ja der Christenheit (gegenüber den Arabern), die Standesgrenzen zwischen Hoch-, Kleinadel und Bauern, zwischen Geburtsfreiheit und Unfreiheit durchlässig wurden. Dieser ritterliche Komment, dieses Standesritual lebte natürlich nicht starr und gleichmäßig, es wurde wohl an einzelnen größeren Höfen entwickelt und gepflegt und verbreitete sich, mit allen Eigenschaften einer 'Mode', von da absteigend bis in die einsamen Burgen. (Allerdings dürfen wir ja auch scheinbar zeitlose Gesetze wie die der 'Mode' keineswegs einfach übertragen. Die je andere Bindung oder 'Verbindlichkeit' der Lebensformen färbt auch die Moden entscheidend um, wie sich gleich zeigen soll.) Das ritterliche Standesrituell enthielt – natürlich neben den Formen des kirchlichen Lebens – einerseits gewisse Vollzüge des Reiter- und Waffenhandwerks in sportlicher und den Gegner ehrender Form. Dies nur für Männer und die männliche Erziehung – die weibliche Erziehung und Gesellschaftshaltung schloß sich wohl weiter an die in geistlichen Gemeinschaften schon ausgebildeten Formen an. In einem zweiten Bereich der gesellschaftlichen Formwelt spielten allerdings die Frauen mit, und in erstaunlicher Rolle; sie traten bei bestimmten (im einzelnen nicht rekonstruierbaren) öffentlichen Anlässen – Kirchgang, Empfänge, Festmähler, Unterhaltungen, Tanz, jahreszeitliche Gesellschaftsfeste

(Mai-Empfang) usw. – gerade auf Grund ihrer Abgeschiedenheit (was bis zur Tracht hin sichtbar wird) in einem Gesellschafts-Zeremoniell auf, das dann literarisch als 'Minne', 'Minnedienst', 'Minnesang' erscheint. Denn sie empfingen sicher auch gesellschaftlich, als Form der 'Höflichkeit' (das Wort selbst ist noch ein Erbe dieser Zeit), jene Huldigung als Delegation männlicher Rechte und Selbstbestimmung, jenen Gesellschaftsrang der feudalen 'Herrin', den die Literatur gelegentlich bis zum Analogon der göttlichen Herrschaft über den Menschen steigerte, den Frankreich in 'Minnehöfen' und 'Minnegerichten' auch spielerisch institutionalisierte.

Diese Geselligkeitsformen – vor allem Waffensport und Frauendienst, beide unter dem Anspruch 'idealistischer' Selbstzügelung, aber auch offen für die 'realistische' Parodie (vgl. literarisch Pastourelle und Schwank) – sind natürlich nichts historisch Einmaliges. Sie sind bekannt als Begleiterscheinung und Indizium fast jeder höfischen oder feudalen Gesellschaft [6]; bezaubernd stilisiert im japanischen Roman vom Prinzen Genji (11. Jahrhundert), charakteristisch abgewandelt in der chinesischen und der arabischen Lyrik und Erzählkunst, aus dem französischen 17. Jahrhundert als Klischee des jagenden und liebenden Edelmanns bis in die Romanliteratur des 19. Jahrhunderts lebendig (Madame Bovary, Effie Briest) – um nur ein paar literarische Beispiele zu nennen. Die Rolle der Frau in dieser Gesellschaftsform versteht sich vielleicht jeweils als Ergebnis einer teilweisen Säkularisation des öffentlichen Lebens, die an Stelle übernatürlicher religiöser Bindungen die 'natürliche' Bindung setzt – was ja noch bis etwa zum modernen 'Flirt' in Amerika gelten dürfte.

Diese Gesellschaftsform ist jedenfalls auch im Mittelalter aus z. T. praktisch-zweckmäßigen, z. T. religiös-'symbolischen' Lebens- und Wirtschaftsformen entstanden (Reiterkampf, Lehnsdienst, rituelle Speisegemeinschaft [7] usw.) und blieb immer mit ihnen verbunden. Für sich selbst scheint sie wohl dem Literaturhistoriker wichtig, als Untergrund der höfischen Dichtung, weniger dem Soziologen, der ja mit ernsteren Dingen auch in dieser Epoche genug zu tun hätte. Es gehört aber zu den Besonderheiten der mittelalterlichen Formen überhaupt, daß sie (anders als z. B. die akzidentielle Form von »Europens übertünchter Höflichkeit« später) eine gewisse kultische Dignität, eine substantielle Kraft im Vollzug besitzen und so, weit über das im populären Sinn 'Gesellschaftliche' hinaus, in die Vergesellschaftung und den Aufbau der Gesamtkultur hineingehören.

Die höfische Dichtung dieser Zeit hat zwei Hauptformen: eine musikalische Lyrik, die direkt im Vortrag in der Gesellschaft lebt (Minnesang), und eine Buchepik, zu gemeinschaftlichen Vorlesungen, später auch zur Einzellektüre bestimmt (der höfische, insbesondere der Artus-'Roman'). Der Inhalt der Lyrik ist zum größten Teil Minnedienst, der Inhalt der Epik Waffensport und Minnedienst. So nimmt man selbstverständlich an, daß beide die aus der Gesellschaftsstruktur entwickelten Geselligkeitsformen einfach nachschreiben, d. h. diese Realität sprachlich und gedanklich mit 'Ideologie' überbauen, sie höchstens ästhetisch stilisieren, phantastisch bereichern oder zu persönlicher Erlebnis-'Originalität' verdichten. Die Tatsachen dieser Dichtung werden also als im realen Gesellschaftsleben gegeben vorausgesetzt. Ihre Tatsächlichkeit als sprachliche Einformung, als dichterische Ideologie, sucht man dann in mehr oder weniger allgemeinen, subjektiv psychologischen Typus-Vorgängen: im Erlebnis, wie die Ästhetik des 19. Jahrhunderts, oder, da das am Schematismus dieser Literatur vielfach scheitert, umgekehrt im bloßen Gesellschaftsspiel, weiter in geschichtlichen, geistesgeschichtlichen oder stilgeschichtlichen Kausalitäten des dichterischen Schaffens, schließlich auch in der ästhetischen und ethischen Wertung soziologischer Typik (der Haltung des 'hohen Mutes', des 'Idealismus', des 'Tugendsystems' usw.) – in der Regel versucht man Kombinationen gleich mehrerer Erklärungen.

Auf die Fraglichkeit dieser Interpretationen, ihre mancherlei Widersprüche untereinander, aber auch auf die für unsere Kenntnis und Erkenntnis der mittelalterlichen Dichtung höchst wertvollen Auseinandersetzungen sei hier nicht eingegangen. Und wir wollen auch die Herkunft und den (mehr oder weniger) schematischen Charakter der 'Ideologie'-Vorstellungen nicht als solche kritisieren. Es genüge folgende Überlegung: die kultur- und gesellschaftsgeschichtlichen Daten, von denen sie und auch wir ausgingen, sind uns ja nicht direkt überliefert (etwa in Beschreibungen, Memoirenwerken, dokumentarischen Bildern usw.), sondern sie entstammen einer Abstraktion aus indirekten Quellen, und zwar vor allem – der Dichtung! Was der Kulturhistoriker vom 'höfischen Leben', von den Turnieren oder dem Frauenleben um 1200 weiß, das hat er seinerseits fast ausschließlich aus den dichterischen Werken der Zeit erschlossen, indem auch er, genau nach dem oben beschriebenen Schema, Fiktives, Stilisiertes, allzu Persönliches davon abhob, um die allgemeinen Tatsachen, die zugrunde liegende Realität zu finden!

Ein gefährlicher Zirkelschluß also – hier freilich vereinfacht dargestellt – trägt die scheinbar so selbstverständliche Anschauung von der gesellschaftlichen Tatsachenbasis dieser höfischen Dichtung und von ihrer Umwandlung in dichterische Tatsächlichkeit. Was man so sicher als Tatsache zu wissen glaubt, ist in Wirklichkeit nur ein modernes wissenschaftliches Schema, Ergebnis einer naiv vorausgesetzten, methodisch ungeprüften Vorstellung vom Verhältnis von Realität und Dichtung.

Nun erst wird die Frage deutlich sichtbar, um die es hier geht: welche Tatsächlichkeit hat diese höfische Dichtung selbst, und wie enthält sie die gesellschaftlichen Tatsachen, auf denen sie ohne Zweifel aufbaut? Hier stoßen wir auf die historische Realität, auf die Werke selbst.

Das erste, was uns an ihnen, an Minnesang und höfischer Epik als Dichtung sichtbar wird, ist jedoch (erstaunlicher- aber ganz natürlicherweise) nichts 'Reales', sondern etwas ausgesprochen 'Fiktives': eben die Dichtung selbst als Fiktion, als 'Mache', als 'Kunst', und zwar im Mittelalter besonders deutlich (im Unterschied etwa zum 18. und 19. Jahrhundert, wo die gleiche Fiktion durch die psychologischen Querverbindungen von Form und Erlebnis leichter überdeckt wird). Das gilt zuerst schon vom Stoff. Die Minnesänger sprechen zwar einerseits in der Form persönlich realer Liebeserfahrungen, Liebesforderungen, -freuden und -klagen (die französischen Troubadours und Trouvères nennen sogar gelegentlich Namen!), und sie kleiden diese Liebe andrerseits immer wieder in die soziologisch realen Formen der Vasallität oder Ministerialität. Dagegen steht jedoch das Paradoxon, daß sie diese persönliche Liebe gerade zur öffentlichen 'Aufführung' vor der Gesellschaft singen, ja daß sie so geradezu als öffentlicher 'Ehebruch' proklamiert wird – denn die geliebte Dame ist immer die Frau eines andern. Daß es auch Erlebnisse der besungenen Art gab, sei keineswegs geleugnet. Aber als Dichtung, als Kunstwerk sind sie 'fingiert', und vor allem in Deutschland wird das, wie wir sehen werden, im dramatischen Höhepunkt der Entwicklung auch als Lebensrealität offenbar. Das gleiche gilt von der Form: sie entsteht aus rhetorischen und musikalischen 'Kunst'-Traditionen, deren Erhellung neuere Arbeiten versprechen. Und auch die Absicht der dichterischen Gestalt, die höfische Ethik, ist immer nur innerhalb der 'Kunst' greifbar. Von ihrer Geltung oder Wirkung im öffentlichen Leben, in der Gesellschaft, sehen wir so gut wie nichts – obwohl ihre Bedeutung dafür gar nicht zu leugnen ist. Noch deutlicher spricht das höfische Epos. Minnedienst und Waffensport sind hier fingierte Taten von Helden, deren historische Realität (schon für Alexander d. Gr. und Eneas und noch deutlicher für König Artus und seine Tafelrunde) durchaus nicht so 'naiv' ernst genommen wird, wie ein modernes Klischee von mittelalterlicher Kunst gerne glauben möchte, sondern ganz im Sinne einer transzendenten Wert-'Realität', der die dichterische Fiktion genuin zugehört. Für Stil und Absicht gilt dasselbe wie beim Minnesang.

Fiktion, sprachliche Erfindung von Vorstellungen – ein Spiel also, das ist die Tatsächlichkeit dieser wie aller Dichtung – trotz der (beschränkten!) Quellentreue, die das Mittelalter mit seiner Traditionstreue gerade hierfür fordern muß. Wie soll man da noch nach einem klaren Verhältnis zur gesellschaftlichen Realität fragen? Eben innerhalb dieser Fiktion! Denn sie ist weder willkürlich noch Selbstzweck der Dichtung, sondern nur das Medium, in dem und durch das sie als Dichtung Realität und Wahrheit aussagt und nur aussagen kann.

Der Minnesang [8] – um zunächst von ihm zu sprechen – begegnet in Deutschland zwischen 1150 und 1180 in einer frühhöfisch genannten Form,

die vielleicht mit den rund 50 Jahre früheren französischen Anfängen zusammenhängt, aber noch kaum von den gleichzeitigen Formen hochhöfi-
scher Minne in Frankreich berührt ist. In den relativ schlichten Einzelstrophen dieser Sänger (Kürenberger, Dietmar von Eist u. a.) wird die
Minne als glückliche Erinnerung an die jüngst genossene Liebeseinheit von
Ritter und Dame oder als Klage über deren Verhinderung gesungen. Die
höfische Ethik spielt noch kaum eine Rolle, eher spricht im Gegenteil eine
unbefangen 'natürliche' Liebesauffassung, z. T. sogar eine gewisse Soldaten-
und Jäger-Rauheit (*wîp unde vederspil diu werdent lîhte zam: swer si ze rehte
lucket, sô suochent si den man* MF. 10, 17 ff.). Man sah darum in diesen Liedern früher eine 'altheimische' Frühform des Minnesangs, aus dem 'natürlichen' Empfinden und Erleben einer (dafür postulierten!) anonymen Volksdichtung geboren. Wenn wir uns vor solchen – wie wir wissen – unmetho-
dischen Zirkelschlüssen hüten und uns an die fiktive Kunstform selbst halten, wird Folgendes greifbar: die gegenseitige Liebeseinheit von Ritter und
Dame ist eine Rolle, die der Sänger der Gesellschaft vorführt (Einzelszenen
solcher Rollen sind dann auch die Stilform dieser Lyrik). Das ist die Tatsächlichkeit des Gedichts! Wie steht es mit seinem Bezug auf die äußere
Wirklichkeit, mit der Tatsächlichkeit im Gedicht? Nun, es wird ja entschieden etwas Wirkliches genannt, ja geradezu naturalistisch unverwandelt ins
Gedicht aufgenommen: die Liebesstunde von Ritter und Dame, der Liebes-
besitz. Das ist gewiß ein Erlebnis, eine Erfahrung – für den Dichter wie
für die ganze Gesellschaft erfahrener Männer und verheirateter Damen, die
die höfische Dichtung anspricht. Aber es wird im Gedicht in keiner Weise
'geschildert', als Erlebnis, als persönliche Erfahrung ausgesprochen (so
schwer das uns auch nur zu denken fällt), sondern diese direkt naturalistische Wirklichkeits-Aussage steht hier nur als noch ganz objektivistischer
Ausdruck der Bindung innerhalb der Gemeinschaft, die immanent und zum
erstenmal als persönliche Rolle erlebt ist – sie steht als 'Symbol' für die
'Freude', die Hochstimmung einer ihrer selbst bewußt werdenden Gesellschaft. Die Tatsächlichkeit im Gedicht ist hier also: ein symbolischer Naturalismus; d. h. Gestalt (Symbolik) fällt mit Stoff (Naturalismus) zusammen!
Das bedeutet: das Gedicht enthält zwar eine ganz direkte Stoffrealität, aber
es spricht über deren Wirklichkeit in seinem Funktionsraum, über die Realität der höfischen Gesellschaft also nur 'symbolisch'. Wir können zwar
durch Stilvergleichung wissen, daß dieser symbolische Naturalismus auch
die bildende Kunst der Zeit bestimmt, daß er mit einem gesteigerten 'Ma-
terialismus' des Laien-Lebens der Zeit korrespondiert, ja sogar mit der
Politik Friedrichs I. und Rainalds von Dassel, die die alte 'symbolische'
Funktion des Reiches mit einem bewußten Realismus aufgreift. Aber wir
bekommen vom symbolischen Naturalismus dieser Lieder keine Antwort
über ihr Verhältnis zur Gesellschaft, aus der sie leben, und über die Ge-

sellschaft selbst – höchstens die negative Antwort, daß es hier noch kein eigentliches Verhältnis gibt, sondern nur eine Identität, ein Zusammenfallen der Realität von Lied und Gesellschaft, das dieser noch keine bewußte Realitätsfrage und jenem noch keine bewußte Sinndeutung erlaubt.

Haben wir richtig gedeutet? Haben wir nicht etwas im Grunde doch Einfaches nutzlos kompliziert? Es gibt einen gewissen Tatsachenbeweis am Ende dieser Phase, als sie schon in Reflexion übergeht. Kein Geringerer als der spätere Kaiser Heinrich VI. selbst spricht in einigen Liedern (wohl ca. 1185) noch in dieser Rolle des Liebenden, und es geschieht persönlich genug. Aber nicht die persönliche Liebe wird von dem jungen Fürsten persönlich gestaltet – sie erscheint sogar nur noch ganz schematisch – sondern er setzt den eigenen realen Rang ein für die *gesellschaftliche* Rolle der Liebe; die symbolische Liebeseinheit (nicht die Geliebte!) gilt ihm mehr als Krone und Reich (*wol hœher dannez rîche bin ich al die zît sô sô güetlîche diu guote bî mir lît.* MF. 4, 17 ff.)!

Um 1185 dringt der neue hochhöfische Minnesang aus Frankreich ein, zunächst fast wörtlich nachgebildet. An Stelle der symbolischen Liebeseinheit steht jetzt eine in subjektiver Reflexion ausgeformte Klage über die (offenbar auch gesellschaftlich neu gesetzte) unnahbare Ferne und Höhe der Dame. Auch sie drückt nicht persönliche Erlebnisse aus, sondern ruft noch immer die persönlichen Liebeserfahrungen wissender Männer und Frauen auf als Symbol, als Stimmungs- und Haltungs-Träger der gesellschaftlichen Bindung (ähnlich wie auch die 'Natureingänge' vieler Minnelieder die Naturstimmung als symbolischen Stimmungsträger der gesellschaftlichen Bindung aufrufen). Aber sie setzt an Stelle des symbolischen Naturalismus einen ethischen Idealismus. Gerade die unnahbare Rolle der Gesellschaftsdame veranlaßt den Ritter zu einer Steigerung aller gesellschaftlichen Tugenden und Werte (Mäßigung, Zucht, Adel der Haltung, Treue, Beständigkeit), die nun zum erstenmal im Mittelalter das Idealbild einer irdischen, einer autonomen persönlichen Leistung zu zeichnen erlaubt (darum wird jetzt ja auch die persönliche Reflexion als gemäße Stilform verwirklicht). Erst diese Leistung des Gedichts macht wirkliche *Bezugnahme* auf die äußere Realität im Gedicht möglich! Die Italienfahrt in staufischen Diensten, vor allem aber die religiöse Erschütterung beim Aufbruch zum Kreuzzug von 1189 tritt noch fast naturalistisch in die Dichtung ein, nun aber als Anlaß einer ersten bewußten Selbstreflexion über die 'künstliche' Realität dieser Kunstform und damit zugleich über ihre Bedeutung für die wirkliche höfische Gesellschaft. Die Lyrik Hartmanns von Aue vertieft das zur ersten grundsätzlichen Krise: sind nicht die höfischen Tugenden und Leistungen dieser Dichtung überhaupt nur fiktiv gegenüber den religiösen, die die ernste Wirklichkeit fordert? Was tut überhaupt die höfische Gesellschaft wirklich im Minnedienst? Auch das wird jetzt zum erstenmal im Gedicht ausgesprochen: Ein

»gehen, um ritterliche Frauen zu schauen«, d. h. ein Zeremoniell der höfischen Aufwartung vor den Damen als 'Herrinnen', vor denen man sich
»müde dienen« muß ohne Lohn (MF. 216, 29ff.). Hartmann und andere
hatten schon vorher in diesem gesellschaftlichen Dienst eine irdische Analogie zum Dienst des Menschen um Gottes unverdiente Gnade sehen gelehrt, die der symbolisch-naturalistischen gesellschaftlichen 'Hochstimmung' nun ein irdisches, immanentes Analogon der geistlichen Leistungs-
ethik hinzu erwarb. Erst in der Krise aber, in der selbstbesinnenden Reflexion
über die Realität dieser dichterischen Analogie, wurde auch ihre gesellschaftliche Wirklichkeit im Gedicht selbst sichtbar.

Die Krise, die noch einmal fast naturalistisch in die Dichtung aufgenommen war, ging vorüber, und sie wirkte gerade dahin, daß nun in den neunziger Jahren in Deutschland die 'Kunst'-Realität des Minnesangs bewußt
als solche ergriffen und zur 'klassischen' idealen Leistung gesteigert wird.
Das gelingt Reimar von Hagenau und vor allem Heinrich von Morungen.
Beide erhöhen die gesellschaftliche Konvention (nicht die persönliche
'Liebe'!) bewußt zum Dienst auf Gnade ohne jeden Lohn – ein Dienst, der
darum seinen ethischen Wert nur noch in sich selbst trägt. Sie ziehen zugleich die Wirklichkeit dieser Konvention noch sichtbarer ins Gedicht: die
'höfische Aufwartung' wird ausgesprochen als ein Sich-sehen- und Sich-
hören-Lassen vor den Damen, dessen übliche, nicht so rein sublimierte Kon-
ventionalität vor allem Reimar nun aber fast zänkisch kritisiert. Erst in dieser Kritik, die aus dem vollen Bewußtsein der dichterischen Fiktion *zusammen* mit dem ihrer menschlich gestaltenden Leistung kommt, wird auch die
Realitätsbasis der Dichtung, wird die Tatsächlichkeit im Gedicht voll sichtbar.

Beide Sänger aber geraten durch diese höchste dichterische Klarheit an
den Rand einer neuen und diesmal entscheidenden Krise. Nicht mehr von
außen, aber in der voll bewußten Kunst- und Leistungswelt selbst zwingt
sich eine neue Realitätsfrage auf: die Frage nach der außerkünstlerischen,
menschlichen Realität dieser 'Kunst'-Leistung. Die zum Selbstzweck ideali-
sierte ethische Leistung der gesellschaftlichen Konvention wendet sich ihrerseits gegen die Konvention. Der so 'moralisch' idealisierten Dame kann
man eigentlich nicht mehr mit der 'unmoralischen' Liebesforderung des
Minnesangs dienen – dies die Paradoxie bei Reimar. Der Sang als Ausdruck
der *herzeliebe*, der Innerlichkeit der Liebe, macht den gesellschaftlichen
Sang unmöglich: wenn die sprachlose Innerlichkeit zum Sinn des Liedes
wird, wird das Lied sprachlos und – stumm. Dies ist die Dialektik, die Krise,
vor der Morungen schließlich steht.

Hier setzte Walther von der Vogelweide ein. Reimar mußte schließlich
sagen: die höfische Dame ist edel – weil sie ihren Diener edel macht (nicht
mehr: weil sie selbst höfisch, Dame der Gesellschaft ist). Walther stellt dagegen: die höfische Dame macht ihren Diener nur edel – wenn sie selbst

edel ist! Die Idealisierung der Konvention mußte umschlagen zum ethischen Realismus (was übrigens der allgemeinen Wende der hochmittelalterlichen, hochgotischen usw. Lebensformen entspricht). Damit war die lebendige Grundlage des Minnesangs als Kunstform, nämlich der Minnedienst als reine Gesellschaftsform, zwar endgültig ausgesprochen – aber auch schon zerbrochen. Walther ist ja nicht nur hier groß als Vollstrecker einer Zeitenwende, die den hochmittelalterlichen Lebenskräften bereits den Todesstoß gibt. Auch als Spruchdichter mußte er helfen, um des Reiches willen das Reich zu zerstören im Dienst der Territorialfürsten. Für den Minnesang versuchte er zwar noch einmal eine neue Konvention zu errichten, die mit ethischem Realismus zu verbinden war – auf ganz ähnlichem Wege wie schon Hartmann in der ersten Krise des Minnesangs: er griff auf einen sozial niedrigeren Stand zurück, d. h. genauer auf die eben in Deutschland populär werdende ritterliche Parodie (lateinische und französische Pastourelle, Neidhardt von Reuental), und suchte im einfachen Mädchen beim Tanz an der Straße eine neue, eine ethisch gute 'Herrin' des Minnedienstes zu finden. Den Versuch hat er bald aufgegeben, um erst in der Einsamkeit des Alters eine neue, prophetisch-religiöse Rolle für das deutsche Rittertum zu ergreifen. Die neben und nach ihm kommen, führen sofort den Minnesang in einen neuen (gotischen) 'symbolischen' Realismus hinein, dem die dichterische Fiktion nun wieder mit den Fragmenten und Teilbereichen gesellschaftlicher Wirklichkeit zusammenfällt, wenn auch auf anderer Realitätsebene als im (spätromanischen) symbolischen Naturalismus.

Soweit die Entwicklung des 'klassischen' Minnesangs in Deutschland. Bevor wir Ergebnisse zu formulieren versuchen, sei noch, gleichsam zur Probe aufs Exempel, ein Blick auf die Entwicklung der höfischen Epik geworfen.

Die höfische Epik, das 'Buch', bleibt mehr auf literarische Traditionen angewiesen als das Lied. Denn ihre Tatsächlichkeit als Dichtung ruht nicht so direkt in der Gesellschaft wie dort, als deren gleichsam kultische Selbstdarstellung, sondern sie besteht in der von vornherein mehr reflektierten Distanz der höfischen 'Heilserzählung' für die Gesellschaft. Sie löst sich denn auch schon stofflich erst allmählich aus der geistlichen Heilserzählung los, ganze Gattungen bleiben im Übergang, so in Frankreich die religiösnationale Karlshistorie (chanson de geste), in Deutschland die um die gleiche Zeit entstandene religiöse Reichs- und Legenden-Historiendichtung (Annolied, Kaiserchronik, Rolandslied, Pilatus, Herzog Ernst usw.), die sich auch antike und deutsche Heldenstoffe assimiliert (Alexander, Rother). Doch wird auch hier, ähnlich wie in der Lyrik, um 1170 ein 'frühhöfischer' Bereich faßbar, der nur deutlicher unter französischem Einfluß steht.

Die gesellschaftliche Tatsächlichkeit in dieser Dichtung – der sportliche Ritterkampf und die Minne (die im Epos meist in die Ehe mündet), beide erzählerisch in der durch die Kreuzzüge erschlossenen Weite der westöstlichen Welt lokalisiert – tritt auch hier zunächst naturalistisch auf (z. B. in der fast 'zeitgenössischen' Kreuzzugserzählung vom Grafen Rudolf mit einer ausschließlich gesellschaftlichen, auf Sportlichkeit und Frauendienst gerichteten Erziehungslehre, ähnlich im Eilhardschen Tristan und der zeitgenössischen Didaktik; die Minne naturalistisch geschildert in der 'physiologischen' Minnepsychologie der Eneit von Heinrich von Veldeke usw.). Bestimmend aber bleibt seit Anfang (auch für die Form des Epos) das Grundthema des 'Heilserwerbs' direkt, aus der theologischen Dichtung weitergebildet, doch nun auf das irdische 'Heil' des Ritters, seinen gesellschaftlichen Rang bezogen. Die naturalistische Sicht aber erlaubt noch nicht die persönliche Selbstgestaltung dieses Heils, sondern zwingt auch hier zu bloß symbolischer 'Führung' des Helden: durch die gegenständliche Symbolik monströser Gegenbilder des christlichen Ritters im Herzog Ernst, durch die magische Symbolik der vom Zufall gelenkten Fahrt in die Ferne (wie auch in den sogenannten Spielmannsepen) und des Minnetranks im Tristan Eilhards von Oberg, durch die antiken Götter in der Eneit Heinrichs von Veldeke usw. Auch hier bleibt die doch so naturalistisch aufgegriffene gesellschaftliche Realität nur symbolisch-spielerisch – von der menschlichen Wirklichkeit, die diese Motive in der Gesellschaft selbst haben könnten, wird nichts sichtbar, jeder Schluß vom einen auf das andere wäre ein Fehlschluß.

Greifbare Wirklichkeit bringt auch hier erst der Übergang zur 'klassischen', nämlich ihrer 'fiktiven' Märchenhaftigkeit vollbewußten Gestaltung, die die Deutschen in dem großen Vorbild Chrétien de Troyes und der von ihm geschaffenen Artus-Epik suchen und finden. Man hat es freilich fertiggebracht, auch Chrétien auf das Schema des primitiven Geschichtenerzählers zu reduzieren oder höchstens auf die Stufe einer ideologischen Gesellschaftsfrömmigkeit (nicht sich 'verliegen'! Erec – nicht sich 'verfahren'! Iwein). In Wahrheit spricht die Tatsächlichkeit seiner Epen, die schon in der kompositionellen Struktur unüberhörbar gestaltet und von den deutschen Nachbildern auch klar gedeutet wird, ganz eindeutig. Aus der symbolisch-naturalistischen Götter- oder Zauber-Führung im frühhöfischen Roman ist der Zufall der *aventiure* geworden, eine bunte Kette von Waffen- und Minneabenteuern. Sie sind aber geordnet durch die autonome Selbstgestaltung des Helden, der in einer Krise (in der Mitte jedes Romans) erfährt, daß nicht unreflektierter Besitz (den gerade die Artus-Herrlichkeit symbolisiert!), sondern nur ein demütiges 'Haben als hätte man nicht', nur ein wissendes Dienen ohne Lohn und ein Sichschenkenlassen aus Gnade den irdischen Rang sicher und bleibend machen kann – oder, wie Hartmann von Aue, Wolfram von Eschenbach u. a. ausdrücklich formulieren: irdischen Ritter-Dienst und Gottes Lohn im Jenseits vereinbar machen kann. Gerade diese bewußte kritische Überwindung der Gesellschaftsideologie macht auch hier erst die Wirklichkeit der Gesellschaft, die Tatsächlichkeit im Gedicht sichtbar, breiter und realer als in der Lyrik. Chrétien ordnet einen ganzen sozialen Kosmos um seine Helden herum: Ritter und Höfe, Geistliche, Bürger, Kaufleute und Bauern, Höfische und Antihöfische, Gute und Schlechte, in bezaubernd realer Atmosphäre, in der doch Märchen und Wunder wie natürlich die Handlung tragen. Hartmann von Aue verstärkt das gelegentlich bis zum realistischen Gemälde des antihöfischen Krautjunkers oder des Frauenarbeitshauses im Iwein.

Dieser ethische Idealismus aus kritischer Wirklichkeitssicht in bewußt märchenhaft fiktiver Gestaltung – und wie sehr der Artusstoff, gerade mit der ihn eben noch umschwebenden Historizität, als Märchengestalt verstanden wurde, zeigt die kleine Artusmythe Hartmanns am Anfang des Iwein: »Sie sagen, er lebe noch heute!« (auch die Legende äußert gelegentlich im Mittelalter ein ähnliches Bewußtsein fiktiver Wahrheit, man muß es freilich zu hören verstehen) – dieser ethische Idealismus schlägt aber zur gleichen Zeit wie der der Lyrik um in einen geradezu tragischen ethischen Realismus. Hartmann war auch als Epiker durch eine noch fast naturalistische religiöse Krise gegangen (Gregorius, Armer Heinrich). Doch aus ihr fand er zum strahlenden Märchen-Idealismus des Iwein. Hier aber bricht wieder die Frage auf, wie denn das Gnadengeschenk des rechten Weltdienstes, am Ende märchenhaft balanciert durch höchste Ehren und Reichtümer, durch ein »süßes Langleben« auf Erden und den Lohn bei Gott bestätigt, in der Wirklichkeit des menschlichen Herzens und der Gesellschaft aussehen müsse. Wolfram von Eschenbach stellt sie, Chrétiens unvollendetes Alterswerk noch überbietend, in seinem Parzival. Wohl geht der Held noch den irdischen Heilsweg der früheren Artushelden, aber sein Ziel ist das christliche Märchensymbol des Grals, und gerade in der Übersteigerung der Fiktion durch Wolframs krausen Witz werden Trotz und Sünde als wirkliche Schuld, christliche Demut als wirkliche Sühne sichtbar. Das irdische Ritter- und Minne-Leben nimmt innerlich, statt des Märchenwegs durch die Krise zum Märchenglück, das Bild real christlicher Leidheiligung an, das über die Frauenfiguren im Parzival zum Willehalm und Titurel Wolframs führt – das paradoxerweise aber auch hinter dem Leidglück, dem Todleben der skrupellosen Liebenden im Tristan Gottfrieds von Straßburg steckt, wenn auch zur dialektischen Existenz der 'edlen Herzen', der 'reinen Sünder' säkularisiert. Die Lebensgrundlage auch der Epik, ihre Vorbildlichkeit für die höfische Gesellschaft, ist damit zerbrochen. Wolfram wie Gottfried setzen die Gesellschaft in heftiger Kritik außer Kraft zugunsten der (nur noch durch den ethischen Wirklichkeits-Anspruch der Dichtung postulierten) Gemeinde echter Hörer und Täter.

Noch ein Wort zum Unterschied der gesellschaftlichen Realität in französischer und deutscher Ritterdichtung. In Frankreich nennt der Dichter manchmal Namen; Minnehöfe und Minnegerichte geben der Fiktion die

Realität einer spielerischen Institution; der Kunstvortrag provenzalischer Kanzonen, Tenzonen, Sirventes usw. wie die unreflektiertere Gebrauchsform nordfranzösischer Refrain-Lieder, Tänze und Schäferszenen lebten direkt in der Gesellschaft als heiter-ernstes, sinnlich-sittliches Spiel, kunstvolle Einheit von Zivilisation und Leben wie auch in der zweiten französischen Klassik. In Deutschland steht dem fast immer eine isolierte Direktheit entweder ethisch-religiöser Ansprüche oder aber schwerfälliger Entfesselung entgegen. Man hat lange aus der 'idealeren' Übersteigerung der höfischen Moral und der größeren rationalen Konsequenz einen Vorzug der deutschen Nachbilder errechnen wollen – sehr zu Lasten dieser moralisierenden Ästhetik. In Wirklichkeit fehlt den Deutschen offensichtlich auch hier die Leichtigkeit der gesellschaftlichen Spielrealität. Natürlich hat es auch damals bei ihnen 'volkskundliche' Gesellschafts- und auch Spieltraditionen gegeben. Aber sie binden sich nicht so naiv wie in Frankreich mit der literarischen Stilisierung – die mußte ja übernommen werden! – und Spiel bleibt isolierte Folklore, Kunst tendiert zur isolierten Metaphysik, wo sie freilich in einzelnen höchsten Kraftanstrengungen direkt aus der Schwäche blässerer Nachahmung heraus bis unmittelbar an den Gipfel metaphysischer Spannungs-Einheit streift. Das Verhältnis entspricht genau dem in der bildenden Kunst, der großen Plastik vor allem: Reimser und Bamberger Heimsuchung!

Soweit die Literaturgeschichte. Versuchen wir zum Schluß zusammenzufassen, was sich für die Frage der Soziologie in der Literaturgeschichte ergab. Wir haben an diesem bestimmten Beispiel nach der Tatsächlichkeit einer Gesellschaft innerhalb der Tatsächlichkeit der Dichtung gefragt – als rein literarhistorische Interpretation, ohne soziologische Terminologie oder Kategorien. Das Verhältnis der Dichtung zu den in ihr und durch sie wirkenden sozialen Tatsachen stellt sich auch in diesem fast primitiven Modellfall ziemlich kompliziert dar. Schemata wie Stoff – Form oder sozialer Unterbau – ideologischer Überbau sind ganz unzureichend. Es ergaben sich aber gewisse Regeln, die man in drei Leitsätzen zusammenfassen kann.

1. An der Dichtung ist Tatsache zunächst nur die 'Fiktion', sie enthält nur sprachlich erfundene Vorstellungen. Auch wenn diese Vorstellungen realen Ereignissen sozusagen 'wörtlich' entsprechen, haben sie doch in der sprachlichen Formung eine frei geschaffene und nur sich selbst verantwortliche Tatsächlichkeit angenommen – die gerade so um so mehr 'wahr' ist und 'dauert' (anders als z. B. die Zeitungsnachricht, die gerichtliche Zeugenaussage, der wissenschaftliche Lehrsatz, die sich vor außer- und übersprachlichen Instanzen und deren 'Dauer' verantworten müssen). Das gilt sicher für alle Dichtung. Ein solches Gebilde aber kann zunächst überhaupt nicht zu den Gegenständen irgendeiner Wissenschaft vom menschlichen Verhalten gehören, sei sie Geschichte oder Soziologie. Wenn diesen Wissenschaften Fiktionen begegnen, dann nur, um als solche aufgedeckt, als menschliche

Vorstellung 'entlarvt' zu werden. Für die Dichtung ist Fiktion ihre *Realität*, hinter der es kein menschliches Verhalten aufzudecken gibt. Wer versucht, Geschichte oder Soziologie der dichterischen Fiktionen zu betreiben, der 'tut nur so', als ob auch sie sich menschlich verhielten. In Wirklichkeit trifft er nur: den Dichter – aber bloß als Menschen, das Publikum – aber bloß als Konsumenten, das Werk – aber bloß als 'Kulturgut', als 'Sozialprodukt', als gedrucktes Buch oder irgendeine andere sekundäre Erscheinungsform – nicht die Dichtung!

2. Eben diese Fiktionen aber sind nun tatsächlich *Träger* menschlichen Verhaltens, vor allem auch gemeinschaftlichen Verhaltens. Wie im Minnesang die als Rolle fingierte Liebeseinheit oder der persönlich fingierte Minnedienst, wie in der höfischen Epik die fingierte Erzählung von Rittertaten und Eheschließungen auf eindeutige (und gleich noch näher zu bestimmende) Weise Träger der feudalen höfischen Gesellschaftsbindung waren, beidemal aber in schon charakteristisch verschiedener Tatsächlichkeit – so ist jede dichterische Fiktion auf ihre besondere Weise Träger gemeinschaftlicher Bindungen (Träger religiöser Gemeinschaften, Träger der Bindung von Ständen, Berufen, Bildungsschichten, von Sinn- und Zweckgemeinschaften, Träger der Sprachgemeinschaft als letzter möglicher Einheit – Übersetzungen transponieren immer schon eine Gemeinschaft in die andere). Dies 'Tragen' geschieht zunächst so, daß die fingierten Vorstellungen mit den realen Vorstellungen der Gesellschaft charakteristisch zusammenhängen, ob aus ihr genommen oder in sie wirkend (z. B. Georgekreis) oder beides, und daß die verwendeten Formen mit der realen Gesellschaftsform charakteristisch zusammenhängen (z. B. das Lied mit dem Vortrag gemäß der jeweiligen Gesellschaftsstruktur, das gedruckte Buch in seiner spezifischen literarischen Form mit der jeweils spezifischen Anonymität des Publikums usw.). Dabei werden aber die Gemeinschafts-Bindungen aus der historischen Empirie transponiert in eine frei gestaltete Sinn- und Wertbestimmtheit, die direkten ethischen, metaphysischen oder religiösen Sinnbestimmungen unterliegt. Die jeweils charakteristische Balance zwischen der historisch-realen Gemeinschaftsbindung (der Vorstellungen und Formen) und ihrer dichterischen Sinnbestimmung – das ist die soziologische Dimension der Literatur. Die Möglichkeit einer solchen Sinnbestimmung *kritisiert* hier auch die Gemeinschaft (literarischer Wert schließt bestimmte primitive oder Zweck-Gemeinschaften aus!); die faktische oder mögliche Gemeinschaft *kritisiert* aber auch die dichterische Sinngebung (insofern die Gemeinschaft etwa literarischen Wert beschränkt). Was die Soziologie mit dieser Balance anfangen könnte, ist ihr Problem. Auf jeden Fall aber ist menschliches Verhalten nur als sozusagen 'zweidimensionale' Tatsache in der Dichtung anzutreffen, nämlich als etwas, was die dichterische Fiktion 'trägt', ohne es selbst zu 'sein'!

3. Diese Balance zwischen der historisch-empirischen Gesellschaftsbindung und ihrer dichterischen Sinnbestimmung kann in der sprachlichen Gestalt auf sehr verschiedene Weise bewirkt sein, wie wir sahen. Einmal durch bewußtes Aussprechen – aber um den Preis bewußter Zerstörung der Fiktion; ein andermal durch symbolische Realitätsdichte der Fiktion – aber unter Verzicht auf bewußte Gestaltbarkeit. Mit den literarhistorischen Problemen haben wir es hier nicht zu tun. Aber solche Beobachtungen gehören z. B. auch zum Verhältnis von 'hoher' und 'niederer', von 'freier' und sozial 'gebundener', von 'artistischer' und 'stoffgebundener' Literatur. Immer ist dabei schon das Ganze berührt, der Stil, die Leistung, der Wert der Literatur. Sogar etwas so Selbstverständliches wie der 'Inhalt' von Dichtwerken kann überhaupt nur als vielschichtige Beziehung zwischen Stoff, Form und Leistung, zwischen Gestalt und Wert usw. verstanden werden.

Ein verwirrender Anblick – unnötig verwirrend natürlich vor allem für den Leser und Hörer der Dichtung, der das Ganze ja im ganzen 'hat'. Und eine Fülle weiterer Fragen, die gerade den Soziologen geschichtlich und systematisch interessieren, ist damit noch kaum oder gar nicht berührt: was bedeutet der 'Dichter' als soziale Erscheinung, einzeln oder als Gruppe, wie steht er zu andern? Wie wirkt die Dichtung auf die Stände, auf den Staat, auf die Kirche, und wie verhalten sich diese zu ihr? Wie hängen dichterische Blütezeiten mit der materiellen Kultur zusammen? Was bedeutet eine Klassik für die soziale Struktur, was ein Naturalismus? usw. [9].

Manche dieser Fragen beziehen sich auf weiter vorgeschrittene Zustände als unser Beispiel sie zeigen konnte. Viele aber tauchten auch deshalb nicht auf, weil sie mit dem Grundfaktor der Dichtung, ihrer besonderen Tatsächlichkeit, kaum vereinbar erscheinen. Denn was ist denn – um noch einmal daran zu erinnern – 'die' Dichtung, die bei solchen Untersuchungszielen im Grunde naiv vorausgesetzt wird? Sind es die Dichter? Mitglieder von Schriftstellerverbänden, von Akademien, Dichter bestimmten 'Ranges', bestimmter Schichten – welche Statistik soll diese nach oben und unten grundsätzlich unbegrenzte Vielfalt zugänglich machen? Oder sind es die Werke? Von Verlagen angenommene, gedruckte, oder gerade auch die abgelehnten; die 'schöne' Literatur, oder die 'gute' usw.? Gilt die Wertung des Publikums, die Auflagenziffer? Da ja die Unzulänglichkeit der Quantität für diese Dinge ein Gemeinplatz ist – welche andere Art von qualitativer, gewogener, gewerteter Menge stellt die Dichtung dar? Von der Literaturwissenschaft darf man darauf keine Antwort erwarten. Und greifen wir ein einzelnes Werk heraus, um diesen Schwierigkeiten zu entgehen: was an Wolframs Parzival, oder was an Goethes Faust bezieht sich etwa auf die Kirche? Der Stoff? Das wäre wenig. Oder der Stil, die Form, etwa im Faust-Schluß? Was bedeutet das aber unter der künstlerischen Umformung? Oder eine Äußerung, eine Meinung, eine Sentenz? Da hätte man das Billigste am Werk getroffen. Beide Dichtungen beziehen sich wirklich auf Kirche und Christentum, in ganz bestimmter, eindeutiger Weise – aber nur als Ganzes, als Einheit. Das ist durchaus nichts Vages, Irrationales – unsere modernen Irrationalisten sind ja meist Irr-Rationalisten, verirrte Rationalisten –, aber es ist etwas, was nur in der bleibenden Polarität, dem bleibenden Auseinander von Werk und (präziser!) Interpretation vorhanden ist, nicht in der Art einer Tatsachenfeststellung. Solche und andere Fragen des Soziologen an die Literatur können und müssen gestellt und beantwortet werden. Aber es bedarf dazu einer Zusammenarbeit – wenn es zu sagen erlaubt ist – von morgen, nicht von gestern. Oder, da das mißverständlich klingt im Sinne falscher Fortschrittshoffnungen: es bedarf nicht einer Öffnung der Grenzen und Vereinigung der Fachwissenschaften, die niemand bewältigen kann ohne Verlust der Redlichkeit, sondern gerade ihrer Konzentration auf den eigenen Kern, auf die methodische Einsicht in die Tatsächlichkeit ihrer Gegenstände. Darin liegt die Möglichkeit einer Zusammenarbeit an gemeinsamen Gegenständen, die unbedingt nötig ist.

Man kann freilich sagen: all diese Probleme einer 'soziologischen Dimension der Literaturwissenschaft' gehören vielleicht zu einer soziologischen Literaturwissenschaft (die es nicht gibt!), aber nicht zur Soziologie der Literatur. Sicher, es mag das sein und jenes nicht. Worum es geht, ist jedenfalls dies: bestimmte Dichtungen und Dichtungsprobleme zwingen den Literarhistoriker, der mit seinen Begriffen und Methoden arbeitet, in seinem Gebiet, zu Aussagen über soziale Zusammenhänge, die er in ihrer Tragweite nicht übersieht und übersehen kann. Ob umgekehrt auch der Soziologe, wenn er mit seinen Mitteln in seinem Gegenstandsgebiet arbeitet, auf die Dichtung trifft, das ist zunächst eine Frage seiner Wissenschaft. Wenn, dann wird er hier ebenso zu Aussagen gezwungen, die, wie wir sahen, für den Literarhistoriker Grundfragen berühren, die der Soziologe als solcher gar nicht übersehen kann. Dem einen wie dem andern wird es ziemlich unwichtig bleiben, ob er dabei 'an sich' noch in seiner Wissenschaft ist oder nicht mehr. Er braucht Hilfe. Die Gegenstände sind nicht für die Wissenschaften, sondern die Wissenschaften sind für die Gegenstände da. Hier gibt es nur den einen, schon zu Anfang genannten Ausweg. Wenn es dem Literarhistoriker gelingt, in seiner Wissenschaft genau die Art oder die Dimension zu bestimmen, in der das Gesellschaftliche oder das menschliche Verhalten in der Dichtung als Tatsache auftritt – dann müßte der Soziologe an dieser Stelle eingreifen können. Es bleibt fraglich, ob ihn solche Stellen interessieren. Das aber ist auch eine Prinzipienfrage der Soziologie. Ihre Gegenstände, ihr Begriff und ihre Methoden werden davon mitbestimmt, wie sie solche Fragen aufnehmen will oder kann. Insofern bedeutet eine bloß fachwissenschaftliche Erörterung wie die unsere allerdings auch einen Beitrag zur methodischen Diskussion der Soziologie.

GATTUNGSPROBLEME DER MITTELHOCHDEUTSCHEN LITERATUR

EINTEILUNG DER LITERATUR IN GATTUNGEN, Arten, Typen usw. – die Fragen der Terminologie sollen uns hier nicht beschäftigen[1] – hat es seit je gegeben, trotz häufiger Skepsis der Betrachter und ebenso altem Überspielen der Gattungsbegriffe durch die Produktion selbst. Zumindest kommt keine Philologie ohne Gattungsbegriffe aus. Von ihrer Arbeit an Form (Sprache, Text, Metrum, Stil) und Inhalt eines Werks (Interpretation, Aufbau, Quellen) bis zur literaturgeschichtlichen Ordnung in Situationen, Epochen, Abläufe und zur literarischen Systematik muß hier immer auf den soziologisch erwarteten und künstlerisch gemeinten Typ reflektiert werden, auf die Gattung, auf ihre eigenen 'Gesetzlichkeiten', seien sie nun erfüllt oder bewußt negiert, umgebildet oder durch neue ersetzt. Das ist in der Literatur nicht anders als in der Musik, wo die Gattungsgesetzlichkeit und -entwicklung von Lied, Tanz, Sonate usw. ständig interferiert mit der biographischen, soziologischen, kulturellen und geistigen Geschichts-Situation der Werke[2]. Oder in der Kunst, wo noch materiellere Gesetze der Architektur und Plastik, Schwere und Bindung des Materials, Gesetze der Malerei, Kontur und Farbe auf Flächen, dazu zeitbestimmtere Gattungsgesetze, des Altarbilds, Tafelbilds, Porträts, Stilleben usw., in die geschichtlichen Situationen hineinwirken. Allerdings kennt die Literatur, die Sprachgestalt, viel weniger technische Bindungen, dafür stärker soziologische und geistige.

Jedenfalls behandelt auch das jüngste Handbuch der Germanistik, WOLFGANG STAMMLERS Deutsche Philologie im Aufriß (Bd. 2, 1954), die deutsche Literatur von der altgermanischen bis zur Gegenwart in Längsschnitten nach Lyrik, Epik, Dramatik, wozu fürs Mittelalter noch zwei Abschnitte »Prosa« treten, für die Neuzeit Unterarten wie Epos, Roman, Novelle, Essay gesondert. Und es ist kein Zweifel, daß, wie seit dem Anfang einer deutschen Philologie geschehen, insbesondere die drei Hauptgattungen Lyrik, Epik, Dramatik – nach Goethe »Naturformen« der Dichtung – auch Hauptgruppen deutscher Literatur im Mittelalter bezeichnen können.

Gehen wir aus von ihrem Höhepunkt um 1200, so finden wir hier erstens eine ausgeprägte und nach Dichtern, Gebrauch und Überlieferung abgesonderte Lyrik: den Minnesang; freilich ausschließlich gesungenes Strophenlied, sehr schematisch und immer auch didaktisch im Inhalt und damit verbunden die didaktischen und politischen Spruch-Lieder. Wir finden zweitens eine Epik von eigener, ausgeprägter Gesetzlichkeit nach Form und Inhalt: Versepik von ritterlichen Helden. Sie differenziert sich ähnlich wie später Epos und Roman; auf der einen Seite das romanhafte 'höfische Epos' in vierhebigen Reimpaaren, antike, mittelalterliche und Artus-Helden als Gegenstand – auf der anderen das sogenannte Heldenepos seit dem Nibelungenlied, in Strophen gedichtet, auf germanische Völkerwanderungskönige gerichtet. Für das Dritte, das Drama, kann immerhin das geistliche Spiel eintreten, wenn es auch, lateinisch schon länger ausgebildet, um 1200 auf deutsch höchstens sporadisch auftritt (Muri, Trier), um erst im 14./15. Jahrhundert und später seine Blüte zu erreichen. Es teilt mit dem Drama als Gattung die Dialog-Form und die szenische Aufführung. Sein Stoff ist allerdings ausschließlich das christliche Heilsgeschehen, seine Darstellung, von liturgischer Handlung ausgehend, mit liturgischem Gesang durchsetzt.

Und doch bleibt diese Gruppierung unbefriedigend. Auch wenn man den spezifisch mittelalterlichen Formen und Inhalten gerecht wird, indem man Epos, Drama, Lied von neuzeitlichen normativen Gattungsbegriffen löst, womit dann weltliterarische Parallelen frei werden, ein Weg zurück bis zu menschheitsgeschichtlichen Urformen der lyrischen Ekstase, der epischen Wiederholung und der dramatischen Repräsentation – auch dann bleibt die Einteilung heterogen für das Aufgenommene und seine Entwicklung, bleibt weiter ein Teil schon der deutschen Literatur um 1200, bleibt das meiste in ihrer Geschichte vorher und nachher ausgeschlossen.

Ausgeschlossen sind z. B. allein um 1200 die didaktischen Großwerke wie Thomasins von Zerklaere Welscher Gast, Freidank oder biblische und legendäre Verserzählung, z. B. Konrad von Fußesbrunnen. Subsumiert man sie unter die drei Hauptgattungen als Unter- oder Zwischenarten, so fälscht man Zusammenhänge: der Didaktik einerseits zum Sprichwort (Freidank) andererseits zum lateinischen Traktat (Thomasin), der religiösen Erzählung zur jahrhundertealten lateinischen, deutschen und französischen Tradition. Alle Dichtung verwendet um 1200 die höfische Sprache, alle nicht gesungene die höfischen Reimpaar-Vierheber. Aber Hartmanns von Aue Gregorius und Armer Heinrich gehören z. B. nach Thema und Aufbau viel näher zum höfischen Ritterepos als zur biblischen oder Legenden-Verserzählung oder zur mittelalterlichen Novelle, die, später, zwischen Didaktik und Schwank schwebt. Ganz heterogen bleibt es auch, das geistliche Spiel als Hauptgattung neben Minnesang, Artus- und Heldenepik zu stellen. Zwar hat die Entstehung des Dramas aus Kult und Mythos weltliterarisches Gewicht. Aber das geistliche Spiel des Mittelalters ist nach Zeiten und Orten, Dichtern und Publikum, Produktionsarten und -phasen Literatur eines ganz anderen Sinnes als etwa die höfische. Es steht im Thema und bis in die Darstellungsweise hinein bei der religiösen Gebrauchsliteratur des Mittelalters in Vers und Prosa. Diese aber kann fast beliebig jede Form ergreifen, oft nur als äußeres Kleid, oft aber auch zu selbständig und frei gefundenen Formkonzeptionen oder Genus-Schöpfungen (z. B. Priester Wernher, das rheinische Marienlob), die sich trotz überraschender Querverbindungen jeder Subsumption entziehen. Ausgeschlossen bleibt schließlich überhaupt die Prosaliteratur in der Volkssprache. Poetische Gattungsästhetik ist geneigt, sie mitsamt der poetischen Gebrauchsliteratur, Didaktik, religiöser Dichtung usw. einfach aus der Literatur im engeren Sinne auszuschließen, solange sie nicht die Qualität ästhetischer Zweckfreiheit erreicht und sich dann auch dem Systemzwang rein ästhetischer Gattungen beugen läßt. Daß diese Unterscheidung und die hinter ihr stehende Ästhetik dem Mittelalter gegenüber absurd ist – gerade wenn es auch hier gilt zu werten, ja dem künstlerisch Absoluten zu begegnen –, brauche ich nicht mehr auszuführen. Um so weniger kann man aber 'Prosa' als Typ mittelalterlicher Literatur addierend neben die poetischen Gattungen stellen, wie es wieder in STAMM-LERS Aufriß geschieht.

Ganz unzureichend erweist sich das Schema der drei Hauptgattungen, wenn man von der 'Blütezeit' nach rückwärts und vorwärts blickt. Von der karolingischen althochdeutschen Literatur sei hier ganz abgesehen. Sie ist so experimentell, ihre Werke, Prosa und Vers, sind nach Art und Überlieferung so sehr Zwecktyp oder unicum, daß sie, vielleicht außer der Heilsgeschichtsdichtung in Stabreimen, Heliand und Genesis, Wessobrunner Gebet und Muspilli, auch gattungsmäßig lauter Sonderfälle darstellen, die in einem Meer vor allem lateinischer Literatur und Tradition schwimmen, geistlichen und weltlich-politischen Gebrauchs, aber auch dagegen gesondert[3].

Die frühmittelhochdeutsche Poesie von Mitte des 11. bis ins Ende des 12. Jahrhunderts ist uns vielfach in Sammelhandschriften überliefert. Sie geht durchweg in der schon ahd. Universalform der Vierheber-Reimpaare. Pseudo-epische Bibeldichtung, besser bible moralisée, und moralisch-allegorische Traktate, Sündenklagen, Litaneien, Meßerklärungen usw., also 'liturgie moralisée', pseudo-lyrische Hymnen und Sequenz-Kontrafakturen, dazu aber auch die reichsgeschichtlichen Verserzählungen des mittleren 12. Jahrhunderts, Kaiserchronik, Alexander, dazu Rolandslied, auch Rother usw. – alles das schließt die Einheit der Form, der geistlichen Verfasser, der Überlieferung, auch des zwischen Erzählung und Moralisieren schwebenden Gehaltes zu einem Komplex zusammen, vor dem die Literaturgeschichte bis heute auch in der Gattungsfrage kapituliert.

Ähnlich ergeht es ihr auch gegenüber dem bunten Bild des Spätmittel-
alters. Man mag die Lieddichtung, Minnesang, Singspruch, geistliches Lied,
'Ballade', historisches Lied, Gesellschaftslied, Volkslied und Meistergesang,
daneben die von Frankreich und Italien inspirierte individuelle Lieddichtung Oswalds von Wolkenstein einheitlich Lyrik nennen. Wohin aber mit
dem nicht gesungenen Spruch, der Reimrede, mit der Fabel, mit all den
Typen, die ohne Grenze Didaktik, Novellistik, Allegorie von Kleinstformen
bis in Großformen hinüberspielen? Soll das geistliche Spiel als Tragödie,
das Fastnachtsspiel als Komödie fungieren? Können die Didaktik und die
religiöse Literatur aller Formen eigene Gattungen bilden, da sie doch als
'episch', 'lyrisch' oder 'dramatisch' nur Pseudo-Typen sind? Und wieder
die Prosa aller Art, literarisch und pragmatisch, religiös und wissenschaft-
lich und praktisch, mit verschiedensten Übergängen in Poesie: Reimvor-
reden zum Lucidarius und Sachsenspiegel, Reim- und Prosachroniken sowohl welt- wie lokalgeschichtlich, die Brauchtumsliteratur?

Wir sehen: auch fürs Mittelalter – mindestens im literarischen Höhepunkt
des Hochmittelalters – ist etwas dran an den drei literarischen Hauptgattungen. Zwar ganz und gar nicht im normativen Sinn des 18. und 19. Jahrhunderts: da wird immer eine zeitgebundene Definition, eine einmalige Verbindung von Inhalt, Form und Funktion anachronistisch übertragen. Aber
auch überzeitlich gemeinte Gesamtdefinitionen können sich davon nicht
freimachen. Der intensive Versuch von EMIL STAIGER endet doch in Resignation gegenüber den Nationalliteraturen, gegenüber dem künstlerischen
Wert, und von seinen an die Stelle fester Gattungs-Werkgruppen gesetzten
anthropologisch-existenzialistischen Grundhaltungen läßt sich fast nichts
ins Mittelalter übernehmen. Jede Gattungssystematik täuscht eine Immanenz der Bedingungen vor, die die Zusammenhänge und die Entwicklungen
verfälscht, selbst in den Epochen, aus deren Beispielen sie sich nährt. Das
Gattungsproblem in diesem ersten Sinne ist ein Scheinproblem.

Hier öffnet sich dem Historiker ein zweiter Weg. Kann er nicht jede Zeit
nur aus ihr selbst verstehen, die Gattungen also nur aus der zeitgenössischen
Poetik und Terminologie? Auf das damit angeführte methodische Problem,
den hermeneutischen Zirkel, den neuerdings besonders die Theologie weiter herausgearbeitet hat, brauche ich hier nicht einzugehen. Fragen wir gleich
historisch: wie sieht es mit Poetik, mit praktisch verwendeten Gattungsnamen im deutschen Mittelalter aus?

Eine deutsche Poetik gibt es im Mittelalter nicht, höchstens Äußerungen
über die 'Kunst' und über Einzelheiten des Stils bei den 'Meistern' von
Gottfried von Straßburg an. Die lateinische Poetik des 12. und 13. Jahrhunderts wird, vor allem für die volkssprachlichen Literaturen, heute fast
überbewertet[4]. Das Verhältnis der Theorie zur Praxis bleibt gerade im Mittelalter immer problematisch. Für die Gattungen ergibt sich auch hier nichts,

was brauchbar wäre. Irene Behrens (S. 33 ff.) hat zur Genüge gezeigt, welch wirre, von der Zeit meist gelöste, aus unverstandener antiker Tradition gespeiste Termini und Vorstellungen hier nur bestehen. Die Vulgärsprachen und ihre längst ausgebildeten Typen treten erst seit 1300 mit Dante, Antonio da Tempo, Eustache Deschamps in den Blick der Theoretiker[5]. Da ist noch die Musikgeschichte, die sonst mit weit größerer Differenz zwischen Theorie und Praxis zu kämpfen hat, für die weltliche Musik um 1300 durch Johannes de Grocheo besser gestellt als die Literaturgeschichte.

In der literarischen Praxis selbst ergibt sich einiges. Der Name *minnesanc, minnesinger* ist z. B. seit Hartmann und Walther bezeugt. Das Wort *aventiure* für weltlich epische Erzählung ist aus dem höfischen Epos sogar als Kapitelbezeichnung ins Heldenepos eingegangen. Es gibt mehr derart, auch für Untergruppen, und manches davon ist in unsere Gattungsterminologie übernommen worden (z. B. Leich, Märe, Bispel). Und doch weiß jeder, der mit den Quellen zu arbeiten versucht, wie sehr die mittelalterlichen Termini einer Festigkeit in unserem Sinne widerstreben, weil sie immer undefiniert gebraucht sind, immer occasionell, im nächsten Augenblick etwas für uns erstaunlich anderes bedeuten. Reimar der Fiedler nennt z. B. in einem polemischen Spruch eine Vielzahl von Liederarten (v. Kraus, Dt. Liederdichter d. 13. Jh., 1952; 45, III, 1).

> *Got welle sône welle, doch sô singet der von Seven*
> *noch baz dan ieman in der werlte. frâget niſteln unde neven,*
> *geswîen swâger swiger sweher: si jehent ez sî wâr.*
> *tageliet klageliet hügeliet zügeliet tanzliet leich er kan,*
> *er singet kriuzliet twingliet schimpfliet lobeliet rüegliet alse ein man*
> *der mit werder kunst den liuten kürzet langez jâr.*
> *wir mugen wol alle stille swîgen dâ her Liutolt sprechen wil:*
> *ez darf mit sange nieman giuden wider in.*
> *er swinget alsô hô ob allen meistern hin,*
> *ern werde noch, die nû dâ leben, den brichet er daz zil.*

Was man damit anfangen kann, d. h. nicht anfangen kann, zeigt Ehrismanns Gattungsübersicht[6]. Es ist, wie man gerade ihr gegenüber sich eingestehen muß, eine rein occasionelle, polemische Häufung von zum großen Teil willkürlichen Bezeichnungen, und auch allgemein gebrauchte *(tageliet, kriuzliet, leich)* beziehen sich entweder nur auf den Inhalt *(kriuzliet)* oder nur auf die Form *(leich)*, für ein Gattungssystem ist nichts daraus zu holen.

Ein weiteres Beispiel ist das Wort *liet*. Es bezeichnet, z. T. in deutlichem Zusammenhang mit lat. *carmen*[7], allein im 12. Jahrhundert epische Großerzählung (Prolog der Kaiserchronik und oft), die drei 'magischen' Kapitel in Priester Wernhers Marien-Werk, Vers-Traktat (Heinrich von Melk, Die Wahrheit?), Hymnus (Ezzos Bamberger Kreuzhymnus in der Vorauer Prologstrophe), die epische und lyrische Strophe, dazu noch in vielen Zusammensetzungen Spezielleres. Die frühere und spätere Bedeutungsgeschichte lasse ich dabei noch beiseite [8].

Die mittelhochdeutschen Termini sind als Gattungsnamen nur zu brauchen, wenn man sie nach- und umdefiniert, damit also doch wieder eigene Gattungsbegriffe setzt. Sie selbst sind im großen und im einzelnen wie blind für die von uns benötigte Systematik. Sie brauchen umgekehrt erst unser Gattungs-Verständnis, um an ihrem Ort überhaupt verständlich zu werden. In solcher Läuterung können sie freilich für unser Verständnis mittelalterlicher Gattungen wegweisend sein. Direkt übernehmen lassen sie sich nicht. Auch so würde das Gattungsproblem zum Scheinproblem verfälscht.

Weder allgemeine Gattungsbegriffe noch historische Gattungsnamen helfen also weiter. Es bleibt nur die Möglichkeit, so lange geduldig und genau das Überlieferte anzuschauen, darauf zu hören, bis es seine geschichtlich wirkliche Ordnung, sein 'natürliches System', seine geschichtliche Entfaltung preisgibt.

Auch so ergibt sich, dem vielfältigen Phänomen deutscher Literatur im Mittelalter gegenüber, kein System, das sich auf eine Ebene projizieren ließe. Es ergeben sich vielmehr, wie mir scheint, drei verschiedene Bereiche historischer Ordnungen, die zunächst einzeln erörtert werden müssen. Ich nenne sie

1. das Typenproblem,
2. das Schichtenproblem,
3. das Entelechieproblem.

Ob und wie sie zusammenwirken, sei es im einzelnen Werk, sei es in der gesamten Situation oder Entwicklung, wird am Schluß zu erörtern sein. Ebenso seien Erwägungen über den Begriff von mittelalterlicher Literatur als Gegenstand der Literaturwissenschaft, die ich, obwohl für das Gattungsproblem bestimmend, bisher absichtlich vermieden habe, bis dahin aufgeschoben. Auch hier darf ja kein vermeintlich allgemeiner Begriff vorausgesetzt werden. Nur den Denkmälern selbst, dem einzelnen Werk wie der Gesamtheit in Situation und Entwicklung, kann ihre Gegenständlichkeit methodisch abgelauscht werden.

1. Das *Typenproblem* führt in den gleichen Umkreis wie die Frage nach historischen Gattungsnamen. Aber es erweitert sie zur Frage nach den Typen, Werkstattschematen und -schablonen, Werkvorstellungen und Werkgebrauchsweisen, wie sie, bewußt und unbewußt, jeder künstlerischen Produktion zugrunde liegen und erst recht im Mittelalter. Man kann hier weder bestimmte Kriterien noch durchgehende Gattungen oder Typen als Ergeb-

nis erwarten, es bleibt vielmehr alles zunächst nur für seinen Ort gültig. Dafür aber hat es den Wert der historischen Tatsache.

So ist z. B. der Leich ein besonders deutlich greifbarer Sondertyp im Minnesang. Übereinstimmung im Inhalt, musikalische Form, Identität der Dichter, gemeinsame Überlieferung in allen Zweigen, z. B. sowohl den oberdeutsch-patrizischen, rein textlichen Sammlungen (ABC) wie den mitteldeutsch-meisterlichen, die auch die Melodien aufzeichnen (J W x) – all das bewährt sein Zugehören zum Minnesang. Der Name, vielfach bezeugt, die Tatsache, daß nur verhältnismäßig wenige Dichter sich mit dem Leich befaßten, daß er aber seit Walther im Œuvre von 'Berufsdichtern' als Pflichtstück nicht fehlen durfte (Walther selbst, Ulrich von Lichtenstein, Reimar von Zweter, Konrad von Würzburg, Hadlaub, Frauenlob), daß einige sich darauf spezialisierten (Ulrich von Winterstetten, Tannhäuser, Rudolf von Rotenburg, Gliers), bestätigen seine Sonderstellung als Prunkstück: eine vor allem musikalische Großform, in engstem Zusammenhang mit dem französischen Lai und der lateinischen nicht-liturgischen Sequenz[9]. Diese Form allein, in sich selbst sehr variabel, prägt den Leich zum Sondertyp. Auch die Konvention, im Text gewisse 'ansagende' Wendungen einzubauen, die ich als Typ-Kriterium nachzuweisen versuchte, gehört zur Form. Den Inhalt teilen die meisten Leiche mit dem strophischen Minnelied: Liebesklage, Frauenpreis, Minnetheorie, auch z. T. das Kreuzzugsthema (Heinrich von Rugge) oder oft Geistliches (Walther, Reimar von Zweter, Frauenlob u. a.), was sie mit der Spruchlyrik verbindet. Inhaltliche Besonderheiten wie die Pastourelle (Tannhäuser, nebst anderem Eigenen), die Aufzählung epischer Helden (Ulrich von Gutenburg, Rudolf von Rotenburg Leich III), die Tanzschlüsse des Tannhäuser und Ulrichs von Winterstetten scheinen nur ad hoc ausgebildet und finden ebenfalls Parallelen im Strophenlied. Auch im Gebrauch scheint der Leich nicht grundsätzlich vom Minnelied geschieden. Zwar weist die Form genetisch und auch in direkten inhaltlichen und formalen Zusammenhängen auf den Tanz, besonders zur Estampie, die vor allem als Instrumental-Tanz begegnet. Aber dieser praktische Gebrauch wird voraussichtlich wie in der barocken Suite längst zugunsten solistischen Vortrags aufgegeben worden sein.

Während der Leich sich also nur formal und doch eindeutig als Sondertyp abgrenzt, will im Bereich des Strophenliedes, im Minnesang weder formale noch inhaltliche Gruppierung gelingen. Die verschiedenen musikalisch-formalen Gliederungs- und Entwicklungsgruppen, die FRIEDRICH GENNRICH und HANS SPANKE[10] vor allem für französische und lateinische Lieddichtung aufstellen, enthalten nur z. T. historische Typen, die aber wieder für Deutschland, den Minnesang kaum Bedeutung haben. Alle überlieferten Namen weisen nur auf Inhaltsgruppen, die zumeist dieselbe, die sogenannte dreiteilige Kanzonen-Form benutzen. Wo andere Form-Typen vorkommen,

etwa in Neidharts Sommerliedern und manchen Tanzliedern, wird doch kein
grundsätzlicher Inhalts- oder Gebrauchs-Unterschied greifbar. 'Tanzlied'
heißen bei Ulrich von Lichtenstein die meisten Minnelieder, andere Ge-
brauchsnamen in seinem Minne-Lebens-Roman, wie *ûzreise,* scheinen nur
aus dem 'Roman'-Geschehen geprägt, die Lieder unterscheiden sich weder
nach Form noch nach Inhalt vom üblichen Minnelied. Was umgekehrt dem
Inhalt nach als Tanzlied, als Tagelied oder als Spruch sich abhebt, scheint
wohl auch gewisse Nuancierungen der Form zu lieben, verwendet beim
Spruch jedenfalls auch den 'Ton' in anderer, zum vielstrophigen Zyklus
tendierender Weise[11]. Im Gebrauch läßt sich kein Unterschied feststellen,
der spätere Minnesang übernimmt zum großen Teil, im Gegensatz zu Frankreich, die deutsche Form-Nuance der Spruchlyrik auch ins Minnelied. Hier
verbietet es der historische Tatbestand, Art und Gebrauch innerhalb der
Hauptgattung stärker zu differenzieren.

Dagegen scheint es im Minnesang detailliertere Werk-Schablonen zu ge-
ben, die, als bewußte, auch polemisch gebrauchte und kopierte Themen- und
Bilderkreise ausgebildet, auch besondere Formengruppen an sich ziehen.
Ich habe, frühere Detail-Forschung aufgreifend, an anderer Stelle Hinweise
gegeben[12]. Wir tasten hier noch immer in den Anfängen des Verständnisses.
Nirgends handelt es sich um 'Gattungen' oder 'Arten' im systematischen
Sinn, wohl aber um strukturelle Gebrauchstypen innerhalb des einheitlichen
Ganzen Minnesang. Inhalt und Form schießen in gewissen Kreisen und auf
begrenzte Zeit zu Typen zusammen, werden dann von anderen Dichtern
unter anderen Aspekten durch andere Gruppierungen ersetzt usw. Hier
spielt das literarische, oft auch das polemische Bewußtsein die größte Rolle.
Es ist eine höchst individuelle Typenbildung, die den geschichtlichen Verlauf aufs Feinste spiegelt. Und doch müssen auch durchgehendere Werk-
statt-Schemata sich darunter enthüllen, längerlebige Elemente der Gattungs-
Technik und -Lehre, die dann auch unter den zeitgenössischen Namen zu
erkennen sind. Nur diese Werkstatt-Typen – nicht unscharfe zeitgenössische
oder moderne Untergruppen – können schließlich zum Bild einer Hauptgattung und ihrer Geschichte zusammengezogen werden.

Ähnlich minutiös wie beim Minnesang läßt sich auf Grund mancher Vor-
arbeiten die Novelle, die Allegorie, die Spruchrede, die Legende, schließlich wohl auch der Bereich der religiösen Literatur und der Didaktik überhaupt nach Inhalt, Form, nach Dichtern, Gebrauch und Überlieferung in
Einzelgruppen aufspalten, differenzieren bis an die kleinsten wirklichen und
wirksamen Zellen heran. Sie erst geben uns das Recht, größere Organismen, wirkliche Ordnungsgruppen als darauf aufgebaut zu erkennen.

Denn Inhalt und Form sprechen bei den vielfachen Überschneidungen
und Querverbindungen im Mittelalter: Prosa – Vers, Strophe – Reimpaar,
musikalischer – rhetorischer Vortrag, Religiöses – Weltliches, didaktische

Erzählung – Lied – Beispiele müßten Seiten füllen – nicht so selbstverständlich eine Gruppierung nach Hauptgattungen, eine feste Variantenbreite aus, wie es uns in der Neuzeit öfter scheint. Hier muß die Gruppierung der Dichter, des Gebrauchs, der Überlieferung mit größerem Gewicht dazu treten. Sie vor allem hilft z. B. dem oben (S. 43) angeführten Gattungsproblem der frühmhd. Literatur näherzukommen. Eine nach Umfang der einzelnen Werke, nach epischer und lyrischer Haltung, nach Typen, nach Möglichkeiten des Gebrauchs sehr bunte und schwer faßbare Literatur wird nicht nur durch den geistlichen Stand der Verfasser, den religiösen Bezug, die fast durchweg gleiche Form der Vierheber-Reimpaare als einheitlicher Typ oder einheitliche Gattung erwiesen, sondern vor allem durch die gemeinsame Überlieferung in zahlreichen Sammelhandschriften. Wir können sogar die Entwicklung ihrer Programme verfolgen. Im geschlossensten, merkwürdig verklammerten Kreis der drei Sammelhandschriften in Wien, Klagenfurt und Vorau – ein Drittel der ganzen frühmhd. Literatur umfassend – werden fast alle heterogenen 'Gattungen', Werke vieler Dichter, z. T. bewußt variierend in einen heilsgeschichtlichen Gesamtplan von der Schöpfung bis zum himmlischen Jerusalem eingeordnet[13]. Der Schluß daraus kann nur sein, daß vor jeder Differenzierung diese ganze Literatur zunächst einmal nur als Einheit, d. h. insgesamt *eine* 'Gattung' genommen werden kann; dem Gebrauch nach als Weltbild- und Lebensorientierung geschlossener Kreise wohl des höheren weltlichen und geistlichen Adels[14] – ihre Charakterisierung als 'cluniazensisch' darf für überholt gelten. Diese 'Gattung' hat zwar im einzelnen deutsche Vorgänger und lebt mit ihren einzelnen Typen unter veränderten Umständen im Spätmittelalter wieder auf. Auf die Quellen gesehen vereinigt sie verschiedene Typen lateinischer Erzählungs- und Erbauungsliteratur, die man zur Untergliederung verwenden mag (s. u. S. 55). Aber sie löst sie für den deutschen Gebrauch so sehr aus ihren lateinischen Gebrauchs- und Typenzusammenhängen, kontaminiert so frei und bindet die nach Dichtern, Zeit und Raum wohl stärker als bisher zu unterscheidenden Einzelwerke so fest in den uniformen Literatur- und Gebrauchsrahmen, den man von den späten Sammelhandschriften aus zurückprojizieren muß auch auf die Einzelwerke seit dem frühen 12. Jahrhundert (nicht die des 11. Jahrhunderts!), daß hier die Gattungseinheit voranstehen muß vor jeder Untergliederung.

Wie man diese 'Gattung' systematisch begreifen und kurz benennen soll, bleibt eine schwierige Frage. An ihrer Tatsache ändert das nichts. Allerdings steckt in der formalen und inhaltlichen Uniformität und gattungsmäßigen Undifferenziertheit der frühmhd. Literatur auch ein Stilproblem. Sie ist in gewisser Weise archaisch, mehr als es die althochdeutsche war, ähnlich der romanischen Kunst, wo auch Architektur, Wandmalerei, Relief und Ornamentik, ebenso die plastisch-graphische Einheit des Bucheinbandes

mit dem Innern samt Illustration, als 'Gesamtkunstwerke' zusammengesehen sein wollen. Das bestätigt jedoch nur den eben gezogenen Schluß.
Auch von dieser Seite her können Gattungen zunächst nicht vorausgesetzt,
Unterarten nicht stärker differenziert werden, als es die Stillage ebenso wie
die Zeitlage, der Gebrauch usw. zulassen. Daß trotzdem auch in solcher
Archaik schon gewisse Gattungsentelechien wirksam sind, wird uns noch
beschäftigen (unten S. 56 f.).

Einfacher liegen, wie wir schon sahen, die Verhältnisse in der hochmittelalterlichen Blütezeit. Hier spricht schon die formale und inhaltliche Abgrenzung der Großgattungen deutlich genug. Ihr Verhältnis darf man aber auch
keineswegs aus einer Gattungssystematik ableiten oder begreifen wollen.
Dazu verhelfen uns wieder nur Beobachtungen über Dichter, Gebrauch und
Überlieferung. Alle großen höfischen Epiker z. B. haben auch dem Minnesang ihren Tribut entrichtet: Veldeke und Hartmann, Wolfram in Tage-
liedern, Gottfried in zwei Sprüchen und der Literaturstelle des Tristan. Nicht
aber haben umgekehrt die großen Minnesänger an Epik gedacht (außer
dem zweifelhaften »Umhang« Bliggers von Steinach). Und auch in der Überlieferung bleibt die Lyrik in den Liedsammlungen für sich, während Epik-
Handschriften wie Sammlungen anderer Art gern lyrische Kleinsamm-
lungen aufnehmen[15]. Dabei spielt natürlich die einfachere Produktion eines
Liedes, dem teuren und anspruchsvollen Buch gegenüber, eine Rolle, auch
die leichtere Verwendung und Verbreitung des Liedes. Aber offenbar war
auch sein Vortrag der höfische Vorgang par excellence, das höfische Zeremoniell selbst, dem die erzählenden Buchdichter nur den geistigen Hintergrund hinzufügten, weiter freilich und tiefer im Gedanklichen, als es das
Lied sein konnte.

Diese Affinität der höfischen Epik für den Minnesang gilt jedoch nur für
die Großen. Die niedere Epik der Blütezeit bleibt beim schlichteren genus
und vorwiegend Einzelwerk wie vorher im 12. Jahrhundert. Der Stricker
aber verbindet die Epen Karl und Daniel schon mit Bispel, Sittengedicht,
Schwankzyklus, wie später Konrad von Würzburg und Herrand von Wil-
donje Lyrik mit Novelle. Auch Rudolf von Ems nennt in seinen Literatur-
katalogen, trotz Gottfrieds von Straßburg Muster, keine Lyriker mehr, dafür Didaktiker. Das literarische Bewußtsein, die Symbiose von höfischem
Roman und Minnesang kennzeichnete also nur eine wohl auch soziologisch
und politisch besondere Situation um 1200. Schon für Rudolf von Ems ist
der Minnesang anscheinend uninteressant, weil nur noch Gesellschaftskunst,
nicht mehr, wie er sie episch fortführt, höfische Problemkunst.

Die Kleinform von Hartmanns Gregorius und Armem Heinrich aber
nimmt er mit dem Guten Gerhard noch in diesem Sinne auf, dazu schließlich noch die Weltchronik, die hier als realistischere Problemkunst wie im
12. Jahrhundert wiederkehrt. Die Überlieferung entscheidet später wieder

anders. Sie zieht Hartmanns Armen Heinrich in den Umkreis der Novellen, Legenden und Allegorien: in der Heidelberger und Kalocsaer Sammelhandschrift, die auch Walthers und Reimars von Zweter Leiche aufnahmen.
Hartmanns Büchlein schließlich: Streitgespräch nach alten Mustern, didaktischer Minnetraktat, Klage oder Liebesbrief, wie immer man es nennen
und einordnen will, bleibt – vielleicht zufällig – aus der epischen wie lyrischen Überlieferung ausgeschlossen und auch später aus der didaktischen.
Erst Maximilians Ambraser Sammlung vereinigt es mit allem möglichen
anderen aus dem Abstand seiner Mittelalter-Renaissance heraus. Das entsprechende Büchlein Ulrichs von Lichtenstein, das den Typus auch in
Deutschland weiter bezeugt, findet schon früher seinen Platz nur in der
authentischen 'Ausgabe letzter Hand', Ulrichs Frauendienst.

Nicht erst in der Ambraser Hs. tritt die Heldenepik neben den höfischen
Roman. Schon die St. Galler Sammelhs. gibt wichtigste Texte von Parzival
und Nibelungenlied zusammen. Das wiederholt sich öfter bis zur Ambraser
Sammlung[16]. Doch der Gattungsunterschied zwischen höfischem und Hel-
den-Epos bleibt tief und lange wirksam trotz mancher späterer Ausgleichs-
erscheinungen. Schon in Form und Inhalt: hier Reimpaare – dort Strophen-
form, hier verritterte antike (Eneit), mittelalterliche (Willehalm) oder märchenhafte historische Helden (Artuskreis) – dort germanische Heroen der
Völkerwanderungszeit, hier 'Gerüstepik' – dort 'Szenenepik'. Man hat seit
je, seit HEUSLER fast kanonisch, diesen Gattungsunterschied soziologisch
begründen wollen. Heldenepen dichtet nicht der höfische Ritter, sondern
der anonyme Spielmann; nicht für fürstliches und höfisches Publikum, sondern das Heldenlied sinkt von der germanischen Gefolgschaft zu den Bauern
(Quedlinburger Annalen, s. EHRISMANN Bd. 1, S. 93), und auch dem Nibelungenlied lauschte demnach zunächst eine rückständige alpenländische
Ritterschaft und auch weiter ein sozial tieferes Publikum. Dagegen sprechen schon die Prachthandschriften von Heldenepik, die wenigstens in
Resten auf uns gekommen sind[17], sprechen neuerdings die beachtliche
Hypothese KRALIKS über den Dichter des Nibelungenliedes und HÖFLERS
Darlegungen über den geschichtlichen Sinn der hier traditionellen Anonymität[18]. Das Gattungsgesetz der Heldenepik und sein Unterschied zum
höfischen muß also, wie auch die Überlieferung zeigt, in anderen Bedingungen liegen, hier gerade nicht in soziologischen.

2. Das führt uns zum zweiten Ordnungssystem, dem *Schichtenproblem*. Es
besteht in jeder Epoche, wird durch die traditionelle Einschränkung auf die
hohe 'Schöne Literatur' in der neueren Literaturgeschichte nur verdeckt,
Mitgift ihrer Herkunft aus der Philosophie und Ästhetik. Es ist heute klar,
daß in dieser Abgrenzung ebensoviel soziologische wie Wert-Prämissen stek-
ken, daß hohe, auch 'absolute' Dichtung nicht begreifbar ist ohne ihre

Distanzierungen und Querverbindungen zur niederen Unterhaltungs- und zur Fach- und Gebrauchsliteratur. Die Literatur der Gegenwart öffnet uns da die Augen auch für frühere Epochen.

Wenn nun heute etwa zum gleichen Zeitpunkt in ein paar Zeitungen und Illustrierten an Erzählung nebeneinander zu finden ist: Kriminalroman, 'wahre' Geschichte, Reportagen wie 'Das Leben des Sokrates', 'Die Tragödie von Meyerhofen', literarische Kurzgeschichte, avantgardistischer Roman – wie soll man das alles wenn nicht durchweg als Literatur, so doch durchweg als Gattung nehmen? Denn auch in der Unterliteratur muß es doch Gattungen geben. Alles als 'Epik' oder bloß als 'Erzählung' oder unvereinbar? Gehört der Schlager zur Lyrik? Aber Bert Brecht? Hier kommen die Gattungsbegriffe mit einer Ebene nicht aus, wie in der ästhetischen Systematik. Sie müssen nach Schichten differenziert werden.

So noch viel mehr im Mittelalter, wo von soziologisch-ästhetischer Autonomie der Literatur nicht die Rede sein kann. Wir müssen allein bis zum Hochmittelalter mit mindestens drei literarischen Schichten rechnen, die getrennt nebeneinander herlaufen, aber auch mannigfach ineinander wirken: a) eine vor- und unterliterarische Schicht mündlicher Literatur, b) eine 'lateinisch'-literarische auch in den Volkssprachen, c) eine bewußt volkssprachlich literarische.

Die Tatsache ist lange bekannt. Es ist HERMANN SCHNEIDERS Verdienst, schon im Titel seiner Literaturgeschichte: »Heldendichtung, Geistlichendichtung, Ritterdichtung« ([1]1925, [2]1943) darauf und auf die Zusammenhänge mit Tradition und Soziologie hingewiesen zu haben. Denn in der unterliterarischen Schicht lebt, nicht ungebrochen aber unzerrissen, für uns vor allem die Tradition der germanischen Heldenlieder durch Jahrhunderte fort; in der 'Geistlichendichtung' vor allem die christlich lateinische Welt; in der 'Ritterdichtung' kommt das eigenständige volkssprachige Mittelalter zum hochmittelalterlichen Vollbewußtsein. Auch soziologisch sind die drei Sphären richtig angedeutet. Allerdings gehen, wie der aufmerksame Leser auch schon in SCHNEIDERS sensibler Darstellung finden konnte, die drei Schichten nicht einfach im Sinne des bekannten Schlagworts von Germanen + christlicher Antike = Mittelalter auf.

In der unterliterarischen Schicht (a) lebt gewiß Germanisches fort, vor allem die Helden-Historie, als Dichtung und wohl auch als Sage[19]. Es lebt auch Volks- und Brauchtumsliteratur zusammen mit den vielen Lebens- und Vorstellungselementen der germanischen Völkerwanderung ins Mittelalter herüber. Aber ihre Konstanz als 'Grundschicht' reicht einerseits ins Menschheits-Typische hinein, literarisch wohl nicht so sehr im Sinne von ANDRÉ JOLLES' »Einfachen Formen« (1930) als direkter Sprach-Erscheinung (ihr Nachweis ist nicht eigentlich gelungen), aber im Sinne ethnologischer Typik für vorliterarische, sprach- und gedächtnisgetragene Literatur[20]. Andrer-

seits ist sie, bis in die nördlichste Bewahrung germanischer Literatur hinein, durch den Mischkessel einer völkerwanderungszeitlichen Koiné auch
in literarischer Hinsicht gegangen. Wir dürfen also nicht so sehr germanisches 'Wesen' hier suchen, womöglich die Perlen einer 'Ursprünglichkeit',
nach denen sich die Germanistik aus all der mittelalterlich deutschen Zweite-
Hand-Literatur seit Anfang vergeblich gesehnt hat. Sondern eher sowohl
germanisch wie spätantik gefärbte und mittelalterlich institutionalisierte
Konstanten vorliterarischer Typik. Dazu kommt die, heute vor allem durch
die großangelegten Forschungen von KARL HAUCK in den Blick gerückte
Tatsache, daß diese Schicht soziologisch nicht im 'Volk' lebte, sondern gerade in fürstlichen Haus- und Hof-Traditionen[21]. Sie verband sich hier mit
mittelalterlich christlichen Fortsetzungen in Fürstengenealogie, Reliquien-
erwerb und Legendenerzählung, Brauchtum (Minnetrinken?)[22] usw. Aus
ihr tauchen literarische Traditionen und Versuche hinauf, in die geschrie-
bene Literatur: im Hildebrandslied und Waltharius; in lateinischen Feier-
und Totenliedern (Cambridger Lieder), Translationen und Legenden, Historiographie[23]; schließlich in der ritterlich-hochliterarischen und doch eine
kaum begreifbare Selbständigkeit wahrenden Gestalt des Nibelungenliedes.
In dieser Schicht lebt aber auch die gemeineuropäische Tanz- und Sang-
lyrik, von der uns die Tanz-Legende von Kölbigk einen 'balladenhaften'
Zug, Einzelstrophen der Carmina Burana und ausgebildeter in Minnesangs
Frühling einen mehr brauchtumshaft-lyrischen Zug verraten[24]; lebt sogar
eine breite europäische Welt von Erzählungsliteratur, die uns neuerdings
als Unterlage literarischer Epik und Novellistik lebendig wird[25].

All das: erstaunliche Tradition aus der Völkerwanderung, gemeineuropäische Verbreitung, aber auch erstaunliche Einflüsse aus Byzanz (helleni-
stischer Liebesroman), dem Orient (höfisches Lied), der römischen Spätantike (Vergil, Ovid, Bibel usw.) bis zurück nach Griechenland, Babel
(Recht) und Ägypten (Zauber), bis Indien (didaktischer Novellen-Zyklus) –
all das zeichnet sich heute als Möglichkeiten der unterliterarischen Schicht
im Mittelalter ab. Beweise stehen noch weithin aus, sie werden hier auch
oft nicht exakt zu erbringen sein, aber das Typische, auf das es in diesem
Raum mehr ankommt als auf das Individuelle, scheint sich uns doch greifbar zu erschließen. Geschichtlich wird es sich nur selten aufschlüsseln lassen – jedenfalls wäre es falsch, hier im genetisch Ursprünglicheren immer
das Ältere zu vermuten[26]. Denn neben Tradition tritt die hier immer mögliche Regeneration 'ursprünglicherer' Elemente.

Auch für diese Literatur werden Gattungen oder Arten zu unterscheiden
sein. Rätsel und Schwank, Neckvers, Sittenspruch, genealogische Merk-
verse, zeitgenössische Schlacht-, Fest- und Totenfeier, historisches Lied,
auch verschiedene Brauchtums-, Tanz- und Spieltexte u. a., dazu aber auch
Rechtsspruch und Mythologie verschiedenster Stufen und religiöser Ein-

kleidungen, dürfen noch im Mittelalter angenommen werden. Mit episch-lyrisch-dramatisch ist dafür wenig anzufangen, obwohl sich sicher Ursprünge gerade auch ihrer Typik hier entfalten. Man wird um eine Gattungs- und Artenliste bemüht sein müssen, die den ethnologischen und volkskundlichen Bedingungen Rechnung trägt, die diese Wurzel auch in den literarisch gewordenen Texten noch erkennbar macht, bis hinein ins Nibelungenlied.

Die zweite, die lateinisch-literarische Schicht (b) erscheint viel weniger problematisch. Ihr gehört der Großteil aller geschriebenen Literatur auch der Volkssprachen im europäischen Mittelalter an, in Prosa und Vers. Literatur der Kirche zunächst, der Seelsorge, Katechetik, Kult-Erklärung, und Literatur der Schule, der Gelehrsamkeit, von den Glossen bis zu den artes, der Theologie, seltener gelehrtes Recht und Philosophie, aber Geographie, Geschichte. Dazu auch all das, was E. R. CURTIUS als lateinische Tradition im europäischen Mittelalter zusammengefaßt hat, soweit es auch in den Volkssprachen ausdrücklich lateinisch-literarisches Bewußtsein realisiert (Otfrieds fünf Bücher Evangelium, Willirams Hohes Lied [27]).

Aber nicht durchweg! Die Literaturgeschichte des deutschen Mittelalters krankt noch heute daran, daß sie alles, was geistlichen Stoffs oder geistlicher Verfasser ist, nur als Abfall einer sowieso schon suspekten, weil so unklassischen lateinischen Literatur und Tradition ansah. Das Geistliche kann aber im Mittelalter auch zugleich höchst Irdisches meinen, wie vorhin schon angedeutet (S. 49 f.). Andererseits rechnete sie Vieles in weltlicher Literatur nicht der lateinischen Umwelt zu, der es E. R. CURTIUS, wenn auch zu weitgehend, am sichtbarsten zurückgeholt hat. Im Parzival zum Beispiel, bei Walther, bei den 'Meistern' ist lateinisches Gut nach Stoff und Stil mit einer Direktheit verarbeitet, die sich immer erst liebevoller Versenkung in die Einzelheiten erschließt. Auch soziologisch sind die Beziehungen komplexer, als man lange dachte. Der Ausfahrts- und Waffensegen in einer Sammlung deutscher Nonnengebete [28] oder der Zusammenhang von Sequenz und Conductus als Gesellschaftskunst der Geistlichen mit weltlich lyrischen Formen illustriert auch literarisch die Tatsache, daß ständische und genealogische Beziehungen oft weit stärker Geistliche mit Laien verbanden als der religiöse Stand, als Domkapitel und Kloster sie trennten.

Auch hier wird mit Gattungen und Typen eigener Art zu rechnen sein. Die vergilisierende Bibelepik z. B. nach dem Muster der Arator, Juvencus, die Otfried (*Ad Liudbertum*, ERDMANN 4, 17) als Beispiel anführt, Alcimus Avitus, den die Wiener Genesis als Quelle benutzt, wird von E. R. CURTIUS zu einfach als »Pseudo-Epik« abgetan (S. 155, 459). Sie ist im Raum der spätantiken, christlich-lateinischen Literatur sui generis, gewiß auch Pseudoform antiker Muster, aber mehr noch Nötigung zu neuer Struktur, die an ihrem Inhalt zu messen ist und im Mittelalter eigene Typen erzeugt, ähnlich wie die karolingische und ottonische Kunst. Ähnlich ist es mit der Lyrik etwa der Carmina Burana. Die Typen aus kirchlich-seelsorgerischer Praxis, theologischer und wissenschaftlicher Tradition und antiker Renaissance, die für die lateinische Literatur des Mittelalters noch fast ganz der gattungsmäßigen Aufgliederung harren, werden auch für die lateinische Schicht der volkssprachigen Literaturen wohl erst brauchbare Gliederungsansätze bieten. So für die frühmittelhochdeutsche Literatur (s. o. S. 49), für große Komplexe im Spätmittelalter. Wobei jedoch immer damit zu rechnen ist, daß die lateinischen Typen, allein schon des kirchlichen oder wissenschaftlichen Gebrauchs, in der Volkssprache andere Funktionen erhalten müssen und sich dadurch z. T. ganz anders gruppieren, umbilden usw.

Die oberste Schicht, die bewußt volkssprachlich-literarische (c), scheint in der höfischen Literatur der hochmittelalterlichen Blütezeit unserer seit dem 18. Jahrhundert entwickelten Literatur- und Gattungsästhetik am nächsten zu kommen. Hier gibt es Dichternamen, auch Biographisches, gibt es literarisches Bewußtsein und literarischen Betrieb, gibt es 'Lyrik' und epischen 'Roman' als normative Gattungen. Die Anachronismen, die von daher fälschend in Forschung und Literaturgeschichtsschreibung drangen, sind bis heute noch nicht ganz überwunden: falsche Schlüsse auf Psychologie und Biographie, Mißverständnisse des Typischen und Didaktischen, der Autonomie dieser Literatur, ihrer Abhängigkeit von Frankreich, ihres 'weltlichen' Charakters, ihrer Entwicklung. Nicht allgemeine Literarästhetik, am wenigsten eine rein funktionale, wie sie heute oft die Gemüter verwirrt, sondern nur präzises Hören auf die mittelalterlichen Inhalte und Strukturen der Werke erschließt die mittelalterliche Kunstautonomie dieser Schicht und ihre deutsche Nuance und dann erst auch ihre Gattungsgliederung. Wir müssen das hier – leider – auf sich beruhen lassen.

Für die höfischen Gattungen im Speziellen, Minnesang und Epos, ist zunächst das Soziologische bestimmend; in der Form: der Vortrag als Vorgang, das höfische Publikum; im Inhalt: nicht die Ritterideologie selbst, sondern ihre kritische Ausweitung zu einer Lebenslehre für den Ritter, den Laien in der Welt und vor Gott. Die höfischen Gattungen sind also von diesen beiden Seiten her nicht sui generis im ästhetischen Sinn, sondern Ergebnis einer literarischen Bewußtseinsbildung des Adels, als des zuerst zu einem nationalen und ständischen Selbstbewußtsein gekommenen und um seine Deutung ringenden Volksteils, seit dem 11. Jahrhundert. Zuerst noch von den Geistlichen im Dienst des Adels getragen, deren lateinische Schulung hier jedoch im Ringen mit der neuen Aufgabe zu neuen Formen und Typen gedrängt wird. Damit gehören auch geistliche Gedichte wie Annolied, Memento mori, gehört die Reichsgeschichts-Epik wesentlich in diese oberste literarische Schicht. Da Frankreich seit dem 12. Jahrhundert wie in der Wissenschaft und Kunst so auch in der Laienkultur vorbildlich vorangeht, vollzieht sich dann in Deutschland der Übergang auch der Produktion an Laien, an Ritter seit Mitte des Jahrhunderts in mehreren Schüben einer immer genauer nachholenden Rezeption französischer höfischer Literatur-Kultur. Der Hintergrund des schöpferischen Prozesses aber, eben jene Bewußtseinsbildung des Ritters, stellvertretend für den Laien in der Welt und vor Gott, die mit der Krise des Hochmittelalters zwar scheiterte und doch die glänzendsten Leitbilder bis tief in die Neuzeit hineintrug – dieser Hintergrund des schöpferischen Prozesses lebt in Deutschland so genuin wie in Frankreich. Darum wird auch die Rezeption französischer Stoff-, Stil- und Gattungsbilder, ähnlich wie die etwas späteren Phasen der Rezeption in der bildenden Kunst, nur als mit-schöpferische Auseinandersetzung begreifbar. Sie gestaltet gerade im wachsend genauen Aufnehmen ein Mit-Vollziehen, das aus in Deutschland älteren literarischen Ansätzen kommt und sich weiter von der eigenen geistigen Auseinandersetzung nährt. Auf diesem Hintergrund sind auch die 'klassischen' Gattungstypen in Deutschland allein verständlich, in ihrer gegenüber Frankreich diffuseren, blasseren Gebrauchswirklichkeit, ihrer härteren Stilisierung, aber zugleich ihrer auch in bezug auf die Gattungen bewußt auswählenden und kontaminierenden Selbständigkeit!

Die drei Schichten unterscheiden sich also nach Traditions-Inhalten und -Arten, nach ihren Gebrauchsweisen, ihrer soziologischen Basis. Und doch lassen sie sich nicht auf eine dieser Bedingungen festlegen. Man kann sie nur als Schichten literarischen Bewußtseins bezeichnen. Denn in allem Faktischen gehen Beziehungen und Verbindungen aller Art quer hindurch. Jedes Werk zeigt ein anderes Bild von Beziehungen aller drei Schichten, von Teilhabe oder Abwehr, in tausend Weisen wirkt jeweils Unterliterarisches, Lateinisch-Historisches und mittelalterliche Bewußtseinsbildung zusammen, hier wie in anderen Kunst- und Lebensgebieten. Unmöglich, hier Beispiele zu geben. Es hieße die Literaturgeschichte selber schreiben, deren Gattungsgesichtspunkte uns im Augenblick allein beschäftigen. In Hinsicht auf sie scheint an diesem Punkte nur noch Resignation übrig zu bleiben.

3. Und doch führt uns gerade das in den letzten Kreis mittelalterlicher Gattungsfragen hinein, den ich das *Entelechie-Problem* genannt habe. Denn hinter der Sonderung und den Querverbindungen der drei Schichten, die sich schließlich zu den einzelnen Typen, Werkstattschematen usw. konkretisieren, liegt eine schon mit der Volkssprache im Mittelalter gegebene, alle Schichten verbindende, gemeinsame Zielstrebigkeit; eine ständische und nationale 'Aussonderung' sowohl aus den germanisch-spätantiken Traditionen

wie aus den lateinisch-christlichen Bildungs-Renaissancen, die sich zum geschichtlichen, literarisch vor allem zum lateinischen Mittelalter vereinigten. Es ist eine Ausgliederung allein schon durch die Herübernahme in die Volkssprache. Sie war ja noch nicht, wie in der Neuzeit mehr und mehr, neutrales Medium für jede Art von Mitteilung und Erkenntnis, sondern noch dezidierter Träger einer abgesonderten Lebens- und Gebrauchswelt bis in die Unterhaltung, die Sittenlehre, die Rechts- und Verwaltungspraxis und Heeresorganisation, die vergangene und zeitgenössische Geschichtstradition hinein. Daß nach wenigen karolingischen Übersetzungsexperimenten diese Lebensgebiete bis ins 13. Jahrhundert wieder literarisch in Latein sich spiegeln, erklärt sich weniger aus geistlicher Überfremdung als aus der noch zu dichten eigenen Lebenswelt der Volkssprache, befrachtet mit Brauchtum, vorliterarischen Traditionen, Rechtsformalismus. Nur zögernd erschließt sie sich – trotz schon jahrhundertelanger Symbiose mit der lateinischen Welt – der beweglicheren Schriftlichkeit, der persönlicheren, freieren literarischen Form. Und verwandelt zugleich alles, was sie hier neu aufnimmt, in ein Dokument dieses Prozesses, in einen Schritt auf ein neues mittelalterliches Selbstbewußtsein hin. Die Volkssprache wird so zum Träger der ständischen und nationalen Ausgliederung.

Außer den praktischen Bereichen der Seelsorge, die im Verkehr mit dem breiten Laienvolk die Volkssprache braucht, und außer einzelnen Forderungen des wissenschaftlich-lateinischen Unterrichts (Glossen, Notker), ergreift Dichtung zuerst die Volkssprache, auch sie nur zögernd. Zuerst in den karolingischen Experimenten. Dann erst wieder in der Mitte des 11. Jahrhunderts, nach und neben der Blüte einer lateinischen hochadligen Hausliteratur von der Ottonenzeit an, die viel unbefangener aus volkssprachlichem Gut schöpfte. Die Verbreitung volkssprachlicher Dichtung und auch Prosa im 12. Jahrhundert in Deutschland wie in Frankreich geht dann einher mit dem immer breiteren kollektiven Selbstbewußtsein des neu sich konstituierenden Adels, in Deutschland vor allem religiös-politisch am Reich orientiert. Es mündet schließlich in der französischen Ritterkultur und zersplittert, nach der Katastrophe des Hochmittelalters, in die vielen spätmittelalterlichen Lebens- und Literaturbereiche.

In diesem geschichtlichen Prozeß bezeichnet jedes Stückchen schriftlich-literarischer Volkssprache, von Zauberspruch und Predigt bis zum Epos, eine ganz bestimmte Stelle der sprachlich-geistigen Ausgliederung, verschieden geartet je nach der literarischen Schicht, aus der es kommt, und doch teilhabend an dem einheitlichen Geschichtsprozeß. Darum gehört, anders als in der Neuzeit, im Mittelalter jeder überlieferte deutschsprachige Text in die Literaturgeschichte.

Gattungsmäßig stehen wir so vor einer Vielzahl von Typen, heterogen nach Gebrauch, Herkunft, aber immer schon umgebildet nach den stän-

dischen und nationalen Bedürfnissen. Aus ihnen, aus dem wachsenden ständischen und nationalen Bewußtsein ergibt sich jedoch auch eine Gattungsentelechie, ein Hineinwachsen der Literatur in bestimmte, diesem Geschichtsprozeß am meisten dienende Haupt-Typen, die uns am Schluß doch
wieder so etwas wie mittelalterliche 'Naturformen' der Literatur bedeuten
dürfen.

Systematische Gattungs- und Art-Grenzen, sogar die Typen der drei
Schichten selbst spielen dabei kaum eine Rolle. Die Zielstrebigkeit auf die
hochmittelalterlichen Formen und Normen hin führt quer durch sie hindurch. Es sind dabei andere Konstanten formaler, inhaltlicher und struktureller Art im Spiel, die zu erkennen am nächsten an den Kern der literarischen Gattungen im Mittelalter heranführt.

Um 1200 steht in Deutschland das höfische Epos geprägt da, Norm für
viele Jahrhunderte. Es stammt ganz und gar aus französischer Rezeption.
Aber es hat auch eine deutsche Vorgeschichte. Nicht nur, wie wir schon
wissen, in der Geschichte der Ausgliederung eines eigenständigen volkssprachlichen Selbstbewußtseins, sondern auch eine literarische Vorgeschichte,
die mindestens Wolfram auch bewußt aufnimmt. Stilistisch führte der Weg,
wie auch Gottfried in der Literaturstelle des Tristan sagt, über Veldekes
Eneit. Veldeke lernt von der Straßburger Alexander-Bearbeitung, und diese
führt auf Lamprechts 'Vorauer' Alexander zurück, mitten in die frühmittelhochdeutsche Geistlichendichtung hinein. Dasselbe gilt für den Inhalt. Was
in den höfischen Epen als Ritterideal und Ideologie-Kritik zugleich vor uns
steht, wurde in Deutschland durch die religiös-politische reichsgeschicht-
liche Epik seit Kaiserchronik, Rolandslied, Alexanderlied vorbereitet. Die
Kaiserchronik aber, noch gar nicht Epos, sondern *liet* als Geschichts-
Novellen-Reihe, an einem chronikalischen Gerüst aufgereiht, übernimmt
programmatisch zu Anfang die Geschichtskonzeption des Annoliedes um
1080. Dieses, dem lateinischen Typus nach Heiligenvita samt Bistumsgeschichte mit weltgeschichtlicher Rechtfertigung, ähnlich der lateinischen
Prosa der Gesta Treverorum, aber in deutschen Reimpaar-Strophen und
mit erster weltgeschichtlicher Begründung der vier deutschen Stämme und
der translatio imperii, der Kontinuität schon der vier antiken Mittelmeer-
Reichsgründungen, durch Cäsar an die Deutschen – das Annolied schöpft
in seinem damit zu religiös-politischer Einheit verbundenen heilsgeschichtlichen Abriß aus Ezzos Bamberger Kreuzlied um 1060 (vielleicht schon
einer Bearbeitung in Richtung der späteren Vorauer Fassung?). Das Lied
Ezzos aber ist in seinem lateinischen Typus nach ein rein geistlicher, heilsgeschichtlicher Hymnus, wahrscheinlich unter Benützung östlicher Liturgie
von den gelehrten Pfaffen Bischof Gunthers von Bamberg gedichtet für
die größte Pilger-Wallfahrt nach Jerusalem vor den militärischen Kreuzzügen.

Dieser klare literaturgeschichtliche Zusammenhang von 1060–1200 läuft also quer durch die literarischen und Gebrauchstypen, auch quer durch die scheinbar so klaren soziologischen und geistigen Grenzen der Geistlichen- und Ritterdichtung, durch geschichtlich und künstlerisch scheinbar unvereinbare Epochen. Er wird jedoch auch von Konstanten der Funktion und der Form getragen. Im Inhalt ist es die immer gleiche Frage: Wie soll der Laie, der Adlige deutscher Nation als zuerst zum Selbstbewußtsein erwachende Gruppe, sein Heil wirken in seiner Welt? Genauer: wie kann er diesen seinen Ort, jetzt und hier, aus 'Heilsgeschichte' begründen und rechtfertigen? Die Antworten sind je nach der Epoche verschieden. Zuerst, im Ezzolied, dient noch die rein religiöse Heilsgeschichte als massive 'Orientierung' der religiös-politischen Existenz. Dann im Annolied wird die translatio-Idee und damit der Anschluß an die gelehrte Mittelmeer-Reichsgeschichte hinzugefügt, der Blick nach dem geographischen und geistigen Raum, der seit den Kreuzzügen Europa durch Jahrhunderte beschäftigen sollte. Diese Linie einer geschichtlichen Orientierung der Laien, der adligen Existenz in der mittelalterlichen Welt, konkretisiert sich im Deutschland des 12. Jahrhunderts in der geschichtsepischen Dichtung seit der Kaiserchronik fort und fort ins Zeitgeschichtliche und ritterlich Kulturelle, wie es Frankreich immer vorbildlicher ausbildete. Die geistige Funktion der 'Historie' aber bleibt dieselbe vom Bamberger Hymnus bis zum höfischen Artusepos.

Es bleiben auch gewisse Formkonstanten. Nicht so sehr das Vierheber-Reimpaar, das Universalgewand, das noch immer der Erklärung harrt. Wichtiger als diese zu allgemeine formale Konstante ist eine strukturelle, die hier auch die nach ihrer Herkunft und ihrem Gebrauch verschiedensten Gattungstypen verbindet: die Struktur, die ich vorläufig als Gerüstepik zu bezeichnen versuche. Wie im Ezzolied der heilsgeschichtliche Bericht an programmatische Formeln *(manchunne al)* und Gliederungsstellen aufgehängt ist, wie die Kaiserchronik durch ihre moralischen Zensuren am Anfang und Ende ihrer Einzelnovellen die chronikalische Folge programmatisch überdeckt, so stellt noch das Artusepos Chrétienscher Prägung einzelne, handlungsmäßig nur lose verbundene Episoden in einen programmatischen Zusammenhang. Sehr im Gegensatz zu der gleich zu behandelnden Struktur der heroischen Epik.

Was ich damit behaupten möchte, ist nicht eine systematische Gattung. Dagegen sprechen die Tatsachen verschiedenster Typen von verschiedenster Herkunft zu deutlich. Wohl aber eine Entelechie, eine Zielstrebigkeit bestimmter Gattungstendenzen, die sich quer durch begrenzte Typen durchsetzt und in der normativen Gestaltungs-Stunde des Hochmittelalters zu für lange gültigen 'Naturformen' der mittelalterlichen Dichtung führt. In Frankreich – was noch zu untersuchen wäre – ähnlich wie in Deutschland. Das

höfische Epos ist die dem Mittelalter eigentümlichste von ihnen, kaum mit
normativen Gattungen anderer Völker und Zeiten vergleichbar, auch nicht
dem Roman des 18./19. Jahrhunderts, abgesehen von seiner Mensch und
Welt erschließenden Funktion. Vielleicht strahlte es gerade deshalb so weit
in die Jahrhunderte aus?

Daneben, im wesentlichen ganz unbeeinflußt, wächst in Deutschland die
zweite epische Gattung heran: das Heldenepos. Typologisch uralt: tragischer Tod von Heroen der eigenen Vergangenheit, vorliterarisch lebend
zwischen Sage und Lied, ein Bestandteil fast aller mündlichen Literaturen,
vielfach literarisch zum Epos gesteigert. Zum Typ gehört neben der Inhalts-
Sphäre überall auch die szenische und oft dramatisch-dialogische Anlage,
formal der episch-lyrische Vers bzw. die Strophe. Hier aber liegen zwischen
Lied und Epos wenigstens 500 Jahre! Was hält den Typ unterliterarisch
konstant, ermöglicht den Aufstieg ins literarische Epos um 1200? Mögliche Vorbilder hatte die geistlich-höfische Historie vorher beschlagnahmt.
Das Rolandslied, französische, zwar tragisch-heroische und szenische Epik,
aber ins national Christliche und ständisch Institutionelle abgebogen, wurde
in Deutschland zum christlichen Reichsgeschichts-Epos. Vergils Äneis,
schon dort aus der Homerischen Ilias-Tragik ins Weg- und Heilsepos (Rom,
Augustus) umgebogen, vergleichbar der Odyssee, wurde in französischer
und danach deutscher mittelalterlicher Aneignung zum höfischen Heils-
Epos, kontinuierlich erzählende, programmatische Gerüstepik. Im Nibelungenlied aber setzt sich, trotz ritterlich-institutioneller Vermittelalter-
lichung, der szenisch-dramatische Bau und der tragisch-heroische Kern des
carmen heroicum neu durch, in unmittelbarer Nachbarschaft doch fast unberührt von der klassisch-höfischen Epik und dem Minnesang. Die Vorgeschichte war ganz unterliterarisch geblieben, nur in der Polemik der geist-
lich-gelehrten Geschichtsdichtung (Annolied, Kaiserchronik usw.) uns hin
und wieder bezeugt. Auch das ist eine Entelechie, muß uns wieder als Zielstrebigkeit zu einer 'Naturform' der Dichtung im Mittelalter erscheinen,
die hier vielleicht der mittelalterlichen 'Verwechslung' des carmen heroicum
mit der antiken Tragödie einen tieferen Hintergrund verleiht[29]. Es ist sogar, anders als beim höfischen Epos, ein fester Gattungstyp über Zeiten
und Völker hin. Seine Konstanz erklärt sich sicherlich aus der Nähe zur
ethnologischen Typik vorliterarischer Literatur.

Die hochmittelalterliche Lyrik schließlich, Minnesang und Spruchdich-
tung, führt mit ihrer direkten Vorgeschichte jenseits der französischen Rezeption in ein noch immer nicht gelichtetes Dunkel. Wenn aber Walther
von der Vogelweide mit seinem großen dreistrophigen 'Reichslied' von
1198-1202 (8, 4) als programmatischen Kern seiner Spruchlyrik die Wiederherstellung von *vride unde reht* als Gottes Ordnung auf Erden durch das
Reich forderte, so erneuerte er, sicher ohne bewußten Zusammenhang, das

Thema, das schon um 1080 das erste programmatische deutsche Gedicht von irdischer Rechts- und Heilsordnung, das sogenannte Memento mori, aufstellte. Dieses war ein seiner Herkunft und seinem lateinisch-literarischen Typ nach schwer faßbares Gebilde. Das frühmittelhochdeutsche Gedicht »Vom Rechte« (Millstätter Hs.), das im 12. Jahrhundert das Thema fortführt, ist zum Traktat ausgewachsen. Aber über diese Unterschiede hinweg wirkt auch hier der gleiche Drang zum Gedicht von irdischer Heilsordnung für die Gegenwart, die im Lied sichtbar gesetzt und vollzogen wird. Und auch die Minnelyrik ist in ihrem Kern Setzung und Vollzug solch irdischer Heilsordnung. Denn sie schildert nicht Liebe, sondern spricht von der freigewählten *unio* zur Frau als der Figur irdischen Heils, irdischer Heils-Ordnung und -Vermittlung. Nur so fügt sich die thematische Vielfalt hochmittelalterlicher Sang-Lyrik – Minne, Religiöses, Kreuzfahrt, Politik, Didaktik Kunstpolemik – zur Einheit wieder einer mittelalterlichen 'Naturform', die insofern mit der Lyrik anderer Epochen verglichen werden mag.

Die Entelechie zu drei hochmittelalterlichen normativen Hauptgattungen bezieht natürlich bei weitem nicht alles ein, was im Mittelalter Literatur ist. Vieles bleibt abseits, nur in seiner Schicht bestimmt, in seinem Gebrauchstyp, seiner übertragenen oder kontaminierten Herkunftsform, zur Einheit mittelalterlicher Literatur in der Volkssprache nur durch die allgemeine Zielstrebigkeit der volkssprachlichen Aussonderung gebunden. Daß aber andere – und zwar gerade die künstlerisch bewußt gestalteten Werke – in dieser allgemeinen Zielstrebigkeit auch eine besondere Gattungsentelechie zu hochmittelalterlichen Norm-Typen bezeugen, läßt doch eine Verbindung unserer verschiedenen Ordnungen, eine Verbindung auch der Gattungs- mit der Wertfrage möglich scheinen.

Jeder einzelne Text wird je nach seinem spezifischen Werkstattyp, nach seinem Hintergrund in einer der Schichten, seiner Kontamination, Umbildung, Querverbindung usw. nur durch zusammengesetzte, oft nicht eindeutige Gattungs-Charakteristika bezeichnet werden können. Jeder wird aber auch durch seinen Ort im Gesamtvorgang der sprachlichen Ausgliederung, durch seine Stellung zur hochmittelalterlichen Gattungsentelechie im besonderen auf eine gemeinsame Linie beziehbar sein. Diese Linie ist zugleich der Hauptstrang der Literaturgeschichte des deutschen Mittelalters nach Form und Stil, Sinn und Wert der Werke. Gattungsgeschichte ist so Literaturgeschichte selbst.

STIL ALS EPOCHEN-, GATTUNGS- UND
WERTPROBLEM IN DER DEUTSCHEN LITERATUR
DES MITTELALTERS

WELCHE ROLLE HAT DER STIL in den Literaturgeschichten des Mittelalters, speziell der deutschen? Die Frage führt sofort auf eine zweite: gibt es eine literarische Stilgeschichte im Mittelalter?

Kunstgeschichte des Mittelalters ist in weitem Ausmaß Stilgeschichte. Mit vorwiegend stilistischen Kriterien lokalisiert sie und datiert die oft anonymen Werke der Architektur, der Plastik und Malerei, der Kleinkünste, oft auf Jahre genau, scheidet Epochen und Schulen, Meister- und Werkstattarbeit, gliedert und wertet. Auch wo solche Stilanalyse heute als überwundene oder doch als nur teil-wahre, ins Gesamtgefüge der Kunst-Wahrheit einzubauende Methode gilt (SEDLMAYR), verzichtet die Kunstgeschichte nicht auf ihre Dienste.

Die Literaturgeschichten des Mittelalters haben es, soweit ich sehe, nirgends so weit gebracht, obwohl sie gerade in den letzten Jahrzehnten an Stilfragen besonders interessiert waren. In der Germanistik finde ich Ansätze zu einer mittelalterlichen Stilgeschichte auf vier Wegen: 1. durch Stilparallelen zur Kunstgeschichte, zu 'romanisch', 'gotisch' usw. (z. B. bei J. SCHWIETERING, B. MERGELL, G. WEBER, K. H. HALBACH u. a.); 2. mit Hilfe der lateinischen Rhetorik-Tradition im Mittelalter (ich verweise hier nur auf E. R. CURTIUS, den Romanisten, der alles Betreffende zusammenfaßte, er war der Germanistik freilich nicht sehr grün!); 3. durch verschiedene neue Einzelbeobachtungen der Sprachgestalt (Beispiele: H. DE BOORS Studien über frühmhd. Literatur[1], P. BÖCKMANNS Studien zur Formensprache[2], zuletzt, wohl zu sehr differenziert, WILLEMS über althochdeutsche Texte[3]); 4. mit Hilfe der traditionellen philologischen Stilkritik (zuletzt z. B. von C. v. KRAUS für den Minnesang am konsequentesten ausgebaut).

Ich kann mich hier nicht auf Schilderung und Kritik dieser verschiedenen Ansätze einlassen, nur feststellen, daß bisher keiner zu einer durchgehenden literarischen Stilgeschichte führt, entweder weil sie zu weit von den Texten entfernt bleiben (1. und 2.) oder weil ihre Einzelgesichtspunkte sich nicht zu einem vollen Bild des geschichtlichen Verlaufs zusammenfügen lassen (3. und 4.).

Das breiteste Material für eine Stilgeschichte der deutschen Literatur im Mittelalter liefert jedoch noch immer die philologische Kritik. Ihre traditionellen Fächer umschreiben die einzelnen Werke am sachgemäßesten und vollständigsten: Grammatik, Metrik, Poetik der Wortwahl, der Bilder und Figuren, Motive und Vorstellungen, schließlich Aufbau oder Struktur. So hat die Philologie auch viele Werke nach Sprache und Stil lokalisiert und datiert, Epochen und Schulen unterschieden, Meister und Nachahmer, hat gegliedert und gewertet und so das meiste für unsere mittelalterliche Literaturgeschichte getan, wie die Stilkritik der Kunst für die mittelalterliche Kunstgeschichte. Wenn wir heute viele, auch grundlegende Ergebnisse wieder als unsicher, weil konstruiert, empfinden, so geht es dem Kunsthistoriker heute ähnlich (etwa bei den Bildern, die man sowohl Giorgione als auch dem jungen Tizian zuschreibt). In gewissem Maß bleibt die literaturgeschichtliche Stilkritik auch notwendig unsicherer als die kunstgeschichtliche, weil der Anteil des Technischen und Artistischen in der Literatur geringer ist als in der Kunst, oder genauer, weil die Sprache zwar statistischer Betrachtung zugänglicher erscheint als die Mittel der bildenden Kunst, in Wahrheit aber selbst schon eine 'innere Form' besitzt, die ihr Geheimnis kaum je ganz preisgibt. Die philologische Stilkritik hat das wohl oft zu wenig beachtet.

Die heutige Kritik an der stilistischen Arbeit der Philologie richtet sich fast zu ausschließlich auf einen anderen Punkt, ähnlich wie in der Kunstgeschichte. Sie möchte nicht mehr fragen: wie ist das gemacht?, also nach den einzelnen Stilmitteln, sondern: warum ist das so gemacht?, also sogleich nach ihrer Funktion. Das heißt, sie vermißt in der Philologie, oft mit Recht, das Bewußtsein von der 'Gestalt', von der 'Ganzheit' des literarischen Werks, vom funktionalen Zusammenhang aller Stilmittel und von der Einheit dahinter, sei diese Einheit die Idee, das Lebensgefühl oder die Absicht des Weltgeistes, die ökonomische Lage, sei es eine logische Struktur oder das Weltverständnis oder Weltverhalten und wie immer die Schlagworte der philosophischen Mode heißen.

Damit, so berechtigt die Frage als solche ist, fällt aber jede Stilbeschreibung sofort eine Stufe tiefer oder höher: in Stildeutung; Stil-Interpretation wird Sinn-Interpretation; jedes Stilmittel wird 'Symbol' des gestalteten Ganzen. Das ist gefährlich! Denn Interpretieren heißt jetzt nicht mehr, zunächst neutral die Stilmittel beschreiben, dann summieren, vergleichen mit anderen Werken usw.; sondern Interpretation heißt jetzt: von oben, vom vorausgesetzten Ganzen her im Werk herumsuchen, oder von unten, vom Text her, nach dem gemeinten Ganzen suchen wie mit der Stange im Nebel! Doch kommt heute niemand mehr um diesen Zusammenhang herum. Ob die moderne Interpretation sich anspruchsvoll metaphysisch gibt wie etwa bei HEIDEGGER, ob nüchtern funktionalistisch, ja logistisch – für jede Nuance des Textes braucht sie einen Sinn-Horizont, und jeder vorausgesetzte Sinn-Horizont macht andere Stilmittel im Text sichtbar. (Es würde zu viel Zeit kosten, auch nur ein paar Beispiele zu erinnern, die jeder leicht selbst an der Hand hat.) Fazit: Heute kann und muß alles in einem Werk Stil sein, nämlich Mittel zur Gestaltganzheit – sogar der Inhalt; dafür ist aber jedes Stilmittel selbst schon Inhalt, nämlich Gestalt-Sinn! (Die Parallele zur vorausgegangenen 'modernen' Literatur und Kunst, zu Symbolismus, absoluter Poesie, gegenstandsloser Kunst, wie zur littérature engagée, zum Surrealismus usw. liegt auf der Hand. Wieviel an unseren Erkenntnissen mag auch nur Zeitstil sein?)

Es gilt jedenfalls, soll der Weg zu einer literarischen Stilgeschichte im Mittelalter frei gemacht werden, die möglichen Funktions- oder Sinn-Horizonte der Stilmittel mitzubedenken. Andrerseits brauchen die Philologien und braucht eine philologische Stilgeschichte doch wieder klare Stilelemente, nachprüfbare sprachliche Fakten, ähnlich wie sie die Kunstgeschichte unter den zunächst rein technisch gewordenen Epochennamen romanisch, gotisch, Renaissance, Barock zusammenfaßt, um sie dann erst geschichtlich zu deuten und zu werten. Also zwar nicht mehr neutrale, aber zunächst rein deskriptive Stilfakten und so viele und verschiedene, daß sie jede berechtigte funktionale Interpretation möglich machen, ja sich unter einem System-Horizont aller möglichen Interpretations-Horizonte vereinigen lassen.

Ich wage, um diese Überlegungen abzukürzen, hier die banalste aller Definitionen von Sprachstil: Sprachstil ist jede Auswahl aus den von der Sprache gebotenen Möglichkeiten unter irgendwelchen gestaltenden Gesichtspunkten.

Diese Definition stellt 1. den Sprachstil gleichgeordnet neben Stil in anderen Bereichen: Stil in Kunst und Musik, ja 'Denkstil' in der Philosophie, 'Wirtschaftsstil' in der Nationalökonomie. Auch da bedeutet Stil immer die gestalthafte Auswahl aus den Möglichkeiten der betreffenden Gebiete: den Möglichkeiten von Bauen, Malen, von Singen, Spielen, von Denken, von Wirtschaften. (Gestaltende Gesichtspunkte sind nur jeweils mehr oder weniger relevant für das betreffende Gebiet: mehr für Literatur, Kunst und Musik als für Philosophie oder Wirtschaft.) Die Definition hält 2. fest, daß Sprachstil nicht nur zur literarischen Kunst gehört, womöglich nur zur Poesie als Selbstzweck, sondern zur Sprache überhaupt, sozusagen schon in die Grammatik hineingehört; auch das grammatische Beispiel, die Beschreibung eines Weges, ein Geschäftsbrief, eine politische Rede, ein wissenschaftliches Buch hat Stil: falschen oder richtigen, guten oder schlechten, und zwar nicht nur je nach dem Zweck, sondern immer auch über den Zweck hinaus: Stil, der den Menschen charakterisiert, Stil, der die Sache gestaltet! Umgekehrt hat der Stil auch der absolutesten oder hermetischsten Dichtung doch auch einen Zweck, mindestens *den* Zweck zu wirken, von sich zu überzeugen. Die in Europa am längsten gültige Stilistik, nämlich die antik-lateinische Rhetorik, bezog ja alle ihre Stilelemente aus der Gerichtsrede, also aus dem Zweck zu überzeugen, aus der forensischen Wirkung oder doch ihrer literarisch-rhetorischen Fiktion.

In der 'Auswahl aus den sprachlichen Möglichkeiten' – nach der vorhin gegebenen Definition – haben wir nun die Summe aller möglichen Stilelemente – mit grammatischer und philologischer Ausgangsbasis, aber offen bis zu Struktur, Stoff und Gehalt. In den 'gestaltenden Gesichtspunkten' der Definition haben wir die Summe aller möglichen Interpretations-Horizonte – mit immanenter Interpretation, aber offen für historisches Verstehen und Ordnen. – Die Definition führt aber auch ad absurdum: Die Summe auch der modern interpretierten Stilelemente bleibt unendlich! Wie sie konzentrieren, wo ihr prägnantes Zentrum finden?

Ich will nicht weiter theoretisieren, sondern anzudeuten versuchen, wie eine durchgehende literarische Stilgeschichte des deutschen Mittelalters nach meiner Ansicht angelegt werden könnte.

Die germanische Vorgeschichte der deutschen Literatur soll außer Betracht bleiben. Sie ist mündliche Literatur, mit speziellen Stilmitteln, die zwar durch das frühe und hohe Mittelalter stark fortwirken, aus einer unterliterarischen Schicht heraus, die aber allgemeiner ethnologisch und folkloristisch betrachtet sein wollen. Auch die Frühgeschichte der deutschen Literatur im 9. Jahrhundert, die man die althochdeutsche oder karolingische nennt, bleibe als zu problemreich beiseite. Sie gewinnt der deutschen Sprache und Literatur vor allem die lateinischen Muster nach Form und Inhalt, die im Mittelalter fortwirken. Der Mönch Otfrid von Weißenburg bietet in seinem Evangelienbuch das literarisch bewußteste Beispiel dafür. Die lateinischen Muster – Endreim und ambrosianische Strophe, Akrosticha und Telesticha, literarische Buchgestaltung mit Prolog und Epilog, drei Widmungen und einer beigegebenen lateinischen Abhandlung – vereinigen sich mit der fränkischen Volkssprache und ihren Vorstellungen zu einer reizvollen Mischung von erstarrter Spätantike und neuer, individueller Lebendigkeit der Stilmittel, ähnlich wie in der karolingischen Buchmalerei.

Eine neue mittelalterliche Stil-Einheit in deutscher Sprache, obwohl noch immer ganz aus lateinisch-christlichen Stoffen und Formen geschaffen, gewinnen zuerst die geistlichen deutschen Gedichte des späteren 11. und frühen 12. Jahrhunderts, die sogenannte frühmittelhochdeutsche Literatur. An einem markanten, zugleich dem frühesten Beispiel, dem deutschen Kreuzhymnus des Bamberger Kanonikus Ezzo und des Musikers Wille um 1060 (die Melodie ist leider nicht überliefert), – an diesem Beispiel raffe ich

aus den hier nicht vorzuführenden Einzeltatsachen nur Aspekte einer frühmittelhochdeutschen Stilhaltung zusammen (Straßburger Fassung Str. VI):

> *Dô sih Adam dô bevîl,*
> *dô was naht unde vinster.*
> *dô skinen her in welte*
> *die sternen be ir zîten,*
> *die vil luzel liehtes pâren,*
> *sô berhte sô sie wâren:*
> *wanda sie beskatwota*
> *diu nebilvinster naht,*
> *tiu von demo tievele chom,*
> *in des gewalt wir wâren,*
> *unz uns erskein der gotis sun,*
> *wâre sunno von den himelen.*

So heißt die sechste Strophe der alten Fassung. Die *Form,* mit schwerem,
ungleichem Rhythmus, ungegliederten Reimpaarstrophen und groben Assonanzen als Reim, spannt stilistisch eine massive, schwere Wörtlichkeit der
Sprache in einfachste Gliederungen. Im *Wortstil* herrscht die zur Formel
vereinfachte 'Ansage' der religiös verbindlichen Heilstatsachen, prägt sogar die aus der lateinischen Theologie übernommenen Wendungen und
Figuren, Bilder und Allegorien um in die gleiche massive Wörtlichkeit. Die
Gedanken-Vorstellung wie der *Aufbau* formen die Geschichte der Menschheit von der Schöpfung durch den Sündenfall zur noch gegenwärtigen Erlösung um in ein einheitliches, fast zeitloses, aber dramatisch gespanntes
Raum-Bild, die göttliche Ordnung des Anfangs steht auch am Ende, und
stilistisch prägnant bindet die Wiederholung massiver Leitworte, wie *manchunne al, êre – gnâde,* Sterne – Sonne usw., alle Stationen der Menschheitsgeschichte an dieses eine Raumbild der göttlichen Ordnung.

Massive Wörtlichkeit der Sprache, massive Schwere und Gedrungenheit
der formalen und gedanklichen Gliederung, einheitliches Raumbild trotz
der Zeitfolge der Sprache – das ist der Eindruck, zu dem alle einzelnen Stilelemente zusammenführen: ein einheitlicher und konsequenter 'archaischer'
Stil. Alle Texte der Epoche haben ihn, wenn auch verschieden stark, verschieden nuanciert und später mehr und mehr aufgelockert – womit wir
uns hier nicht mehr beschäftigen können. Sein Sinn-Horizont aber ist offenbar die frühmittelalterliche Realsymbolik alles irdischen Geschehens, bezogen auf eine transzendente Ordnung.

Dieser Stil des *symbolischen Realismus* – so möchte ich ihn nennen –, später
fast zum symbolischen Naturalismus maniriert, wird erst abgelöst durch
die neue Stilhaltung der höfischen Ritterliteratur im späten 12. Jahrhundert,
nun unter stärkstem Einfluß der französischen. Nehmen wir ein möglichst

bekanntes Beispiel, wieder aus einem Lied: die erste Strophe aus dem Lied
Walthers von der Vogelweide *Ir sult sprechen willekomen* (56, 14):

> *Ir sult sprechen willekomen:*
> *der iu mære bringet, daz bin ich!*
> *Allez daz ir habt vernomen,*
> *daz ist gar ein wint, nû frâget mich!*
> *Ich wil aber miete!*
> *wirt mîn lôn iht guot,*
> *ich gesage iu lîhte daz iu sanfte tuot:*
> *seht waz man mir êren biete!*

Wieder alle Einzeltatsachen nur zusammenraffend, stellen wir fest: Als *Form*-
stil ein reich gegliedertes Strophengebäude, in dem die wechselnde Länge
der Verse, die Stellung der Reime, der Gang der Melodie ein parallel ver-
spanntes und doch verschieden nuanciertes Formgerüst bilden. Es liegt samt
dem glatten Rhythmus und dem verselbständigten Klang der reinen Reime
wie eine zweite, dritte Formschicht über den Worten. Als *Wort*stil: viele
rhetorische Stilmittel vereinigen sich zum Gesamteindruck einer überaus beweglichen Reflexion, zu einem Hin und Her zwischen Dichter und
Publikum, wo das Gemeinte und in den folgenden Strophen pointiert 'Ge-
brachte' wie ausgespart zwischen beiden bleibt – ein höchst artistisches
rhetorisches Spiel. *Vorstellungs*- und *Aufbau*-Stil: Das Hin und Her zwischen
dem Ich des Sängers und seinem Publikum ist zugleich die strukturelle Bau-
form des ganzen Liedes. Dieses gilt der Verteidigung der Deutschen, vielleicht gegen den Tadel des Troubadours Peire Vidal – ein Politikum aus
der Frühgeschichte der Nationalgefühle in Europa. Walther setzt aber dem
Tadel entgegen nur die schöne Würde der Frauen und die Wohlerzogen-
heit der Männer in »unserem Land«, wie er sagt – also Werte aus dem Tugendsystem des Minnesangs. Nicht nationale Menschen werden hier geschildert,
sondern es wird das gemeineuropäische, ja in seinem Ursprung französische
Gerüst ethischer Werte eingesetzt, in dem sich real Menschliches dichterisch
fiktiv vollzieht. Das Lied, auch bei diesem realen Thema, ist Einsetzung und
Vollzug eines irdischen Heils-Systems in formaler Analogie zum religiösen
Heil.

Form, Sprache, Vorstellung und Aufbau durchwaltet die gleiche Stilform: ein Vollzug in Analogie-Systemen. Ihr Sinn-Hintergrund ist der hochmittelalterliche *Analogie-Realismus* – und so möchte ich diesen Stil auch nennen –, der Begriffs-Realismus im weitesten Sinn. Die Zeit erlaubt nicht anzudeuten, wie – so glaube ich wenigstens – das höfische Epos eine entsprechende Stilform ausbildet, wie dieser Gesamtstil entsteht und kulmi-
niert, sich nun deutlich und bewußt in den einzelnen Stoffen, Gattungen
und Individualitäten bricht, wie er zum Spätmittelalter hin und durch das

ganze Spätmittelalter hindurch manieristisch oder detailrealistisch und
-naturalistisch fortwuchert – bis Hochrenaissance und späterer Humanismus ihn durch ein neues Stilbild ersetzen.

So weit die Andeutung einer literarischen Stilgeschichte im Mittelalter,
wie ich sie sehe. Ich übergehe alle Erörterungen, z. B. zu den Epochennamen wie romanisch und gotisch – rein stilistische hat die Literaturgeschichte charakteristischerweise nicht, die von ihr gebrauchten mischen
geschichtliche, sprachliche, soziologische und literaturbiologische erborgte
Namen in grausamer Weise –, übergehe auch Erörterungen zu meiner Terminologie, die gewiß nötig wären, auch die Probleme der Stilparallelen in
Kunst, Musik. Nur ein Wort zum Schluß nun über die Funktion des Stils
in der mittelalterlichen deutschen Literatur.

Für die heutige Stil-Beschreibung und -Interpretation scheint oft jedes
einzelne Werk »unmittelbar« zu Gott zu sein. Die Zeit und ihre Einflüsse,
die Epoche, die Gattung werden nebensächlich vor dem absoluten Wert
der einzelnen Gestalt. Epoche und Gattung standen ja auch oft wie Scheuklappen zwischen dem Werk und dem Interpreten.

Für die literarische Stil-Interpretation des Mittelalters ist die Reihenfolge
jedenfalls umgekehrt: zuerst kommt die Epoche, dann die Gattung, zuletzt
der individuelle Wert. Kein einzelnes Werk ist absolut, so einmalig es auch
hier sein kann. Denn der Stil, der ja erst dem modernen Künstler fast wie
ein beliebiges Instrument zu schöpferischer Leistung verfügbar zu sein
scheint – vielleicht auch nur, weil wir die zeitgenössischen Stilbindungen
und -zwänge selbst noch nicht sehen –, der Stil wirkt im Mittelalter wie ein
vorgegebener anonymer Zwang, bei aller auch hier vorhandenen künstlerischen Freiheit. Im Mittelalter ist – um das schöne Wort RANKES noch einmal zu mißbrauchen – auch stilistisch nur die Epoche »unmittelbar zu Gott«.

Vordergründig ist das leicht zu erklären. Der Stil ist ja im Mittelalter
mehr als in der Neuzeit soziologisch gebunden, kollektiv, nach Ständen,
Gruppen usw. Die einzelnen Stilmittel – Rhythmen, Vers- und Strophenfor-
men, Formeln und Motive, Vorstellungsweisen – kommen meist direkt aus
einer sozialen Funktion und enthalten eine soziale Funktion: in Lied oder
Tanz, in gesungener oder gesprochener Erzählung, im religiösen Gebrauch.
So gehen auch die Stilepochen oft zusammen mit historischen und soziologischen Epochen. Weiter haben auch die Gattungen – freilich die richtig
erkannten – eine stilprägende Kraft, oft eine erstaunlich konservative wie in
geistlichen Gebrauchswerken oder in den chansons de geste und deutschen
Heldenepen, oder eine erstaunlich progressive wie etwa in anderen Werken
einer freier experimentierenden geistlichen Poesie und Prosa (z. B. Williram von Ebersberg, Heinrich von Melk, Priester Wernhers Maria, die Predigt bei Berthold von Regensburg oder Meister Eckhart). Auch für die
Gattungen spielt im Mittelalter die soziale Schicht und Geschichte eine

deutliche Rolle. Der individuelle Wert eines Werkes, auch eines Werkes z. B. vom Rang und der Originalität des Nibelungenlieds, scheint demgegenüber fast sekundär; er wird gerade beim Nibelungenlied von seinem anonymen Dichter selbst ignoriert!

Im Hintergrund gehören aber im Mittelalter Stilzwang und individueller Wert der Einzelgestalt doch noch anders zusammen. Gerade die schöpferischen Leistungen gehorchen dem Stilzwang nicht einfach, sie prägen und erweitern mit dem Stil auch seinen Sinn: das kollektive Heilsbewußtsein, das kollektive Geschichtsbewußtsein usw. – oft durch konsequente Schöpfung und Steigerung wie bei Ezzo oder bei Reimar, dem Minnesinger, oft auch durch Widerspruch zu vielen Stilregeln der Epoche wie bei Wolfram von Eschenbach, oder in tiefer Entzweiung über Sinn und Form wie zwischen Walther von der Vogelweide und Reimar oder zwischen Wolfram von Eschenbach und Gottfried von Straßburg. Sie erweitern damit gerade den Stilzwang ihrer Epoche ins absolut Allgemeine nach Gestalt, Form und Inhalt. Das Geheimnis zwischen Zeit und dichterischer Gestalt waltet auch im Mittelalter, unmittelbar wie in jeder Epoche.

I

Von allen Künsten ist nur die Literatur verteilt auf nationale Einzelwissenschaften. Diese aber, die Philologien, bearbeiten Sprache und Literatur zugleich: den praktischen und den künstlerischen Gebrauch der Sprache, oder 'Material' und 'Kunst' der Dichtung – anders als Kunst- und Musikwissenschaft. Ist diese Einheit sinnvoll, ist sie noch möglich?

Was ist z. B. Germanistik, wie sie schon dem Schüler als Schulfach 'Deutsch', wie sie dem Studenten praktisch, dem Examenskandidaten in Prüfungsvorschriften als Einheit entgegentritt? Deutsch ist normativ in der Schule: Rechtschreibung, Grammatik, Stil, Gehalt dichterischer Werke – Sprache *und* Literatur. Dann, als Wissenschaft, eine Sammlung sehr verschiedener Teilfächer: Grammatik, Sprachgeschichte, Sprachgeographie des Deutschen für Neuzeit und Mittelalter, der germanischen Sprachen für die Vorzeit; weiter die eigentlich philologischen Künste: die Textrezension, von Schrift- und Überlieferungskunde über Textkritik bis zur Edition, die Interpretation von Inhalt, Aufbau, Quellen, die Poetik in Metrik, Stilistik, Gattungslehre und auch Kritik; schließlich die Literaturgeschichten der Neuzeit, des Mittelalters, des germanischen Altertums, mit ihren sehr verschiedenen Aspekten, von der Geschichte der Literatur selbst bis zur 'Literatur als Geschichte', d. h. in ihren geschichtlichen Bezügen und Wirkungen. Alle gleichermaßen beherrschen konnte auch der Gelehrte nie. Doch die Kluft zwischen den einzelnen Teilbereichen, vor allem zwischen Sprache und Literatur, reicht heute tiefer, bis in methodische Einstellungen, die sich fast ausschließen. Ist das Gesamtfach nur noch Reminiszenz aus den Zeiten der Brüder Grimm oder Scherers, wo nicht dieselbe Breite, aber doch eine Einheit verwirklicht war – aus Romantik oder nationalem Positivismus?

Für die Neuzeit als Forschungsgebiet klafft in der Tat der Abstand fast unüberbrückbar. Die Literaturwissenschaft beschränkt ihre Gegenstände, mindestens von Opitz an, auf die poetische, die schöne oder hohe Literatur – notgedrungen, trotz ständiger Querverbindung zur niederen Literatur, zu den andern nationalen Literaturen, zu den Fachliteraturen (Romantik), zur Kunst und Musik, zur Philosophie. Die Sprache der Neuzeit aber wird heute vor allem mit den statistisch-geographischen Methoden der Mundartenforschung erfaßt. Sprachwissenschaft ist hier sprachliche Volkskunde geworden. So zerfällt die Einheit von Sprach- und Literaturwissenschaft, die SCHERER erst ganz erzwungen hatte, wieder in die verschiedenen Ursprünge: Literaturgeschichte ist als Geistes- und Problemgeschichte wieder Ideenwissenschaft, als Stil- und Formgeschichte wieder ästhetische Kunstwissenschaft; Sprachwissenschaft, als Volksgeistgeschichte bei den Brüdern GRIMM geboren, ist wieder Volksgeschichte der Sprache.

Es gibt wohl auch annähernde Tendenzen. Die Mundartengeographie gewinnt z. B. ein neues Verhältnis zur Geschichte und zu den Literatursprachen. Die Literaturästhetik entdeckt wieder das 'sprachliche' Kunstwerk und die Philologie. Aber diese Annäherungen führen, sieht man genauer zu, eher aneinander vorbei als zusammen: sie steigern nur die Statistik in der Sprachwissenschaft, die Absolutierung der hohen Dichtung in der Literaturwissenschaft.

Der Gegensatz pflanzt sich fort, zurück in das Studium der früheren Epochen. Mundartgeographie befruchtet aufs stärkste die ältere Sprachgeschichte; andrerseits sind Geistesgeschichte und Literaturästhetik zum Verständnis auch mittelalterlicher, sogar altgermanischer Werke nicht mehr zu entbehren. Doch zur Erforschung des Mittelalters wirken die fast feindlichen Brüder notgedrungen anders und enger zusammen. Ihre Gegenstände sind hier beinahe identisch: auch die Sprachwissenschaft hat nur überlieferte, d. h. literarische Denkmäler zur Verfügung, Sachliteratur und Dichtung; auch die Literaturwissenschaft muß zur Dichtung hinzu die Sachliteraturen einbeziehen. Denn unsere mittelalterliche Dichtung, die karolingische, salische, sogar die staufische und besonders wieder im Spätmittelalter, zeigt sich bei genauer Interpretation so stark von Zweck- und Sachbezügen durchsetzt, vom Gebrauch bestimmt, daß sie nur im Umkreis der ganzen Gebrauchsliteratur in deutscher Sprache verständlich wird. Dazu bleibt der Literarhistoriker des Mittelalters angewiesen auf sprachliche Lokalisierungen und Datierungen; gerade ihre immer besser erkannte Problematik zwingt ihn zu lebendiger Mitarbeit in der Sprachwissenschaft.

Wieder anders verhalten sich Sprach- und Literaturforschung zur ältesten Epoche, die Gegenstand der Germanistik ist, zum germanischen Altertum. Sprachgeschichte verbindet sich hier mit Stammesgeschichte. Literaturgeschichte bezieht ebenfalls die ganze schriftlos volkstümliche Kultur ein, im Umkreis aller germanischen Stämme: Religion, Sitte, Recht, Kunst, Geschichte, sogar die Sachgüter. Altgermanische Philologie ist nach Gegenständen und Methoden eine einheitliche historische Volkskunde oder besser historische Ethnologie.

Was hält das Ganze, weitverzweigt und ganz verschieden nach den einzelnen Epochen, zusammen? Im allgemeinen höchstens die Tradition. Und doch ist die Einheit leicht einzusehen, wenn auch selten ausdrücklich so bestätigt. Sie liegt eben in der Philologie: dem 'Spracherkenntnis-Streben', d. h. in der jeweiligen besonderen Bindung jedes dieser Teilgebiete an die Sprache.

In der germanischen Epoche, einer 'frühgeschichtlichen', weil schriftlosen (trotz der Runen und der Berührungen mit der antiken Kulturwelt), trägt die mündliche Sprache noch alle Kultur. Sie allein gibt der Mythologie, gibt Sitte, Recht, Geschichte, sogar der Kunst und den Sachgütern ihre 'erinnerte Gegenwart'. Poesie ist nur die Form, die sie bindet, auch wo sie zur 'reineren' Poesie der heroischen Mythisierung getrieben erscheint. Die gesprochene Sprache selbst, erste Ordnung für Welt und Mensch, und die gebundene Sprache, Trägerin speziellerer, aber auch noch gruppenbestimmter Ordnungen, gehören nach Form und Inhalt noch eng zusammen. Daß freilich diese ethnologischen Traditionen keineswegs ursprünglich, autochthon sein müssen, stellt gerade für das germanische Altertum, am Rande der antiken und frühmittelalterlichen Welt, vor schwierige Fragen. Zeitlich reicht die Epoche z. B. bis tief in die Schreibzeit Islands hinein (nicht aber z. B. ins deutsche Heldenepos). Alle Aufzeichnungen jedoch, aus denen wir unsere Kenntnis der Epoche schöpfen, sind schon 'literarische' Vermittlungen und mit deren Problematik vermischt.

Das Mittelalter beginnt für unsere Wissenschaft überall dort, wo sich diesen ethnologischen Traditionen die lateinisch-christliche Schrift-Tradition vorlagert als 'literarische' Norm aller Sachgebiete wie der Poesie. Den historischen Schicksalen gemäß wird die deutsche Sprache nur aus dieser Norm heraus Schrift- und Literatursprache. Sie trägt so aber (in ihren Teilsprachen) all die Literatur, die sich aus der lateinisch-geistlichen Sphäre und ihrer Kulturtradition durch die Volkssprache abhebt und aussondert. Das mögen sowohl die literarischen Aufzeichnungen und Einformungen älterer ethnologischer Traditionen sein (z. B. Heldenlied und Heldenepos), wie die Übersetzungen, Umformungen und literarischen Neubildungen für das neugebildete geschichtliche Volksbewußtsein: alle Dichtung und alle Sachliteraturen in der Volkssprache, von der Theologie bis zu Recht und Verwaltung und volkssprachlicher Wissenschaft, als allgemeine geistliche wie als Standes- und Sonderliteraturen. Diese Heraussonderung dichterischer und pragmatischer Volksbedürfnisse ist ein europäischer Prozeß. Die einzelnen Völker führen darin wechselnd, Deutschland folgt, nach dem karolingischen Ansatz und nach einem eigenen deutschen im 11. Jahrhundert, meist dem französischen Vorausgehen. Die Gebrauchssprache, als soziologisches Phänomen (samt ihren unterliterarischen Traditionen), geht schon ihren eignen Weg neben der Literatur. Sie wird aber vielfach von dieser volksliterarischen Heraussonderung beeinflußt (ist uns auch nur mit ihrer Literatur gegeben): von der großen Flutwelle lateinisch-deutscher Wissenschaft im 9. Jahrhundert bis zu Rittertum, Mystik usw.

Erst in der Neuzeit, seit der Renaissance, bilden die einzelnen Sachgebiete – die Wissenschaften wie die 'Praktiken', die Kirchen, Recht, Verwaltung und Öffentlichkeit usw. – eine immanente, nicht mehr traditionsgegebene Systematik heraus – langsam und in sehr verschiedenen, wechselnden Schicksalen. Diese immanenten Sach-Systeme werden nun nicht mehr direkt von der Sprache getragen: nicht vom Latein des Mittelalters, nicht von den Volkssprachen der nationalen Aussonderung. Sie greifen zwar im Humanismus zuerst noch einmal zum Latein – aber über das Mittelalter zurück zum Klassischen als Norm. Dann, langsam, benutzen sie die modernen Kultursprachen (zuerst wieder Französisch). Aber die sind hier nur noch das Vehikel immanenter und zum großen Teil übernationaler Sach-Systeme. Auch die Umgangssprache wird von der so angewandten Schriftsprache her immer mehr zum Vehikel einer Sach-Kultur. Von der Sprache selbst getragen bleiben schließlich nur noch zwei Bereiche: einerseits das mündliche Volksleben, die Mundarten, mit ihren volkskundlichen Traditionen beladen – andrerseits die bewußte Kunst der Schriftsprache, die hohe Dichtung. Sie liegen nun im Leben weit auseinander, obwohl sie gerade durch diese Trennung gegenseitig ihr Schicksal beeinflussen.

Ergebnis: Alles das und nur das, was eine Sprache in sich 'trägt', gehört in ihre Philologie. Der Anteil an der allgemeinen Kultur, den die Sprache trägt, ist nach den Epochen verschieden. Das bestimmt den jeweiligen Zusammenhang und die jeweiligen Gegenstände und Methoden der Sprach- und der Literaturwissenschaft. Diese erste Antwort – sie wäre natürlich erst noch umständlich im Konkreten zu begründen – mag also ihr Zusammenwirken, als eine Symbiose, erklären. Ist damit auch ihre Einheit, eine wirkliche Sach- und Methodengemeinschaft, gegeben?

II

Zum Ausgang für diese neue Frage kann nochmals eine einfache Feststellung dienen, die für beide gilt, Sprache und Literatur. Was zunächst die Sprache betrifft: als gegebene Tatsache (subjektiv und objektiv gegeben, als langue, langage oder parole, synchron oder diachron usw.) steht sie vor dem Betrachter immer in zwei Aspekten zugleich. Unter dem einen Aspekt ist sie eine zeitliche Folge von realen Lauten: eine Lautgestalt. (Das parallele, aber komplexere Problem der Schrift kann vorerst noch beiseite bleiben.) Unter dem andern Aspekt ist sie eine zwar auch zeitliche Folge von Worten und Sätzen, deren Gestaltung aber nicht in der Zeitfolge liegt, sondern in dem 'Gemeinten', in den Bedeutungen der Worte und der Syntax, die gleichzeitig und jederzeit wiederholbar dem Bewußtsein präsent sind: eine Sinngestalt. Als Lautlehre (mindestens Rechtschreibung) und als Bedeutungs-, Satz- und Formenlehre erscheinen sie in jeder Grammatik getrennt.

Die *Lautgestalt* steht bedeutungsfrei in der physikalischen Natur (physikalische Akustik: Klang, Geräusch, Tonhöhe, -dauer usw.) und wird hervorgebracht von einem komplexen körperlichen Apparat (Physiologie der Lautbildung) durch Kombination mehrfacher Bedingungen (stationäre oder Atemstrom-Laute; Artikulationsorte vom Kehlkopf bis zu den Lippen in verschiedener Wirkung und Zusammenwirkung; Artikulationsarten, hier auch aus den Organwirkungen zu erklären, vom 'reinen' Klang – Laryngaltheorie? – bis zum Explosivgeräusch und Schnalzlaut, auch kombiniert; Nasalierung, Aspierierung, Affrizierung usw.; Stimmton, Atemdruck, Spannung der Organe; Artikulationsbasis, Körperhaltung und -habitus usw.; Silben-, Wort- und Satzlautung usw.). – Die *Sinngestalt* fügt dem Bewußtsein präsente (oder von ihm zu 'findende') Bedeutungen von Wörtern (Wortschatz) zusammen zu gleichfalls präsenten Bedeutungszusammenhängen (Syntax); einzelne Funktionen der Fügung werden in den meisten Sprachen spezialisiert (Formwörter, Wortarten) und können auch die Wörter selbst durch Formantien systematisch abwandeln (Wortbildung, Flexion).

Soweit die Tatsachen. Beide Aspekte der Sprache, der 'physische' und der 'geistige', sind nun auf keine Weise voneinander zu trennen. Ob und wie Bedeutungen ohne Wörter, d. h. Laute existieren ('Sach-Logik'), bleibe dahingestellt; verfügbar werden sie uns jedenfalls nur durch Wörter, an Laute oder Zeichen gebunden ('Sprach-Logik'); Syntax und Flexion vermitteln die präsenten Bedeutungen in die zeitliche Folge. Alles was zur Sinngestalt der Sprache gehört, also Wortschatz, Flexion, Syntax, verweist zwar seinerseits auf ein System 'der Sachen selbst', jenseits des sprachlichen 'Meinens'. Wer aber diesen Aspekt der Sprache isoliert vom lautlichen, die Sinngestalt direkt als eine Sachgestalt nimmt, der fälscht die Willkür der Lautwörter und -sätze, die Willkür der Einzelsprachen um in sachliche Notwendigkeiten und täuscht sich so über beides, Wort und Sache. Umgekehrt ist der Laut nicht vom Sinn zu trennen. Alle Laute haben eine einzelsprachliche und sogar individuelle Ungenauigkeitsbreite, die rein akustisch und physiologisch nicht scharf abzugrenzen ist. Denn die Laute, vom Sprecher und Hörer immer bereits 'verstehend', d. h. mit den Bedeutungen zusammen aufgefaßt, werden nur innerhalb dieser Verstehens-Situation spezifiziert. Isolierter Betrachtung zerfließen sie in einer fälschenden akustischen und physiologischen Differenziertheit.

Diese wechselseitige Einheit, dieses Einswerden von Laut und Bedeutung bestimmt jede 'Tatsache' jeder Sprache und gehört darum notwendig in die Sprachwissenschaft. Aber – es ist hier methodisch nicht zu greifen.

Nicht mangels Interesses oder Methoden! Sondern es 'gibt' es nicht – jedenfalls nicht so, wie es die Laute und die Bedeutungen selbst, je verschieden, gibt. Die Tatsache dieser 'Lücke' zwischen Laut und Bedeutung – als solche durchaus bekannt, aber meist zu einfach mit dem allgemeinen psycho-physischen Problem zusammengeworfen, mit Leib – Seele, Natur – Geist usw. – und ihre Wirkung in der Sprachwissenschaft soll uns zunächst beschäftigen.

Daß Laut und Bedeutung nicht direkt zusammenhängen, ist heute im allgemeinen klar. Die Laute erschaffen keine Bedeutungen (Onomatopoiie). Zwar benutzt jede Sprache nachgeahmte Naturlaute *(blöken, zischen, Tingeltangel)* oder natürliche Ausdruckslaute *(Au!)* oder die physiologische Wirkung bestimmter Laute (Liquida und s-Laute in *gleiten, fließen*). Aber sie bilden den geringsten Teil des Wortschatzes, sie verlieren oft ihren Lautwert ohne Verlust der Bedeutung, leicht treten Neubildungen auf *(Kuckuck)*. Weder der Bestand noch das geschichtliche Leben der Sprachen läßt sich so erklären. – Umgekehrt erschafft auch die Bedeutung nicht den Laut (Lautsymbolik). Die Sprachen benutzen auch Dispositionen derart: 'Grundbedeutungen' der Vokale (im Sinne des – mehrdeutigen! – Vokaldreiecks), Übertragung von Körpergesten auf die Zunge (dentale Demonstrativa, *Mama*). Für sie gilt aber das eben Gesagte genau so. Beide können den Unterschied der Einzelsprachen nicht erklären. – Eine direkte Verbindung zwischen Laut und Bedeutung will schließlich auch die Phonologie herstellen, freilich keine inhaltliche, sondern eine funktionslogische. Sie erfaßt statistisch, welche Laute einer Sprache in Wörtern dieser Sprache Bedeutungen unterscheiden, und ordnet sie dann nach ihrem Verhältnis in dieser Funktion ('Opposition' und 'Korrelation'). Die Funktion der Laute für die Bedeutungen (Lautkörper!) ist aber viel breiter als die Randfälle der Bedeutungs-Unterscheidung. Auch die Funktion der Bedeutungen im Wort ist viel breiter als die bloße Unterscheidbarkeit. Die Phonologie bietet nur einen funktionslogischen Kurzschluß. – (Die Beurteilung der funktionslogischen allgemeinen Sprachtheorien, Glossematik, Semiotik, Semantics usw., muß ich gründlicherer Kenntnis vorbehalten.)

Die Sprachlaute sind also nicht rein akustische und biologische Fakten, nicht direkte Bedeutungsträger, nicht funktionslogische Zeichen nur zur Bedeutungsunterscheidung. Sie sind wohl physikalische Zeichen für die Bedeutungen – im Verhältnis zu deren Präsenz aber nicht gestaltpsychologisch zu verstehen wie etwa die 'fundierenden Elemente' (Laut-, Sicht-, Tast-Signale) im präsenten Rhythmus[1]. Denn sie stellen keineswegs 'Signale' dar. Wegen ihrer ganz andern Leistung – eben für begriffliche Bedeutungen – sind sie als Zeichen ganz anders präzisiert; sie sind, faktisch gesehen, komplexe 'biologische Leistungen': auf ein Ziel gerichtet und von ihm gesteuert[2]. Dieses Ziel sind jedoch wieder nicht die Bedeutungen selbst, etwa als direkt zu realisierende Zweck- oder Sinn-Bildkomplexe (wie die mathe-

matischen 'Symbole' oder A. GEHLENS 'Entlastungen' oder C. G. JUNGS
'Archetypen' des Unbewußten – obwohl das alles in die Sprache hinein-
spielt). Diese müßten dann die organischen Sprach-Leistungen auch direkt
steuern, nicht erst über den Dimensionswechsel zum Laut-*System* und ohne
die ausgeprägten Einzelsprachen. Sondern ihr Ziel kann nur sein: ein irreales
System von Bedeutungen, das selbst wieder nur einzelsprachliche Zeichen
enthält für 'die Sachen selbst'. Denn auch Bedeutungen sind ja nicht Eti-
ketten. Sie stellen selbst nur Zeichen dar: wieder als variable und in Einzelsprachen verschiedene 'psychische Leistungen' des Bewußtseins auf das von
ihm Gemeinte hin. (Leistung auch in jedem emotionalen oder geistigen
Sinn, nicht nur BÜHLERS Funktionen, von denen nur die Darstellungsfunk-
tion die eigentlich menschlichsprachliche ist: E. HERMANN 1948.) Dieses
Gemeinte aber wird erst, und zwar letztlich nur im Prozeß dieses einzelsprach-
lichen Meinens, zur 'Sache selbst'. (Auf dieses philosophische Problem:
Sprache – Gegebenheit, oder Dasein – Identität als Kategorien des Seins,
ist hier nicht einzugehen.) – Die Komplexion der doch grundlegenden Verbindung zwischen Laut und Bedeutung dürfte für hier genügend angedeutet
sein. Die Sprachwissenschaft kann sie nur als Lücke zwischen den zu beobachtenden physischen und psychischen Tatsachen von Laut und Bedeutung registrieren.

Auch die Sprachgeschichte stößt auf dieselbe Lücke. Das geschichtliche
Leben der Sprache wurde als die wichtigste empirische Bedingung der
Sprachzustände in *einem* bewunderungswürdigen Zug entdeckt und muß
so auch heute noch gelten. Die neuen synchronen Sprachbetrachtungen
haben zwar unsere Instrumente geschärft, aber Sprach-Wissenschaft bleibt
doch zuallererst Sprach-Geschichte.

Ganz unbeeinflußt von den Bedeutungen und ihrer Geschichte, fast wie
eine 'Naturgeschichte' der Sprache, sieht sich nun wieder die *Lautentwicklung* an. Man spricht hier mit Recht von Lautgesetzen, sogar – da es kein
geschichtliches Verstehen gibt ohne die Frage nach Bedingungen – von
generellen naturgesetzlichen Ursachen, die in jeder Einzelsprache wirken.
Gewisse Umbesetzungen im Lautsystem (wie die Lautverschiebungen)
sträuben sich zwar konsequent gegen Kausalerklärungen. Andere aber weisen physiologische Wirkungen auf, sei es von Laut zu Laut (Vokalharmo-
nien, Assimilationen, Umlaute), sei es von anderen Bedingungen her, etwa
vom Akzent (Ablaut). Allerdings wäre erst unter dem Gesichtspunkt der
'biologischen Leistung' der Lautsysteme das Ineinandergreifen der Bedingungen wirklich zu differenzieren. Denn auch generelle psychische Bedingungen wirken mit, etwa die Teil-Präsenz der Lautfolge im Bewußtsein
(Umlaute, Assimilation, Dissimilation, Metathese, Haplologie), vielleicht
auch bedeutungshafte, etwa affektive und emphatische Lautsteigerungen
(bei Schärfung, Gemination, Reduplikation?).

Natürlich wirken diese generellen Kausalitäten nur wie Dispositionen der Lautentwicklung, denen jede Sprache durchaus willkürlich folgen kann oder auch nicht – also mindestens eine sehr 'freie' biologische Naturgeschichte! Und die hauptsächlichen Bedingungen der Lautgeschichte liegen, wie heute allgemein erkannt, nicht in Naturkausalitäten, sondern im soziologischen und historischen Bereich ihrer Träger, der menschlichen Gruppen. Weit fruchtbarer als naturkausale und generell psychologische Erklärungen sind deshalb Zuordnungen der Lautgeschichte zur Welt der Geschichte.

Sprachen sind für die Sprachwissenschaft heute vor allem Gruppenphänomene: entstanden und tradiert, getrennt und vereinigt als Sprachen von Rassen, Völkern, Reichen, von Herrschafts-, Kult-, Kultur- Verkehrsgemeinschaften, als Priester- oder Dichter- oder Verwaltungssprachen; in sich gegliedert als Stammes- und soziale Mundarten, als Heimat-, Umgangs-, Hoch- und Literatursprachen, als Standes-, Klassen-, Berufs-, Fach- und Sondersprachen; differenzierbar bis in Familien-, Geschlechter-, Generations-, Individual-, Momentsprachen und für jede Kultur in anderer Gliederung. Sämtlichen historischen Gruppenbildungen können die Sprachen, kann ihr Anfang, Leben, Ende entsprechen. Vor allem die geographische Statistik hat zur soziologisch-historischen Deutung der Lautgeschichte in unserer Zeit die kühnsten Fortschritte gemacht. Die 'Lautgrenzen', von der älteren Mundartgeographie noch zu starr gedeutet, werden immer konkreter historisch-soziologisch interpretiert, die Verhältnisse von Sprachkern und -grenze dynamisch lebendig, Wanderungs- und Siedlungsbewegungen werden greifbar (MITZKA in STAMMLERS »Aufriß«), man rüttelt mit neuen geschichtlichen Deutungen an traditionellen Bildern im ganzen (Westgermanenfrage, Frankenfrage). Gemeinsamer Grundzug ist eine Art 'quantentheoretischer' Revolution gegen die älteren 'kontinuierlichen' Vorstellungen vom Lautwandel (Stammbaum- wie Wellentheorie: 'innere' Sprachgeschichte). An ihrer Stelle sucht man einmalige historische Ereignisse zu sehen, Gruppen-Überlagerungen, Mischungen usw., die auch in der Vorgeschichte und Geschichte bezeugt sind ('äußere' Sprachgeschichte; vgl. V. PISANI fürs Indogermanische).

Grundlage der Methode ist, wie seit je in der Sprachwissenschaft, die geschichtliche Deutung von Lautgleichungen. (Auch Wort- und Flexionsgleichungen dienen hier meist als Lautgleichungen.) Verwandtschaft der Träger, aber auch Mischung fremder Gruppen; Wirkung politischer, wirtschaftlicher, kultureller, zeitlicher Nähe, aber auch weiträumiger Verbindung über Land und Meer, langer Beharrung durch die Zeit – dies und noch anderes bietet sich als historische Deutung an. Die crux bleibt, daß man die Lautgestalt der Sprachen nicht unter die anderen geschichtlichen Faktoren (Land oder Leute, Politik oder Wirtschaft, Persönlichkeit oder Tradition, Innen- oder Außenpolitik usw.) einordnen kann, jedenfalls nicht mit

einem festen Bedeutungskern wie jene. Denn sie scheint die geschichtliche
Bedeutung jedes beliebigen Faktors annehmen zu können (vgl. z. B. die
Diskussion um die Ortsnamen, die »Germania Romana« und »Romania
Germanica«) – weil ihre eigene Bedeutung methodisch nicht faßbar ist:
ihre Funktion für den Sinngehalt der Sprache, ihrer Träger und deren Geschichte. So bleibt sie für den Historiker vorerst stummer als ein Fossil
und Bodenfund [3].

Das wirkt sich innerhalb der Sprachgeschichte selbst aus. Nehmen wir
einen Modellfall: für die Verwandtschaft oder geschichtliche Beziehung der
Sprachen 1:2 sprechen x Lautgleichungen (z. B. Nasalausfall, Einheits-
plural, ein paar Wortgleichungen); für eine andere Beziehung 1:3 sprechen
y Lautgleichungen. Wie sind die Verwandtschaften zu beurteilen? Natürlich durch sinnvolles Abwägen, durch ein Gefühl für die Bedeutung der
einzelnen Lautgleichungen in dieser Sprache. Eben die ist aber methodisch
nicht zu fassen. Die Stelle der betreffenden Laute im phonetischen System
(eine 'innere' Wertung also z. B. von Vokalen vor Konsonanten, oder Spi-
ranten vor Affrikaten usw.) – der allgemeinere, generellere, unbedingtere
Charakter des einen Gesetzes gegenüber dem andern (z. B. hochdeutsche
Lautverschiebung vor þ > d, 'spontan' vor 'kombinatorisch') – die quantitative Häufigkeit im Wortschatz (z. B. Flexionsgleichung vor Wortglei-
chung) – ja sogar die simple Zahl der Lautgleichungen unter x und y ohne
Rücksicht auf ihre 'Bedeutung' – all das dient als Wertung und nichts davon hält vor der Sprache stand. An innere Wertungen im phonetischen und
flexivischen System ('stark' und 'schwach'!) oder unter den Lautgesetzen
können nur Romantiker glauben. Äußere Bedingungen, generelle oder geschichtliche, bringen keine Wertung hinein (um sie zu erkennen, brauchte
man ja umgekehrt erst die Wertung). Das Zählen aber ist ganz und gar in-
adäquat für Erscheinungen der Sprache. Die Wertung der Lautgleichungen
wäre grundsätzlich nur möglich, wenn ihre Funktion für die 'Welt' dieser
Sprache bekannt wäre – und da ist die Lücke!

Geschichte der *Sinngestalt* der Sprachen, also Wort- und Syntax-Geschichte,
auch Geschichte der Flexions-Funktionen (nur z. T. der Endungen selbst),
ist natürlich durchaus Bedeutungsgeschichte. Wörter bezeugen Sachen, und
wo man sie früher zu direkt zusammenbrachte, Quelle auch historischer
Mißverständnisse, helfen Systemvergleiche ab (Wortfelder); eine ganze soziale Vor- und Frühgeschichte ist daraus erwachsen (J. TRIER). Die Sachen
bedingen Wörter: geschichtliche Kräfte und Bewegungen spiegeln sich in
Wortschatz und Syntax (die römische Welt, die Christianisierung), wobei die historischen Situationen in Religion, Recht, Verwaltung, Kultur
heute konkreter als Verflechtung von Geben und Nehmen sichtbar werden
(W. BETZ, W. STACH). Der Geist der Epochen wird in Wortschatz und
Syntax greifbar (Rittertum, Mystik, Aufklärung). Schließlich hat die Be-

deutungswelt der Sprachen eine Stelle unter den Kräften des 'objektiven Geistes': über das 'Weltbild' der Einzelsprache (L. WEISGERBER) geht es hier in die Philosophie des Seins und die ontologische Bedeutung der Sprache (CASSIRER, HÖNIGSWALD, HUSSERL, HEIDEGGER), die als Problem in allen Grundlagen- und Einzelwissenschaften auftaucht und heute dort überall diskutiert wird.

Eine methodische Gefahr für jede Bedeutungsgeschichte und -metaphysik der Sprache bleibt aber ihre Lautgestalt. Bindet man die Sinngestalt einer Sprache direkt an Geschichte, Welt, Geist und Sinn, dann geht die Lautgestalt, und zwar nur als verfälschende Willkür, immer mit in das Bild ein. Entweder jede Einzelsprache wird zum eigenen 'Weltbild' – dann fällt ihm die Identität der 'Welt' zum Opfer (die doch gerade die Voraussetzung der einzelsprachlich 'gemeinten' Bedeutungen ist!). Oder die allgemeine philosophische 'Welt', das Sein usw., zieht die Sprache in sich hinein – dann vereinzelt sie sich ungewußt-willkürlich zur Welt einer Einzelsprache (z. B. ihrer Etymologien! Allgemeiner: die indogermanischen Scheuklappen der meisten Sprachphilosophien). Die Leistung der Sinngestalt der Sprachen in Geschichte und Sein wäre nur dann methodisch zu sichern, wenn ihre Verbindung zur Lautgestalt bestimmt wäre – und da ist wieder die Lücke.

III

Verlassen wir an dieser Stelle die Sprache und wenden uns zur Literatur. Auch sie tritt jedem Betrachter unter demselben Doppelaspekt entgegen: als sprachliche Lautform und als sprachliche Sinnform.

Laut- und Sinnform der Dichtung sind jedoch etwas anderes als Laut- und Sinngestalt der Sprache selbst. Die *Lautform der Dichtung* benutzt zwar die Lautgestalt der Sprache (Klang und Dauer, Tonfall und Rhythmus). Aber sie bindet sie neu und greift dabei weit über die Sprache hinaus. Sie greift tief ins sprachlos Emotionale, ja ins Biologische hinunter: Rhythmus als Metrum führt an den Tanz heran; Klang als Reim und Tonfall führt an Melodie heran. Beide, Tanz und Melodie, haben ihren Platz schon im Tierreich (als ursprüngliche, teleologisch nicht deutbare Emotions-Entlastungen [4] oder formale Orientierungen [5]), und sie begleiten beim Menschen die Dichtung auf weite Strecken. Diese Lautform greift aber ebenso weit über die Sprache hinauf in den Sinn übersprachlicher Symbolik – der schließlich, ins Schweben der freien Rhythmik und der Prosa sublimiert, den Geist mehr fesseln kann als das Fleisch, das emotionale.

Die *Sinnform der Dichtung* benutzt die Sinngestalt der Sprache (Wortschatz, Syntax, Flexion). Aber sie bindet sie wiederum neu und greift dabei weit über die Sprache hinaus. Sie fügt Wortschatz und Syntax der gegebenen Sprache zu eigenen Strukturen, die tief in außersprachliche Sinn-Bildgestalten, in Ur-Repräsentationen hinunterreichen: die epische Reihe führt an die magisch oder mythisch wiederholende Pantomime heran (daher die szenischen Elemente des Versepos! Vielleicht weist dieses stärker auf mythische, die Prosachronik stärker auf magische Wiederholung der Zeit, wie auch das Märchen eher mythisch, die Sage magisch denkt?); die dramatische Repräsentation führt noch direkter an die handelnde Vergegenwärtigung und Aktualisierung des Mythos heran; der lyrische Moment führt an tiefste ekstatische oder meditative Ich-Welt-Einheit heran. Andrerseits überhöht die Dichtung Bedeutungen, Wortwahl und Syntax (Wortstellung) der Sprachen, sei es mehr als Schmuck oder als Sinn-Steigerung, zu Bildern und Figuren, zu übersprachlichen Symbolen – an denen schließlich wieder der erkennende Geist, strukturzerstörend, sein ausschließliches Genüge finden kann. – Soviel zu einer Poetik in nuce.

(All dies außersprachliche Gestalten *in* der Sprache steht natürlich auch jedem andern zur Verfügung, nicht nur dem Dichter. Jede Sprache hat 'Stil', und es wird auch der Politiker, der Kaufmann, der Gelehrte usw. an seinem Stil gemessen und erkannt: eben in seinem außersprachlich emotionellen und geistigen 'Charakter' oder 'Werk-Bild'. Aber dann ist der Stil doch nur Mittel zum Zweck. Er ist die in jeder Sprache mitschwingende außersprachliche Atmosphäre, jedoch angewandt, um immanent-systematische 'Sachen' darzustellen oder zu erreichen. Nur dort gehören diese selbst – dann als 'Dichtung' – zu den Gegenständen der Philologie, wo ihre Sach-Systematik noch mit der Sprach-Systematik zusammenfällt, von ihr 'getragen' wird: s. oben I und unten IV.)

Im 'Stil', im freien künstlerischen Gebrauch der Sprache zu unter- und übersprachlichen Gestalten, sind Lautform und Sinnform natürlich überhaupt nicht zu trennen. Ihre Verbindung, bewußt und unbewußt zugleich, ergibt gerade den übergreifenden Austausch, das vielfältige Wechselspiel, das gegenseitige Symbolisieren von Form und Inhalt – Geheimnis jeder Dichtung und unerschöpfbarer Gegenstand jeder Interpretation.

Und doch klafft die Lücke zwischen Laut und Bedeutung der Sprache auch hier, sogar tiefer noch. Lautform und Sinnform der Dichtung benutzen, gestalten die beiden Dimensionen der Sprache, und die Brücke zwischen ihnen ist auch hier nicht 'gegeben', weder für den Dichter noch für den Interpreten. So weit die Lautform in Wortstellung und Wortwahl hineinwirkt, so tief sie sich symbolisierend dem Sinn verbinden kann – sie bleibt gebunden an die bedeutungsfreie Lautgestalt der Sprache. Die Sinnform, mag sie selbst sich sogar als formal verstehen (als Schmuck, l'art pour l'art) – sie bleibt gebunden an die sprachliche Aussage eines 'gemeinten' Sinnes. Alle Verbindungen von Laut und Sinn, von Rhythmus, Metrum usw. mit Aussage, Bild usw. – die traditionellen, die den Geist und Stil der Epochen verraten, die bewußten, die der Dichter symbolisierend gestaltet, die tiefsinnigen, die der Interpret errät – überbrücken nicht diesen Gegensatz der sprachlichen Dimensionen selbst. Das bedeutet: die Sprache schlägt auch hier durch, trotz aller 'Kunst', und damit die methodische Lücke zwischen der äußeren Dimension der Lautzeichen und der inneren Dimension der Bedeutungszeichen – mögen sie hier auch außersprachlich-symbolisierend füreinander eintreten können.

Möglich, daß die Dichter im Einklang mit der Sprache sind, daß sie, bewußt und unbewußt, leisten, was die Sprache mit dieser Lücke will, oder besser: was der Mensch damit will ohne es zu wissen. Daß sie also in diesem Sinn über den 'Ursprung' der Sprache neu verfügen. Wir können es nicht exakt beurteilen, solange wir diese Verbindung nicht methodisch kennen. So bleibt auch die Dichtungs-Interpretation an entscheidender Stelle ungesichert. Wenn sie verstehend und wertend das Richtige trifft, kann sie es doch nicht methodisch begründen.

Die Literaturwissenschaften gehen heute vorwiegend mit drei Einstellungen an ihren Stoff heran, die aus verschiedenen wissenschaftsgeschichtlichen Epochen in die Gegenwart hereinragen: *historisch* (seit dem ersten 'Historismus' und dem Positivismus), *bedeutungsgeschichtlich* (seit DILTHEY), *formanalytisch* (seit CROCE, der Ganzheits- und Gestalt-Psychologie, Phänomenologie, Funktionalismus, Strukturalismus, Logistik usw.).

Die historische Einstellung steht dem derzeitigen Bewußtsein am tiefsten: getroffen vom Mißkredit des Positivismus und der Not des letzten Historismus (TROELTSCH). Disjecti membra poetae, subjektive Vorstellungen vom Werk wurden in der Tat oft (und werden noch) 'historisch' verbunden zu den Literaturgeschichten, vergleichenden Motiv-, Einfluß- und Typengeschichten, den Kulturgeschichten, die das 'Kunstwerk', die einzelne Dichtung aus den Händen verlieren. – Die bedeutungsgeschichtliche Forschung, die seit Dilthey als Geistes-, als Ideen- oder Problemgeschichte mit Erfolg den Positivismus ablöste, hat gewisse schematisierende und psychologistische Neigungen immer wieder überwunden, ihre Kraft auch durch Ausbildung neuerer Philosophien bewiesen. Kritisch für sie bleibt ihr Schweben zwischen Geschichte und Typologie und vor allem ihre inhaltliche Einstellung, die den Gehalten und Bedeutungen die Einmaligkeit der künstlerischen Gestalt zu nehmen droht. Es will nicht gelingen, auch die formalen Elemente der Poetik, bis hin zur Lautform der Sprache selbst, aus den Ideen, Problemen usw. wirklich zu determinieren. Die Versuche einer Bedeutungsgeschichte des Stils, vor allem als vergleichende Stilgeschichte, sind daran im Grunde gescheitert. – Aus solchen Einsichten nährt sich die heute breiteste Stimmung, die zur formanalytischen Sicht. Sie stammt, wie oben angedeutet, aus sehr verschiedenen Philosophemen, die jedoch alle im gegenwärtigen Bewußtsein zuoberst liegen, als Wendung zu Struktur und Sein. Die Einbeziehung der Inhalte in die Formanalyse (um die es im Grunde

doch überall geht) ist hier sehr unterschiedlich, die Kluft zwischen den verschiedenen Komponenten der Methode – einmal mehr metaphysisch verstanden, dann wieder mehr funktionalistisch oder mehr philologisch-histo-
risch – in der Literaturwissenschaft besonders tief. Gemeinsam ist die Parole,
die dichterischen Werke seien vor allem 'Kunstwerke', als solche nur per
se zu erfassen. Hier wird sogar der Zusammenhang von Lautdimension und
Sinndimension der Sprache noch dem Dichter zugerechnet. Jeder Laut und
jedes Wort ist (freilich nur in 'echter', womöglich 'absoluter' Poesie) absolut, unersetzbar, und das zu beweisen, gilt als Interpretation. Als Kriterium bleibt dann allerdings nur noch das Zusammenstimmen – ein rein
funktionaler Begriff, jenseits von sprachlicher Leistung und menschlichem
Wert der Dichtung.

    Tatsächlich vereinigt jeder Forscher, jede literaturwissenschaftliche Ar-
beit alle drei Einstellungen. Vor der Literatur, vor dem einzelnen Werk gibt
es keinen Historiker, der nicht auch, wie übrigens seit je, geistesgeschichtlich und formal interpretieren müßte, keinen Geistesgeschichtler, der nicht
allgemein historische und formale Strukturen berücksichtigte, keinen Form-
analytiker, der nicht historisch und inhaltlich deuten würde. Nur ist diese
Einheit der drei Einstellungen heute weiter als je entfernt von wirklicher
Integration. Sie ist entweder additiv, ohne durchgreifenden Zusammenhang; oder unter dem Präjudiz *einer* Sicht, was die andern verzerrt und ins
Unkontrollierte drängt; oder, und dies am meisten, rein nachdichtend
beschreibend, dem 'Interessanten' jeder Art nachjagend, unter Verzicht auf
feste Kategorien überhaupt (was man auch oft Interpretation nennt): daß
dabei kategoriale Prädispositionen um so ungehinderter am Werk sein können, ist jedem Einsichtigen klar. Form und Inhalt – oder in der Sprache,
dem Material des Dichters gesehen: Laut und Bedeutung –, deren Zusammenhang besonders in formanalytischer Sicht zum offenen Problem geworden ist, können so nur isoliert verstanden werden: historisch unter dem
lähmenden Erbe des Positivismus; geistesgeschichtlich unter dem Verdacht
des Verlusts der Form; formanalytisch unter der, heute schon gespürten,
Banalität eines bloßen Funktionalismus. Ansätze zu einer methodischen
Integration stecken z. T. in der neuen historischen, biographischen, vergleichenden Sicht, die sich ankündigt, aber im weiten Feld zwischen Neu-
positivismus, ideologischen Imperialismen und neu empirischer Geistesgeschichte vielfach schwankt.

    Halten wir fest: Der *Dichter* ist ein Sterblicher wie wir, als Individuum
relativ und absolut zugleich. Als Sprach-Schöpfer individueller *Gestalten*,
mit Fleisch aus untersprachlichen Ur-Emotionen und Geist aus übersprachlichen Sinn-Symbolen, ist er eine absolute Instanz *(en état du créateur absolu)* –
obwohl diese Gestalten nichts als unser Menschliches wiederholen: Mensch
und Welt im ganzen Umkreis zwischen Gott und Zufall, aber eben als Ge-

stalt, als 'ewiges Monument'. All das zu *realisieren* aber dient ihm die Sprache – jenes geschichtlich-kollektive Doppelsystem von Laut-Zeichen und Bedeutungs-Zeichen: zur freien Auswahl dem Dichter verfügbar, in der Willkür ihrer Verbindung auch ihm nur als 'Problem' gegeben.

Natürlich gehört nun die Unersetzbarkeit und Unübersetzbarkeit jedes Lautes und Wortes zum Wesen des dichterischen Werks – sofern eben die *Person* des Dichters dazugehört und die Individualität jenes *gestaltenden* Hinausgreifens über die Sprache (hinunter ins Emotionale und hinauf in symbolische Sinngestalten). Aber nichts vom Inhalt und nichts von der Form des Dichtwerks kann unersetzbar sein, sofern sie doch auch Gestaltung der *Sprache selbst* sind, nämlich sprachliche Aussage in Lauten, Wörtern und Sätzen. Schon Verstehen und noch mehr Werten der Werke setzt doch voraus: erstens zu erkennen, was der Dichter mit den Mitteln seiner Kunst wollte (oder was, mythischer, der Gott, was die Muse mit dieser Kunst von ihm wollten), und zweitens zu erkennen, wie er es – all das Atmosphärische, was die Sprache beim Dichter 'nur' andeutet – mit seiner Sprache verwirklichte, unter ihren vielfachen Möglichkeiten besonnen willkürlich auswählend. (Wie es auch der Übersetzer in seiner Sprache und ihren Möglichkeiten neu verwirklichen kann: sie an das Persönliche des Dichters und das unter- und übersprachlich Individuelle des Werks möglichst angleichend.)

Denn in der Annäherung seiner Sprache an das Gewollt-Gemeint-Gestaltete liegt die Leistung des Dichters – nicht in der Identität von Sprache und Gestalt. Ob 'hoher' oder 'niederer' Stil, ob Parataxe oder Hypotaxe usw. (unsere sprachlichen Stil-Kategorien sind noch immer sehr arm) – der Dichter muß, was er will oder was das Werk will, mit dem einen wie mit dem andern ausdrücken können, wie er es ja auch in der Regel in *einer* Sprache ausdrückt, obwohl ihre Möglichkeiten ähnlich einseitig sind gegenüber anderen Sprachen. Natürlich muß uns für das vom Dichter Gewollt-Gemeint-Gestaltete die eine Sprache 'notwendiger' erscheinen als die andere, der eine Stil 'notwendiger' als der andere. Das eben ist ja ein Teil seiner Leistung, daß er die gegebenen Prädispositionen einer Sprache, eines Stils, einer Form (ihr 'Weltbild') aufnimmt in seinen Willen, um seine Vision mit ihnen und durch sie zu realisieren, aber auch gegen sie und über sie hinaus.

Hier muß auch der Literaturforscher alles das aufsuchen, was Werk und Dichter und Leistung ausmacht. Zuerst im *Werk,* mit philologischer recensio und interpretatio und den Kategorien der Poetik: als Gestaltung von Form und Inhalt, von Metrum, Stil und Gattung – die aber realisiert ist in der Willkür einer Sprache. Die subjektiven Bedingungen muß er im *Dichter* suchen, in seiner Biographie, seiner Psyche, seiner Stellung in Gesellschaft und Geschichte – die aber gerichtet sind auf und gerichtet von der Willkür einer Sprache. (Das Geheimnis der Dichter-Biographie!) Die *Leistung* von Dichter und Werk muß er verstehen, vor allem geschichtlich: Literatur in Geschichte (= Literaturgeschichte) und Geschichte in Literatur (= Stil- und Geistesgeschichte) – die aber gebaut sind auf die Willkür einer Sprache. 'Willkür' bleibt methodisch das Zusammenwirken von Laut und Bedeutung und diese Lücke dringt von da aus in alle Deutungen der Literaturwissenschaft. Ob man positivistisch die einzelnen Elemente der Poetik isoliert, sie materialistisch nur auf Dichter, Gesellschaft, Geschichte,auf Einflüsse und Subjektivitäten zurückführt – ob man ihren Zusammenhang formanalytisch, philosophisch-ästhetisch, funktionalistisch absolut setzt und die Bedingungen im Subjekt wie die Leistungen des Werks jeder handfesten Frage nach ihrem Menschlichen entrückt – ob andere mit jeder dieser Einstellungen doch wirkliche Zusammenhänge erspüren – alles bleibt methodisch ungesichert, weil jene Lücke der Sprache offen bleibt. Dasselbe gilt für Stil- und Geistesgeschichte. Die Stilgeschichte kann die Freiheit der sprachlichen Gestaltung, die sie als 'Stil' beurteilen und vergleichen will, nicht sicher von ihrer Willkür und ihrer Nötigung durch die sprachliche Aussage trennen. Die Geistesgeschichte muß die Aussagen der dichterischen Gestalt, die sie als 'Sinn' und 'Haltung' beurteilen und vergleichen will, mit der Willkür und Typisierung der Sprache vermischen, kann den bedeutungsfreien Ursprung der äußeren Form mit ihren Deutungen nicht erreichen – solange jene Lücke offen bleibt.

IV

Halten wir hier inne in der – natürlich fragmentarischen – methodischen Musterung von Sprach- und Literaturwissenschaft und kehren zum Ausgangspunkt zurück. Was verbindet beide? Gemeinsam ist ihnen die Sprache als Gegenstand. Aber sie ist für die Sprachwissenschaft vor allem Gruppenphänomen, für die Literaturwissenschaft Ansatzpunkt individueller Gestalten. Wohl ist eines im andern vorausgesetzt, und zwar wechselseitig. Literaturwissenschaft fordert also intimes Wissen von der Sprache, Sprach-Können und -Verstehen; Sprachwissenschaft fordert Literatur-Verständnis (schon für den primitivsten Stil-Aspekt jeder Sprach- und Redeform!). Aber deswegen kommen doch nicht beide überein, treffen sich nicht auf gemeinsamem Feld. Darum sind auch die Methoden tief verschieden: es dürfte kaum eine übergreifende Fragestellung geben (trotz Individualsprache hier und Literatursoziologie dort).

Gemeinsam ist beiden aber ein 'Problem' der Sprache (ihr Grundproblem, wenn man will): die Verbindung von äußerem und innerem Aspekt der Sprache, von Laut und Bedeutung.

Es greift über beide Wissenschaften weit hinaus. Denn diese Verbindung ist nicht 'gegeben' wie die zwei Erscheinungsweisen der Sprache selbst, mit deren Beschreibung und Verständnis beide als Einzelwissenschaften es zunächst zu tun haben, wenn auch in ganz verschiedener Weise. Trotzdem wirkt es sich in ihnen aus, bis in die heutigen sprach- und literaturwissenschaftlichen Einzelfragen hinein. Gerade die letzten methodischen Wendungen beider Wissenschaften verweisen fast ausdrücklich darauf. Vielleicht kommt hier ein Grundlagenproblem, methodisch eine Grundlagenkrise zum Vorschein, wie sie in den letzten Jahrzehnten in vielen Einzelwissenschaften und auch in der Germanistik öfter diskutiert wurden.

Heilsbotschaften von einer 'Lösung' nutzen natürlich nichts. Sie muß in der sachnahen Arbeit ausgehandelt werden. Das dafür notwendige Methodenbewußtsein hat sich nur in der Evidenz und Fruchtbarkeit der Ergebnisse auszudrücken. Ob die philologische Grundlagenkrise dann nicht doch verschüttet fortwuchert (wie in den meisten Einzelwissenschaften), bleibt freilich offen.

Da aber unsere Ausgangsfrage, die Frage der Einheit von Sprach- und Literaturwissenschaft, so eng daran geknüpft scheint, will ich mich zum Abschluß dieser Bemerkungen noch für einen kleinen Schritt weiter preisgeben. Nicht als Lösung, eher nur als ein Hinüberspielen des Sprach-Problems auf ein anderes Feld, eigentlich nur in eine andere Terminologie. Vielleicht, daß dann auch die bloße Problem-Gemeinschaft aktualisiert werden könnte. Statt in Deduktionen weiterzugehen, greife ich jedoch lieber zu einem – zunächst wohl befremdenden – Beispiel, das die gemeinte Betrachtungsweise an einem extremsten Gegensatz, wenn auch sehr vereinfacht und vergröbert, illustrieren kann.

Die chinesische (Schrift)-Sprache[6] nennt man linguistisch eine monosyllabische isolierende Sprache. Sie zeigt 1. eine stark reduzierte *Phonetik*. Aus den Möglichkeiten des physiologischen ('natürlichen') Lautsystems sind (bei Unterlegung der 'hochchinesischen' Aussprache) nur die dental-palatalen Affrikaten stark besetzt, alle andern Laute sehr schwach, z. T. nur in Kombinationen. Im Anlaut der Silben steht z. B. außer Vokal nur einfacher Konsonant, im Auslaut nur *n* oder *ng* (dazu noch die Silbe *örh*). Alle Wörter sind nur einsilbig ('monosyllabisch'). Kurz – es gibt in dieser Sprache überhaupt nur 420 Silben, d. h. 'Lautwörter'. Mit den vier 'Tönen' gesprochen (die hier Bedeutungen unterscheiden) sind es etwa 1400. – Es gibt im Chinesischen 2. keinerlei *Flexion* ('isolierender' Sprachbau). Weder Wortarten noch Funktionen werden unterschieden, nicht Nomen oder Verb, nicht Kasus, Numerus, Tempus usw. – 3. Die *Syntax* ist rein begrifflich, formal nur durch einige Stellungsregeln und als Formwörter verwendbare Sachwörter unterstützt. Alle Funktionen, die sich von selbst verstehen oder aus dem Zusammenhang, fallen sprachlich ganz fort. – 4. Der *Wortschatz* besteht nur aus Begriffen (da jede Flexion fehlt). Die rund 1400 Lautsilben können diese Begriffe natürlich nicht unterscheiden (sie sind zu mehr als

90% Homonyme). Die 'Lautwörter' stellen also nur phonetisch verwachsene Lautsubstrate für die Bedeutungen dar (nicht ihre präzisierenden Lautkörper). Die Bedeutungsunterschiede liefert hier zuvörderst die Zeichenschrift. Sie stellt ein konventionell festgelegtes Zeichen für jeden Begriff bereit – allerdings nur zum geringsten Teil Bild oder Symbol des Begriffs, sondern bei $^7/_8$ der Zeichen doch kombiniert aus: einem Zeichen für einen anderen Begriff mit ähnlichem Lautwert und einem Klassenzeichen für die Bedeutung. (Ob hier die Laut- oder die Schrift-Sprache [J. van Ginneken] vorausging, bleibt in unserem Zusammenhang gleich.) Im ganzen werden mindestens etwa 20000 solcher Zeichen gebraucht. Die Umgangssprache macht ihrerseits die Lautsilben dadurch eindeutig, daß sie ihnen konventionell festgelegte Wortzusätze hinzufügt. Der Begriffsschatz ist aber außerordentlich reich, noch weit über die Zahl der Zeichen hinaus, besonders an Übertragungen, Metaphern, Klassifikationen.

Das Gegenbild jeder indoeuropäischen Sprache, ob sie synthetisch oder analytisch flektiert, ist deutlich: *breite Phonetik; reiche Flexion;* streng *funktionale Syntax;* im *Wortschatz* Unterscheidung der Bedeutungen fast nur durch den Lautkörper (Homonymen-Scheu), klar ausgebildetes Verhältnis von Wurzel und Ableitungen; Lautschrift.

Linguistisch wird heute niemand mehr solche Gegensätze des Sprachbaus als Stufen einer Entwicklung oder als absolute Werte einander gegenüberstellen wollen. Auch innere Deutungen blieben, von W. von Humboldt über W. Wundt bis E. Cassirer, höchst unsicher. Versuchen wir statt dessen eine Zuordnung des Sprachbaus zur 'Situation', d. h. zu Welt und Umwelt, in der diese Sprachen von Menschen gebraucht werden.

China lebte jahrtausendelang als streng hierarchischer Beamtenstaat auf bäuerlicher Wirtschaftsgrundlage. (Die Veränderungen, auch der Sprache, seit dem Eingreifen Europas müssen hier unberücksichtigt bleiben.) Seine politische und private Regel war die Konvention, die Sitte, die Ordnung der 'menschlichen Grundbeziehungen', wie sie Konfuzius reformiert hat: als vernünftige Moral, zugleich als universistische Harmonie von Mensch und Welt, oben und unten, innen und außen usw. (bis in die Medizin). Darunter lag ein starker Realismus, dick angefüllt mit magischen Vorstellungen und Praktiken. In diesen Denk- und Lebensformen hat China, ohne Expansionsgeist, durch all seine geschichtlichen Epochen gelebt, aber seine militärischen, geistigen und religiösen Eroberer und seine Nachbarn assimiliert. Wie das öffentliche und private Leben von der 'Sitte', so wurden Literatur und Kunst, wurde aber auch die Ausbildung der Beamtenhierarchie ganz vom 'Stil' (der Schrift-Sprache) regiert. Logik und exakte Wissenschaften spielten keine Rolle. Selbstrepräsentation und Selbstentblößung galten in Kunst und Leben als 'shocking', z. B. der Akt in der Kunst wie in der Medizin, überhaupt unsere europäischen Emanzipierungen. Obenan

stand in der Literatur Moral und Geschichte, dazu das universistisch-sym-
bolische Gedicht und Bild (beide eng mit den Schriftzeichen verbunden);
ganz unten erst Drama, Novelle und Roman. Auch Architektur, Garten,
Landschaft wurden universistisch gestaltet, ohne Trennung von 'Natur' und
'Kunst', von Subjekt und Objekt, von Last und Kraft usw.

Kann und darf man nun Verbindungen herstellen zwischen dieser Sprache
und dieser 'Situation'? Chinas Welt war universistisch, vernünftig-moralisch,
beamten-hierarchisch 'geschlossen' (nicht nur durch die chinesische Mauer).
Die Konventionen der Sitte und des Stils regelten alle Beziehungen und
Funktionen des Zusammenlebens, und der Realismus der Trieb-Natur und
der Magie ordnete sich in sie komplementär hinein. Auch die Beziehungen
und Funktionen der Dinge zueinander dachte man universistisch als Seins-
'Konventionen'. Wenn nun dem chinesischen 'isolierenden' Sprach*bau*
(durchaus nicht der Sprache überhaupt, dem Wortschatz z. B.) jede Bezie-
hungsdarstellung fehlt (Flexion und funktionale Syntax) – dann vielleicht,
weil die Sprache sie in dieser 'geschlossenen' Situation nicht auszubilden,
nicht zu definieren *brauchte*? Wenn der 'monosyllabische' Wortschatz rein
begrifflich ist – dann vielleicht, weil hier die Sprache überhaupt nicht zum
Funktions-Denken, zum Definieren von Funktionen dient, sondern nur
zum 'begrifflichen' Denken, nämlich zum ordnenden Zusammenbringen
von allem mit allem innerhalb dieser, in bezug auf die Funktionen, 'geschlossenen' Welt? (Wobei freilich nichts logisch als 'Sache selbst' erscheinen kann, sondern alle Dinge nur universistisch als 'Situations-Zeichen',
als begriffsrealistische Stellenangabe in der alles zusammenschließenden Ein-
heitssituation, ohne Subjekt-Objekt und andere Funktionen). Das leisten
Wortschatz und Syntax, leistet auch die Schrift (und Literatur und Kunst
in engster Verbindung mit der Schrift) in ausgezeichneter Weise. Natürlich
ist und bleibt die Sprache gleichzeitig auch Vehikel der Mitteilung und des
Umgangs. Als solches an den im Subjekt gelegenen, mit ihm frei 'transpor-
tierbaren' Lautkörper gebunden, auch im Chinesischen, sowohl in den
Schriftzeichen wie in der Sprechsprache. Wie stark jedoch selbst hier, im
Raum der unmittelbaren Umgangs- und Mitteilungsfunktionen, die funk-
tionsmäßig 'geschlossene' Situation wirkt (ob vom Denken und Leben auf
die Sprache oder umgekehrt, bleibt uns gleich), zeigt das Zusammenschmel-
zen der Lautwörter auf die rund 1400 Sprechsilben (gerade im Hochchinesischen), die nicht Lautkörper, sondern nur noch Lautsubstrate für die Mitteilung sind: Die konventionelle Fixierung durch das Zeichen oder durch
die Umgangssprache ersetzt, trotz ihrer scheinbaren Umständlichkeit, für
diese doch äußerst betriebsame Menschheit vollständig jede 'fixere' Laut-
präzision der Funktionen und sogar der Begriffe.

Auf der Suche nach einer entsprechenden Zuordnung des Sprachbaus
zur 'Situation' der indoeuropäischen Sprachen wollen wir hier nicht auf

den großen Vorrat an ethnologischen Ursprungshypothesen zurückgreifen –
uns genügt es, die geschichtliche Wirkung der 'Situation' auf die gegebenen
Sprachen anzudeuten. Und auch da halten wir uns ganz von historischen
Verallgemeinerungen fern, wie sie der äußerst allgemeine Gegensatz zum
chinesischen Sprachbau provozieren müßte. Fragen wir nur beim indogermanischen Sprachbau selbst an, was er am Leitfaden dieses Gegensatzes
über die ihm entsprechende Situation aussagen würde.

Die reiche *Phonetik* (der verschiedenen Systeme indogermanischer Sprachen): sie erlaubt als präziser 'Lautkörper' dem Sprecher, dem Subjekt, die
Wortbedeutungen überallhin, in jede Situation, zu transportieren, denn sie
bindet sie viel enger an die 'biologische Leistung' der Laute als an Konventionen. (Obgleich die 'Besetzung' des Lautsystems im einzelnen natürlich auch hier durchaus konventionell ist – wie in jeder Sprache). – *Syntaktische Funktionen und Flexion:* sie sind hier das Bett von Logiken jeder
Art (sprachlichen wie übersprachlichen). Auch sie definieren Dinge und Verhältnisse aufs stärkste in der sprachlichen 'Möglichkeit' von Beziehungen.
Vielleicht deshalb, weil hier die Situation diese Möglichkeiten eben nicht
selbst trug, weil sie den Menschen ganz anders ins 'Offene' stellte, in Aufbruch und Wanderschaft, Eroberung und Knechtschaft, in die Spannung
von subjectum-objectum, von Handeln und Leiden, von Vergangenheit und
Zukunft usw. – eine durchaus 'offene' Welt, seit der mythischen Zeit, Prie-
ster- und Adels-'Ideologie', 'Natur'-Entdeckung usw., jedenfalls immer eine
'Leistungswelt', in die auch alle Einbrüche von außen, Religionen, Revolutionen noch verarbeitet wurden? Schließlich der *Wortschatz* bedeutungs-
tragender Wurzeln im Kranze ihrer Ableitungen und Flexionen: hielten die
Wurzeln im frei gesetzten Funktionssystem der Flexion (F. SPECHT) nun
für die indogermanische Sprachfamilie doch immer den 'Gegenstand' fest,
nicht als in geschlossener Situation gegebene Stelle, sondern als Bezugs-
punkt der Funktionen, ihr Ausgang und Ziel, ihr Stachel und ihr Gegenbild zugleich?

Das wären, dem Chinesischen entgegengesetzt, gröbste Begriffe einer
ziemlich entgegengesetzten 'offenen' Situation. Sie auf die Geschichte all
der Völker indoeuropäischer Sprache zu beziehen, ist hier unnötig. Denn
dies Gemeinsame des indogermanischen Sprachbaus ist ja nicht mehr als
eine Disposition, urtümlich entstanden und immer weiter bestätigt, für 'Geschichte' überhaupt im abendländischen Sinn. Der geschichtliche Weg im
einzelnen, von mythischen bis zu technischen Funktionen, und die Auseinandersetzungen jeweils zwischen 'öffnenden' und 'schließenden' Faktoren muß wieder beiseite bleiben.

Der hier gefundene Gegensatz 'offener' und 'geschlossener' Situationen
bedürfte natürlich unbedingt der begrifflichen Nuancierung. Jede Situation
des Menschen in der Welt ist ja grundsätzlich eine 'offene' (etwa der bio-

logisch 'geschlossenen' Situation der Tiere gegenüber). Und sie enthält ebenso grundsätzlich immer Strukturelemente oder Konventionen, die sie wieder (geistig!) 'schließen'. Beides ist relativ. Und die Beziehung solcher Strukturelemente zu den Inhalten der Situation scheint sehr vielfältig, vielleicht auch vieldeutig zu sein. Ob 'offen' und 'geschlossen' überhaupt Strukturbeziehungen trifft, wäre erst zu klären. Von der Sprache aus gesehen, scheint aber etwas auf *ihre* Struktur Wirkendes dabei angerührt. –

Es wird Zeit, mit den Fragen nach schon oft versuchten Beziehungen der Sprache zur Welt aufzuhören. Sie dienten hier lediglich zum Versuch einer Terminologie, die dem methodischen Problem von Laut und Bedeutung ein anderes, vielleicht gangbares Feld zeigen könnte. Nicht die subjektive 'Sprechsituation', von der in Sprachwissenschaft und Schulmethodik jetzt öfter die Rede ist, kann allerdings dazu helfen. Sondern nur der Begriff einer objektiven menschlichen 'Umwelt'-Situation (dessen philosophische Weiterungen, bei HÖNIGSWALD wie bei HUSSERL und HEIDEGGER, um anderes ganz zu übergehen, hier beiseite bleiben müssen). Wie diese Beziehungen in der Dichtung aufgenommen und verarbeitet sein könnten, habe ich an anderen Stellen anzudeuten versucht [7]. In diesem Gedankengang würde die Geduld des Lesers damit allzusehr beansprucht. –

Fassen wir zusammen. Ausgangspunkt und gemeinsamer Gegenstand für Sprach- und Literaturwissenschaft ist zunächst die Sprache und nur die Sprache. Aber sie ist der Sprachwissenschaft die empirisch gegebene Sprachkonvention; der Literaturwissenschaft die ebenso empirisch gegebene 'dichterische' Sprachgestalt. Vermischungen kann und darf es hier nicht geben. Wohl aber gibt es so viele Überschneidungen, daß eine Wissenschaft ohne die andere nicht taugt: Der Literaturhistoriker braucht für seine Interpretationen so viel Sprachwissenschaft, daß er seine Texte richtig versteht – und das ist, genau besehen, sehr viel; der Sprachwissenschaftler braucht für Rede und Text soviel literarische Kategorien, daß er die stets schon zum 'Stil' geformte Sprache richtig interpretiert – und das ist auch recht viel. So ist die philologische Symbiose richtig und nötig.

Die offenen methodischen Fragen aber, an denen Sprach- wie Literaturwissenschaft heute ausdrücklich angekommen sind, machen vielleicht – wenn ich richtig gesehen habe – einen weiteren Schritt nötig. Sie zwingen, die Sprachstrukturen wie die Dichtungsstrukturen mit anthropologischen 'Situationen' zusammenzusehen. Läßt sich hier, im gemeinsamen 'Problem' der Sprache, eine Verständigung erreichen, dann müßte das nicht nur in eine noch unabsehbare methodische Gemeinschaft führen, sondern vielleicht sogar in eine wirkliche Sach-Gemeinschaft von Sprache und Literatur. Lassen sich nämlich die geschichtlichen Sprach-Konventionen, läßt sich besonders der Dimensionsunterschied von Laut und Bedeutung begreifen als gemeinsame Ordnungsleistung im *Feld* einer geschichtlichen 'Situation', dann wird das Verhältnis von sprachlichen und außersprachlichen Ordnungsgestalten (auf das schon W. VON HUMBOLDT hinwies [8]) zur Kategorie *innerhalb* der Sprachwissenschaft. Damit rückt alles, was dazu oben für Literatur und Stil festgestellt wurde, auch in die sprachwissenschaftliche Betrachtung. Umgekehrt gewinnt die scheinbar absolute dichterische Gestalt einen generell anthropologischen sprachlichen Hintergrund. Sprache überhaupt und Literatur hätten dasselbe Ziel, stünden im gleichen Raum *einer* Leistung, die natürlich durchaus unterschieden bliebe als generell-anthropologische hier und als spezifisch-bewußte dort, aber gemeinsam zu betrachten wäre. Ob dies erreichbar, ob es überhaupt wünschenswert ist, bleibe dahingestellt. Ein gegenseitiges Verständnis in diesen Problemen und Möglichkeiten der Sprache kann aber zumindest den Blick schärfen bei der Arbeit am konkreten Einzelfall in Sprach- und Literaturwissenschaft.

HROTSVITHS VON GANDERSHEIM
DICHTERISCHES PROGRAMM

HROTSVITH, NONNE DES SÄCHSISCHEN KLOSTERS GANDERSHEIM im Umkreis der ersten Ottonen, trägt seit ihrer Wiederentdeckung durch deutsch-
altertumsfreundliche Humanisten des 15. und 16. Jahrhunderts den Ruf der
'ersten deutschen Dichterin' und des ersten und fast einzigen 'Dramatikers'
in Jahrhunderten des Mittelalters. Schon diese Tatsachen scheinen bedeutsam, dazu vieles an Hrotsviths anziehender Persönlichkeit selbst; und doch
wurde sie bisher, wenigstens in Deutschland, nur den wenigen Kennern
lebendig[1]. Verständlich genug, denn schon die Sprache ihrer Werke, das
künstliche Latein der Ottonenzeit, macht den Zugang nicht leicht, und noch
verschlossener bleibt im allgemeinen ihre geistige Welt – obgleich sich darin
neben den christlichen Legenden, deren damals überwältigende Wunder-
welt uns heute so nicht mehr fühlbar ist, auch die herzlich familienhaften
Gedichte über die Taten Ottos des Großen und die Gründung ihres Klosters finden, die den Ton dieser 'deutschen Frühe' vernehmbar zu uns her-
übertragen. Den Kern und Grund ihrer Persönlichkeit wie ihres Werkes
aber muß man doch aus ihrer christlich-sächsischen Klosterwelt ergraben.
Und da steht man vor dem ganzen Komplex von christlicher Überlieferung
in klösterlicher Lebenspraxis, vererbter und neuerworbener antiker Bil-
dung, byzantinischer Kulturwirkung, beginnendem europäischen 'Mittelalter' und sächsisch-deutscher Volkssubstanz, den man seit einiger Zeit
'Ottonische Renaissance' zu nennen pflegt. Die neuere wissenschaftliche
Arbeit hat viel zu seiner Entwirrung getan, indem sie Quellen, Vorbilder,
Parallelen aufsuchte, um durch Subtraktion alles Übernommenen und Typischen zur schöpferischen 'Persönlichkeit' selbst vorzudringen: höchst notwendig, und doch mit dem Ergebnis, daß das Urteil noch heute schwankt
zwischen stärksten Extremen[2].

Natürlich ist ein sicheres Urteil hier wie immer nur zu gewinnen, wo man
aus dem Bereich überpersönlicher Mächte und Überlieferungen vordringt
in die Ebene der persönlichen Absicht und Gestaltung. Daß diese im Mittelalter nicht die 'Persönlichkeit' im modernen Sinn war, und alles was damit

zusammenhängt, hat man heute zwar allgemein anerkannt, aber noch wenig realisiert. Die 'Persönlichkeit' erscheint im Mittelalter diffuser, wie aufgelöst in Traditionen und 'Universalien', so daß man besser den Begriff vermeidet. Wohl aber gibt es auch in mittelalterlicher Dichtung einen Bereich, der einerseits tief in die Bezirke objektiven Seins und stofflicher Traditionen hineinreicht, andererseits aber doch so subjektiv bleibt, daß auch die traditionellen Stillehren ihn kaum berühren[3]: die kompositionelle Anordnung und Gliederung des Stoffes[4]. Freilich darf man weder das eine noch das andere isoliert nehmen. Dann entsteht entweder der geistesgeschichtliche Fehler einer systematischen Überinterpretation oder der noch größere stilgeschichtliche Fehler einer Verwechselung von Form mit Spielerei. Gerade hier aber stellt sich das Gebot der historischen Wahrheit und Wirklichkeit mit einer Schärfe wie kaum sonst: Erst wo sich äußere Form und innerster Sinn ohne Rest beziehen, wo sie sich gegenseitig aufdecken und steigern, kann man annehmen, die Absicht des Dichters erfaßt zu haben, und findet zu einem richtigen Urteil.

Soviel als Vorbemerkung, nur um den folgenden Versuch einer Interpretation Hrotsviths aus der Komposition ihres Legendenwerks zu rechtfertigen.

*

Ihre 'Legenden' (in leoninischen, d. h. gereimten Hexametern und z. T. Distichen) und 'Dramen' (Legenden in Dialogform nach dem Vorbild des Terenz, aber in gereimter Prosa) sind uns durch eine St. Emmeramer, heute Münchener Handschrift erhalten als von der Dichterin selbst geordnete 'Ausgabe' mit verschiedenen Vorreden, Widmungen, Gebeten und Epilogen zu den zwei 'Büchern' und zu einzelnen Teilen. Die heute vermehrten Bruchstücke anderer Handschriften[5] zeigen die gleiche Grundlage.

Keinem, der sich mit den Werken der sächsischen Nonne beschäftigt hat, ist nun verborgen geblieben, daß sie sich sowohl bei den Legenden wie bei den Dramen stofflich einigemal eigentümlich wiederholt[6]; am auffälligsten in der unmittelbaren Folge der zwei Teufelsbündlerlegenden Theophilus und Basilius wie der zwei Hetärendramen Abraham (richtiger Maria) und Pafnutius (richtiger Thais) – hier besonders merkwürdig, da die Dichterin selbst gesteht, oft genug beim Niederschreiben dieser anrüchigen Szenen errötet zu sein (113, 13 ff.). Hat man darum bei diesen Dramen Hrotsvith von der Definition eines Schultheoretikers abhängig geglaubt, der Dirnen und verführte Mädchen eben als Wesensbestandteil der Terenzischen Komödie rechnete[7], so blieb für die Reprise bei den Legenden doch kein anderer Grund als Mangel an dichterischer Phantasie: ein Nachlassen der schöpferischen Stoffsuche. Ein ähnlich äußerliches Verfahren, mehr auf schulmäßige Stilübung als auf Durchdringung des Stoffes gerichtet, scheinen ja

auch jene *fila vel etiam flocci de panniculis, a veste Philosophiae abruptis* zu bedeuten (115, 28): Fäden oder auch Flocken von Läppchen vom Gewand
der Philosophie gerissen, die sie ihren zwei letzten Dramen, Pafnutius und
Sapientia, einfügte – wie man glaubt auf den Rat der *quidem sapientes huius
libri fautores,* der gelehrten Gönner ihres Büchleins, die sie in einer zweiten
Dramenvorrede apostrophiert (114, 19).

Nun ist zwar die Vermutung solcher Motive bei der 'ersten deutschen
Dichterin' keineswegs fehl am Platze. Sie schildert ja selbst in der ersten
Vorrede so lebendig ihre psychologische Situation: wie sie, noch unerwach-
sen und in der Ausbildung begriffen, allein und heimlich (*clam cunctis et
quasi furtim,* 1, 20ff.), schon dem Drang gefolgt sei, das in Klosterleben und
Studium auf sie einstürmende Neue sogleich in eigener Gestaltung aus-
zutragen – wie nur je eine romantische Mädchennatur! Es liegt ihr gar nicht,
in ihren Stoffen ein theologisches Problem und in der Gestaltung dann auch
einen Prozeß der Sache selbst zu suchen, wie es ihre männlichen Genossen
doch auch in dieser Epoche tun müssen. Sondern sie gebiert in ihrer Dichtung nur das Empfangene gleichsam aus eigenem Fleisch und Blut wieder –
darum setzt sie ihr Werk, obwohl sie stolz darauf ist, doch auch so zögernd
fremden Augen aus: mit vielfacher, das damals übliche Maß noch überstei-
gender Entschuldigung ihrer führerlosen Ungelehrtheit, der Mängel ihres
fragile sexus, ja sogar ihrer *pigritia*[8]. Diese Entschuldigungen mögen über-
dies auch etwas von instinktiver Weiblichkeit enthalten, die durch Schwäche
Mitleid herausfordert und durch Bitte um Verbesserung sich das Wohlwollen
der Kenner erschmeichelt. Psychologie genug, wenn man will![9]

Aber mag sie richtig sein oder nicht – auf die Stoffe und ihre Folge beziehen sich die Entschuldigungen und Verbesserungswünsche nicht. Hier
war sie sich keiner Mängel bewußt, hielt sogar im Gegenteil schwerwie-
genden Einwänden gegenüber ihr Werk aufrecht. Man hatte ihr bedeutet,
daß die einleitenden Legenden, Marienleben und *Ascensio Domini, iuxta quo-
rundam aestimationem ex aprocrifis sumpta,* also unkanonisch seien (1, 10).
Trotzdem läßt sie sie stehen und versucht, sie zu rechtfertigen. Ihr Argu-
ment dafür – *quia quod videtur falsitas, forsan probabitur esse veritas* (1, 15) –
klingt aber nicht nur unklar, sondern sogar anmaßend, wenn man es im
bisher üblichen Sinne versteht: was ihr kirchliche oder gelehrte Autoritäten
in Sachen der kanonischen Wahrheit nach den Evangelien falsch nennen,
das könnte vielleicht jetzt oder später doch als wahr erwiesen werden? Wir
werden zu fragen haben, welche »Wahrheit« sie ganz allgemein in ihrem
Legendenwerk denn meine. Offenbar nicht eine streng theologische, aber
auch nicht eine bloß dichterische. Denn sie betont in der Vorrede zum
2. Buch (111) ausdrücklich, daß sie *huius (libri) omnen materiam sicut et prioris
opusculi ab antiquis libris sub certis auctorum nominibus conscriptis,* d. h. aus alten
Büchern mit sicheren Autorennamen genommen habe – außer der *passio*

Sti Pelagii, für die sie aber nicht minder betont ihren Augenzeugen anführt.

In dieser Frage liegt jedenfalls auch eine objektive Rechtfertigung dafür, Stoffwahl und Reihenfolge der einzelnen Legenden mit ihren Reprisen, die von ihr selbst veranstaltete Ausgabe also, für mehr als zufällig zu nehmen und es einmal mit einer positiven Erklärung zu versuchen.

*

Überblicken wir zuerst die *Dramen,* bei denen die Dinge klarer liegen. Sie stehen in der Reihe: 1. Gallican, 2. Dulcitius, 3. Calimachus, 4. Abraham, 5. Pafnutius, 6. Sapientia. Durch alle sechs ziehen sich gleiche Motive hindurch. Vor allem die *virginitas* als Grundthema; das Martyrium wird in 1, 2 und 6 verherrlicht; Bekehrungen schildern 1, 2, 4 und 5. Trotz ineinandergreifender Motivverflechtung – die schon in den legendären Stoffen selbst angelegt ist – läßt sich aber für jedes der Stücke doch auch ein besonderes Hauptthema angeben.

Im ersten, *Gallican,* ist es die Auseinandersetzung zwischen der *virginitas,* die die Kaisertochter Konstanzia gelobt hat, und der Ehe, die der heidnische Feldherr Gallican von ihr fordert und die ihr Vater Konstantin aus Gründen der Staatsraison nicht abschlagen kann. Die wunderbare Bekehrung Gallicans und seine samt seiner drei Töchter Hinwendung zum Lebensideal der Konstanzia bringt die Lösung, die sich dann – in einer ganz neuen Handlung (II)! – später unter Julian Apostata im Martyrium verherrlicht.

Im zweiten Stück, *Dulcitius,* bildet dies Seitenmotiv das Hauptthema: Drei Jungfrauen bewähren durch ihr Martyrium das Ideal der *virginitas.* Die Ehe, zu der Diocletian die Mädchen zwingen will, ist hier nicht mehr thematisch, sondern dient nur zum Anlaß des Martyriums. Besonders merkwürdig aber sind die (oft betonten) ausgesprochen burlesken Züge, die dieses Stück kennzeichnen[10]. Wie Dulcitius verblendet die rußigen Kessel umarmt statt der schönen Jungfrauen, nach deren Liebe er rast, indes sie ihn unter Gelächter durch den Türritz beobachten – wie Dulcitius als schwarzer Dämon von seinen Soldaten verkannt und vom Türwächter des kaiserlichen Palastes hinausgeworfen wird – wie man Dulcitius auf dem Richterstuhl eingeschlafen sieht, indes die Soldaten vergeblich versuchen, den Mädchen ihre Kleider zu entreißen – wie schließlich der neue Richter Sisinnius, nachdem zwei Engel die letzte der Jungfrauen auf einen Berg statt in das ihr zugedachte Lupanar geleitet haben, auf halber Höhe verzaubert ständig um den Berg herumreiten muß –, das sind Bilder von ausgesprochen mimisch-burlesker Komik! Hrotsvith übernimmt sie zwar wie immer aus ihrer Vorlage. Aber so wenig die Nonne direkt an den Mimus dachte, wie PAUL V. WINTERFELD glauben wollte, so stark hat sie doch das Mimische hier ausgekostet.

Im dritten Stück, dem *Calimachus,* bildet wieder ein Motiv, das im vorhergehenden nur als Seitenthema angeschlagen war, nun das Hauptthema: der *amor inlicitus* (159, 15), die verbrecherische Liebesraserei, mit der ein Heide die fromme Christin Drusiana verfolgt, die seit Jahren schon mit ihrem Gatten in keuscher Ehe lebte. Drusiana wird auf ihr Gebet hin von Christus durch schnellen Tod aus der Anfechtung erlöst, den Versucher aber treibt seine Raserei bis zur Leichenschändung im Grabgewölbe – wofür auch ihn und seinen Helfer augenblicklicher Tod bestraft. Nachdem der Apostel Johannes alle drei wunderbar vom Tode erweckt hat, tut Calimachus Buße, indes der Knecht Fortunat, der ihn zur Leichenschändung verlockte, unbußfertig in seinen zweiten Tod versinkt.

Wieder wird dies Nebenmotiv, Verstockung und Buße, im nächsten Stück, *Abraham,* zum Hauptthema. Seine Nichte Maria, die Abraham in jungen Jahren der *virginitas* und dem Leben der Eremiten gewann, erliegt der Verlockung eines Lüstlings und sinkt bis zum Freudenhaus. Der fromme Eremit aber sucht sie verkleidet dort auf und führt sie zurück zum Leben der Büßerin.

Hier nun setzt die Umkehr des Themenablaufs ein. Das fünfte der Dramen, *Pafnutius* oder richtiger Thais genannt, gibt einfach die gleiche Kernsituation: die Bekehrung im Freudenhaus! Allerdings keineswegs als schwächere Reprise zum Abraham, wie meistens behauptet wird! Die Bekehrung der Thais geht zwar noch schneller und widerstandsloser vor sich als die der Maria. Diese Thais aber, die nun gar nicht gleich mit beiden Füßen in die harten Bußen hineinspringen will, die zögert, jedoch nicht aus Unglauben, sondern aus einer Demut, der die menschenunwürdigen Umstände ihrer Buße auch Gottes unwürdig scheinen – diese Thais gerade ist Hrotsvith vielleicht zur tiefsten und feinsten ihrer Frauengestalten geraten.

Auch das letzte Drama, *Sapientia,* ist eine Reprise. Es nimmt das Hauptthema des zweiten Stückes, Dulcitius, wieder auf. Hier wie dort triumphieren drei Jungfrauen im Martyrium, hier vor Hadrian wie dort vor Diocletian. Den burlesken Szenen des Dulcitius aber steht hier die Sichtbarkeit der denkbar grausigsten Martern, auf 'offener Bühne' gedacht, gegenüber – indes Hrotsvith sonst doch sehr wohl versteht, dramaturgisch bedenkliche Szenen wie etwa die Erscheinung vor Gallican in der Feldschlacht (anders die Erscheinung im Calimachus) in rekapitulierenden Bericht zu verlegen.

*

Überblicken wir nun in gleicher Weise die *Legenden:* 1. Marienleben, 2. Ascensio Domini, 3. Martyrium Gangolfs, 4. Pelagius, 5. Theophilus, 6. Basilius, 7. Dionysius, 8. Agnes. Die Themengleichheit von Theophilus und Basilius entspricht, wie schon erwähnt, der der Dramen Abraham und

Pafnutius. Sonst scheint sich wenig Ähnliches zwischen der Dramen- und der Legendenreihe zu bieten. Doch liegt es nur nicht so offen zutage.

Die Legende von *Mariens Geburt und Jugend* bis zur Flucht mit Josef und dem Kinde nach Ägypten – Hrotsvith fand sie unter dem Namen des Jakobus, des Bruders Jesu, aufgezeichnet, sie stammt aber aus dem apokryphen Pseudo-Matthäus[11] –, rückt die Geburt Christi in ein eigenes und eigentümliches Licht: sie stellt sie ganz unter das Thema des jungfräulichen Lebens Mariä. Den dramatischen Wendepunkt aber bildet darin die Episode, in der Maria, zur Ehe gezwungen, durch göttliches Eingreifen doch ihre *virginitas* und ihr geistliches Leben in der keuschen Ehe mit Josef bewahren darf. *Virginitas* gegen Ehe – das gleiche Thema wie im Eröffnungsstück der Dramenreihe, dem Gallican!

Die nun folgende Legende von *Christi Himmelfahrt* zeigt die Fortsetzung und Vollendung des mit Christi Leben begonnenen Heils, zugleich aber gibt auch der in die Mitte der Abschiedsreden eingebettete ausführlichste Abschied des Sohnes von der Mutter Fortsetzung und Vollendung *ihres* Lebens, des höchsten Vorbilds der Jungfräulichkeit. Die Himmelfahrtslegende schließt sich so mit der Marienlegende thematisch als Einheit zusammen. Sie entbehrt ja auch der Einleitung durch ein persönliches Gebet, wie sie die benachbarten Stücke (Marienleben wie Gangolf und Pelagius) aufweisen; dafür steht hier allein ein persönliches Schlußgebet. Und es ist kaum ein Zufall, daß wie hier bei den Legenden in Marienleben und Himmelfahrt, so auch bei den Dramen in Gallican I und II eigentlich zwei verschiedene Stücke, aber mit dem gleichen Personal, am Anfang der Reihe stehen (I = Bekehrung Gallicans – II = das viele Jahre spätere Martyrium, weniger Gallicans als früherer Nebenpersonen).

Wie bei der Dramenreihe folgt nun eine Märtyrergeschichte, die *Passio* des heiligen Gangolf[12]. Dieser fränkische Prokonsul und große Jäger, der schließlich einfach der Tücke seines ehebrecherischen Weibes zum Opfer fällt, dünkt uns zwar weniger Märtyrer als die Legende ihm nachrühmt. Doch ist die Absicht bei Hrotsvith gewiß: Sie muß in ihm geradezu einen Märtyrer der Ehe gesehen haben! Kennzeichnend aber ist der Ton, der über dem Ganzen liegt: vom Quellwunder des Heiligen an bis zur Strafe der Frevlerin durch das unaussprechliche *miraculum dorsi extremae particulae* (53, 571 ff.) der Ton der Burleske – den die dichtende Jungfrau und Nonne hier nicht nur bis zu Ende mitgeht, sondern selbst erst pointiert![13] Diese derbste und dazu noch besonders mimisch pointierte Erzählung – man lese nur etwa, wie sich der Knecht bei der Quellsuche auf die Erde wirft und mit einem Maul voll Sand wieder aufsteht, oder die Szene vom Waschwasser des Heiligen – entspricht genau dem mimisch witzigen Dulcitius, dem zweiten Stück der Dramenreihe!

Die vierte Geschichte handelt von dem Jüngling *Pelagius,* der wenige

Jahre vorher unter Abderrahman II. in Cordova zum Martyrium kam. Im Mittelpunkt aber steht (hier wie in der späteren spanischen Vita, die sonst vieles erheblich anders erzählt)[14], die unnatürliche Liebesraserei des Kalifen zum Jüngling, der so auch *pro virginitate* zum Märtyrer wird (63, 310) – wahrhaft auch ein Angriff des *amor inlicitus* (er gehört von Anfang an in das Bild des Gegners: *luxu carnis maculatus* 56, 73 und 61, 239, usw.) auf die *castitas,* ganz wie in dem dritten Stück der Dramenreihe, dem Calimachus!

Nun folgt als fünfte Legende der *Theophilus,* dem sich die themagleiche sechste, *Basilius* anschließt. Beide erzählen, in ohne Zweifel bewußtem Gleichlauf, von verbrecherischen Teufelsbündnissen. Auch hier fehlt es dabei, wie in den zwei Hetärendramen, nicht an gewissen feinen Variationen. Abgesehen von der ausgesprochenen Themaverdoppelung selbst scheint sich jedoch wenig Entsprechung zwischen Legenden und Dramen zu bieten. Und doch besteht, sieht man nur näher zu, gerade hier die genaueste thematische und motivliche Beziehung. Die zwei Teufelsbündler der Legenden verlieren sich in den tiefsten Fall des Christen: bewußte Verleugnung Christi und der Jungfräulichkeit Mariens vor dem Teufel. Die Mädchen der beiden Dramen aber tun wieder den tiefsten Fall, der für sie möglich ist: sie verraten ihre Jungfräulichkeit in einem Leben käuflicher Liebe. Alle vier aber, die beiden Männer wie die beiden Mädchen, finden aus diesem Fall wieder heraus, indem sie zur Reue und tiefsten Buße geführt werden[15]! Wie die vier Stücke die entschiedenste Absicht einer Wiederkehr des Stoffes zeigen, so zeigen sie auch die entschiedenste thematische Entsprechung von der Legenden- zur Dramenreihe hinüber.

Die siebente Legende, *Dionysius,* kehrt nun innerhalb der Legendenreihe zur dritten zurück. Wie dort im Gangolf, so ist auch hier ein fränkischer Märtyrer dargestellt. Und erinnern wir uns nur: auch bei den Dramen entsprach rückläufig das Martyrium der drei Töchter der Sapientia (6) dem Martyrium dreier Jungfrauen im Dulcitius (2). Die Parallele zum Dramenbuch geht wieder bis ins Thematische: Dionysius (es ist zu Anfang der Areopagite, den dann die Legende mit dem fränkischen Märtyrer zusammengeworfen hatte) ist ein großer Gelehrter, ursprünglich heidnischer Astrolog, der durch seine Kunst die Sonnenfinsternis bei Christi Tod als göttliches Zeichen erkennt – Sapientia aber, die Mutter der drei Töchter Fides, Spes und Karitas, ist ja geradezu eine Allegorie der Weisheit (wenn auch die Handlung selbst nicht allegorisch ist und die *sapientia,* außer in ihren vertrackten mathematischen Rätseln, weiter keine Rolle spielt – auch dies ähnlich im Dionysius!). Und während sich die Stücke der aufsteigenden Reihen – die dritte Legende, Gangolf, wie das zweite Drama, Dulcitius – durch besonders burleske Details auszeichneten, so gesellen die Stücke der umkehrenden Reihen – der Dionysius wie die Sapientia – der Weisheit ein besonders pointiertes Martyrium, hier im Dionysius bezeichnet durch das

Bild, wie der Heilige, seinen abgeschlagenen Kopf unter dem Arm, sicheren Schrittes zwei Meilen weit bis zum Ort seines Grabes und Heiltums wandelt, nach St Denis[16].

Nun folgt als achte Legende die Geschichte der heiligen *Agnes*. Sie nimmt das Thema der *virginitas* wieder auf, das in den Legenden, seit dem Marienleben, in der folgenden Reihe männlicher Helden nicht mehr zum Ausdruck kam – höchstens als männliche Keuschheit im Pelagius (vielleicht entsprechend der ehelichen *castitas,* die bei den Dramen ebenso einzig im Calimachus, also an entsprechender Stelle, verherrlicht wird). Die Rückkehr der Agnes zum Thema des Marienlebens ist aber noch genauer. Auch für Agnes steht nicht eigentlich das abschließende Martyrium im Vordergrund als vielmehr die vorhergehende Auseinandersetzung zwischen Ehe und erwählter *virginitas*. Und indem die vergeblich erstrebte Ehe den Simphronius und seinen liebestollen Sohn schließlich zur Bekehrung führt (sogar durch dessen Erweckung vom Tod, den er beim schändlichen Versuch, die Liebe der Agnes gewaltsam zu ertrotzen, fand – hier ein Nebenmotiv, was im Calimachus als Hauptmotiv wiederkehrt), gibt sie auch den Übergang zum unmittelbar folgenden ersten Drama, Gallican, das mit der gleichen Auseinandersetzung Ehe – *virginitas* und der gleichen Bekehrung des weltlich Liebenden die neue Reihe wieder angehen läßt.

In der Dramenreihe entspricht kein siebentes Stück mehr dieser Wiederkehr zum Ausgangspunkt, wie sie die Agnes bei den Legenden zeigte. Dafür stehen am Ende des Dramenbuchs jene merkwürdigen 35 Hexameter, die in kürzester Form das Gesicht des 'jungfräulichen' Johannes vom jüngsten Tag zusammenfassen: die Wiederkunft Christi, den Triumph des Weibes, d. h. Marias über den Drachen, den ewigen Lohn der Märtyrer und Jungfrauen (226). Sie aber geben uns gerade das Recht, die zwei Reihen der Legenden und Dramen als unter einheitlichem Plan stehendes Ganzes zu sehen. Denn was am Anfang der Legendenreihe mit Mariä und Christi Geburt begann und mit Christi Versprechen bei seiner Himmelfahrt das Zeitalter der Heiligen und Märtyrer einleitete, das erhält hier am Schluß der Dramen im apokalyptischen Ausblick sein Ende und Ziel. Auf dieses Ziel aber weist ausdrücklich schon zu Anfang das Gebet vor dem Marienleben, und weiter fast jede Legende, bedeutsam hin (5, 43–44):

> *Sed mage purpureum laudare perenniter agnum*
> *Promerear, turmis addita virgineis.*

*

In diesen Rahmen eingeordnet steht das Ganze der zwei Bücher als wohlgefügter doppelter Kreislauf vor uns. Er führt zweimal von der Bewährung der *virginitas* im Gegensatz zur Ehe über ein burleskes Märtyrer-Zwischenspiel

(im Gangolf ist es sogar ein Ehe-Martyrium) und über das Thema *castitas –
amor inlicitus* bis zum doppelten tiefsten Fall samt *conversio* durch Reue und
tiefste Buße, und von da zurück über ein Weisheits-Martyrium zum Ausgangspunkt, dem Preis der *virginitas*. In der Mitte, beim Übergang vom
Legenden- zum Dramenbuch (Agnes und Gallican), erscheint dieses Thema
nur als zeitliche Auseinandersetzung zwischen *virginitas* und Ehe; am Anfang und Ende des Ganzen aber, mit den Ecksteinen der Christgeburt und
Himmelfahrt als Ausgang und der apokalyptischen Zukunft der Märtyrer
und Jungfrauen als Ziel, steht es in evangelisch-heilsgeschichtlichem Rahmen. Schematisch ließe sich das etwa so wiedergeben:

(Legenden:)
    1. Maria — 2. Ascensio
          3. Gangolf
             4. Pelagius
                5. Theophilus
                6. Basilius
          7. Dionysius
      8. Agnes

(Dramen:)
    1. Gallican I—II
      2. Dulcitius
        3. Calimachus
           4. Abraham (Maria)
            5. Pafnutius (Thais)
        6. Sapientia

(Hexameterschluß:)
    7. Apokalypse

Die Legendenreihe handelt außer in Anfang und Schluß (1 und 8) durchweg von Männern, während das Dramenbuch (trotz der hierin irreführenden
Titel) durchweg Frauen und mit ihnen das Thema der *virginitas* in den Mittelpunkt stellt. Die Legenden umkreisen, von Christus ausgehend, das geistliche Sein des Christen, den metaphysischen Raum des Menschen ganz allgemein: Jungfrauen, Märtyrer, Büßer – ein Raum, der freilich durch die
korrespondierenden Rahmengestalten der »ewigen Jungfrau« Maria und
der berühmtesten jungfräulichen Märtyrerin Agnes im Preis der Virginität
gipfelt. Die Dramen stellen dem den geistlichen Raum der Frau, ausdrücklich noch einmal im gleichen Themenkreislauf, gesondert gegenüber – ein
Raum, in dem Hrotsvith sicherlich auch ihr eigenes geistliches Dasein besonders verstehen und verherrlichen wollte.

Daraus ließe sich vielleicht auch ein neuer Anhaltspunkt gewinnen für die merkwürdige und durch Jahrhunderte einzigartige Neuerung der Hrotsvith: den Versuch terenzischer dramatischer Form. Man muß den allgemeinen Anstoß dazu sicher in jenem individuellen Gestaltungs- und Neugestaltungszwang suchen, von dem die Vorreden ja immer wieder sprechen und der ein Kennzeichen der Ottonischen Epoche überhaupt ist. Aber es ist möglich, daß die Nonne auch durch inhaltliche Motive ihres Programms auf die dramatische Gestalt geführt wurde, zum mindesten in ihnen eine nachträgliche Rechtfertigung ihrer Neuerung gab.

Denn wenn sie den anrüchigen, aber wegen der »Lieblichkeit« des Dialogs vielgelesenen »Erdichtungen« des Terenz ihre Stücke entgegenstellt, die in dessen Form die Keuschheit heiliger Jungfrauen verherrlichen[17], so denkt sie – obgleich man es fast überall so lesen kann – gar nicht daran, den antiken Autor durch einen *in usum monialium* oder *scholarum* erneuerten Terenz zu ersetzen. Schon der geringe Erfolg – die Überlieferung ihrer Schriften scheint nicht über Gandersheim und St. Emmeram in Regensburg, das Mutterkloster ihrer fürstlichen Lehrerin Gerberg, hinauszureichen – spräche ja auch das Urteil über solch ein Unternehmen. Sondern was sie meint, ist eine inhaltliche Widerlegung des Terenz, ein christlicher Sieg über ihn auf seinem eigenen Felde! Die Dichterin sieht die Schönheit des Terenzischen Dialogs gebunden an eine Stoffwelt, in der verführte Mädchen und Hetären eine Hauptrolle spielen – nicht mit Unrecht (und es bedurfte wohl kaum eines 'Theoretikers', um sie das zu lehren). Indem sie nun nach sorgfältig gewählten, für sie verbürgten Quellen den Sieg christlicher Jungfrauen gerade über diese heidnische Welt darstellt, indem sie in ihren Quellen den Sieg des geistlichen Lebens sogar über das Freudenhaus bewährt findet, ist für sie Terenz in seiner eigenen Welt inhaltlich besiegt samt all seiner Formschönheit.

Hrotsvith konkurrierte mit ihm nicht wegen seiner Form. Sondern der Dialog – mehr wurde ja dem Mittelalter vom Wesen des antiken (und neuzeitlichen) Theaters nicht klar[18] – ist nur der zur Natur des Stoffes gehörige Kampfplatz einer inhaltlichen Auseinandersetzung zwischen Welt und *virginitas*. Darum scheut sie es nicht, trotz häufigen Errötens die anrüchigen Szenen kräftig anzufassen: *quia, quanto blanditiae amentium promptiores ad illiciendum, tanto et superni adiutoris gloria sublimior et triumphantium victoria probatur gloriosior, praesertim cum feminea fragilitas vinceret et virilis robur confusioni subiaceret* (113, 21 ff.).

*

Vielleicht läßt sich so auch die Entstehungsfolge der beiden Bücher etwas erhellen. Schon das Legendenbuch begann und schloß ja mit dem Preis der Jungfräulichkeit. Daß sie von Hrotsvith in einem zweiten Buch noch einmal ausdrücklich zum Hauptthema genommen wurde, das eben brachte die Dichterin auch zur Terenzischen Form – ob nun die Schullektüre des Terenz das Thema anregte oder umgekehrt das Thema die Beschäftigung mit Terenz.

Die Beziehungen zwischen Entstehungsfolge und dichterischem Programm sind aber verwickelter[19]. Zwar sagen die Hauptvorreden der beiden Bücher grade nichts über ihre zeitliche Folge. Dafür ist in jedem von ihnen ein Produktionseinschnitt bezeugt. Einige Distichen vor der sechsten Legende widmen, wie die entsprechenden Distichen vor der ersten, der *domna Gerberg* das Folgende als *versiculos novellos, Iungens praescriptis carmina carminulis* (81). Und die *epistola ad quosdam sapientes huius libri fautores* vor dem zweiten, dem Dramen-Buch (114 ff.), spricht wieder von einer Schaffenspause: wegen der geringen Ermunterung, die die Dichterin bei den Ihrigen für dieses *opusculum* gefunden habe; erst die Anerkennung der *fautores sapientes* hat sie zu seiner Vollendung ermutigt. Auch hier müssen also die Dramen 1–4 einmal als Teilausgabe erschienen sein; 5 und 6 heben sich ja durch die eingeflickten philosophischen »Läppchen« auch deutlich von ihnen ab.

Wie verhält sich dazu das hier erörterte einheitliche Programm? Soll man denken, daß ein solcher Plan schon vor dem Beginn einer in mehreren Teilausgaben entstandenen Arbeit fertig konzipiert war? Allein auch hier wird eine kompositionelle Beobachtung wertvoll. Der von Hrotsvith im ersten Buch durch neue Widmung bezeichnete wie der in der *epistola* zum zweiten Buch angedeutete Produktionseinschnitt liegt jeweils gerade zwischen den zwei Stücken gleichen Themas! Diese unmittelbare Thema-Wiederkehr also wird sowohl im ersten Buch (durch neue Widmung) abgetrennt, wie im zweiten (durch eine Schaffenspause) abgehoben. Gerade diese Einschnitte zeugen so deutlich für das Programm – ohne daß doch die Verhältnisse auf eine starre Formel zu bringen wären.

Prüfen wir zuerst, ob sich etwa ursprünglich andere Programm-Zusammenhänge sonst noch andeuten. Gewisse Ungleichheiten der Anlage könnten im Anfang des Legendenbuchs darauf hinweisen. So die selbständige Fassung der jetzt sachlich zusammengehörenden Marien- und Himmelfahrtslegende – sie wird aber in Gallican I und II bei den Dramen genauso aufgenommen! Weiter: in den Legenden 1, 3 und 4 sind der Erzählung persönliche Gebete Hrotsviths an die betreffenden Heiligen vorausgeschickt; das findet sich später nicht mehr – aber gerade der Basilius (mit dem die Reihe umkehrt) hat nochmals einen (wenn auch andersartigen) Vorspruch. Die Legenden 3 und 4 schließen auch noch nicht mit einer doxologischen Formel wie 5 und 8 – aber 1 hat sie schon (in 2 steht ein persönliches Gebet am Ende), und die Dramen zeigen in ihren Schlußformeln fast genau die gleiche Gruppierung (s. u.). Und wenn man versucht wäre, die seltsame fränkische Gangolflegende und das zeitgenössische spanische Martyrium des Pelagius einem ursprünglich anderen Plan Hrotsviths zuzuschreiben, so steht dem doch sofort die ganz ausgezeichnete Pointe mindestens des Gangolfschen Ehe-Martyriums im Gesamtplan entgegen. Spätestens von der unmittelbaren Themawiederkehr des Basilius ab ist an diesem Plan sowieso kaum mehr zu zweifeln – wenn auch die letzte Absicht der Dichterin bei dieser Wiederkehr uns kaum schon ganz deutlich ist. Wo man auch hinter den Gesamtplan zu Vorstufen zurückzudringen glaubt, trifft man immer nur Bestätigungen für ihn. Schon die zweite Widmung im Legendenbuch dürfte also weit mehr eine kompositionelle denn eine zeitliche Bedeutung haben.

Das darf man aber annehmen, daß der Dichterin beim Plan des Legendenbuches noch nicht seine Verdoppelung durch das Dramenbuch vorschwebte. Denn dessen Thema, der Preis der Jungfräulichkeit, ist ja dort schon allgemeiner mit angelegt, wie wir sahen. Die Legenden schon stellen ihn an Anfang und Ende des metaphysischen Heilskreises: als Wesensbestimmung des höchsten unter allen Menschen, der Jungfrau María, und der jungfräulichen Märtyrerin Agnes. Und es wäre möglich, daß die Hexameter von der Apokalypse des Johannes, die jetzt am Ende des Dramenbuches stehen, einmal ursprünglich das Legendenbuch schlossen. Nicht nur das Gebet an Maria zu Anfang mündet schon ins Gedenken der Jungfrauen, die einst dem *agnus purpureus* lobsingen werden (5, 43–44 wie 226, 19 und 28), sondern auch der Epilog fast jeder Legende, ebenso der Prolog der Agnes (98, 7), und auch im Innern der Erzählungen begegnet der Gedanke oft (z. B. Pelagius 63, 310 ff.). Er findet sich regelmäßig auch am Schluß der Dramen, aber nicht mit gleicher Betonung (daran könnte allerdings auch deren andere Stilisierung schuld sein). Und die theologische Abrundung wäre fühlbarer, wenn die Wiederkunft des Lammes als Schluß, noch dazu in gleicher Form gedichtet, näher an die Himmelfahrt zu Anfang heranrückte. Doch bleibt dies Kombination, und wichtiger ist die Tatsache des Programms als solche.

Der Weg zum Dramenbuch wurde schon angedeutet: Sein Hauptthema, der Heilskreis der Jungfrauen und Büßerinnen, steht nun in enger Beziehung zur Terenzischen Form. Die Folge aber hat Hrotsvith auch hier in genauestem Gleichlauf zum Legendenbuch – auch zu seinen (uns so erscheinenden) 'Zufälligkeiten' – komponiert. Die Folge hat hier größere Glätte und Einheitlichkeit; das zeigt sich schon in der durchgängigeren Motivverflechtung. Ebenso auch formal: alle Dramen beginnen mit einem exponierenden Gespräch mit Freunden, Schülern usw. (auch Gallican II! In Gallican I und Dulcitius steht es aus verständlichen Gründen als zweite Szene). Alle enden mit doxologischen Formeln. Allerdings zeigen diese zwei Typen: Gallican I und II sowie die beiden letzten haben eine Schlußformel vom Typ: *qui vivit et regnat*... (die liturgische Herkunft ist in Gallican II durch abgekürztes

Zitat angezeigt), die drei mittleren den Typ: *honor gloria ... laus et jubilatio ...*
Diese Gruppierung: 1 mit 5 und 6 gegen 2–4, entspricht fast genau der
Gruppierung der Schlußformeln bei den Legenden. Solche Entsprechungen
müssen also wieder vor zu weitgehenden entstehungsgeschichtlichen Schlüssen warnen.

Mit der Schaffenspause, von der die *epistola* spricht, mag es hier aber seine
Richtigkeit haben. Hrotsvith führte wohl das Buch zunächst nur bis zur
Thema-Umkehr, wo ja seine Motive schon alle angeschlagen waren; es wurde
dann zur Begutachtung nach St. Emmeram geschickt und erst mit dem
Zuspruch und Rat von dort zu Ende geführt.

*

Ich glaube keineswegs, die beziehungsreichen Absichten der Dichterin
bei Auswahl und Anordnung ihrer Stoffe damit erschöpft zu haben. Eindringende, vor allem theologische Interpretation könnte sicher vieles hin-
zufügen, vieles anders sehen lehren. Aber die Tatsache und auch die Grund-
haltung ihres Programms sollten deutlich geworden sein. Und damit auch
– um zum Schluß noch einmal zu der Frage vom Anfang zurückzukehren –
die 'Wahrheit', die für Hrotsvith ihr Legendenwerk enthält. Sie sieht in
diesen Geschichten, deren Verlauf sie ja mehr oder weniger treulich ihren
Quellen entnimmt, zunächst einmal sicher eine historische Wahrheit, die sie
sich durch Quellenkritik im Sinne ihrer Epoche, d. h. durch Autoren-
bezeugung sichert. Diese dient ihr auch als Basis der 'Widerlegung' des
Terenz. Diese historische Wahrheit der kritisch gewählten Legenden gerät
aber bei den evangelischen Stoffen, Maria und Himmelfahrt, unversehens
in das Licht kanonischer Kritik, und da erscheint sie plötzlich *ex apokrifis
sumpta,* und das meint hier: als verwerfliche Fälschung (1, 10 ff.). Des Pro-
blems, das darin liegt, ist sich Hrotsvith wohl nicht ganz bewußt geworden. Wenn sie die apokryphen Stücke als *dubia* doch retten will, so geht sie
mit einem Kompromiß darüber weg. Wenn sie aber das Zweifelhafte festhält, so hat das einen tieferen Grund als bloßes Bedauern um das getane
Werk: sie braucht diese Stoffe als Bestandteil ihres dichterischen Programms,
des Heilskreises der Jungfrauen, Märtyrer und Büßer. Und es mag sein,
daß das *forsan probabitur veritas* auch einen Ton von dieser zweiten, 'höheren'
Wahrheit enthält, wie ja ähnliche Heilskreise auch sonst die eigentliche
'Wahrheit' dieser Epoche enthalten, ihren eigenen Gestaltungsantrieb jenseits der Masse des bloß traditionellen stofflichen Wissensgutes verwirklichen [20].

Damit steht man allerdings erst am Anfang weiterer Fragen. Die einerseits theologischen, andererseits stil- und kunstgeschichtlichen Zusammenhänge würden erst das dichterische Programm der Hrotsvith ganz in die
historische Wirklichkeit hineinzustellen erlauben. Beide möchte ich Sach-

kennern überlassen. Im Rahmen der deutschen Literaturgeschichte aber, in die Hrotsvith ja auch gehört, trägt ihr Werk in seiner ganzen Individualität doch auch deutlich die allgemeinen Merkmale Ottonischer Kunst: auf der einen Seite jene in den 'Heilskreisen' gestaltete metaphysische Räumlichkeit geistiger Beziehungen, wie sie der Dichtung nur selten erreichbar wurde – auf der anderen Seite aber auch die seltsam freischwebende Substanzfremdheit dieser Kunst, die nur erlernte Form- und Vorstellungsvorräte zu einer zwar persönlich erlebten, aber gegenständlich doch mehr dekorativ erstarrten Stilisierung finden läßt. Erst wo diese kultivierte Manier-Form dann zurückgebildet wird zu einer wirklichen Archaik (wenn auch unter schmerzlichem Verlust der karolingisch-ottonischen Individualität, die im ganzen Mittelalter so nicht mehr wiederkehrt) – erst da wird sie konkret räumlich und zugleich deutsch – nicht nur der Sprache, sondern auch der Wirklichkeit nach. Das geschieht in der deutschen Dichtung seit 1050, die man zu Unrecht immer nur unter dem Vorzeichen geistlicher Weltfeindschaft, gar cluniazensischer Hörigkeit sieht. Sie bedeutet weit mehr: ein erstes Abstecken und Ordnen der Welt, zwar auch und noch stärker durch abstrakt symbolische, darum heilsgeschichtlich-theologische Begriffe, aber nun zuerst auch in bezug auf eine wirkliche Substanz, auf das wirkliche Dasein, auf aller und d. h. auch dieser besonderen Menschen Verhältnis zum Heil. Aus dieser Form erst konnte sich der Neuaufbau der Welt auch in der Dichtung entwickeln, aus dem dann die große Kunst der Wende des 12. Jahrhunderts sich erhebt.

MINNE ODER REHT

DIE FRÜHMITTELHOCHDEUTSCHE DICHTUNG, die Literatur insbesondere des Jahrhunderts von 1050–1150, hat im Grunde bis heute noch nicht ihre Literaturgeschichte gefunden. Warum nach hundertjähriger Pause in der Mitte des 11. Jahrhunderts Dichtung deutscher Sprache, wenn auch nur theologische, plötzlich wieder beginnt, warum sie aus diesen Anfängen eine kontinuierliche Entwicklung fand, die nicht mehr abriß, welche Lebenskräfte diesen Anfang trugen, wie sie stilistisch, gattungsgeschichtlich und qualitätsmäßig zur Kontinuität fortwirkten – all das ist trotz vieler Ansätze noch so wenig geklärt, daß die Literaturgeschichten sich in der Regel mit der einfachsten, stofflich angeordneten Aufzählung der Werke eines Jahrhunderts begnügen, ohne Zeit, Stil, Gattung und Qualität für die Gruppierung fruchtbar machen zu können.

Das liegt nicht eigentlich an den Schwierigkeiten der historischen Kenntnis, der Überlieferung usw., die man ja anderwärts überwinden konnte. Der Grund liegt tiefer. Man sieht sich hier einer Dichtung gegenüber, die nach Herkunft, Stoff und Geist rein theologisch bestimmt ist und deshalb dem inneren Leben jeder dichterischen Gestalt und Entwicklung scheinbar so wenig Ausdruck gibt, daß ihr Leben vielleicht in anderen geistigen Räumen, nicht aber in dem deutscher Dichtung vor sich zu gehen scheint. Literatur – so glaubt man – nur einer *propaganda fides,* sogar von ausgesprochen mönchisch-asketischem Zuschnitt, darum nach dem bekanntesten Zentrum meist allzu generell 'cluniazensisch' genannt, deren deutsche Sprach- und Lebenskräfte dann nur aus zweiter Hand kommen können, darum zucht- und entwicklungslos in allem eigenständig Sprachlich-Dichterischen: Vers, Rhythmus, Reim, Strophe, Komposition. Eine Predigt-Literatur, die die deutsche Sprache nur als Propagandagewand benutzt und sie höchstens aus einer unterirdischen, germanisch-volksdeutsch-'weltlichen' Dichtungstradition mit gewissen Sprach- und Formwerten beschenken läßt[1], die man, vor allem bei den Anfängen, doch nicht leugnen kann. Dies Bild ist kraß gezeichnet, es ist in vielen Einzelheiten längst korrigiert – daß es trotzdem noch nicht überwunden ist, zeigt jene Stagnation der Literaturgeschichte deutlich genug an.

Man wird auch in unserer Epoche nicht eher zu wirklicher Ordnung und Verknüpfung kommen, ehe man nicht die literarischen Zusammenhänge und die geistigen und sprachlichen Gestaltkräfte direkt und unmittelbar prüft, wie sie in den Anfängen der Epoche, in Ezzolied, Wiener Genesis, Annolied unüberhörbar leben und von da aus weiterfließen in die freilich flachere Literatur des frühen 12. Jahrhunderts. Allerdings wird man sich vor einer bloß formalen 'Rettung' dieser Gedichte hüten müssen[2]. Das Problem des religiösen Inhalts kann hier noch viel weniger umgangen werden als in der Kunst- oder politischen Geschichte der Zeit. Aber was aus der Heilsgeschichte des Ezzoliedes spricht wie aus den Nachrichten über seine Entstehung (Altmannvita und Vorauer titulus – trotz ihrer Widersprüche, verschuldet durch den zeitlichen Abstand und die Vielfalt der Einzelereignisse) und ebenso aus den rahmengebenden Erlösungs- und Buß-Predigten der Wiener Genesis, aus der Vereinigung von Kirchen- und Reichsgeschichte im Annolied (dieses gleichzeitig mit dem Beginn der französischen religiösen Karlshistorie der chansons de geste) – das ist ja weder 'cluniazensische' Weltfeindschaft noch versteckte germanisch-deutsche Weltfreude. Sondern es ist der großartige Versuch eines neuen, auch für die Laien bestimmten Weltbaus aus Geschichte und Gegenwart, wenn auch mit sehr vereinfachten religiös-symbolischen Mitteln.

Der vierte unter diesen Erstlingen scheint allerdings solcher Beleuchtung am gründlichsten zu widerstehen: das Gedicht, das man Memento mori nennt. Es sagt scheinbar nur massivste asketische Weltfeindschaft, Flucht in das was jenseits ist – im Diesseits nur Sünde, Unrecht, aufs Heil vergessenden Reichtum: *Iâ dû vil ubeler mundus   wie betriugist tû uns sus!* (137–38, Ahd. Lb. Nr. XLII, Str. 18). Die Form scheint hoffnungslos schwerfällig und gelehrt zugleich[3]. Aber – hat das Gedicht scheinbar keine eigene innere Bewegung, so hat es doch auch sein Problem. Ziemlich genau in der Mitte wendet es sich mit stärkster sozialer Tendenz gegen die Beugung des Rechts durch die Reichen (Str. 8–11 im Ahd. Lb.). Die Zeilen 57–66 (Str. 8–9) nun faßt die Handschrift als Strophe von fünf Reimpaaren zusammen, während sonst in der Regel vier Reimpaare eine durch Initiale bezeichnete Strophe bilden[4]. Strophe 8 spricht zuerst von den Unterschieden zwischen den Menschen trotz ihrer in 7 betonten Gleichheit von Adam her. Das dritte Reimpaar beginnt eine Exemplifizierung dieser Ungleichheit: *ter eino ist wîse und vruot* – aber es fährt dem Sinn nach unmöglich fort *tes wirt er verdamnot:* wegen Weisheit allein wird doch niemand verdammt[5]. Der Reim *vruot: verdamnot* ist dazuhin auch unter den Bedingungen des Gedichts nicht mehr als Reim anzusprechen[6], *wîse und vruot* die einzige Doppelformel des Gedichts[7]. So hat man seit BEHAGHEL hier eine Lücke angenommen (zwischen

61 und 62 [8]), die zwei halbe und zwei ganze Reimpaare betragen müßte, damit die Reste das Maß von zwei vollen Strophen (8 und 9 im Ahd. Lb.) erreichen. Die Sünde der *wîsen* möchte vielleicht der *ubirmuot (: vruot)* gewesen sein, als Gegensatz wäre etwa die Verzagtheit der Schwachen denkbar. Ein neues Gegensatzpaar von Versündigungen müßte dann in Str. 9 das ständig wiederkehrende Anathema erhalten: vielleicht waren im Anfang schon die Reichen verdammt, die das Recht beugen (wie dann variierend in den zwei folgenden Strophen), und daran schlösse sich 63–66 an: *tes rehten bedarf ter armo man: tes mag er leidor niewit hân, er ne chouf iz alsô tiuro: tes varn se all ze hello.*

Das wäre möglich – daß solche Aufzählung besonders überzeugend wirkt, wird niemand behaupten. Und wenn etwa die *wîsen und vruoten* die *liste* (59) illustrieren sollten, die Reichen dagegen die *unchuste* (60), so bleibt auch da alles schief und ohne Verbindung mit dem Liebesgebot in Str. 7 wie mit der Rechtsbeugung im folgenden.

Es gibt aber noch einen andern und näherliegenden Weg zur Besserung, nämlich 61–62 zu streichen, wie man in Str. 17 drei Reimpaare gestrichen hat. Daß das bisher kaum erwogen wurde, hat zwei Gründe: 1. *ter eino* (61) scheint ein *ter ander* zu fordern; 2. ein Zusammenhang zwischen 57–60 und 63–66 scheint zu fehlen. Dem läßt sich jedoch abhelfen.

*

Mit Str. 7 setzte bereits der neue Gedanke ein, der den Mittelteil des Gedichts beherrscht: *Got gescuof iuh allo, ir chomint von einimanne.* Das hat mit dem *contemptus mundi* und *memento mori* des ersten Teils (Str. 1–6) nichts mehr zu tun. Es bezieht sich auf das Weltleben in einem neuen und ganz direkten Sinn: Ihr stammt alle von dem ersten, von Gott geschaffenen Menschen, von Adam ab. Da gebot euch Gott *ze demo lebinne,* daß ihr *mit minnon* hier lebtet, wie ein Mensch. Ihr aber habt das übertreten, und schon das genügt zum ewigen 'Schaden' für euch. – Mit *minnon* ließe sich leicht auf das 'Liebe deinen Nächsten wie dich selbst' (Lev. 19, 18; Matth. 19, 19; 22, 39 u. ö.) beziehen. Aber dort liegt die hier gegebene Begründung fern, daß nämlich alle Menschen von Adam her zu einer Familie gehören, sogar zu einem Leib (wie die Glieder?). Und umgekehrt ist beim Schöpfungsbericht von einem Liebesgebot keine Rede, da steht nur das Fruchtbarkeits- und Herrschaftsgebot und das Verbot des Baumes der Erkenntnis. Die Strophe bleibt also unerklärt, solange nicht Abstammung von Adam (*ein* Leib, *eine* Familie) und Liebesgebot zusammengebracht werden können. Und der Zusammenhang mit den folgenden Strophen bleibt undurchsichtig, solange nicht das Anathema über die Sünde gegen das Liebesgebot und das Anathema über die Sünden der »Geschiedenheit«, vor allem die Rechtsbeugung, auf einer Ebene und in einem Zusammenhang verstanden werden können.

Nun – es gibt diesen Zusammenhang! LEXER belegt s. v. *minne* eine Formel *minne und reht, minne oder reht* und weist bereits hin auf HOMEYER [9], der
die Formel seit dem Sachsenspiegel in speziellem Gebrauch verfolgt; DIET-
RICH SCHÄFER [10] hat ihre lateinische Entsprechung *consilio vel iudicio* erkannt
und rückwärts bis zu einer Urkunde Karls des Kahlen belegt, vor allem im
Investiturstreit. Sie deutet die zwei entscheidenden Möglichkeiten zur fried-
lichen Beilegung von Streitigkeiten an: entweder gütliche Vereinbarung
(minne) – oder gerichtlicher Austrag des Streits *(reht)*. Die dritte mittelalterliche Form des Rechtsentscheids, die Fehde [11], die gewaltsame Selbsthilfe,
steht in der Formel wie in unserem Gedicht nicht zur Frage; sie wird hier
wie dort bewußt und absichtlich ausgeschaltet.

Ist diese Formel wirklich in unserem Gedicht gemeint? Sie deckt sich
zunächst völlig mit dem Gebrauch von *minne* in Strophe 7: da ihr von Adam
her zu einem Leib und zu einer Familie gehört, solltet ihr nach Gottes Gebot auch im Rechtsstand der Familie [12] miteinander leben – mit Minne nämlich, d. h. in gütlichem Einvernehmen. – Dieses Gebot braucht nun nicht
in der Schöpfungsgeschichte selbst aufgesucht zu werden (trotz des zeitlichen *tô* 51), denn die Schöpfung dient hier nur dazu, die Leib- und Fa-
milien-Einheit aller Menschen zu begründen, die an sich die göttliche Rechtsnorm der Minne einschließt [13]. Der Zerstörung dieser Rechtsnorm aber gilt
mit Recht das Anathema des Dichters.

Weiter wird nun auch der Zusammenhang mit dem Folgenden klar. 57 ff.
(Str. 8) schließt unmittelbar an: Obgleich ihr im Grunde zu einer Familie
gehört, seid ihr doch voneinander geschieden, habt euch voneinander ab-
gesondert mit mannigfaltigen *listen* und großen Bosheiten. – Keine genetische und ethnische Differenzierung faßt also der Dichter als Ursache der
weltlichen Gliederung der Menschheit ins Auge, sondern eine soziale und
moralische Differenzierung, wie sie ja auch einzig zu seinem Thema und
zu seiner Weltsicht gehört. Denn er sagt damit, daß nun die paradiesische
Rechtsnorm, die Minne, nicht mehr zur Ordnung des menschlichen Zusammenlebens in der Welt genügt. (Der konkrete Sinn von *listen* und *unchusten* ist nicht deutlich.) Daran kann sinnvoll nur 63 ff. anschließen: der
Arme, der Schwache und Unmächtige bedarf (daher, um zu seinem Lebens-
recht, zu seinem rechten Leben zu kommen) *des rehten* (sw. n. in ausgesprochen juristischem Gebrauch, s. LEXER Hwb.): des gerechten Gerichts. Weil
er (jetzt und hier) das nicht bekommen kann, ohne es sehr teuer zu erkau-
fen – darum fahren sie alle [14] zur Hölle. Die zwei folgenden Strophen führen
dann dieses Anathema über die Rechtsbeugung der Reichen in der alten
Weise, d. h. schwerfällig variierend, fort.

Statt einer wenig überzeugenden Aufzählung, die dem Variationsstil des
Gedichts widerspräche und sich weder nach rückwärts mit der Minne-
Strophe noch nach vorwärts mit den Rechtserörterungen verbände, gewinnt

man jetzt (nach Streichung von 61–62) einen exakten und pontierten Zusammenhang: entweder *minne*, d. h. gütliche Übereinkunft, wie es sich eigentlich für die Adamskinder gebührte, oder wenigstens *daʒ rehte*, d. h. gerech-
tes Gericht vor allem für die Armen, da dieses Band nun einmal durch
Sünden zerrissen ist – das wären die Formen rechten Erdenlebens: nach
Gottes Ordnung im Ursprung, aber von durchaus irdischem Gepräge, als
weltliche Satzung. Beide aber werden in der Zeit und dem Raum, wo der
Dichter spricht, nicht beachtet, vielleicht noch nicht gekannt, und das führt
direkt in die Hölle – wenn die hier gedichtete Lehre nichts fruchtet[15].

*

So betrachtet erhält aber auch dieses Gedicht plötzlich ein eigenständiges
inneres Leben, das Gedanken und deutsche Sprachform sinnvoll und notwendig, ja großartig zusammenschließt. Es stammt aus der Not der Frage
um ein rechtes Weltleben gerade auch der Laien, und es beantwortet die
Frage durch einen rechtlichen und sozialen Weltaufbau, der Diesseits und
Jenseits zwar symbolisch-religiös, aber ganz positiv verbindet. Von hier aus
wären zuerst die weiteren Probleme des Gedichts – seine gedankliche Interpretation, Gliederung und Aufbau, Sprachgestalt und metrische Form-
gebung – neu aufzurollen. Hier müssen wir darauf verzichten. Wichtiger
noch, daß es sich damit den anderen Erstlingen der kontinuierlichen deutschen Dichtungsentwicklung zuordnet, sogar an bevorzugter Stelle, und
wie sie eine Heimat in den großen, religiös geprägten Volksbewegungen
der Zeit findet. Minne oder Recht als die rechtlichen Lebensformen auf
Erden, den Laien, insbesondere den Reichen, dichterisch gepredigt – das
fügt sich nun ein in jene große Friedensbewegung, die von den burgundischen und lothringischen Reformzentren aus seit der Mitte des 11. Jahrhunderts durch Europa zieht – »die erste religiöse Volksbewegung des Mittelalters«[16].

Im einzelnen ließe sich an verschiedene historische Anknüpfungen in
Deutschland denken. Der lateinische Ruodlieb wurde in Zusammenhang
gebracht mit den Indulgenz-Akten Heinrichs III., die der König und Kaiser
von 1043–1049 durch ganz Deutschland trug[17]. Die Betonung von *iustitia
et pax* in dem dort herangezogenen Brief des Abtes Bern von Reichenau
an Heinrich III.[18] (Zitat der 'Predigt' des Königs 1043 in Konstanz?[19]) und
die noch ähnlicheren Äußerungen über *lex* und *gratia* in Wipos Tetralogus[20]
entsprächen allerdings nicht genau der deutschen, im späteren Sinne juristischen Formel *minne–reht*[21]. Eine Frühdatierung, die dieses archaischste
unter den frühmittelhochdeutschen Gedichten auch zeitlich an ihre Spitze
stellte, wäre nicht unmöglich[22]. Aber hier fehlt jeder Bezug auf die Indul-
genz, die Verzeihung, die bei Heinrich doch gerade im Vordergrund stand –
dort, bei Heinrich III., die Möglichkeit zur ausgesprochen sozialen Ten-

denz des Gedichts (die man meist unbesehen als cluniazensisch-hirsauisch nimmt).

Wahrscheinlicher wird man es an die später, seit etwa 1080 in Deutschland aufgenommene Friedensbewegung anschließen dürfen. Die lateinische juristische Formel *consilio vel iudicio* wurde im Investiturstreit (bis ins Wormser Konkordat hinein) öfter von den Päpsten und Königen selbst gebraucht[23]. In den deutschen Gottesfriedens- wie Landfriedensbeschlüssen selbst fehlt sie allerdings[24], und unser Gedicht spricht nirgends politisch, sondern rein religiös, wenn auch durchaus mit dem Ziel einer weltlichen Satzung. Ganz auffällig aber hängt seine so stark im Mittelpunkt stehende soziale Tendenz (*wîb unde man* Zeile 1, Schutz der Armen gegen die reichen Rechtsbrecher im Mittelabschnitt, Wendung gegen Festhalten des irdischen Reichtums und für das »Hingeben« der Schätze im dritten, dem Schlußabschnitt) mit der Politik Heinrichs IV. zusammen, der sich im Streit gegen den Papst auf die unteren Schichten zu stützen versuchte. Gerade für die ersten deutschen Gottesfriedensbeschlüsse (Lüttich 1082, Köln 1083, Mainz 1085) wird dieses soziale Moment immer wieder betont[25]. Die Beschlüsse gehen hier nicht vom König aus (wie später der Mainzer Landfriede von 1103), sondern von Bischöfen, obzwar durchaus der königlichen Partei. So fänden sich hier also historisch die drei tragenden Momente unseres Gedichts vereinigt: geistliche (nicht eigentlich asketische!) Tendenz, Friedensbewegung (in juristischer Zuspitzung) und soziale Politik. Im rein hirsauischen Bereich können sie in diesem Zeitpunkt kaum so pointiert zusammengetroffen sein, auch nicht in den Gottesfriedensbeschlüssen der deutschen päpstlichen Partei, die denen der königlichen erst in den neunziger Jahren folgten[26].

Es ist natürlich – mindestens ohne genauere historische Studien – kaum möglich, die bisher vor allem bemühte hirsauische Herkunft des Gedichts (und Notker, den ersten Abt von Zwiefalten, † 1095, als seinen Verfasser[27]) auszuschließen. Die geistliche Sprache ist den Parteien gemein und oft gleich. Das Gedicht steht zudem mit seiner alemannischen Sprachform nicht unmittelbar im Raum der von Niederlothringen über Lüttich-Köln-Mainz ziehenden Friedensbeschlüsse der königlichen Partei (doch ist Schwaben unter Friedrich von Staufen seit 1079 zum größeren Teil königstreu). Seine Übereinstimmung mit diesen ersten Friedensbeschlüssen ist aber überraschend. Sie müßte erst geklärt werden, ehe man konkret wieder an hirsauische Herkunft glauben könnte[28]. Wir dürften mit einiger Wahrscheinlichkeit das deutsche Gedicht als Dokument der Partei Heinrichs IV. in den Jahren 1082–1085 ansehen[29], wenn nicht die hirsauische Ochsenhauser Überlieferung wäre. So spiegelt sich – ohne eindringende historische Studien, die vielleicht noch genauere Anknüpfungspunkte auffinden könnten – in unserem Gedicht mindestens jene 'Ambiguität' der 'politischen Religion' dieser Zeit, die FRIEDRICH HEER[30] eindrucksvoll dargestellt hat.

Eine weitere Anregung wäre noch zu verfolgen. Die deutsche Formel *minne oder reht* begegnet allgemein seit dem Einsetzen deutscher Rechtsaufzeichnungen, seit dem Sachsenspiegel, aber dann fortlaufend [31]. In unserem Gedicht hätten wir den ersten, sehr viel früheren Beleg gewonnen. Das Ende des 11. Jahrhunderts zeitigte ja auch sonst die ersten Zeugen einer deutschen Rechtssprache (Erfurter Judeneid) – auch dies ein Beweis für die damals erwachenden, mit den religiösen Bewegungen der Zeit verbundenen, schöpferischen Kräfte des Laienvolkes (auch wenn sie zuerst durch Geistliche Ausdruck fanden). Daß die deutsche Formel noch weiter zurückreiche, ist wenig wahrscheinlich. Ihre geistliche Herkunft steht ziemlich sicher [32]. Im Germanischen gibt es nichts Vergleichbares [33]. Friedenssatzungen wie etwa der altnorwegische Urfehdebann – der auch schon aus genossenschaftlichen Friedenssatzungen schöpft [34] – meinen keinen fehdeausschließenden Rechtsfrieden und haben keine allgemeine Begründung.

GESTALTEN UND LEBENSKRÄFTE DER FRÜH-
MITTELHOCHDEUTSCHEN DICHTUNG

Ezzos Lied, Genesis, Annolied, Memento mori

DIE EPOCHE GEISTLICHER DICHTUNG von etwa hundert Jahren (1050 bis 1150), die man mehr sprachlich als sachlich die frühmittelhochdeutsche nennt, ist durchaus kein Stiefkind der Forschung, seit Opitz bis zur Gegenwart. Und doch steht sie fast ebensolange in einem seltsamen Zwielicht. Wir besitzen Werke von unbestrittener Wirkung auf ihre Zeit wie auf uns: Ezzolied, Genesis, Annolied, Memento mori, die Erstlinge nach hundert jährigem Schweigen der Schreibstuben; dazu noch manches Bedeutende aus dem frühen 12. Jahrhundert. (Die geistliche, geistlich-weltliche und weltliche Literatur von der Kaiserchronik an gehört schon zu einer neuen Epoche.) Aber wir verstehen sie bis heute nicht primär als Dichtung, sondern nur sekundär, nur als Popularisierung geistlicher Propaganda.

Es gibt in der Tat 'sekundäre' Dichtung, Form als Prozeß zweiter Hand an vorher ganz und gar 'fertigen' Inhalten – gerade die religiöse Literatur, etwa im 19. und 20. Jahrhundert, bietet Beispiele genug. Aber da können wir den Mißbrauch dichterischer Formmittel greifen, wir kennen die Vorbilder. Dort, im Frühmittelhochdeutschen, schaffen wir sie erst in Hypothesen, um dann diese geistliche Dichtung für sekundär erklären zu können.

Ist es nicht das Zeitalter Clunys, Hirsaus, des Investiturstreits – weit ab von den weltfrommen karolingischen Benediktinern, deren Subjektivität trotz ihres Glaubens uns greifbarer scheint – weit ab auch von den 'Wundern' deutscher Weltliteratur lateinischer Zunge im Zeitalter der Ottonen und Salier? Geben unsere Gedichte nicht eindeutig mit dem Stoff auch einen neuen Geist, die 'mönchische', 'asketische', 'weltfeindliche' Gesinnung Clunys und Hirsaus und der gregorianischen Reform wieder?

Diese Erklärung hat nie ohne Modifikation gegolten. In der neueren Literaturgeschichtsschreibung nimmt man seit H. SCHNEIDER die meisten Gedichte des 11. Jahrhunderts wegen ihrer versöhnlichen Gesinnung aus der 'kluniazensischen' Literatur heraus; DE BOOR hat den Sprachstil in seiner archaischen Kraft würdigen gelehrt, ITTENBACH eine zahlensymbolische

Parallele zur romanischen Architektur der Salierzeit gesucht, STAMMLER manche Vorstellungen zurechtgerückt[1]. Und die Werke des frühen 12. Jahrhunderts stehen zu deutlich unter vielfach neuen theologischen und Welt-Aspekten, um noch eindeutig 'kluniazensisch' heißen zu können. Trotz all dem bleibt diese Deutung und damit die sekundäre Interpretation wie zwangsläufig über dem Zeitalter schweben und verhindert ein wirklich literarhistorisches Verständnis – die Literargeschichten geben mindestens in ihrer Disposition davon Zeugnis.

Wir wenden uns deshalb an die frühmittelhochdeutschen Texte selbst und zwar vor allem an die Erstlinge im 11. Jahrhundert. Die philologische Interpretation zielt auf ihre gedanklichen und formalen Strukturen. Aber sie ist – um nicht, wie die meisten 'Interpretationen um jeden Preis', mit der Stange im Nebel herumzufahren – immer schon geleitet von der Frage nach dem Verbindlichen, nach der Substanz in der Form. Was das meint, wird die Untersuchung selbst klären müssen. Nach den empirischen Zusammenhängen fragen wir am Ende.

I

Am Anfang steht das Bamberger *Ezzolied*. Es gilt der nächsten Generation als *Cantilena de miraculis Christi*. Die Prologstrophe I der älteren Fassung (Straßburger Fragment = S):

> *Nû wil ih iu herron*
> *heina wâr reda vor tuon:*
> *von dem angenge,*
> *von alem manchunne,*
> *von dem wîstuom alse manicvalt,*
> *ter an dien bûchin stêt gezalt –*
> *ûzer genesi unde ûzer libro regum,*
> *tirre werlte al ze dien êron.*

kündet aber drei ganz andere Themen für die *reda* an: 1. *von dem angenge:* die Schöpfung – 2. *von alem manchunne,* d. h. die Geschichte des ganzen Menschengeschlechts – 3. *von dem wîstuom,* der in den *bûchin* aufgezählt wird: Lehre – alles im Alten Testament: *ûzer genesi unde ûzer libro regum* – alles Bestimmung der Welt zur Ehre: *tirre werlte al ze dien êron.*

In der Tat handeln die Strophen S III und IV vom *anegenge:* von der Schöpfungsehre der Welt und des Menschen (*anegenge* III, 2 und 11) – V und VI von *alem manchunne:* vom Sündenfall als Anfang und Fortgang der Menschheitsgeschichte (*man* V, 1; *manchunne al* V, 12) – VII vom *wîstuom* (das Wort selbst ist aus I hier nicht wieder aufgenommen): von den Glaubens- und Sitten-Lehren des alten Bundes im Beispiel Abels, Enochs, Noes,

Abrahams, Davids (die Reihe geht über Gregors Moralia auf Hebr. 11 zurück; die Auswahl und damit der ganze Inhalt von Str. III–VII steht in Genesis und Regum). Hier bricht das Straßburger Fragment ab.

Die jüngere Fassung (Vorauer Sammelcodex = Vor.) erzählt dann weiter, gemäß ihrer umgedichteten dritten Strophe (21–26), aus den Evangelien von Johannes Baptista (Str. 12) und von Gottes Sohn (Str. 13–34). Das stimmt aber nicht recht zur ursprünglichen zweiten Strophe: einer zweiten Prologstrophe (S II):

> *Lux in tenebris,*
> *daz sament uns ist:*
> *der uns sîn lieht gibit,*
> *neheiner untriwon er ne fligit.*
> *in principio erat verbum,*
> *daz ist wâro gotes sun,*
> *von einimo worte er bechom*
> *dire werlte al ze dien gnâdon.*

Sie zitiert zweimal das Proömion des Johannes-Evangeliums (Joh. 1, 5 und 1) lateinisch und sagt nur von der Prä- und Kon-Existenz *(in principio – daz sament uns ist!)* des Logos *(verbum)* als *lux in tenebris* und als Erlöser: *dire werlte al ze dien gnâdon.* Die Schlußzeilen beziehen die zwei Prologstrophen refrainartig aufeinander.

Wie weit dieses Programm sich in der Vorauer Fortsetzung wiederfinden läßt, wird gleich zu fragen sein. Es ist jedoch auch schon in einem Teil der alttestamentlichen Strophen, in S VI und VII aufgegriffen: In VI kündigen die »Sterne« der Schöpfung (schon in übertragenem Sinn!), die von der Teufelsnacht zwar verdunkelt werden, schon hier die »Sonne« Christus an; VII zählt die geistlichen Weisheitslehrer des Alten Testaments (aus Genesis und Regum) eben als solche »Sterne« auf (deshalb *lieht* VII, 2 als Programmwort statt *wîstuom* aus I, 5). Und die genau an das Straßburger Fragment anschließende Strophe Vor. 12 (133–144) führt das Bild zwar aus dem Alten Testament heraus, aber ausdrücklich johanneisch fort zum »Morgenstern« Johannes, der als jüngster im Alten Bunde »das wahre Licht Christus zeigte«. Diese Strophe stand sicher auch in der älteren Fassung.

Schon der zur ersten Prologstrophe gehörende Teil des Liedes also ist durchdrungen von der johanneischen Logostheologie der zweiten Prologstrophe. In 6 Strophen stellte er (gemäß dem Programm der ersten Prologstrophe) die Menschheitsgeschichte im Alten Bund dar, je paarweise: Welt- und Menschen-Schöpfung zur Ehre (III–IV), Menschheits-Fall aus dieser Ehre in Tod und Teufelsnacht (V–VI) und geistliche Weisheitslehre des Alten Testaments, als Sternenlicht der alttestamentlichen Menschheit (VII) und weiter bis zu Johannes Baptista (12). Aber diese Paarteilung wird (von der zweiten Prologstrophe her) gebrochen durch eine zweite Teilung: mitten im Fall, mitten im mittleren Strophenpaar, gerade als der Mensch ganz in des Teufels Gewalt ist (V), künden die Sterne schon von der *künftigen* Gnadensonne des präexistenten Logos-Christus (VI). Er war ja, nach der zweiten Prologstrophe, schon *in principio.* Ja noch genauer: weil Gott, der »uns sein Licht gibt, keine *untriuwe* übt« (II, 3f.), weil er, auch im vorgewußten Sündenfall (IV, 12), das 'Licht' der Schöpfungsehre nicht zerstören lassen *kann* (VI, 3f.) – darum ist der Erlöser als präexistentes Logos-Licht *sament uns*, bei uns (II, 2), der ganzen geschichtlichen Menschheit (*dirre werlte al* I, 8 und II, 8), schon in den *tenebris* der Teufelsnacht (VI, 2) und durch die Lehre der 'Sterne' weiter bis zu Johannes Baptista (VII; Vor. 12).

Diesen Gedanken und die Vorkündung der Sterne bis hin zum »Morgenstern« Johannes vollendet die im Vorauer Text nächstfolgende Strophe 13 (145–156), die sich somit auch ohne Zweifel als alt erweist. Sechs Strophen (der alten Fassung: S III–VII und Vor. 12) führten vom Alten Testament bis zu Johannes Baptista. Sechs Welten[2], sagt diese siebente Strophe, »fuhren« in Höllendunkel – waren in den *tenebris* des Johannes-Prologs, die den Logos nicht »aufnahmen« (Joh. 1, 5 und 11)[3]. Aber uns bringt die Sonne des fleischgewordenen Erlösers vom Himmel einen neuen Tag nach der Teufelsnacht: »uns«, der ganzen Menschheit (*allez manchunne* Vor. 13, 8), den Teilhabern nun der christlichen Menschheitsgeschichte.

Weiter freilich verlieren wir uns weglos in der Evangelien-Erzählung der Vorauer Fassung – die das johanneische Programm der alten Prologstrophe S II schon in Vor. 3 (= 21–26) gründlich mißversteht. Das ursprüngliche Gedicht könnte sogar, gemäß den zwei Prologstrophen S I und II, hier schon abschließen! Denn ihr Programm – I: Die Wirkung der Schöpfungsehre nach vorwärts in die Welt- und Menschheitsgeschichte (*welt al* I, 8), aus Gottes *triuwe* sogar bis in die Sündennacht aller Zeiten hinein – II: die Wirkung der Erlösungsgnade nach rückwärts in die Welt- und Menschheitsgeschichte (*welt al* II, 8), als *lux* bis in die Teufelsnacht des Sündenfalls zurück (VI, 3 und 11–12), und nach vorwärts als »Sonne« für die christliche Menschheit (*uns* Vor. 13, 4) – dieses Programm ist schon mit Vor. Str. 13 erfüllt.

Doch steckt wahrscheinlicher im Vorauer Text eine alte Fortführung des Programms. Denn einige seiner Strophen führen die johanneische Logos-Theologie ausdrücklich weiter, nicht zwar die *lux* der Erscheinung des Logos – das ist eben mit seinem Erscheinen abgetan, aber die *vita* seines Erlösungstodes (*in ipso vita erat et vita erat lux hominum,* Joh. 1, 4 und BULTMANN a.a.O.). Dazu kommen noch andere Kriterien für das ursprüngliche Gedicht: Brüche in der neuen Erzählung weisen auf alte Strophen, die wie in S kürzer, programmatischer und mit symbolischen Leitworten und Stellenbezügen arbeiteten[4]; ebenso quellenmäßige Zusammenhänge mit Gregors Moralia in Job (die schon im alten Fragment benutzt waren; auch die Handschrift, in der das Straßburger Fragment steht, aus Ochsenhausen, enthält gerade Gregors Moralia) und mit Venantius Fortunatus' Kreuz-Hymnen – während Benutzung Hrabans wohl nur der Vorauer Bearbeitung zugehört[5].

Danach lösen sich (im groben) aus dem Vorauer Text fünf weitere Strophen heraus. Str. 20 (233–248, ohne 241–4): Lehre Christi in Wort und Werk = »Leben« (als Antwort auf die Lehre des Alten Bundes = »Licht« in VII). – Str. 26 (311–322): Kreuz-Prophetie des Alten Testaments (als Antwort auf die dunkle Logosprophetie der Sterne des Alten Testaments in VI). – Str. 31 (371–382): Kreuzhymnus, im Kreuz ist Leben, Erlösung für *manchun allez* (Antwort auf Tod und Hölle für *manchunne al* in V und wie *allez manchunne* in Str. 13 Antwort auf *allez manchunne* von I). – Str. 32 (383–394): 'unsere' Erhöhung zum Erlöser als seine *dînestman* (Wiederherstellung der Schöpfungsehre von IV nach der Teufelsknechtschaft von V). – (Str. 33? Vgl. Anm. 4.) – Str. 34 (407–420, ohne 411–12): Doxologie, unser Leben aus Gott wieder zu Gott[6] (als Antwort auf den Hymnus vom *anegenge* in III).

Dem Stoff des Alten Bundes in sechs Strophen entspricht so der des Neuen in sechs Strophen. Auch sie gehören paarweise zusammen: Str. 13 und 20 handeln von Christi Menschheit; Str. 26 und 31 vom Kreuz; nur Str. 32, unsere Erhöhung, und Str. 34, die Doxologie als Schluß, hängen naturgemäß nicht so deutlich zusammen. Und jede der sechs Strophen aus dem Neuen Testament kehrt sich zu einer Strophe aus dem Alten, in umgekehrter Reihenfolge, so daß der Schluß wieder beim Anfang ankommt. Die Achse bilden die Mittelstrophen Vor. 12 und 13, die beide Teile zusammenfügen: »Morgenstern« Johannes und »Sonne« Christus.

Natürlich mögen in der Vorauer Fassung die alten Strophen auch anders, zerlegt oder interpoliert (in Vor. 29 = 347–358 vor allem?) enthalten sein. Hier kommt es auf die Rekonstruktion als solche nicht an. Darum können auch ihre weiteren theologischen und symbolischen (und zahlensymbolischen) Beziehungen hier beiseite bleiben. Das in unserem Zusammenhang Wesentliche ist, wie wir sahen, schon aus dem Straßburger Fragment zu gewinnen.

1. Die *miracula Christi* der Altmann-vita könnten eben diese Logos-Theologie meinen und damit das alte Gedicht, Ezzos Logos- und Kreuz-Hymnus! Dagegen bleibt noch unklar, was der Vorauer *prologus* (Str. 1) unter Bischof Gunthers, Ezzos und Willes »Lied« und seinem Zweck verstand.

2. Im Inhalt ist nichts wesentlich neu – so sehr Ezzos Bewältigung der johanneischen Theologie und ihr Umguß in die einfache, aber beziehungsreiche gedankliche und sprachliche Bauform des Gedichts unsere Bewunde-

rung verdienen. Seine eigentliche Bedeutung liegt jedoch in etwas anderem. Die traditionelle Heilsgeschichte begreift hier nicht mehr das 'private' Heil des einzelnen, wie z. B. noch in der althochdeutschen Literatur durchweg. Sie ist jetzt »unsere« Geschichte, »unsere« Zeit, wie das Gedicht (auch darin echt johanneisch!) unaufhörlich einschärft[7]. Also reine, sogar denkbar allgemeine Heilsgeschichte. Aber sie gilt, gerade in dieser Allgemeinheit, nun – einer Welt, »unserer« Welt (I, 8 und II, 8)! Heilsgeschichte ist jetzt sozusagen die 'Ursubstanz' der Geschichte überhaupt: die universale Menschheitsgeschichte (*manchunne al* ist das gliedernde Gerüst des Gedichts in S I, 4 – S V, 12 – Vor. 13, 8 – Vor. 31, 12). Die geschichtliche Existenz des Menschen, die bisher im Westen aus den Traditionen der germanischen Staats-Stämme und -Völker samt antiken und byzantinischen Einflüssen lebte, seit den Merowingern, seit Karl dem Großen und seit den Ottonen zwar fortschreitend unter das christliche Heil gestellt, aber (der Form nach) immer nur 'persönlich', nur 'privat' – diese geschichtliche Existenz wird hier zum erstenmal verbindlich, wird »unsere«, wird allgemeine Welt unter einem allgemeinen Ordnungsgesetz.

Sie zeigt sich freilich nur unter dem Siegel der symbolischen Prägung des Heilsplans. Das ist noch die Vertauschung, die Ambivalenz von Welt und Überwelt, von Sein und Sinn, von Substrat und Symbol, die das ganze frühe Mittelalter bestimmt, vor allem gerade die Zeit kurz vor Ausbruch des Investiturstreits. Die Reichs- und Kirchen-Politik von den Ottonen bis zu Heinrich III., ja gerade der Investiturstreit – die symbolische Theologie und die Philosophie im frühen Mittelalter, ja gerade Anselm von Canterbury – die frühromanische Architektur und Plastik, ja gerade etwa die Hirsauer Bauten – all das ist nur aus diesem 'symbolischen Realismus' zu verstehen[8]. Überall gewinnt er vor seinem Ende, im späten 11. Jahrhundert, jene einfachste Zuspitzung, jene 'primitive', substantielle Archaik[9] nach soviel komplizierteren Experimenten vorher, aus der allein die künftige 'mittelalterliche' Entwicklung im engeren Sinne hervorgehen konnte. Ist nicht darum auch Ezzos Lied erst der echte 'archaische' Anfang aller künftigen mittelalterlichen Volksdichtung in Deutschland (früher als in Frankreich!) – der künftigen Geschichts-Epik vor allem, die jederzeit nach dem Heil der irdischen Gruppen-Existenz fragen wird, von der geistlichen 'Reichs'-Epik über die höfische bis noch in die humanistische Dichtung hinein?

Hieraus erklärt sich 3. die Form. Nicht als Aussage ist dieser Sinn gestaltet. Sondern, worin eben die eigentümliche Schwierigkeit des Gedichts liegt, als 'Ansage', als Zahl und Maß-Beziehung der Strophen, der einzelnen Stufen in der Heilsgeschichte, der immer wiederkehrenden Programmwörter. Es ist eine fast räumliche, architektonisch-romanische Ordnung der universalen Zeit, der Menschheitsgeschichte – ihre symbolische Verwand-

lung in Raumgestalt. Eine Dichtung, die noch kaum mit der beweglichen
Sprache gestaltet, sondern in urtümlicheren Bau-Formen. Diese archaische
Kraft prägt auch Sprache und Stil[10]; prägt die Assonanzen, die, jenseits
Otfridscher gelehrter Rechnung, zum erstenmal die Sinn-Substanz der
Worte selbst zusammenzubiegen suchen wie das romanische Würfelkapitell
die Stein-Substanz selbst nach unten und oben[11], die freigefüllten Rhyth-
men, die wieder aus der Sinn-Substanz der Worte selbst zu fließen scheinen
wie romanische Bogen[12].

4. Nun erst kann auch die empirische Frage nach den Quellen neu gestellt werden. Es war schon länger bekannt, daß Gregors Moralia in Job
und die Kreuzhymnen des Venantius Fortunatus[13] – nächst dem Johannes-
Evangelium selbst – sicher von Ezzo benutzt sind. Ganz ähnlich wie Ezzo
bezieht aber auch der Abt Berengoz von St. Maximin in Trier (1107–1125)
in seinen Predigten *De mysterio ligni Dominici et de luce visibili et invisibili per
quam antiqui patres olim meruerunt illustrari* das »Licht« des Alten Testaments
auf das Kreuz des Erlösers. Wenn, wie ich glaube, in diesen Predigten die
letzte Quelle für Ezzo gespiegelt ist – aus der berühmten Trierer Abtei,
dem Reformkloster Poppos von Stablo stammend! – dann läßt sich nicht
nur das Quellenverhältnis und Ezzos schöpferische Leistung noch klarer
erfassen, sondern auch der geschichtliche Ort des Gedichts.

5. Denn die Quellenfrage muß sich hier – wie heute vielfach in historischer Forschung – erweitern zur Frage nach dem empirischen Lebens-
umkreis und den Lebenskräften in Ezzos Gedicht.

In Form und Gebrauch könnte es sich an den lateinischen Hymnus (im
weiteren Sinn) anschließen, der mit Venantius Fortunatus ja direkt benutzt
ist – die Paarigkeit der Strophen spricht sicher nicht dagegen[14]. Es könnte
sich auch zu jener Gruppe archaischer gleichstrophiger Sequenzen stellen, auf die SPANKE[15] aufmerksam gemacht hat.

Deutlich ist im Inhalt auch die Nähe zur Meßpräfation, überhaupt zur
Liturgie[16]. Die römischen Präfationen *De nativitate Domini* (samt den drei
Messen von Weihnachten) und *De Sta Cruce* (mit den Messen der Oster-
woche), jene von *lux,* diese von *vita* getragen, geben zusammengenommen
Grundgehalt und Grundgestalt des Ezzoliedes. Die Präfation *De Sta Cruce*
aber wirkte wohl erst im 10. Jahrhundert[17], und hier steht die besondere
Kreuzverehrung Clunys nicht fern[18]. Noch stärker entspricht das Ezzolied, nach Anlage und Inhalt, der nicht nach dem Festinhalt variierten, sondern in heilsgeschichtlichen Anrufungen frei ausschwingenden Anaphora
östlicher Liturgien, vor allem der syrischen[19]. Auch hier könnte die stark
nach dem Osten orientierte liturgische Haltung Clunys mit im Spiel sein[20] –
ein echter empirischer, kein falscher 'geistiger' Zusammenhang mit Cluny.
Jedenfalls ist der liturgische Akzent im Ezzolied unüberhörbar[21], und die
Logos-*lux*-Symbolik tritt auch in der Kirchenkunst der Zeit, z. B. den gro-

ßen Radleuchtern wie auf der Comburg (die auch zwölfteilig sind), hervor [22].
Schließlich der Zusammenhang mit den Predigten des Abtes Berengoz von
St. Maximin in Trier: Ob sie nun auch aus Ezzos direkten Quellen stam-
men oder uns nur den Zeitgeist illustrieren, auf jeden Fall zeigen sie Ezzos
Stoff heimisch im Kreis der Reform unter Heinrich III., vielleicht in Ver-
bindung mit Poppo von Stablo [23].

Ezzo gehört also, mit Gunther von Bamberg und auch Anno von Köln,
zu jenen Reformern, die noch unberührt sind von dem im Investiturstreit
aufbrechenden Zwiespalt zwischen weltlicher und überweltlicher 'Realität',
die noch religiöse und politische Form als Symbol und Substrat identifi-
zieren. Um so bezeichnender der Aufbruch, das selbst noch stumme Antworten und Fordern des Adels, des Volkes: in den religiösen Formen
deutsch-sprachiger Geschichtsdichtung, allgemeiner Bewegungen [24], kom-
pakter 'Massen', einer neuen 'Substanz'! Wie auf allen Lebensgebieten in
Frankreich, so greifen wir es nun am genauer interpretierten Ezzolied auch
in Deutschland. Bischof Gunther von Bamberg (1057–1065) ist eine Schlüs-
selfigur: vorgregorianischer Reformer im kulturell und politisch zentralen
Bamberg; zugleich, in unbedenklicher Einheit, glänzender Weltfürst – obwohl die Briefe seines Scholasticus Meinhard (im Schul-Jargon) übertrei-
ben, dürfen wir den Bildern dort unbedenklich glauben bis hin zur Liebe
Gunthers für »Amelungen-Geschichten« [25] –; und dann derselbe Gunther,
ein Kreuz tragend, bei der ersten Massen-Prozession nach dem heiligen
Land, auf der er sein Leben läßt [26]! Das ist nicht eine jener persönlichen
Bekehrungen, wie wir sie auch im Mittelalter so häufig treffen. Sondern wir
greifen hier ganz wörtlich jenen Aufbruch, jenes Zusammenschießen der
Einzelnen – die in karolingischer und auch noch ottonischer Zeit so (früh-
mittelalterlich) 'individuell', so 'persönlich' anmuteten, so klar als Führer
oder Geführte unterscheidbar – zur Gruppe, zur 'Masse', zur jetzt erst
'archaischen' Substanz der verschiedenen Volksbewegungen im 11.–12. Jahrhundert bis hin zu den Kreuzzügen.

Nur der Historiker kann Tatsache, Form und Zusammenhang dieser Bewegungen kritisch beurteilen. Hier ist soviel sicher: Ezzos Lied mußte geradezu im Bamberg Bischof Gunthers oder gar auf seiner Kreuzfahrt be-
heimatet sein. Die Altmann-vita von etwa 1130 erzählt, daß der Kanoniker
Ezzo es auf der Kreuzfahrt von 1064–5 *patria lingua nobiliter composuit*. Der
prologus der Vorauer Fassung (Str. 1 = 1–10), weiß davon scheinbar nichts.
Wenn er jedoch sagt, daß Bischof Gunther selbst den Auftrag zum »guten
Lied« gab, Ezzo und Wille Text und Melodie schufen (*want si dî buoch chun-
den* 6), dann aber, als es fertig war und offenbar zum erstenmal erklang:
duo îlten si sich alle munechen (10) – dann kann das auch nur bedeuten, daß
alle, auch die Laien, auf die das deutsche Lied ja doch gemünzt sein muß,
Mönchskleidung anlegten: warum nicht Pilgerkleidung [27], wie sie ja auch

ein Kreuz trugen? Denn irgendein Anlaß sonst, bei dem »alle« Geistlichen
oder Laien wirklich Mönche wurden, ist im Bamberg dieser Jahre historisch nicht zu finden[28].

Ezzos Lied wäre also wirklich »Fest-Kantate« – aber zum Antritt der
Pilgerfahrt, für die Reise (nicht »auf der Reise«: Altmann-vita) komponiert?
Auf jeden Fall entsteht es im Sog der religiösen Volksbewegungen des Jahrhunderts, aber aus dem Geiste der deutschen Reformer. Es ist weder 'kluniazensisch' (im falschen Sinn!) noch zehrt es von unterliterarischer weltlicher Dichtung. Sondern es steht mitten in seiner Zeit.

II

Um dieselbe Zeit entsteht (in Kärnten?) die sogenannte *Wiener Genesis*.
Auch sie stellt die Urgeschichte der Menschheit dar, eben nach der biblischen Genesis, auch sie als Heilsgeschichte, aber in traditionellerem, ausgesprochen allegorisch-typologischen Rahmen.

Der Heilsplan ist hier noch deutlicher räumlich entfaltet, von den Engel-
chören der Ur-Schöpfung (9–24) bis zur allegorischen Ausdeutung der
Jakobs-Segen auf den Antichrist (5714–5742) und das große Gastmahl der
Gläubigen als Restitution am Ende (5776–5823). Der Heilsplan rahmt so
symbolisch-allegorisch die Menschheits-Urgeschichte. Wieder aber ist bezeichnend und neu, wie stark diese als verbindlich, als »unsere« Geschichte
gilt. So gegenwärtig macht sie der Hinweis auf die Buße. Er teilt und gliedert auch, wie man neu sehen muß, die ausgedehnte Stofferzählung erst
eigentlich durchgehend und bezieht sie so systematisch auf »uns«.

Die Geschichte von der Engelschöpfung bis zum Sündenfall des Menschen (mit zweimaligem Neueinsatz wie schon in der altsächsischen und
angelsächsischen Genesis) schließt mit Erwägungen über die Bußmöglich-
keit für die Voreltern; aber der Erlöser sollte kommen, und »uns« weist das
vorösterlich liturgische *laus tibi Domine* der Bußzeit auf Christus (1050). –
Die biblische Geschichte führt dann schnell bis zur Sintflut, auf sie aber
folgt eine ganze Sakramentenlehre aus der allegorischen Deutung des Regen-
bogens, die in der Buße gipfelt (1473). – Von Noes Segen und Fluch über
seine Söhne (der allegorischen Herleitung der Herren und Knechte wird
später der Sachsenspiegel widersprechen) bis zu Abrahams Tod (2112) –
von da bis Isaaks Tod (3415; Inhalt: die Jakobsgeschichten) – und von ihm
bis Jakobs Tod (5975; Inhalt: die Josephgeschichten; Josephs Tod ganz
kurz als Anhang bis 6062) reichen die weiteren Kapitel; jedesmal steht am
Ende der Hinweis auf die Einheit der Gläubigen in der Patriarchen Schoß
und: daß »wir« diese Einheit durch Buße erwerben können!

In den Urgeschichten der Genesis enthüllt sich so »unsere« geschichtliche
Existenz. Sie wird als Realität sichtbar gerade unter dem symbolisch-alle-

gorischen Siegel des vor Gott immer möglichen und in Christus wirklich
gewordenen Heils. Die Buße aber ist »unsere« geschichtliche Leistung dafür.

Charakteristisch wieder die Form – nicht nur die fast noch stärkere Archaik in Sprache, Rhythmus, Reim und Stil, sondern auch das Eigentümlichste dieses Werks. Es reduziert, wie mehrfach gezeigt worden ist[29], die
verschiedenen Stilebenen der biblischen Genesis selbst, die virgilische Szenentechnik des bibelepischen[30] Vorbilds Alcimus Avitus, und noch die
naturgeschichtlichen Einschübe alle auf den gleichen Ton eines fast abstrakten Stoffberichts. Auch die in ihrer Naivität bezaubernde Anatomie des
frisch geschaffenen Menschen (229–374), auch die vielbemühten 'helden-
epischen' Szenen von Abschied, Trauer oder Hochzeit, die gelegentlich
über die Vorlage hinaus eindringliche Gebärdensprache (*Daz chint stuont,
weinote, want for leide die hente* 4706–7) – sie alle haben ihren Glanz gerade
aus dieser Stofflichkeit der Aussage.

Dabei ist die Genesis kein 'Epos'. Ihren formenden Kern bildet, wie wir
sahen, nur das Gerüst symbolischer Beziehungen zwischen räumlichem
Heilsplan und geschichtlicher Gegenwart wie bei Ezzo. Der Prolog ist fast
gleich wie bei Ezzo angelegt, nur freier verformt:

> *Nv fer nemet, mine liebe,*
> *ich wil iu aine rede fore tŏn*
> . . . .
> *also ich diu bŏch hore ʒelen*
> . . . .
> *dem gotes wuntere* (miracula Christi!) *ist niwet clich.* (1–8)

Der inneren Struktur nach ist diese Genesis-Erzählung nicht mehr als ein
Lied. Freilich ein Menschheits-geschichtliches 'Heilslied' wie das von Ezzo.
Vom Epos wie von epischer Liedtechnik antiker oder germanischer Tradition trennt sie gerade das Fehlen jeder szenischen Darstellung. Auch die
durch Initialen bezeichneten Kleinabschnitte, die einzig überlieferte Gliederung, enthalten nicht »isolierende« Szenen oder Bauteile[31], sondern einfach kleinste Stoffteile zu beliebiger Zusammenfügung[32].

Gerade weil aber dem bloß symbolisch-architektonischen 'Lied'-Gerüst
der erzählerische Stoff hier direkt als 'Masse' gegenübertritt, entwickelt er
zum erstenmal jene 'archaische' kontinuierliche Stofflichkeit als Stil. Dieser
Stil lebt nicht in der französischen oder deutschen Heldenepik mit ihrem
Szenenstil fort; aber in der geschichtlich-moralischen 'Gerüst-Epik' vom
Schlage der Kaiserchronik oder der Alexanderepen und – im höfischen
Artusroman. Der 'Plauderton', das Raisonnement des Dichters, die stofflichen Wahrheitsbeteuerungen und Quellenberufungen sind schon hier, zur
stofflichen Grundanlage hinzu, als Stilmittel gewonnen.

Daß die deutsche Genesis zu Reimlektionen der Fastenzeit praktische Verwendung fand [33], ist trotz einiger Liturgie-Nähe wenig wahrscheinlich. Eher möchte sie ein erzählender Kommentar für den biblischen Stoff sein, der noch jetzt zum ersten Glaubensartikel im katholischen Katechismus gehört. Deutlich ist hier wie im Ezzolied die gelehrte Atmosphäre – es ist Professorendichtung. Ebenso deutlich aber, daß sie eine neue allgemeine Sicht der geschichtlichen Existenz im Gedicht sagt. Die Bibelepik ist nur ein Gewand (insofern auch *genre faux*) für die in Ezzos Lied 'archaischer' angelegte künftige 'Gerüst-Epik'.

III

Die dritte Geschichtsdichtung im 11. Jahrhundert, das Köln-Siegburger *Annolied,* führt, was das Ezzolied begonnen hatte, fort in historische Realität. Aber es materialisiert sozusagen nur Ezzos symbolische Vertauschung von Heilsgeschichte und Weltgeschichte.

Die crux der Interpretation ist die Gestalt Annos. Für eine Anno-Legende gibt das Gedicht – ganz abgesehen von der historisch zwielichtigen Rolle Annos selbst – zuviel Weltgeschichte, für eine Weltgeschichte zuviel Anno-Legende! Und als 'Kölnische Weltgeschichte' hätte es doch mehr humoristischen Wert. Wir müssen auch hier stärker die gedankliche Struktur beachten, besonders aber auch ein 'primitiv' annalistisches Formprinzip, das nun mit dem wirklich historischen Stoff wie von selbst auftritt: das Gesetz der wachsenden Glieder. An Stelle der gleichwertigen symbolischen Paargliederung des Stoffes bei Ezzo wächst nämlich hier der stoffliche Umfang in jedem Abschnitt von Glied zu Glied (vgl. z. B. Str. 8–17!). Es waltet – scheinbar – keine gliedernde Ökonomie im Stoff, weil nicht mehr die symbolische und noch nicht die spätere dichterische Ökonomie über ihm steht, sondern die Gliederung gleichsam naturalistisch im wachsenden Stoff selbst drin steckt. (Hier beginnt formal schon der 'symbolische Naturalismus' [34] der nächsten, frühhöfischen Epoche. Charakteristisch für die rasche Entwicklung, daß noch die wenige Jahrzehnte ältere Wiener Genesis versucht hatte, dieses Chronik-Gesetz der stofflich wachsenden Glieder – das die biblische Genesis ausgesprochen beherrscht – mit ihren Einschüben in den ersten, stofflich knappsten Kapiteln auszugleichen.)

So gesehen, erweist sich das 'Lied' als überraschend klar und konsequent gegliedert, ohne eine einzige Abschweifung. – Die erste Strophe wendet sich ausdrücklich gegen eine unverbindlich mythische Geschichtsdichtung:

> *Wir horten ie dikke singen*
> *Von alten dingen,*
> *Wi snelle helide vuhten,*

Wi si veste burge brechen,
Wi sich liebin vuiniscefte schieden,
Wi riche Künige al zegiengen.
Nu ist ciht daz wir dencken
Wi wir selve sülin enden.
Crist der vnser héro güt
Wi manige ceichen her vns vure düt,
Alser uffin Sigeberg havit gedan
Durch den diurlichen man
Den heiligen bischof Annen
Durch den sinin willen,
Dabi wir uns sülin bewarin
Wante wir noch sülin varin
Von disime ellendin libe hin cin ewin
Da wir imer sülin sin.

Trotz des Anklangs an die Anfangsstrophe unseres Nibelungenlieds von 1200 und an manche deutsche Heldenfabeln sonst geht das kaum nur auf deutsche Heldendichtung; eher noch auf die junge französische oder gar spanische [35] – jedenfalls auf eine Schicht noch schriftloser volkssprachlicher Geschichtsdichtung, die in ganz Europa ebenso lebte wie die 'Tanzlieder', mit denen man heute rechnet. Der Kölner Raum stand in sehr engen Beziehungen zum nordfranzösischen [36]. Gegen diese unbestimmten, fast 'zeitlos' heroischen Geschichtslieder setzt unser Dichter eine verbindliche Geschichte: *Nu ist ciht daz wir dencken Wi wir selve sülin enden* (der Zusammenhang mit dem Memento mori ist noch nicht untersucht). Dies, d. h. »unsere« irdische Existenz, unter den »Zeichen« Christi, wie sie sich besonders »auf dem Siegberg« durch Anno verwirklichten (1, 11) – das meint jetzt, wie das Gedicht ganz eindeutig zeigt, die durch das heilsgeschichtliche Siegel verbindlich gewordene Volksgeschichte.

Die Strophen 2–7 entwickeln das heilsgeschichtliche Programm: Schöpfung der Engel- und der irdischen Welt, der Mensch als *corpus unde geist* zwischen beiden Welten (2: nach »griechischer« Quelle), sein Fall und Teufelsdienst (3–4: nach Ezzo, die Beziehungen auch zum Vorauer Zusatztext müssen neu untersucht werden), dann gleich Christi irdische Weltherrschaft durch die Apostelmission (5), Köln als Schrein der Tausende von Märtyrern (6), Anno als sein schönster Schmuck (7). Das ist etwa ein erweiterter Prolog.

Nun sagen die Strophen 8–33, scheinbar ganz unvermittelt, d. h. noch 'architektonisch', angefügt (*Ob ir willit bekennin Der burge aneginne...* 8, 1 ff.), scheinbar nur auf Annos »Burg« Köln gezielt, eine Weltgeschichte. Aber auch sie steht unter dem Heilsprogramm, nur ist es jetzt ganz immanent, ganz faktisch-räumlich gesehen und historisch ausgestreckt.

Die Strophen 8–17 schildern, gemäß Daniels allegorischem Traum (der aber, charakteristisch für den Aufbaustil, erst nach dem historischen Beginn mit Ninus und Semiramis 8–9 und 10 an seiner historischen Stelle Str. 11 eingefügt ist), das Wachsen der Weltbeherrschung durch die vier Weltreiche: die Reiche der Babilonier (1 Reich [12]), der Perser (2 Reiche [13]), des griechischen Alexander (der schon alle Weltenden [14, 5] und Himmelshöhe [14, 9] und Meerestiefe [15] ausmaß[37], aber nur drei Viertel der Welt beherrschte [15, 12]), bis zur 'totalen' Weltherrschaft Roms (16). Sie wird erst im Antichrist enden (17).

Eine weitere Steigerung scheint nicht möglich. Aber die Strophen 18–28 entwickeln, nach der Königsherrschaft der drei Teil-Welt-Reiche und der Senatsherrschaft des 'universalen' Rom, eine noch höhere, noch universalere Weltherrschaft. Cäsar (18) wird – nach Besiegung der vier deutschen Stämme antiker Herkunft (19–23) und mit ihrer Hilfe (24–25) – in der fast apokalyptisch geschilderten Pharsalusschlacht (25–27) Weltkaiser. Mit besonderer Huldschaft zu den Deutschen (28)!

Erst die Strophen 29–33 aber zeigen das Ziel dieser ganzen Entwicklung. Unter Augustus, da die deutschen Städte durch römische Stiftung Hauptorte des *imperium* geworden sind (29–30), ersteht über dem (halb schon 'deutschen') Weltkaisertum das vom Himmel stammende, im 'Geist' wirkende Königtum Christi: *deme muoz die werlt al entwîchen* (31, 15; vgl. Ezzo I und II). St. Peter überwindet Rom und eignet es Christus zu (32, 4). Von dort bestätigt sich »das Reich« ebenso geistlich in den Wundern seiner Boten: zu den Franken, nach Köln mit seinen heiligen Bischöfen, unter deren Siebengestirn Anno als letzter leuchtet wie der Edelstein im goldenen Ring (32 bis 33). – Das klingt wie eine 'getaufte', eine vorsichtig reformierte *translatio imperii* an die Deutschen. Karl der Große mit seiner *translatio* wird zwar nicht erwähnt: mehr gegen die Franzosen, vielleicht gegen erste *chansons de geste* gerichtet, als gegen die Deutschen? Und das 'Königtum' der deutschen Städte und Heiligen, das 'Reich' als Erbe Roms, liegt im 'Geiste': bei St. Peter in Rom (32)! Der Anteil aber der deutschen Stämme und Städte ist, fast unverfroren, schon althistorisch eingeschwärzt.

So ist nun die heilsgeschichtliche Stelle Annos geschichtlich bestimmt, und ihn zeigt der Schluß als »unser« verbindliches »Zeichen«, unser *bîspil*, unsern Spiegel (34). Mit seiner »Tugend« (34–37) steht er vorbildlich vor uns als oberster Weltfürst des deutschen Reiches (Regentschaft 1062–1064) und weltlicher Bistumsfürst von Gnaden Heinrichs III. (1956–1075), wie als geistlicher Hirt Kölns: zwischen Körper- und Geisteswelt.

Auch er muß jedoch gereinigt werden (38–44), wie Gold geläutert und geschliffen (38)[38] – hier schlägt die zwielichtige, die noch ambivalente historische Rolle des trotz allem bedeutenden Reichsfürsten Anno durch. Der Dichter ist kein blinder Panegyriker. Er weiß, was er tut, wenn er – in den

Jahren des Investiturstreits (wohl um 1080 schon) – gerade diesen Anno »uns« als Spiegel vorstellt: als Beispiel einer Einheit von Welt und Über-welt, die doch konservativ ist im Geiste der Reform unter Heinrich III. Anno muß gereinigt werden vom »Fleck« seines »Zornes« gegen Köln (42–43: er war 1064 durch einen Aufstand der »Landherren« [39, 1] aus Köln ver-trieben worden, hatte den Aufstand grausam unterdrückt, lebte aber seit damals in Siegburg) – obwohl der Dichter für Annos sehr weltliche Bis-tumspolitik Partei ergreift (39). Er muß weiter gereinigt werden durch das Unglück des Deutschen Reiches unter Heinrich IV., an dem er ja nicht unschuldig war – obwohl der Dichter auch für Annos Regentschaft 1062 bis 1064 Partei ergriffen hatte (34, 16; 37). Zu seiner Reinigung dient hier die »Verwirrung« des Reiches im Sachsenaufstand gegen Heinrich IV. mit ihren außenpolitischen Folgen (40), was der Dichter ohne jeden gregoriani-schen Kommentar, wenn auch durchaus nicht als Freund des »vierten Hein-rich« schildert. Reinigen soll ihn auch die Zukunftsvision (41), die doch wohl den Investiturstreit vor allem meint, wieder ohne jeden Partei-Kom-mentar; Annos Verhältnis zum Papst wird nirgends berührt. Gereinigt wird er schließlich noch persönlich durch Krankheit und Leiden (nur eine Str.: 44).

Erst dann darf er die endgültige Stelle in der Heilsordnung einnehmen (45–49), die ihm vorher, zur Erkenntnis seines »Fleckes«, ein Traum gezeigt hatte (42–43): den Sitz im himmlischen Königssal unter den bischöflichen Amtsbrüdern [39]. Von dort lockt er uns empor wie der Adler seine Jungen (45). Von dort bestätigt er durch ein Wunder (46–49) nicht so sehr seine Heiligkeit als seine für »uns« beispielhafte Rolle.

Der Sinn des Ganzen liegt also nicht bei Anno selbst und auch nicht bei der Weltgeschichte. Sondern er entspricht wörtlich dem, was wir als Struk-tur-Sinn schon aus Ezzos Lied herausgelesen hatten, nur hier materialisiert, mit geschichtlichem Stoff aufgefüllt.

1. Gegen unverbindlich mythische Geschichtsbilder (*von alten dingen* 1, 2) setzt der Dichter nun ganz ausdrücklich eine verbindliche, setzt er »unsere« geschichtliche Existenz. Diese ist noch archaisch universal, doch nun zu-gleich konkret als wirkliche Zeit überhaupt, als faktisch universale Welt-geschichte gefaßt: als Menschheitsgeschichte zwischen körperlicher und geistiger Welt (2, 10). Symbolisch sichtbar geworden noch wie bei Ezzo am göttlichen Heilsplan als der universalen Raum-Ordnung (vgl. die Raum-bilder des Siebengestirns der heiligen Bischöfe Str. 33, des himmlischen Saals Str. 42–43), die aber hier selbst schon irdisch auftritt: als Gottesreich auf Erden (31: wie für Gregor VII.) gegen die wachsende Raum-Quantität der Weltreiche (8–28) gesetzt.

2. Stellvertretend, als »Zeichen« für uns, ist hier eine konkrete Figur ge-zeigt, eingeschoben gleichsam zwischen »uns« und das Heil: Anno. Dem

Gedicht ist er genau das, was es selbst sagt: ein »Zeichen auf dem Sieg-berg« (1, 11) für »unsere« verbindliche geschichtliche Existenz (1, 7f.).

Beides zusammen ein höchst bedeutsamer Schritt über die archaisch-geschichtlichen Erstlinge hinaus! Die 'primitive' Substanz wird lebendig, gegliedert, konkret. Das führt direkt ins 12. und 13. Jahrhundert hinein, direkt zur Kaiserchronik und weiter zum höfischen Epos und der späteren Chronikdichtung, ähnlich wie Frutolf und Eckehard von Aura direkt zu Otto von Freising führen. Der Ausgangspunkt des Programms aber liegt für unseren Dichter klar im Ezzolied, das Anno selbst, der ehemalige Bam-berger Domherr und Freund Bischof Gunthers, gut gekannt haben kann, vielleicht selbst aus Bamberg mitbrachte [40]. Den Anstoß zur Auffüllung des Heilsprogramms mit historischem Stoff, mit der Beispielfigur Annos wie mit universalgeschichtlicher Entwicklung, müssen wir wohl im nieder-rheinischen Raum suchen. Klar ist der Zusammenhang mit Lampert von Hersfeld und anderen Quellen; vielleicht zeigen uns neue Forschungen bei der lateinischen Geschichtsschreibung und andrerseits bei spanisch-franzö-sischer früher Heldenepik noch Genaueres.

Formal ist das Gedicht schon ein historisches 'Lied' in neuem Sinn: ein erster Schritt zur Kaiserchronik hin, die das Annolied ja ausgiebig und pro-grammatisch zitieren wird. Soweit die konkrete Geschichte den Dichter zu zeitgenössischer Parteinahme zwingt, zeigt er sich bestimmt nicht als An-hänger des Königs, Heinrichs IV., im Investiturstreit. Aber auch nicht als Gregorianer im strengen Sinn. Auch sein Ideal ist konservativ, liegt noch bei der Reform im Sinn Heinrichs III. – ganz ähnlich der Haltung Lam-perts von Hersfeld, der ja zum Bamberger Freundeskreis Annos und Gun-thers gehörte [41]! Vielleicht ermöglicht dieses Verhältnis weitere Schlüsse?

IV

Das (alemannische?) *Memento mori,* der vierte Erstling im 11. Jahrhun-dert, vertritt gegen die drei Dichtungen von der Menschheitsgeschichte allein eine andere Gattung. Es spricht nur vom gegenwärtigen Menschen. Und, so scheint es, wirklich 'kluniazensisch' [42]! Mit dem alten Ezzofrag-ment zusammen finden wir es allerdings in jener Straßburger Handschrift von Gregors Moralia in Job eingetragen, die aus Ochsenhausen stammt (das 1093 von St. Blasien, nicht von Hirsau aus gegründet wurde) [43]. Schließt Ezzo an Gregors *lux*-Theologie der Moralia in Job an, so das Memento mori stärker als man bisher sah an das biblische Hiobsbuch selbst [44].

Es ist wieder ein Lied im alten, 'liturgischen' Sinn, wie das Ezzos. Die Paarigkeit der Strophen geht durch, gestört nur am Anfang und bei Str. 7–9 (nach BRAUNES Strophen-Zählung im Ahd. Lb.). Strophe 1 gibt als Prolog das Thema: Ihr alle, Weib und Mann, müßt sterben. Strophe 2 greift schon auf 3–4 über (mit einem auch in Sequenzen gelegentlich zu beobachtenden Struktur-Enjambement)[45]: Jene Welt, wo die Gestorbenen schon sind, ist unbekannt. Diese Welt aber, sagen die Strophen 5–6, gibt nur vergängliche Freude.

Nun folgt eine Wendung ins Konkrete: Hier, auf Erden, sollte *minne* herrschen oder aber *reht* für die Armen (Str. 7–9)[46]; die Rechtsfälscher jedoch erwartet ihre Strafe im Jenseits (Str. 10–11). – Und noch einmal konkret irdisch: der Tod ist ein *ebenaere* (Str. 12–13); nur wer seinen Reichtum *hina geben* kann, wird dort leben (Str. 14–15).

Die Strophen 16–17 lenken mit der Allegorie vom *status viatoris*, vom Schlaf auf der Reise wieder zum Eingang, Warnung vor dem Tode, zurück. Fluch auf den *vil ubelen mundus* und Gebet um rechtes Erdenleben (Str. 18–19) beschließen das Gedicht. Seine Struktur also: 2 Prologstrophen (1–2); dann viermal je 4 Strophen (3–6; 7–11; 12–15; 16–19); die zwei mittleren Gruppen sagen von irdischer Ordnung; die beiden äußeren allgemeiner von Tod und Jenseits.

Gewiß sieht und bewertet dieser Dichter Leben und Welt ausschließlich vom Jenseits her: *contemptus mundi,* ja *fuga seculi!* Ebenso gewiß ist von 'weltverneinend' asketischer Gesinnung, von hirsauisch-kluniazensischer Propaganda in diesem (historisch falschen!) Sinne keine Rede. Nachdrücklich anathematisieren die zwei Mittelgruppen den Rechtsmißbrauch gegen die Armen (Str. 7–11), nachdrücklich gebieten sie die rechte Anlage des Reichtums als Kapital für das Jenseits (Str. 12–15). Vielleicht rät der Dichter hier sogar, wenn auch nirgends ausdrücklich, zum ganzen Verzicht und geistlichen Leben. Sein Blick aber ist fest auf die rechte Rechtsordnung in dieser Welt gerichtet. Daß, um sie zu begründen, die ganze 'Zeit' konfrontiert wird mit dem ewigen Jenseits, ist noch nicht eigentlich neu und keineswegs 'kluniazensisch'. HEINZ RUPP[47] hat schön gezeigt, daß Otfrid in dieser Hinsicht viel 'kluniazensischer' spricht. Neu aber in deutscher und wohl auch lateinischer Literatur, so neu wie Ezzos 'archaische' Geschichts-Symbolik, ist die Verwendung dieser äußersten Polarität zwischen Jenseits und Diesseits: um für 'alle' (*Nu denchent, wib unde man* 1), um für das Volk (sogar sozial: im Gegensatz zu den 'Reichen', den Trägern der traditionellen Gewohnheiten) eine verbindliche irdische Ordnung abzuleiten. Eine 'archaische' Ur-Ordnung sozusagen, gewonnen aus dem Ur-Gegensatz von Zeit – Leben überhaupt und ewiger Bestimmung überhaupt.

Auch dieser Dichter will aufrütteln: aus einer traditionell-unverantwortlichen Gegenwart zur verbindlichen *selbwala* (Str. 18, 4) unter letzten Rechts-Kategorien der Gegenwart – wie Ezzo und der Genesis- und Anno-Dichter aufrütteln wollen aus unverantwortlicher mythischer Geschichtsexistenz zu verbindlicher geschichtlicher Orientierung unter letzten Kategorien der totalen Menschheitsgeschichte. Auch hier entsteht so eine neue, zunächst noch ganz primitive 'Substanz' von Zeit und Welt. An sie aber kann die künftige Didaktik und Lyrik anknüpfen, die Dichtung vom rechten Heil im Gegenwartsleben: Vom rehte, Heinrich von Melk, auch der Minnesang, der vom irdischen Heil des Menschen durch die Minne in der Gesellschaft sagt, und ausdrücklich dann wieder Walther mit der Rede von *fride unde reht* auf Erden (LACHMANN 8, 26).

Auf die archaische Form des Gedichts, seinen schweren Schritt in selbständigen Variationen, seine vielleicht gelehrt an Otfrid anknüpfende oder aber voraus weisende Reimtechnik[48], braucht hier nicht mehr eingegangen zu werden. Ihre Herkunft aus dem Kerngehalt ist so deutlich wie ihre archaische Kraft.

Die Frage nach dem Dichter und seinem Umkreis bleibt fast notwendig in der Schwebe. Direkt sagt das Gedicht nichts – außer dem Namen *Noker* in der zweifelhaften Schlußzeile. Ob der hirsauische Abt Notker, ob eine königstreue Bischofskanzlei – beide konnten die gleichen Gedanken und in der gleichen Sprache aussprechen. Ohne neue historische Anhaltspunkte kommen wir hier nicht weiter.

Was ist das Ergebnis der Analysen?

1. Unter den ins 'Totale' gesteigerten religiös-symbolischen Kategorien der Heilsgeschichte (Ezzo, Genesis, Annolied) oder des Jenseits-Heils (Memento mori) ersteht, seit Mitte des 11. Jahrhunderts, im Griff dieser Dichter neu und zum erstenmal ein klares Bewußtsein mittelalterlicher Gruppen-Existenz; eine zunächst noch primitiv universale, d. h. archaische 'Substanz' ihrer Welt; eine neue geschichtliche oder rechtliche Orientierung 'der Menschen' in der Welt, die begrifflich, d. h. geistig verbindlich ist, nicht mehr nur traditionell-historisch oder in der Form persönlicher christlicher Bindung. – Über Sinn und historische Bedeutung dieses 'Fortschritts' soll hier nicht gesprochen werden. Nur soviel, daß er im Bereich der Dichtung das 'Mittelalter' einleitet, wie es in weiterem Sinne bis ins 16. Jahrhundert hinein besteht; in engerem Sinn jene fast zwangshafte Entwicklung, die in allen Lebensgebieten vom 11. Jahrhundert aus zum vollen Hochmittelalter um 1200 treibt und um 1250 versiegt[49].

2. Symbolische Bau-Form, Rhythmus und Reim, Sprache und Stil dieser Werke zeugen nicht minder von der neuen, im Gedicht plötzlich errungenen, hier noch archaisch substantiellen mittelalterlichen Formensprache.

3. Zwei Ur-Gattungen prägen sich dabei aus: im *Heilsgeschichts-Lied* (Ezzo) der archaische Typ aller späteren mittelalterlichen 'Gerüst-Epik', nicht zuletzt der höfischen; im *Heilsordnungs-Lied* (Memento mori) der archaische Typ aller späteren mittelalterlichen Lied-Lyrik und Didaktik, gerade auch der höfischen.

In diesem Sinne, scheint mir, wären die Werke des deutschen Dichtungsfrühlings seit 1060 nicht mehr nur sekundär zu interpretieren, nicht nur in Teilaspekten. Sie zeigten eine wahre Korrespondenz von Inhalt und Form, und eine dichterische Bewältigung der Welt, wenn auch mit den zeitgebundenen Kategorien eines religiös-symbolischen Realismus. Sie würden so einer ästhetischen Wertung zugänglich – die sogar unserer klassischen Ästhetik entspräche, sofern diese nur von ihren zeitbedingten Kategorien gereinigt wird. Und wir verstehen endlich, warum hier und so deutsche Dichtung wieder- oder besser neu anfängt: weil nach den karolingischen und ottonischen Experimenten nun zum erstenmal die Substanz, die Menschheit, das Volk angesprochen wird, ja in dieser Weise selbst 'spricht'. In lateinischer Literatur findet sich schon deshalb kaum etwas Vergleichbares, weil hier die sprachlichen und soziologischen Traditionen weit stärker und in anderer Richtung wirken mußten. Und den andern Literaturen in der Volkssprache, besonders Frankreich, ist Deutschland hier so viele Jahrzehnte voraus wie in der bildenden Kunst.

Klar ist ebenso, daß es Gelehrte, Professoren, Geistliche sein mußten, die diese volkssprachlichen Werke schufen. Gewiß lebte unterliterarisch, mündlich, gerade im 11. Jahrhundert eine Vielfalt gemeineuropäischer epischer und lyrischer Traditionen und Neubildungen [50]; sogar eine lateinische Gebrauchsliteratur, deren Bild uns die literarische Auswahl großenteils auch vorenthält [51]. All das gehört in die unverbindlich 'mythische' Existenz, gegen die das Annolied sich ausdrücklich wendet. Auch formal: Altes Gold dürften wir in diesen Strömen nur sehr abgeschliffen finden. Das neue Gruppengefühl konnte seinen 'geistig' verbindlichen Ausdruck vorerst nur unter den gelehrten, symbolischen Kategorien finden, über die nur die Theologen verfügten. Sie formten sie unter dem noch stummen Druck des Volkes in dessen Sprache hinein. Literarische Aufzeichnung dieser Gedichte ist also weder Zufall noch theologische Propaganda-Aktion. Sondern sie gibt dem Druck der Situation nach, dem künftig alle Dichtung der Volkssprache, auch die aus dem unterliterarischen Strom nach und nach zur 'Literatur' auftauchende, verpflichtet sein wird. Dieses Drängende ist die Frage nach dem Heil der mittelalterlichen Gruppen-Existenz des Menschen: des »Reichs« zunächst (Karlsepik, Kaiserchronik), dann der Gesellschaft, des Rittertums, schließlich jedes Standes und jeder Gruppe für sich im Spätmittelalter [52].

Nur ein kurzer Ausblick zum Schluß noch auf die empirisch-universalen Zusammenhänge. Wichtig ist vor allem das Verhältnis zu Cluny und Hirsau. Das Bild der Literarhistorie von kluniazensischer Geistigkeit ist reichlich veraltet [53]. Cluny bedeutet, wie in der historischen Forschung seit langem deutlich wurde, vor allem einen Exzeß liturgischer Symbolik und einen Exzeß feudaler Organisation, vielfach mit Übernahme des Eigenkirchenwesens – auch dies eine symbolische 'Taufe' weltlicher Substanz! In dieser

liturgisch-symbolischen Welt fand vor allem der hohe Adel Frankreichs den
Symbol-Sinn seiner neuen Welt-Existenz; der liturgische Totendienst, aber
auch Pilgerfahrt und – Bankierdienste Clunys geben die Verbindung[54]. Mit
der *pax Dei* und *treuga Dei* aber stellte sich Cluny direkt in den Dienst der
neuen mittelalterlichen Kollektivität, im gleichen, politisch neutralen Sinn
wie es unsere Gedichte tun. Unser bisheriges Bild von 'kluniazensischer'
Geistigkeit ist – ein stofflicher Kurzschluß, den man konsequent zum geistesgeschichtlichen Mißverständnis erweiterte. Schon die Vermittlung Clunys im Investiturstreit sollte davor warnen, ebenso die Tiersymbolik als
kluniazensische Kunst, der im 12. Jahrhundert Bernhard von Clairvaux so
energisch entgegentreten sollte. Statt dessen lassen sich nun wirkliche Zusammenhänge mit Cluny verfolgen.

Auch der Investiturstreit lebte von der Vertauschung, der Ambivalenz
zwischen irdischer Substanz und religiösem Sinn. Es geht auf beiden Seiten
um das Gottesreich auf Erden, das substantiell, fast materiell beansprucht
wird von Gregor mehr noch als vom deutschen König. Unsere deutschen
Gedichte des 11. Jahrhunderts entstanden z. T. schon vorher. Gewiß aus
einer aufgewühlten, unsicher gewordenen Welt! Aber alle, auch die während des Investiturstreits erst geschaffenen – Annolied und Memento mori
um 1080 wie Ezzolied und Genesis um 1060 –, sehen als Ideal eine Einheit
von religiösem Heil und irdischer Existenz, die eher zurückgewandt aus der
Zeit Heinrichs III. sich nährt als aus dem gegenwärtigen Streit oder gar dem
in Frankreich schon entwickelten künftigen Denken. Ezzo steht im Bamberger Kreis mitten in der lebendigen Tradition dieses Geistes. Von der
Wiener Genesis wissen wir zu wenig Reales. Aber auch das Annolied, in
den Wirren des Investiturstreits wie sein Held schließlich dem Primat Petri
über die Weltgeschichte verpflichtet, zeichnet in Anno doch das Beispiel
eines Welt- und Kirchenfürsten ganz im Sinn dieser Herkunft. Und das
Memento mori, scheinbar das schroffste, erlaubt zu zweifeln, ob es nicht
eher die Gottesfrieden königstreuer Bischöfe am Rhein 1082–1085 als eine
päpstliche Weltordnung verkündet – die Sprache beider Parteien ist zu ähnlich, die irdische Rechtsordnung aber hatte schon Wipo fast genau so aus-
gedrückt und Heinrich III. in weithin wirkenden Indulgenz-Akten verwirklicht.

Die genaueste Entsprechung zu diesen deutschen Gedichten bietet aber
die bildende Kunst. Das Wunder einer neu 'archaisch' substantiellen Form
– ist es nicht auch das Wunder der romanischen Architektur und Plastik,
die etwa 50 Jahre früher als die Dichtung auftritt – verständlich bei der
architektonisch-räumlichen Struktur auch des Denkens und Dichtens?
Die in Deutschland zuerst auftritt und im frühen 12. Jahrhundert in
Provinzialismus und in den Schatten der französischen Fortschritte gerät[55]?
Auch hier bezeichnet die Vertauschung von Substanz und symbolischer

Deutung den Anfang und die einzelnen Stufen der Entwicklung, zu den Hirsauer Bauten etwa oder andrerseits zum Speyrer Domumbau Heinrichs IV. Die archaisch geballte, gespannte Masse von Wänden, Bögen, Pfeilern, Säulen, Würfelkapitellen ist zuerst nur 'Grund' für symbolische Deutung, in sich selbst oder in gemalten Bildern und Ornamentplastik, und umgekehrt wird diese Deutung so auf die Substanz gewiesen. Erst allmählich dringt die Gestaltung auch in die Substanz selbst ein, gliedert diese immer mehr (Speyrer Domumbau!) und arbeitet so auf die hochmittelalterliche Durchorganisierung hin, die freilich auch in der Kunst Deutschland schließlich von Frankreichs rascherer und konsequenterer Entwicklung übernehmen wird.

Vielleicht können wir am Ende auch den historischen Ort unserer Gedichte noch etwas genauer bestimmen und damit ihre historische Funktion noch klarer fassen. Das Zentrum ist wahrscheinlich Bamberg. Dort sind um 1050 Williram, Anno, Gunther, vielleicht Lampert von Hersfeld, vor allem auch Meinhard Professoren und Rektoren der berühmten Domschule, die hier wie anderwärts die alten benediktinischen Klosterschulen überflügelt hatte. Die Geschichtsschreibung der Zeit (Lampert, Frutolf u. a.), der Kanzlei- und Briefstil (Meinhard) erhalten von hier bestimmte Anregungen. Auch die Wendung zur deutschen Sprache muß hier ihren Ausgang genommen haben: die Prosa Willirams, dazu vielleicht auch Bamberger Beichte und Himmel und Hölle, weiter Ezzos Lied, auch Vorbild für den Annodichter, haben die Anregung wohl gemeinsam aus Bamberg mitbekommen. (Ob auch nach Kärnten Bambergs Wirkung reichte, bei der Entstehung der Genesis, bleibt vorläufig ungewiß, ebenso, ob Memento mori, ob die übrige Prosa der Zeit untereinander und mit dem Bamberger Ansatz zusammenhängen.) Und Bischof Gunther von Bamberg, der prächtige, glanzliebende Fürst, in der Reichs- und Reformpolitik bei Heinrich III., bei Agnes wie bei Anno einflußreich, und dann auf der ersten Massen-Prozession im Heiligen Land gestorben, war uns geradezu eine Schlüsselgestalt dieses geschichtlichen Augenblicks.

Das bringt uns auf einen letzten Gesichtspunkt, die weitere Geschichte dieser Dichtung betreffend. Die deutschen Gedichte des 11. Jahrhunderts sprechen denkbar universal das neue Wort aus: allgemein verbindliche Menschheitsgeschichte oder Rechtsordnung, unter dem symbolischen Siegel des göttlichen Heils, in der Sprache des Volkes. Ihre Lebenskräfte aber sind konservativ, stammen aus der Zeit Heinrichs III., sind geformt in bischöflichen Schulen. In Frankreich tritt wenig später eine andere Volksdichtung ins Licht der schriftlichen Tradition: der frühe Minnesang, die Karlsepik. Die Lebensbewegung, aus denen beide sich nähren, ist breiter: unterliterarische Traditionen – die die deutschen Gedichte abgelehnt hatten – verbunden mit den religiösen Kräften, ein allgemeiner geistiger Aufbruch, in Theologie und Philosophie und Kunst nicht anders als in der naiveren weltlich-geistigen Einheit des Kreuzfahrertums. Ist es nicht das immer gleiche Schicksalsverhältnis: in Deutschland ein Aufbruch bis hin zur universalen Metaphysik – selten verfrüht wie hier, meistens verspätet – aus konservativem Geist, aus isoliertem Lebensgrund wachsend, stark emotional, schnell gefährdet; in Frankreich breite, progressive Bewegungen, die die naivere sinnlich-sittliche Einheit in klug beschränkten Bildern mit kanonischer Reinheit gestalten?

Der archaisch starke Anfang der deutschen Dichtung verflacht im frühen 12. Jahrhundert, indes Frankreich gerade jetzt vorwärts schreitet. Aus dem symbolischen Realismus des Ezzolieds wird theologische Symbolik, Zahlenspiel oder liedhafte Bibelerzählung; die Kraft der Wiener Genesis verliert sich in theologisierender Bibelepik; der historische Impuls in pseudo-historische Legenden-Mirakel; einzig die Rechtsordnungsschau des Memento mori sieht noch kräftige Erben. Charakteristisch, wie das andrängende Welt-Verständnis jetzt nur noch in Metaphern, Kriegs- und Kampfbildern usw. theologisiert einbezogen wird[56]. Nicht aber weil sie theologisch ist, wirkt die deutsche Dichtung des frühen 12. Jahrhunderts im ganzen schwächer als die Anfänge des späten 11.; sondern weil sie schwach wird als Dichtung, anders gesehen: weil der symbolische Realismus der Erstlinge rasch sich auflösen mußte, ohne in Deutschland von sich aus den Übergang ins Reale zu finden – deshalb wird diese Dichtung theologisch im schlechten Sinn. Erst um die Mitte des 12. Jahrhunderts, fast gleichzeitig mit dem Aufgang Friedrich Barbarossas, regt sich neues Leben. Aber das französische Vorbild wirkt jetzt schon überstark, unter seinem Zeichen erst finden die Kräfte des deutschen Anfangs sich neu zusammen zur Leistung des vollen Hochmittelalters.

EREC

HARTMANNS EREC STEHT, TROTZ ALLER ARBEIT, die man schon auf ihn verwendet[1], im ganzen nicht sehr überzeugend vor uns – wenn man es recht besieht, sogar mehr wie ein Machwerk. Auch aus dem schönen Buch von ERNST SCHEUNEMANN, der eine Gesamtanschauung des Romans zum erstenmal wirklich durchgeführt hat, gewinnt der Leser das Gefühl eines höchst subtil nur zusammengefügten Ganzen. So blieb der geschlossenste Eindruck doch der unmittelbar dichterisch-ästhetische, den HERMANN SCHNEIDER seiner Darstellung zugrunde legte[2]: der Erec das liebenswürdige Jugendwerk eines wachsenden Dichters!

Die folgenden Beobachtungen versuchen, aus einer neuen Anschauung der Komposition des Hartmannschen Erec, wie er vorliegt (freilich mit der nötigen Rücksicht auf Crestien)[3], zu einer neuen Deutung des Gedichts zu gelangen.

I

Dem unbefangenen Blick gliedert sich Hartmanns Roman deutlich in zwei Hauptteile: I Geschichte Erecs und Enites bis zur Hochzeit – II die spätere Abenteuerfahrt des Paares, nach Handlung und Zeit völlig von I getrennt, nur durch die Einheit der Hauptpersonen damit verbunden[4].

Wir gehen, zunächst für Teil I, einfach dem Gang der Handlung nach, dabei müssen sich die Gesichtspunkte der Komposition, sind sie richtig, von selbst ergeben[5].

1. Hartmanns Anfang, bekanntlich verloren, ist leicht nach Crestien zu rekonstruieren (bis auf einen Prolog, der wohl mindestens Hartmanns Namen nannte, wie in seinen andern Epen auch): König Artus reitet an einem Ostern mit seinen Rittern aus, den *weißen Hirsch* zu jagen. Wer diesen erlegt, hat das Recht auf einen Kuß der schönsten Dame des Hofes (*1*).

Die Königin folgt den Jägern, begleitet von einer Jungfrau und dem jungen Ritter Erec. (Hier setzt der Hartmanntext ein.) Ihnen begegnet eine

andere Trias: ein Ritter und eine Dame, denen ein Zwerg vorausreitet. Die
Königin wünscht die Namen der drei zu erfahren, aber ihre Jungfrau und
Erec werden auf ihre Frage von dem *Zwerg* mit seiner Geißel geschlagen,
was auch der unbewaffnete Erec hinnimmt. Er beurlaubt sich von der
Königin und reitet den dreien nach (*2*)⁶.

Sie kommen am Abend nach Tulmein. Dort ist – wie Hartmann gegenüber
Crestien vorwegnimmt – gerade ein *Sperber* auf silberner Stange als Schön-
heitspreis für Damen ausgesetzt, den der fremde Ritter mit Gewalt für seine
Freundin in Anspruch nimmt, wie schon zweimal vorher (*3*: 160 ff.).

Erec, ohne Geld, findet bei der Suche nach *Herberge* eine Ruine. Sie ist
bewohnt: von einem verarmten alten Edelmann, seiner Frau und ihrer trotz
armseliger Kleidung wunderschönen Tochter Enite. Erec wird freundlich
aufgenommen, Enite besorgt sein Pferd, und Erec verlobt sich am gleichen
Abend mit ihr, um durch sie – mit von dem Alten geborgten Waffen – dem
fremden Ritter den Schönheitspreis streitig zu machen⁷ (*4*: 228 ff.).

So geschieht es am nächsten Morgen: Erec siegt nach hartem Kampf
über Iders *(Wendung)*. Er schickt ihn, sich bei der beleidigten Königin zu
melden (Handlungsschluß von *2*: 624 ff.).

Hier folgt die Erzählung dem Weg Iders' und wendet sich zum Artushof. Hartmann aber holt jetzt, den Szenenwechsel benutzend, erst noch das
Ende der Artusjagd mit dem Aufschub des Kusses nach (Handlungsschluß
von *1*). Dann erst erzählt er Iders' Meldung und Bericht (Abschluß von
2: 1099 ff.).

Wieder zurück nach Tulmein: dort führt Erec Enite, die den Schönheitspreis, den Sperber, auf der Hand trägt (Handlungsschluß von *3*), ihrem
Vater wieder zu. Vor dem Aufbruch zur Hochzeit am Artushof erhält Enite
ein kostbares Pferd zum Geschenk. Auf dem Weg zieht beim beiderseitigen
Anblick die Minne in beider Herz (Handlungsschluß von *4*: 1294 ff.).

Am Artushof kommt dann alles zum glänzenden Abschluß: Enite, durch
die Königin gekleidet und geschmückt, ist die Schönste auch hier, von der
darum der König nun seinen Kußpreis in Anspruch nimmt (Schluß von *1*),
und das Paar hält höchst repräsentativ Hochzeit (Schluß von *4*), bei der
auch Erec im Turnier einen neuen Ritterpreis davonträgt (1498 ff.).

2. Nach Umfang und Schauplatz zerfällt damit *Teil I* in zwei Abschnitte
(bei Hartmann 1500 : 1500 Verse, bei Crestien 1500 : 950!), von denen aber
der erste (IA) den ganzen Handlungsstoff enthält, der zweite (IB), handlungsmäßig stagnierend, nur Repräsentationsszenen als trotzdem gleich-
gewerteten Abschluß.

Vergegenwärtigen wir uns nun die *Komposition* im einzelnen. Die Handlung geht kurz vom Artushof aus und kehrt, außer einem Intermezzo in
der Mitte, erst am Schluß ausführlich dahin zurück (äußerer Rahmen). Was
dazwischenliegt, sind vier selbständige Geschichten: *1* Jagd auf den wei-

ßen Hirsch (Schönheitspreis am Artushof) – 2 Zwergenbeleidigung (führt Erec aus dem Artuskreis heraus) – 3 Sperberpreis (Schönheitspreis Enitens, zugleich Ritterbewährung Erecs, am zweiten Hauptschauplatz Tulmein) – 4 Arme Herberge (Griseldistyp[8]; die Episode wird durch die Hochzeit von Tulmein an den Artushof zurückgeführt).

Diese vier Geschichten sind nun in der Weise ineinandergeschachtelt, daß immer die Exposition der einen in die nächste hineinführt, bis zur innersten, von der aus dann die Auflösung den gleichen Weg zurück nimmt. Das geschieht allerdings nicht streng schematisch, sondern die Erzählung läuft in reicheren Verschlingungen.

Schematisch dargestellt (die Zählung geht von Hartmann aus):

Hartmann:	Crestien:
	Prolog
(– – –)	
(*1* – – –)	*1* Jagd auf den weißen Hirsch
2 Zwergenbeleidigung	2 Zwergenbeleidigung
(– – – s. unten)	*1* Ende der Jagd, Kußaufschub: Handlungsschluß von *1* mit Aufschub des Abschlusses
3 Tulmein, Sperberpreis (von Hartmann vorausgenommen)	*4* Tulmein, Arme Herberge Dort im Gespräch:
	3 Bericht vom Sperberpreis, dann
4 Arme Herberge, Verlobung, um mit Enite den Sperberpreis zu holen (*3*), um sich an dem Beleidiger zu rächen (*2*)	Verlobung, um mit Enite den Sperberpreis zu holen (*3*), um sich an dem Beleidiger zu rächen (*2*)
Wendung Kampf mit Iders, Sieg Erecs:	*Wendung* Kampf mit Iders, Sieg Erecs:
1. Ritterpreis für Erec: Wendung von *3*, verbunden mit der von *4* (nur objektiv) und *2* (ausdrücklich)	1. Ritterpreis für Erec: Wendung von *3*, verbunden mit der von *4* (ausdrücklich) und *2* (nur objektiv)
Szenenwechsel:	Szenenwechsel:
1 Ende der Jagd, Kußaufschub: Handlungsschluß von *1* mit Schlußaufschub	(– – – s. oben)
2 Meldung Iders': Schluß von 2	2 Meldung Iders': Schluß von 2
Szenenwechsel zurück:	Szenenwechsel zurück:
3 Enite hat den Sperber erworben: Abschluß von *3*: 1. Schönheitspreis für Enite	*3* Enite mit dem Sperber: Abschluß von *3*: 1. Schönheitspreis für Enite
4 Siegesfeier: Handlungsschluß von *4* (bis auf die Hochzeit selbst)	*4* Siegesfeier: Handlungsschluß von *4* (bis auf die Hochzeit)

Szenenwechsel: Reise zum Artushof: Szenenwechsel: Reise zum Artushof:
1 Kuß: Abschluß von *1*: 2. Schön-   *1* Kuß: Abschluß von *1*: 2. Schönheitspreis für Enite   heitspreis für Enite
4 Hochzeit: Abschluß von *4* in re-   *4* Hochzeit: Abschluß von *4* als dar-
präsentativer Darstellung, länger   stellerischer Gipfel der schon bis-
als die ganze Handlung bisher.   her angelegten Repräsentation.
Darin Turnier: 2. Ritterpreis für   Darin Turnier: 2. Ritterpreis für
Erec   Erec

Hartmann bringt dabei an der Komposition Crestiens zwei wesentliche Änderungen an: er verschiebt erstens die Rückkehr der Jäger aus *1* bis zum Szenenwechsel vor Iders' Meldung am Artushof; und er exponiert zweitens den Sperberpreis (*3*) durch berichtende Vorwegnahme ausdrücklich als dritte Handlung (während man bei Crestien erst in der vierten Handlung im Gespräch davon erfährt) – eine Stelle, die ihm inhaltlich auch bei Crestien zukommt: denn diese Handlung hat Iders auf den Weg gebracht, der Erec dann nach Tulmein nachzog! Ergebnis beider Umstellungen ist eine konsequentere und raschere Folge der vier Expositionen; Crestien liebt es dagegen, solche Linien in ein verwirrendes Spiel zu verstecken (*1 – 2 – 1 – 4 – 3* ...), mit verdeckten Übergängen [9]. Hartmann setzt die Erzählungselemente geschlossen und hart, mehr blockhaft, gegeneinander.

II

1. Am Schluß des 'Glanzlebens' bei Artus steht die *Heimkehr* des Paares zu Erecs Vater nach *Karnant* (2861 ff.). Sie führt die beiden zwar in das Königtum, und doch ist das ein anderes Dasein als bisher: ein privates, sozusagen 'bürgerliches', der Alltag gegenüber dem im Abenteuer wie in der Hofesfreude hoch erhöhten Leben des ersten Teils. Hier setzt der *zweite Teil* des Romans ein (2923 ff.): es währt nicht lange, und dieses Dasein wird zu 'privat'; im Genuß der ehelichen Liebe »verliegt« sich Erec, was schließlich durch ein Mißverständnis Enite selbst dem Ahnungslosen zu Ohren bringen muß. Sofort bricht er, mit ihr allein, auf: sie darf bei Strafe des Todes kein Wort ungefragt sprechen [10].

Zur Nacht im Wald sieht Enite, die weit vorausreitet, drei *Räuber* nahen. Schwankend zwischen Furcht vor Erecs Befehl und Furcht um sein Leben wählt sie den Ungehorsam, warnt Erec, er tötet die drei, tadelt aber Enite heftig und gibt ihr zur Strafe die erbeuteten Pferde zu führen: *1 a*.

Am Ausgang des Waldes wiederholt sich dasselbe genau, nur mit fünf Räubern [11]. Enite muß jetzt acht Pferde führen: *1 b*. Die beiden Räuberszenen füllen die *erste Nacht* der Reise: *1* [12].

Am nächsten Morgen labt ein wohlerzogener Knappe die Erschöpften. Sie reiten zu einer Burg; in der Wirtschaft, wo sie einkehren, heißt Erec

Enite fern von sich sitzen[13]. Der Burggraf (bei Crestien *Galoein* genannt, bei Hartmann ohne Namen) will, beim Anblick Enites von Minne betört, sie zur Frau[14] gewinnen. Sie hält ihn mit List hin und warnt wieder Erec, als das Paar, auch hier getrennt, zu Bett geht[15]. Erec bricht sofort mit ihr auf – die Pferde bleiben dem Wirt zur Bezahlung – aber auf dem Weg erhält sie erneut einen heftigen Verweis. Inzwischen hat der Graf Enite gesucht und verfolgt; nochmalige Warnung Enites, die ihn kommen sieht, Sieg Erecs, nochmaliger Verweis für Enite (aber keine Strafe mehr!) – wie jedesmal gelobt sie künftigen Gehorsam. So vergeht die *zweite Nacht*: *2*[16].

Beim Weiterreiten wird Erec von dem riesenstarken Zwerg *Guivreiz* herausgefordert, nachdem wieder Enite, ungehorsam *durh triuwe,* gewarnt hat (Lücke des Hartmanntextes). Erec besiegt ihn nach hartem Kampf, doch er selbst erhält auch eine schwere Wunde. Der Unterlegene lädt beide auf sein Schloß, wo sie die *dritte Nacht* verbringen: *3*[17].

Am nächsten Morgen begegnet ihnen Artus' Truchseß Keiî[18]. Schimpflich besiegt erst erkennt er Erec, kann ihn aber auch mit Gaweins Hilfe nur durch List an den *Artushof* bringen (denn Erec hat für jetzt *des hoves reht,* die Freude, abgeschworen). Dort pflegt die Königin Erecs Wunde, aber er bleibt trotz Bitten nicht länger als die *vierte Nacht*: *4*[19].

Am nächsten Morgen findet er im Wald eine Frau, die den Tod ihres Mannes beweint, doch kann er diesen, den Ritter Cadoc, noch lebend aus den Händen zweier Riesen befreien. Dabei bricht aber seine Wunde wieder auf, und er sinkt Enite für tot zu Füßen. Sie will auch sich vor Jammer töten[20], nur ein zufällig des Wegs kommender Graf, *Oringles,* verhindert es und nimmt beide (Erec als Toten auf der Bahre) mit auf sein Schloß Limors. Von ihrer Schönheit betört, läßt er sich noch in der gleichen Nacht mit der wehrlosen Enite trauen; als sie aber nicht mit ihm essen will, schlägt er sie roh. Ihr Schreien, mit dem sie erneut ihren Tod durch den Wütenden herauszufordern sucht, dringt in Erecs Totenschlaf, er erscheint wie ein Gespenst, erschlägt den Grafen, und das Paar flieht. Nach dieser schwersten Probe hebt Erec die Prüfung auf, die er *âne sache* über Enite verhängt hatte: *ez was durh versuochen getân, ob sie im wære ein rehtez wîp* (6771 ff.): *5*[21].

Nun hat sich Erecs und Enitens Weg ins Lichte gewendet – noch aber ist die Nacht der Versöhnung erst zur Hälfte vorbei. Sie treffen wieder mit *Guivreiz* zusammen, unerkannt stellt Erec sich zum Zweikampf, aber der noch Geschwächte wird vom Sattel gestochen und nur Enitens Aufschrei rettet ihn vom Tod. Nach freudiger Erkennung übernachten alle zusammen im Wald[22]. So vergeht die *fünfte Nacht.* Mit ihr aber endet die Folge: sie bleiben gleich 14 Nächte auf dem wunderbaren Wasserschloß Penefrec, wo Erec durch Guivreiz' Schwestern geheilt wird. Wieder erhält, wie in Teil I, beim Abschied Enite ein Pferd, für dessen Beschreibung (in rund

500 Versen gegen Crestiens 40!) Hartmann seiner Laune und seiner Kunst alle Zügel schießen läßt: *6*[23].

Auf dem Weg zu Artus verirren sich die Reisenden und kommen nach Brandigan. Erec sucht, jetzt als Vollkavalier, die dort wartende Aventüre fast mutwillig auf: er besteht Mabonagrin, den Herrn der *Joie de la curt,* in einem Wettkampf über die Schönheit ihrer Damen (gleich dem mit Iders in Teil I). Nach dem Sieg nimmt er die 80 schönen Witwen der früheren Gegner Mabonagrins, die trauernd in Brandigan leben, mit sich: *7*[24].

Durch sie bringt er höchste höfische Freude zum *Artushof: 8*[25].

Nach kurzem Aufenthalt läßt Hartmann das Paar weiterziehen nach Karnant, wieder zurück ins 'Alltagsleben'. Dort aber führt nun Erec mit Enite ein der Welt und Gott wohlgefälliges Leben *(Rückkehr nach Karnant)*[26].

2. Wie ist hier die *Komposition* zu verstehen? Teil I schachtelte seine vier Geschichten ineinander – Teil II bildet Reihen: lauter jeweils abgeschlossene Handlungen sind am Faden der Reise aneinandergefügt. Und zwar folgen sich sechs davon in fünf Nächten wie im Märchen (nur die zwei letzten Abenteuer nehmen sich mehr Zeit). Es gibt zwar auch ein leitmotivartiges Band: das Redeverbot; aber das reicht nur durch *1–3.*

Welche epische Ordnung beherrscht Teil II? Wir wollen vorerst nicht auf Interpretationen eingehen – meist suchte man eine innere Steigerung zu konstruieren – denn es gibt auch hier klar erkennbare Tatsachen der Komposition, die man aber noch nicht gesehen hat.

Überblickt man die Episoden, so muß die ständige Motivverdoppelung auffallen. Gleich in den zwei Abenteuern der ersten Nacht scheint das ja schon wirklich »plump«[27] – aber es gibt auch noch andere Verdoppelungen, nur nicht in so direkter Nachbarschaft: zweimal verlockt Enitens Schönheit einen Grafen zu blinder Minne (*2* und *5*); zweimal kämpft Erec mit Guivreiz (*3* und *6*); zweimal auch kehrt das Paar am Artushof ein (*4* und *8*). Also stehen allein überhaupt nur die Abenteuer der ersten Nacht (die aber in sich verdoppelt sind!) und das siebente. Sollte dem Dichter wie dem Nachdichter nichts anderes eingefallen sein? Oder hängen sie so sklavisch an zusammengestoppelten Vorlagen, ohne jeden Sinn für künstlerische Ökonomie? Man glaubt so bis heute.

Versuchen wir statt dessen einmal, ob sich nicht gerade in diesen Wiederholungen ein Gesetz ausfindig machen läßt.

3. Die zweite Nacht findet eine genaue Spiegelung in der fünften: Hier wie dort ein Bedrängen Enitens durch einen *Grafen*; beide Grafen, ursprünglich bieder, werden durch Enitens Schönheit zu unrechter Minne verleitet; beide Affären enden mit nächtlicher Flucht.

Zur Wiederholung aber kommt eine hier deutlich beabsichtigte Steigerung hinzu. Beim erstenmal gibt Erec selbst, mit verletzender Gleichgültigkeit, Enite preis; beim zweitenmal ist er weit stärker ausgeschaltet, sind Gefahr und Probe auch für Enite verschärft: er liegt als Toter auf der Bahre. Dort will der Graf Enite erwerben; hier ist sie ihm schon angetraut. Dort liegt die Beleidigung für sie nur im Ansinnen des Grafen; hier ist sie tätlich. Dort ist der Aufbruch zur Flucht noch planmäßig; hier eine wilde Szene. Dort wird der Graf nur verwundet; hier getötet. Dafür erfährt aber auch das Ende eine glücklichste Steigerung: in der zweiten Nacht zieht Enitens doppelte Warnung noch doppelten Verweis nach sich – ein trostloser Fluchtmorgen; die fünfte führt zum süßen »Wunder« (6814) der Versöhnung [28].

Dazu kommt schließlich noch ein Drittes. Wir konnten ja die sechs ersten Abenteuer nur dadurch in fünf Nächten unterbringen – eine Zählung, die aber gerade Hartmann jedesmal ausdrücklich hervorhebt [29] – daß (außer der verständlichen Zusammenrechnung der zwei Räuberabenteuer der ersten Nacht) auch in *5* eine ziemlich ausführliche Episode, die man bisher immer eigens gezählt hat [30], hier als Vorgeschichte zum folgenden Abenteuer geschlagen wurde: die Befreiung des Ritters Cadoc aus der Hand zweier Riesen. Mit welchem Recht? Während sonst in Teil II jede Episode, inhaltlich und zeitlich in sich geschlossen, neu von der Reise aus einsetzt, ist allein die Cadocepisode nicht nur zeitlich, sondern auch inhaltlich unselbständig; denn sie dient dazu, am Tage die Situation für die folgende Nacht herbeizuführen: Erec muß ja für tot daliegen, Enite bereit sein, ihr Leben preiszugeben, damit die Versuchung in Limors einsetzen kann.

Diese Tag-Vorgeschichte in *5* nun korrespondiert mit einer nicht minder berätselten Tag-Vorgeschichte in *2*: der Szene, wo Erec und Enite durch einen Knappen jenes Grafen gelabt werden, der dann in der folgenden Nacht die Hauptrolle spielt.

Hier (in *2*) erscheint nämlich das Paar in ausgesprochener Baisse: müde, von der Nacht und den Kämpfen erschöpft [31] – ihr Gegenüber aber, der Knappe, ist betont höfisch: er bietet von sich aus Quartier und Labung, ist hilfsbereit gegen Ritter und Dame, und er erfüllt auch bei improvisierter Mahlzeit alle Forderungen höfischen Zeremoniells, holt in seinem Hut Waschwasser für die Hände (nur bei Hartmann!), breitet ein Tischtuch aus usw. *Von vreuden was im vil gâch* (3601) sagt Hartmann bei seinem Abgang – viel mehr als Leitwort höfischen Wesens denn durch die Handlung motiviert!

In *5* ist nun dieses Verhältnis gerade umgekehrt: Erec kommt gepflegt vom Artushof, er folgt als echter höfischer Ritter dem Aventiure-Schema der unbekannten Stimme, redet die Unglückliche *vil nâch weinende* an (5337), ja behandelt sogar die groben Riesen mit ausgesuchter Höflichkeit – um so unhöfischer aber erscheint hier das Gegenpaar: die Freundin in Verzweiflung aufgelöst, Cadoc gebunden, entkleidet und blutig gepeitscht von den anti-höfischen Riesen!

Beide Vorgeschichten zeigen also einen Gegensatz höfischer und unhöfischer Situation. Aber – sie zeigen ihn für Erec spiegelbildlich verkehrt: erst der fremde Knappe höfisch, Erec und Enite unhöfisch – dann Erec höfisch, das fremde Gegenpaar unhöfisch [32]!

Dieser Kontrast gibt aber auch den beiden Hauptabenteuern jeweils den besonderen Ton: beim ersten liegt er auf Erecs unhöfischer Preisgabe Enitens und der zweimaligen Strafrede – beim zweiten auf Erecs rettendem Eintreten und der Versöhnung.

4. Ebenso korrespondieren das dritte und sechste Abenteuer, die zweimalige *Begegnung mit Guivreiz*, was schon die Gleichheit des Personals und der Szenerie unmißverständlich zum Ausdruck bringt. In *3* nun tritt Guivreiz als vollendet höfischer Aventiureritter (4340) vor Erec und die Dame – Erec aber gibt sich mit Absicht tölpelhaft [33]: er tut, als kenne er den ritterlichen Komment nicht, fürchte die Herausforderung; er kämpft hinhaltend. In *6* ist das Verhältnis gerade umgekehrt: diesmal ist Guivreiz merkwürdigerweise *zwîvelhaft und unvrô* [34], er kämpft nicht mehr zum Selbstzweck ritterlicher Aventiure, sondern gegen seinen Willen, nur um den Aufenthalt aus dem Wege zu räumen – Erec aber ist um so höfischer: er stellt sich trotz seiner Schwäche, einer gegen viele, dem Kampf mit der Selbstverständlichkeit des Aventiureritters aus Selbstzweck. Dazu aber kommt die dialektische Umkehrung: in *3* erscheint Erec als *zage* (4366, 4419f.) und wird verwundet – aber er siegt; in *6* ist er überkühn und – wird besiegt nach allen Regeln. Nicht aber der Sieger Erec, sondern gerade erst der besiegte ist der vollkommene höfische Ritter: von einer Delikatesse, die ihn auch die Überkühnheit noch bedauernd als Übereilung zurücknehmen läßt (7010ff.). Und er wird hier ja auch nur besiegt, weil er noch immer an seiner symbolträchtig lange schwärenden Wunde vom ersten Kampf her leidet.

Den gleichen Kontrast zeigt aber auch sein Verhältnis zu Enite, das den Kern beider Episoden ausmacht: beim erstenmal lehnt er ihr Eintreten kurz und unhöfisch ab (*wan dâ verlür ich mêre an* 4431) – beim zweitenmal wird er, ohne Widerspruch, gerade dadurch vom Tod gerettet, daß Enite für ihn eintritt. Erst Hartmann findet aber hier auch einen reizend dialektischen Schluß: in *3* verbringt das Paar die erste Nacht seit seiner Ausfahrt nicht im Freien, sondern ungestört auf Guivreiz' Burg – aber unter Ablehnung jeder höfischen Repräsentation; in *6* verbringt es gerade umgekehrt die letzte Nacht im Freien – aber sie besiegelt mit der Versöhnung seine neue,

höfische Lebensform: es folgen die 14 Nächte in Penefrec, folgt der Aufbruch zu Artus[35], der wie in Teil I (1414 ff.) als abschließende Wende gekennzeichnet ist durch das wunderbare Pferdegeschenk an Enite. (Aber
auch der Aufbruch von Guivreiz in *3* führte zu Artus in *4*, nur ungewußt
und gegen Erecs Willen.)

Ob man im zweiten Guivreiz-Zweikampf wirklich nicht mehr finden kann
als die »durch die Tradition geforderte Fortsetzung des Zwergenaben-
teuers«, ein Anhängsel nur, da »die Abenteuerfahrt übrigens zu Ende ist«[36]?

5. Wie der Aufbruch zeigt, soll auf beide Guivreiz-Episoden eine *Einkehr bei Artus* folgen. Die parallele Anordnung wird hier zwar durch das
gegenbildlose Abenteuer von *Joie de la curt* (*7*) unterbrochen – von seiner
Rolle wird gleich noch zu reden sein. Doch korrespondiert die Zwischeneinkehr am Artushof (*4*) auch inhaltlich aufs deutlichste mit der Schlußeinkehr (*8*).

Wieder gibt diese Beziehung einer bisher unverstandenen Szene über-
haupt erst Sinn und Funktion: der Zwischeneinkehr[37]. Erec ist hier, durch
List nur an den Hof gebracht, bewußt der höfischen Freude abgewandt
(4977) – im Gegensatz zur Schlußeinkehr: da kommt er mit prächtigem
Geleit als bewußter Träger höfischer Freude zum Artushof. In *4* heilt die
Königin Erecs Wunde und beklagt Enitens freudefernes Dasein – in *8* ist
umgekehrt der Artushof selbst in einem Zustand geminderter Freude: für
Crestien ist Artus gerade ohne Gesellschaft, dazu überhaupt vereinsamt (mit
nur 500 Baronen) und eben zur Ader gelassen[38]; Hartmanns Erec bringt
Freude durch ein eigenes Motiv: er führt dem Hof die 80 schönen Witwen
von Brandigan zu, wodurch die Kemenaten *baz berâten* stehen und die Freude
gemêret wird (9947 ff.).

Was bedeutet also die zweimalige Einkehr am Artushof? Die zweite, die
Schlußeinkehr, sicherlich nur den 'freudigen' Zielpunkt des Romans und
besonders seines zweiten Teils. Aber die Zwischeneinkehr? Eigenen Er-
zählungsgehalt, Sagen- oder Aventiurestoff enthält sie so wenig als jene.
Auch ihre Handlung besteht in reiner Repräsentation: Empfang des Paares, nur mit umgekehrten Vorzeichen wie dort. Denn die Humoreske mit
Keiî erschöpft ja ihren Handlungsgehalt darin, die Einladung an den Hof
parodistisch zu entwerten, wie dann Gaweins List nur die Einkehr selbst
um jede höfische Bedeutung für Erec bringt.

Es ist klar: die Funktion der Zwischeneinkehr besteht nur im Kontrast
zur Schlußeinkehr. Das heißt also: wenn diese die Abenteuer 'freudig' abschließt – so jene den ersten Teil der Abenteuer entgegengesetzt, 'freude-
fern'! Die Zwischeneinkehr bezieht sich auf die Reihe *1–3*, die Schlußeinkehr insbesondere auf *5–7*.

6. Die *Gliederung von Teil II* stellt sich damit schematisch so dar [39]:

Karnant: Verliegen, Aufbruch, Redeverbot

A	B
1 Doppeltes Räuberabenteuer	
2 Graf Galoein (Enitens Schönheit)	*5* Graf Oringles (Enitens Schönheit)
3 Guivreiz (Erecs Rittertüchtigkeit)	*6* Guivreiz (Erecs Rittertüchtigkeit)
	7 Joie de la curt
4 Zwischeneinkehr am Artushof	*8* Schlußeinkehr am Artushof

Krönung in Nantes (Crestien) bzw.
Rückkehr nach Karnant (Hartmann)

Diese Gliederung ist formal so klar wie inhaltlich wohlbegründet. Denn der 'doppelte Kursus' entsteht, wie wir sahen, aus der absichtlichen spiegelbildlichen Kontrastierung zweier Daseinsstufen [40]: In der A-Reihe wird das Paar in bewußt anti-höfischen Situationen gezeigt – die B-Reihe bewährt eine neuerworbene höfische Lebensform in den gleichen Abenteuern, nun aber mit umgekehrtem Vorzeichen.

Programm der A-Reihe ist: *ungemach* [41] durch *arbeit* für Erec und Enite. Da ist zuerst die *arbeit* der Reise selbst, die Abenteuer, die Verwundung Erecs; dann aber verstärkte *arbeit* durch alles, was Erec darüber hinaus sich und Enite auferlegt: Verzicht auf Begleitung, Verzicht auf höfische Bequemlichkeit und Repräsentation, Verzicht darauf, länger als eine Nacht an jedem Ort zu verweilen; weiter das tiefer Einschneidende: Verzicht Erecs auf Ritterehre bis zum Schein des Tölpelhaften [42], und die (dagegen sogar geringere und kürzere) Belastung Enitens mit dem Roßknechtsdienst; am tiefsten einschneidend aber für beide: Verzicht auf Gemeinschaft miteinander (obwohl die Reise ihnen ihr Aufeinanderangewiesensein immer wieder geradezu aufdrängt), auf die Gemeinschaft von Rede, Tisch und Bett.

Das Programm der B-Reihe heißt: *vreude* [43]. Ihr Anfang scheint dem allerdings entschieden zu widersprechen: Ist nicht hier das Paar überhaupt erst im tiefsten Leid – Erec als Toter auf der Bahre, Enite endgültig von ihm getrennt und zweimal zum Tod entschlossen? Dieses scheinbare Paradoxon aber zwischen formaler und inhaltlicher Gliederung muß in Wirklichkeit als schönster Beleg für Crestiens und Hartmanns Kunst gelten. Gerade aus diesem tiefsten Punkt, aus der unmittelbaren Gegenwart des Todes, führen sie das Paar steil hinauf auf die Höhe der Versöhnung, die als Aufhebung des *ungemach* und erste Bedingung der *vreude* programmatisch am Anfang der zweiten Reihe steht:

ʒe liebe wart ir ungemach
alleʒ verkêret
unde ir vreude gemêret (6685 ff.).

Was aber macht die Versöhnung möglich? Erst die Gegenwart des Todes
begründet das Zusammenwirken des Paares als absolut notwendig: nur
Enitens Aufschrei weckt Erec aus seinem Tod – nur die Hilfe Erecs rettet
Enite vor ihrem Tod! Da ihnen so auf letzte Weise bestätigt ist, was Erec
in allen vorangehenden Proben nicht anerkennen wollte: daß sie nur dann
leben können, wenn sie auf ihre Minneverbundenheit bauen – erst da gibt
Erec ein neues Leben mit Enite zu [44]. Jetzt stellt er durch seine Abbitte für
ungeselleclîcheʒ leben sowohl die Minnegemeinschaft ausdrücklich wieder her
(6797), wie durch seine Abbitte für Enitens *arbeit* ihre höfische Lebensform. In dem überkühnen Kampf mit Guivreiz aber beweist er – nochmals
bis in die unmittelbare Nähe des Todes hinein –, daß auch er nicht ein *ʒage*
sei [45], und stellt damit auch seine ritterlich-höfische Lebensform wieder her;
auch sie unter dem Leitwort der *vreude* [46]. Wie sehr dann das siebente Abenteuer unter dem gleichen Leitwort steht, werden wir noch sehen. Und es
erfüllt weiter die Schlußeinkehr als einziger Inhalt (s. oben), und auch der
Abschluß ist ganz auf *vreude* (und *êre*!) gestellt [47].

7. Doch ist der Blick auf das Ganze noch verfrüht. Wir müssen zuerst
noch die beiden alleinstehenden Episoden in ihrer Funktion begreifen.
    Schauen wir auf die erste zurück: das doppelte *Räuberabenteuer.* Die genaue
Wiederholung dabei ist wie absichtlich nur durch die Zahl der Räuber
variiert – so, als ob sich nur die Zahlen unterscheiden sollten. Was bedeutet
das? Versuchen wir es nachzudenken!
    Der Dichter will Erec und Enite auf ihrer Reise zweimal denselben Weg
führen. Wenn er nun an den Anfang das mit fast verletzender Absichtlich-
keit verdoppelte Räuberabenteuer stellt – ist das nicht etwas, was man einen
'epischen Doppelpunkt' nennen könnte? Eine Mahnung an die Hörer also:
Merkt auf Wiederholungen! Sollen sie nicht, wenn dann das zweite, dritte
und vierte Abenteuer ohne Entsprechung vergingen, sich beim fünften,
sechsten und achten um so deutlicher erinnern: Hier kommt ja die Verdoppelung wieder – aber sie bezieht sich nun auf den ganzen Weg (und damit
auf die Daseinsstufen des Paares)? Gibt es ein epischeres Mittel, solch Programm vordeutend auszusprechen und doch noch verhüllt?
    Um aber den Beweis zu schließen: ist es ein Zufall, wenn auch die B-
Reihe wieder mit einer Verdoppelung einsetzt: In ſ wird Cadoc zuerst tot
geglaubt und von seiner Freundin beweint – dann Erec tot gesehen und
von Enite beweint bis zum Selbstmord. Der 'epische Doppelpunkt' ist
beim zweiten Einsatz des 'doppelten Kursus' wiederholt.

8. Und nun das gegenbildlose Abenteuer 7: *Joie de la curt*. Man wird jetzt auch von ihm nicht mehr glauben, daß es nur dazu diene, den Roman auf das übliche Maß zu längen oder den Tatsachenhunger grober Hörer zu kitzeln [48].

Ist noch niemand aufgefallen, daß der Wundergarten ja nicht curt de la Joie, Freudenhof, heißt [49], sondern eben Joie de la curt, was Hartmann ganz richtig mit *des hoves vreude* übersetzt? Dieser Name bezeichnet jedenfalls nicht ein Abenteuer im 'Freudenhof', sondern – eine Allegorie der höfischen Freude! Dahin weist schon der wunderbare Charakter des Gartens. Ist es eine Erklärung, wenn man ihn, statt ihn zuerst in seiner Funktion hier im Gedicht zu begreifen, nur eben auf eine keltische oder märchenhafte Quelle zurückführt? In diesem Verfahren steckt auch eine Ästhetik – aber eine dunkle!

Machen wir uns den Rahmen, in dem dieses Abenteuer stattfindet, einmal Schritt für Schritt klar. Da ist erstens ein Wundergarten, ringsum offen und doch geheimnisvoll verschlossen (8703ff., bei Crestien 5739ff.). Er enthält zweitens eine wunderbare Freudennatur (Blüte und Frucht gleichzeitig z. B., 8715), von der aber niemand etwas heraustragen kann (8744, Crestien 5748ff.). Dort lebt drittens ein Paar in ebenso wunderbarer, ausschließlicher Minnefreude (9524), zu der alle Voraussetzungen erfüllt scheinen: beide haben *adel, minne* und *triuwe*, dazu hat die Dame höchste Schönheit (sic ist die Schönste – nächst Enite 8928), der Ritter höchste Rittertüchtigkeit (als achtzigfacher Sieger – nächst Erec 9564). Und doch ist viertens durch sie der Garten *schœner vreude bar* (9595), ist *Joie de la curt genzlîchen nider gelegen* (9601f.); erst Erecs Sieg stellt sie wieder her, wie Mabonagrin selbst dann erlöst zugibt (*ein schadelôse schande* 9584, *ze vreuden gekêret* 9608). Was bedeutet das?

Die Auflösung ist nicht schwer. Der Garten bedeutet, was er heißt: die höfische Freude, allen offen und doch nur auf besondere Weise zugänglich. Sie ist hier zunächst aber ganz unzugänglich verschlossen. Warum, das zeigt das allegorische Liebespaar darin. Es verkörpert zwar die vollkommene Freude: die Freude eines Lebens in Minnegemeinschaft! Denn alle Voraussetzungen zu seiner Vollkommenheit sind da: *adel, minne* und *triuwe*, Schönheit und Rittertüchtigkeit, dazu das Glück dauernder Liebesvereinigung. Aber auch diese Freude ist 'verschlossen', ist unwirksam geworden. Denn es fehlt ihr etwas, eine letzte Bedingung. Sie bringt erst Erec, der Wiederhersteller der »Freude des Hofes«, hinzu. Es ist mehr als eine Metapher, wenn der Kampf zwischen ihm und Mabonagrin als ein *minnen* dargestellt wird (9106ff.): er ist ein allegorischer Kampf, ein Kampf um die rechte Minneform [50]. Darum heißt es auch von ihm: *die kraft gâben in ir wîp* (9171)!

Welches ist diese letzte Bedingung vollkommener Minne und Freude? Crestien und Hartmann erörtern sie in Gesprächen der Hauptpersonen nach Erecs Sieg. Crestien nennt sie persönlicher: *l'enor* (6117, 6312), Hartmann abstrakter: Gemeinschaft mit »den Leuten« (*wan bî den liuten ist sô guot* 9438). Was das bedeutet, ist nicht sofort klar [51].

Deutlich aber ist, daß sich damit Erec – zum einzigen Mal – ausdrücklich auf sein und Enitens Schicksal in Karnant zurückbezieht: *Ich hân eʒ ûʒ ir munde heimlîchen vernomen...* (9426). Das heißt also: Was sich in Joie de la curt allegorisch spiegelt, ist des Paares eigener Weg: Zerstörung und Wiedergewinn der Minne und damit der höfischen Freude. Wie das andere Paar im Freudegarten, so standen Erec und Enite am Schluß von Teil I als Musterliebespaar vor uns. Wie jene, so haben auch sie diesen Zustand verdorben: weil sie sich im Besitzgenuß ihrer Liebe abschlossen wie jene im Freudegarten. Erec aber kennt darum jetzt diese letzte Bedingung (wie ihm sein allegorischer Sieg über Mabonagrin bestätigt), weil er sie inzwischen auf der Abenteuerfahrt erworben hat. Denn *l'enor* (Crestien) oder Gemeinschaft mit *den liuten* (Hartmann) bezeichnen genau das, was Erec auf dieser Fahrt, besonders im Moment ihrer Umkehr, erfuhr: wahrhaft vollkommene Minne ist erst die, die nicht sich in genießendem Besitz abschließt, sondern in der Welt bewährt und bestätigt[52]! Man muß aus dem verschlossenen Freudegarten heraus, muß ihn draußen in der Welt als innerlichen Besitz neu sich schenken lassen. Darum ist auch Mabonagrin erst der Freude gewonnen, als er – durch Erecs Sieg – der Gefangenschaft im Freudegarten den Rücken kehren darf. Ebenso wird seine trotzigere Freundin, die ihn durch das Versprechen band, psychologisch fein von Enite 'überwunden': durch deren demütig erprobte Minne[53]. Diese neue Minne aber strahlt dann Freude aus auf alle Umlebenden, wie die zerstörte Minne in Karnant die Freude für alle zerstört hatte: allen ist *des hoves vreude... widere gewunnen der in was ʒerunnen* (9759 ff.).

Die allegorische Bedeutung der Episode ließe sich noch an vielen Zügen bewähren, und gerade schon bei Crestien mehr als bei Hartmann. Aber wir wollen sie hier nicht überanstrengen. Die Episode ist ja auch sicher nicht erzählte Allegorie[54], sondern allegorische Erzählung: Aventiure, aber mit feinstem Takt ins Allegorische gewendet.

So verstehen wir auch ihre kompositionelle Sonderstellung. Sie wird, als einzige alleinstehend, unmittelbar vor dem Abschluß eingeschoben, weil sie das Ganze spiegelt. Die Reise Erecs und Enitens führt hier an ihrem Ende aus dem Realen heraus, erhöht sich in ihre allegorische Deutung. Darum spricht Erec mit so hohen Worten schon vorher über die in Brandigan ihn erwartende Aventiure: sie ist *der sælden wec,* den er bisher gesucht (8521). Darum auch hört hier die Zeitrechnung der Nächte auf, die bisher galt: auf die Wiederherstellung von Enitens (5) und Erecs Dasein (6) folgten schon 14 Nächte im Wunderschloß Penefrec als Übergang, und folgt nun die im Grunde zeitlose (obwohl noch einmal in Nacht und Tag bestimmte) Allegorie, die denn auch bei Hartmann in ein vier Wochen währendes Freudefest ausläuft[55]. Wenn die Erzählung danach wieder in reale Handlung einmündet, geschieht es auf der neuen, durch die Allegorie gesicherten Ebene.

9. *Departi sont, la joie fine* (6410) – Crestiens Erec nimmt die Freude mit sich zu Artus und zur Krönung. Bei Hartmann aber tritt, mit einer charakteristischen Naht[56], für das Stichwort *vreude* am Schluß von Brandigan ein neues ein: *erbarmen*[57]. Was er damit bezweckt, ist eine Umstilisierung der bei Crestien bis zum Ende ganz immanenten, ganz sinnlich-sittlichen Handlung ins Religiös-Sittliche.

Das vollendet er in seinem neuen Schluß: der *Rückkehr nach Karnant*. Crestien öffnet den Roman, der sich bereits in die Allegorie erhöht hatte, nun in die geschichtliche Wirklichkeit hinein: die Krönung spielt in Nantes, und die Vermutung, daß Crestien hier auf ein zeitgenössisches historisches Ereignis anspiele[58], hat viel Anziehendes.

Mit der Rückkehr nach Karnant durchbricht auch Hartmann am Schluß des Romans die Spielwelt der Aventiure in die Wirklichkeit hinein – aber in die Wirklichkeit der kirchlichen Religiosität (10124 ff.).

Auch bei Crestien kommt freilich das Religiöse noch zu Wort: sein Erec kann sich auf die Nachricht vom Tode seines Vaters hin mit Messen und Almosen nicht genug tun (6528 ff.). Aber das ist mehr immanente, zur höfischen Vollkommenheit gehörende Loyalität auch gegen Gott. Erst Hartmann bringt das Religiöse direkt herein – er verhärtet damit aber doch auch die höfische Spielwelt seines Romans ins Naturalistische[59].

III

Bleibt noch zum Schluß der *Zusammenhang des Ganzen* zu überschauen. Joie de la curt deutete ihn allegorisch an. Es gibt aber auch kompositionelle Zusammenhänge, die die beiden Teile noch enger verbinden.

1. Einige mehr formale kennen wir bereits. So die spiegelbildliche Korrespondenz von Erecs und Enitens Ritter- und Schönheitskampf gegen Iders und seine (namenlose) Freundin in Tulmein – zu dem gleichen Kampf des Paares gegen Mabonagrin und seine (ebenfalls namenlose) Freundin in Brandigan (bis in Einzelheiten: die Lage des Paares: dort in Leid, das Freude erwartet – hier in Freude, der Leid vorhergesagt wird; Freude der Bürger beim Eintritt hier und dort, die aber in Brandigan beim Anblick Erecs sich in Leid verkehrt[60]; dort die Stange mit dem Sperber – hier die Stange, die auf Erecs Kopf wartet usw.). Ebenso die Pferdeknechtsdienste Enitens in Teil I und Teil II bei ihrem ersten Auftreten[61] – das Pferdegeschenk an sie in Teil I und II bei der Wende zum Abschluß[62], gleichsam als Entschädigung.

2. Das ist gewiß formal sehr fein – aber es befriedigt nicht ganz: es fehlt darin eine inhaltliche Verbindung von I und II. Wir haben aber auch die Interpretation des ersten Teils bisher vernachlässigt: Von den inzwischen

genommenen Einsichten aus erst möglich, wird sie uns dann wieder in diese Verbindung erst eigentlich zurückführen.

Am Anfang steht Erec in 'neutraler' Situation da: er ist weder in der Repräsentation am Artushof noch im Abenteuer; er ist 'neutralisiert' als Begleiter der Königin (im Festgewand – aber nicht am Hof; unterwegs – aber ohne Waffen) [63]. Von da aus führt ihn die Aventiure in vier schnellen Schritten bis ganz in die Tiefe: der Geißelschlag des Zwergs (2) beraubt ihn der neutralen (unbewaffneten) Ehre – Tulmein (3) der Gemeinschaft – die Arme Herberge (4) schließlich der sozialen Stellung.

Aber jeder dieser Schritte bereitet, indem er den Helden hinunterführt, zugleich auch seinen Wiederaufstieg in ein, nun jedoch selbst errungenes, höfisches Dasein. Denn im in der Tiefe dämmernden Zentrum der Bühne gewissermaßen tritt ihm Enite entgegen. Angesiedelt an diesem tiefsten Punkt, bis zu dem Erec hinabsteigen muß, und hier in ihrer Schönheit ebenso 'neutralisiert' wie er in seinem Rittertum, ist gerade sie die Ergänzung, die Erec braucht, um die Stufen nun Schritt für Schritt zurückzusteigen [64]: ihre durch ihn 'entdeckte' Schönheit ermöglicht ihm, den Beleidiger zum Sperberwettkampf zu stellen und dabei auch die eigene Ritterschaft zu 'entdecken' [65].

Dem Paar also gelingt der Sieg über Iders, und schon das führt sie empor, über ihre Anfangsneutralität hinaus: in die Mustergültigkeit des im Wettbewerb erkämpften Ritter- und Schönheitssiegs. Dem Paar wird dann die Hochzeit zuteil, und sie wird eingerahmt durch einen nochmaligen, höheren Doppelsieg: den von Artus gespendeten zweiten Schönheitspreis (den Kuß) und den am Artushof erworbenen zweiten Ritterpreis (im Turnier). So mündet ihr Aufstieg auf der Höhe eines idealen, vom Artushof in breiter höfischer Repräsentation bestätigten Musterpaares.

3. Den gleichen Weg aber wiederholt ja, wie wir wissen, noch gesteigert der zweite Teil: ein doppelter Kursus faßt also auch das Ganze zusammen! Auch in II muß das Paar noch einmal hinuntersteigen – aber bis ins tiefere 'Nichts' der Todesgegenwart (5), damit der Tod selbst die Notwendigkeit seiner Minnegemeinschaft erneut bestätige und sie von da aufs neue hinaufstiegen, wieder bis zum Artushof zurück, aber nun, seine spielerisch-repräsentative Verbindlichkeit überhöhend, in die Verbindlichkeit eines allegorischen, am Ende aber, in die reale Wirklichkeit geöffnet, eines 'realen' Musterpaares [66].

Zu Wiederholung und Steigerung tritt nun aber auch hier die bewußte Kontrastierung: in Teil I läßt sich Erec seinen Weg vom Schicksal abzwingen – in Teil II nimmt er den gleichen Weg bewußt auf sich, ja fordert ihn freiwillig heraus. Und dieser Kontrast ist der innere Antrieb, der Unterschied wie Beziehung beider Teile nach Anlage und Inhalt bewirkt – bis in die Einzelheiten hinein! Im Inhalt: alle Episoden des ersten Teils sind 'Zufälle',

die von außen Erecs und Enitens neutralisiertes Dasein angreifen: die Jagd
(*1*), die zufällige Begegnung mit Iders (*2*), der zufällig auf dem Weg nach
Tulmein ist (*3*), dort die Begegnung mit Enite (*4*). Die Abenteuer des zweiten Teils aber, so sehr auch sie Erec 'begegnen', bestimmen nicht ihn, sondern er bestimmt sie: freiwillig wählt er die Reise, freiwillig auch Ent-
sagungen darüber hinaus – diese aber prägen den Inhalt der einzelnen Episoden: der Verzicht auf Begleitung fordert die Begehrlichkeit der Räuber
heraus (*1*), durch den Verzicht auf die Minnegemeinschaft reizt Enitens
Schönheit die Begehrlichkeit des Grafen (*2*), der Verzicht auf höfische Ehre
bestimmt die Guivreiz-Begegnung (*3*), der Verzicht auf die »Freude des
Hofes«überhaupt die Zwischeneinkehr(*4*), nur an der Stelle des Umschwungs
(*5*) ist Erec mit tieferem Sinn ohnmächtig, damit der Tod selbst ein neues
Leben bestätige [67]; darauf aber wählt er wieder frei die Wiederherstellung
des vorher Preisgegebenen, die ihn dann durch die positive Wiederkehr der
gleichen Ereignisse führt: *6, 8*. – In der Komposition: Der Zufall in der
Hand des Schicksals ist es, der Erec in Teil I ohne Besinnen aus einer Begegnung in die andere reißt, bis er Enite findet; mit ihr zusammen aber
kann er dann diese Handlungsanfänge Schritt für Schritt entwirren bis zurück zum Ausgangspunkt, dem Artushof: das ergibt genau die Verschach-
telung, das Kompositionsprinzip des ersten Teils. Im zweiten Teil bestimmt
Erec selbst die Reise, und ihre Abenteuer reihen sich an ihr entlang auf,
in zwei sich wiederholende 'Kurse' gegliedert durch den freien Verzicht und
die freie Wiederherstellung der höfischen Lebensform: die Komposition des
zweiten Teils.

4. In diesem Kontrast liegt damit die *Deutung des Ganzen*. Doch muß, ehe
davon die Rede sein kann, noch einmal auf eine bisher vernachlässigte Szene
eingegangen werden: den Karnantaufenthalt, der als Gelenk beide Teile
zusammenfügt. Denn von ihm pflegt üblicherweise die Deutung des Romans auszugehen. Ihre Ergebnisse sind allerdings sehr widersprechend [68],
dazu im Inhalt meist vage, im Aufbau gewaltsam: wer ganze Episoden aus
der von ihm behaupteten Deutung als Flickwerk ausschließen muß, der
legt leicht dem Dichter zur Last, was er selbst als Interpret gefehlt hat.

Was geschieht in Karnant? Hier im Alltag erscheint das Paar aufs neue
'neutralisiert': Erec wird im Genuß der Minne bequem (*2933, 2966* ff.), vergißt auf Ritterschaft und Ehre (*2969*), »verliegt« sich (*2971*). Das Paar verliert die Musterstellung (*ein wandelunge an in geschach 2984*, schon bei Crestien
changier 2468) [69], die *vreude* in Karnant wird *schande* (*2986, 2990*), zum Schmerz
der Umgebung und zum Kummer Enitens, die sich selbst die Schuld zu-
mißt [70].

Die Deutung hat uns die Allegorie von Joie de la curt schon abgenommen (s. oben S. 144): Dem Musterpaar aus Teil I fehlt doch noch eine letzte
Bedingung dauernder Vollkommenheit. Sie in einer neuen freiwilligen

Schicksalsprobe zu suchen, zieht Erec aus. Als er in Karnant vor die *wandelunge* gestellt wird, gibt er augenblicklich alles Errungene wieder preis, um sich und Enite, um ihre Minnegemeinschaft aufs neue der »Aventiure« darzu bieten, ob sie sie aufs neue bestätige – oder verwerfe: *ez was durch versuochen getân,* nicht nur *ob sie im wære ein rehtez wîp* (6781) [71], sondern auch ob er gleichermaßen noch ihr 'rechter Mann' sei – zusammengehörig nach Bestimmung und Notwendigkeit [72].

Nicht Probe auf Enitens (gar nicht bezweifelte) Treue ist also, auch von der verbindenden Szene aus gesehen, die Abenteuerreise, auch nicht Probe auf Erecs (ebensowenig bezweifelte) Rittertüchtigkeit, oder auch ein mixtum compositum aus beiden nach verschiedenen Vorlagen, die nur aus Mißverständnissen der Dichtung konstruiert sind – sondern ausschließlich Probe auf ihre Minnegemeinschaft! Es ist die gleiche Probe, die schon den ersten Teil aufbaute.

Als Bausteine dieser Minnegemeinschaft, als Grundstoff des ganzen Romans aber dienen dann doch nur zwei Motive: die Schönheit Enitens und die Rittertüchtigkeit Erecs. Sie werden in jedem der beiden Teile als Grundbedingung der Minne und damit der höfischen Ehre und »Freude« doppelt erprobt: in I in je zwei Schönheits- und Ritterkonkurrenzen, die das Paar zusammenführen – in II in je zwei tieferen Gemeinschaftsproben, die doch auch aus Enitens Schönheit und Erecs Rittertum folgen [73]. In I sind sie (durch schicksalhaften 'Zufall') zusammengebunden als Abenteuer (IA) und Erfüllung am Artushof (IB) – in II (freiwillig) auseinandergelegt in Preisgabe (II A) und Wiederanerkennung (II B), darum hier jedesmal eigens abgeschlossen durch den Artushof als 'maßstäbliche' Schlußsituation und eigens verklammert durch den 'epischen Doppelpunkt' zu Anfang und die allegorische Deutung vor dem Ende.

Rittertüchtigkeit und Schönheit bestimmen also das Wesen, den höfischen 'Rang' von Mann und Frau (während *adel, minne* und *triuwe* – s. oben S. 144 – sich wie das Moralische von selbst verstehen). Aber sie bleiben jedes für sich 'neutralisiert', unwirksam – erst im Zusammenwirken führen sie Erec und Enite aktiv in die höfische Welt und in ihr bis auf den Gipfel idealer, durch Artus bestätigter Vollkommenheit (I). In Karnant aber zeigen sich Rittertum wie Schönheit aufs neue 'neutralisiert', d. h. unwirksam, wird so die ideale Vorbildlichkeit ihrer »Freude« aufs neue zerstört – weil Erec das Errungene noch als Besitz genießt. Durch eine zweite, nun freiwillige Erprobung bis in die 'letzte' Probe vor dem Tod muß er noch lernen, daß alles erst dann Bestand hat, wenn es als Geschenk aus der Hand der Aventiure empfangen wird zu Dienst und Leistung in der Welt. *L'enor*-Ehre oder »*bî den liuten* sein« nannte das die Allegorie (S. 145).

5. In diesem 'architektonischen' Sinn ist der Erec ein *Thesenroman.* Gibt es darum aber – um damit zu schließen – hier nur 'Schematismus', keine

Menschen, keine Charaktere, nicht Schuld und Sühne, keine Entwicklung? Es gibt sie sicherlich – sonst wäre der Roman Crestiens wie Hartmanns nicht das vor allem künstlerische Werk, das er ist. Aber nicht im Sinne moderner psychologischer Subjektivität – sondern als Seinsverwirklichung in mittelalterlichen 'Universalien'. Das ist der Hintergrund dieses Schematismus. Die Schuld Erecs ist objektiv: sie wird ihm nicht psychologisch zugerechnet – sie 'geschieht' ihm. Darum sieht er sie, als er davor gestellt wird, ja auch augenblicklich ein und nimmt freiwillig die Sühne auf sich (wie die Helden aller vier Epen Hartmanns). Diese Sühne aber ist gerade darum keine 'Entwicklung', keine 'Läuterung', sondern – eine Buße.

Der gleiche Grundton geht durch alle vier Epen Hartmanns: Wer sich in dem Dasein, das ihm geschenkt ist, genießend abschließt, oder, mit Gregorius zu reden, wer im *zwîvel* lebt [74], der neutralisiert es, der macht seine Kräfte unwirksam; wer aber durch freiwillige Preisgabe, wer durch Buße lernt, es von oben zu empfangen, der erst kann auch seine irdischen Kräfte recht benutzen: als Aufgabe und Dienst zur Ehre in der Welt wie zum Lohn bei Gott. Die höhere Macht, der man sich unterwirft, ist hier wie im Iwein die Aventiure. Sie rückt so aber ganz in die Nähe der geistlichen Epen, wird fast ein weltlicher Arm Gottes! Es ist ein christlicher, ein Augustinischer Gedanke [75], der im Mittelpunkt unseres Gedichts steht wie im Mittelpunkt aller Epen Hartmanns.

Dies ist das Neue bei Crestien und Hartmann – das Neue aber auch für unser, in letzter Zeit ja auch neu in Bewegung geratenes Bild vom 'ritterlichen Tugendsystem': Auch das hier in seinen Inhalten ganz innerweltlich gewordene ritterlich-höfische Lebensideal wird nun gerade durchwaltet gezeigt von der gleichen Struktur, die das christlich-augustinische Verhältnis des Menschen zu Gott bezeichnet. Nicht der Einbruch einer neuen 'Weltlichkeit' und 'Diesseitigkeit' einer 'höfischen Klassik', aber auch nicht eine direkte Vereinigung von Weltdienst und Gottesdienst ist der Grund des neuen höfischen Lebensideals, das sich hier auftut – sondern eine Vereinigung beider, als getrennter Lebensgebiete, durch die gleiche innere Struktur, die hier wie dort waltet: eine *analogia entis* im wahrsten Sinn des Wortes. Daß sich mit diesem Begriff weite Zusammenhänge zur Aufgabe stellen, braucht ja nicht betont zu werden.

Wie steht es schließlich mit der Schuld Enitens in unserem Roman? Wer sie, entgegen Hartmanns ausdrücklicher Versicherung (6775), auch nur einer Mitschuld zeiht, der versündigt sich an einer der reinsten Frauengestalten in Mittelalter und Neuzeit. Denn sie weiß von Anfang bis Ende nichts anderes als demütigste Liebe: eine Liebe, die ihr Geschick ganz und in jedem Augenblick dem opfert, von dem sie es empfing – ihrem Freund und Mann Erec.

PARZIVAL

Ein Versuch über Mythos, Glaube und Dichtung im Mittelalter

SCHON CHRETIEN VON TROYES, der geheimnisvolle klare Schöpfer des Artusromans und einer der größten Erzähler der Weltliteratur, Vorbild der nicht im Schöpferischen, aber im Nachverstehen kongenialen Deutschen Hartmann von Aue und Wolfram von Eschenbach – schon Chrétien also bindet in seinem letzten, unvollendeten Werk, dem Perceval, neu zusammen: die märchenhaften Artusritter-Abenteuer seiner früheren Epen und eine ausgesprochen christliche Symbolik: Gralkelch, blutende Lanze, Fischerkönig, dazu christliche Lehre und kirchliche Handlung. Es ist eine neue Mischung der Elemente, kein Gattungssprung in die Pseudo-Legende Roberts von Boron, auch nicht der deutsche Gattungssprung in die Ritter-legende wie Hartmanns Gregorius und Armer Heinrich.

Wolfram von Eschenbach überzieht seine deutsche Vollendung des Werks, seinen Parzival, mit einem Zwielicht von Geheimnis und Ironie zugleich, einem Funkeln in Anspielungen nicht nur aus der zeitgenössischen deut-schen und französischen Literatur aller Gattungen, sondern auch aus bunter 'Wissenschaft': medizinischer Stein- und Kräuterkunde, Geographie, Astro-nomie, bis hin zur Theologie der neutralen Engel. Er verunklärt Chrétien gegenüber die christliche Symbolik, Lehre und Kulthandlung: der Gral ein »Ding«, ein »Stein«, Trevrezent ein einsamer Laien-Asket; er verstärkt das Schuldproblem bis ins Paradoxe: die Tötung Ithers, dort als Befreiung der höfischen Welt von einem Herausforderer gepriesen, wird »Sünde«; wie er überhaupt, den Brauch Hartmanns noch steigernd, die Charaktere Chrétiens bis ins Unverständliche schönt – Orgeluse! – und alle und jede benennt und zur Verwandtschaft zusammenbindet.

Und zwar all dies bewußt, tiefsinnig und witzig zugleich, wie um seine Zuhörer um jeden Preis zu verwirren. Gleich der immer wieder umwor-bene Prolog zeigt dies wenigstens deutlich, schon mit dem Gleichnis der Elster, Bild des im *zwîvel* zwischen Hölle oder Himmel schwebenden Men-schen, das dann geradezu als Witz fortgeführt wird: *Diz vliegende bîspel...* (1, 15ff.). Wolframs 'Humor' ist eigentlich immer irritierend, verbindet absichtlich Heterogenes, was z. T. aus der Technik des dunklen Stils stammt, mehr aber im Zentrum seiner Absicht entsteht.

Schon die früheren Chrétienschen Artusromane vereinigen jedoch zwei programmatische Bereiche oder Welten, so daß in Perceval-Parzival in Wahrheit deren drei zusammentreffen:

1. Die Welt des Abenteuers
2. Die Welt des Artushofes
3. Die Gralswelt.

I. Bestand und literarische Tradition der drei Welten

1. Chrétiens *Welt des Abenteuers* ist Topos-Landschaft voll realer Atmosphäre: Wald und Lichtung, Burgen und Städte. In ihr bewegen sich Menschen aller Stände: Könige, Ritter, Bürger, Kaufleute, der Fährmann und seine Tochter; Gute und Schlechte, Schöne und Häßliche in Glück und Leid, bei Feindschaft und in Frieden, bei Festen und im Alltag. Sie sind so plastisch wie Gestalten der französischen Kathedralen: Mittelalter, aber mit einer bezaubernd schimmernden Atmosphäre von Realität, die doch auch bis ins Märchen führen kann, auf Zauberburgen, in Wundergärten. In diese Welt tauchen die Artusritter hinein, im Mittelpunkt Parzival und Gawan. Hier 'kommt ihnen zu', als Aventiure, was am Artushof Rang und Glanz begründet: Rittertat und weibliche Schönheit, die die Minne vereint, Bedrängnis und Hilfe, Hand und Land der Dame.

Bei Wolfram verliert das, wie schon bei Hartmann, viel von seiner schimmernden Atmosphäre. Wichtiger ist hier die Tatsache, daß seine Bücher I und II der Geschichte Parzivals eine Geschichte des Vaters Gahmuret voranstellen, die er später kunstvoll 'dunkel' mit der Parzivalhandlung verknüpft. Formal verstärkt er damit die Wendung schon des Chrétienschen Perceval zu einem biographischen Romantyp. Inhaltlich aber führt Wolfram in Buch I und wieder am Schluß von Buch II in einen bunten Märchen-Orient. Nicht zur Heidenbekämpfung. Sondern zu heidnischem Herrendienst beim »Höchsten«, dem Baruc von Baldac = Kalif von Bagdad, in dem er den Tod findet; und zu heidnischer, darum wieder verlassener Minne bei Belakane vom Mohrenland Zazamanc, deren elsternfarbener Sohn Feirefiz dann in Buch XV seinem Halbbruder Parzival begegnet. Im zweiten Buch häuft Wolfram dazu französische Anspielungen im Anschouwe-Komplex und zur Heirat mit Herzeloyde, der Mutter Parzivals.

Die Vorgeschichte von Chrétiens Real-Atmosphäre gehört mit zu dem großen Chrétienrätsel. Sie braucht uns hier nicht zu beschäftigen. Wolfram hat im Gahmuret-Umkreis wahrscheinlich auch zeitgenössisch Reales, historische Ereignisse, Rechtsverhältnisse usw., dem Werk angelagert. Alle Deutungsversuche bisher schweben jedoch im Ungewissen, weil sie sich noch nicht auf ein methodisches Gesamtbild von Wolframs Werk beziehen ließen.

Deutlich steht nur Wolframs Gahmuret-Orient in einer Vorgeschichte: in der Geschichte abendländischen Kreuzzugs-Bewußtseins, wohl sogar deutscher Dichtung. Schon Ezzos Bamberger Kreuzlied, rein heilsgeschichtlicher Hymnus, vielleicht jedoch von östlicher Liturgie inspiriert, jedenfalls schon die christliche Lichtsymbolik, auf die später Wolfram sich bezieht, als johanneische Logostheologie ausbreitend – schon Ezzos Lied hatte 1064 die erste deutsche Massen-Pilgerfahrt ins heilige Land begleitet. Das Annolied, Bistumsgeschichte und Heiligenvita in Strophen, führt dann um 1080 den Raum ein, in dem das deutsche Orientbewußtsein der Folgezeit sich hält. Neben die, auch wesentlich palästinensische, jerusalemische Heilsgeschichte: Luzifer, Schöpfung, Sündenfall, die Erlösung und das Weltgericht, tritt die Reichsgeschichte. Durch die translatio imperii, die hier schon mit Cäsar beginnt, steht das deutsche Reich in einer kontinuierlichen Vorgeschichte wachsend universaler Weltreiche von Ninive über das Perser- und Alexanderreich bis zum Welt-Kaiserreich Cäsars, seit Augustus mit der irdischen Weltherrschaft Petri in Rom verbunden.

In diesem Rahmen entwickelt die deutsche Epik das Orientbewußtsein weiter, zuerst noch geschichtlich in der Kaiserchronik, dazu Alexanderlied und Rolandslied, erste Stufe französischer Rezeption, auch König Rother und die sogenannten Spielmannsepen und noch die Pilatuslegende. Nur wird es hier schon zusehends märchenhafter. Mit Graf Rudolf und Trierer Floyris aber kommt die Minne hinein, vor der noch Herzog Ernst ausbog, damit das höfisch ritterliche Bewußtsein der zweiten Stufe französischer Rezeption; vor allem aber statt des geschichtlichen ein gegenwärtiges, wenn auch phantastisches Orientbild: das der Kreuzzüge. Dieses fügt Wolfram seinem Artusepos dritter Rezeptionsstufe, seit Hausen und Hartmann, im Gahmuret-Feirefiz-Sekundille-Clinschor-Komplex ein. In welchem Ausmaß er dabei die älteren deutschen Werke benutzt, bleibt freilich noch immer ungewiß. Denn man muß beachten, daß sie und er sicherlich aus einer breiteren, literarisch nicht dokumentierten Tradition von Orient-Vorstellungen lebten. Das Wesentliche auch der deutschen Dichtung muß aber Wolfram gekannt haben.

2. *Artuswelt*. Gahmuret gehört jedoch zur Artusfamilie. Parzival ist von *Gahmuretes art* (174, 24), und so kommt vom Urahn Mazadan her Parzivals *mannes muot,* von der Urahne, der Fee Morgan, die Wolfram mit ihrem Landesnamen Terre de la schoie nennt, sein *muot* zur Minne (56, 17ff.; vgl. 585, 13ff.). Es ist die Welt der Artusfamilie, des Artushofes und der Tafelrunde, die matière de Bretagne, in Frankreich seit Chrétiens, in Deutschland seit Hartmanns Erec das literarische Idealbild höfisch-ritterlicher Vollendung. Wolfram baut diese Welt kraus genealogisch weiter aus[1].

So, wie eine breite Forschung ihr Entstehen verfolgen konnte, erscheint Artus, wohl aus keltischer Sagenwelt auftauchend, um 1100 auch noch im Zuge der gelehrt historischen Sagenbildung. Schon die fränkische Fredegar-Chronik des 7. Jahrhunderts enthielt ja die gelehrte Sage von der Abkunft der Franken aus dem Trojanischen Krieg (vgl. Otfried I, 1), die das Anno-lied um 1080 zu Herkunftssagen der vier deutschen Stämme erweitert. Trojanische Volksgenealogie suchten damals auch andere Nationalhistori-ker. So für die Normannen Dudo von St. Quentin. Für die Briten aber setzt Galfred von Monmouth (um 1137) der schon bei Beda gegebenen Herleitung von Brutus eine monumentale antirömische Großreichsphan-tasie um Artus zur Seite. Schon hier tritt das 'Historische' zurück. Seit Chré-tien ist dann Artus nur noch maßgebendes Zentrum für die Tafelrunder. Ihre Ritter-Abenteuer in der äußeren Welt verbinden sich mit dem Artus-hof durch Rückkehr (Erec, Lancelot, Iwein) oder Queste (Parzival, Ulrichs Lanzelet). Real Zeitgenössisches und Märchenhaftes vereint sich zu ge-heimnisvoll anziehenden Komplexen von symbolhafter Unausgesprochen-heit.

In deutscher Literatur hat diese Welt keine Vorgeschichte, obwohl deut-sche Werke zur Rekonstruktion der französischen oft unentbehrlich sind. Sie wird en bloc aus der französischen Artusdichtung rezipiert. Was dort die Forschung erschwert, ist wieder das bisherige Dunkel über der Absicht und Leistung Chrétiens. Wenn sein Bild in Extremen schwankt, je nach-dem man frei umlaufende Unterhaltungsstoffe, ausgebildete keltische Artus-Romane, ritterlich travestierte keltische Jenseitsmärchen als seine Quellen ansieht, die chronologischen und Abhängigkeitsverhältnisse der außer-chrétienschen Traditionen danach beurteilt, statt umgekehrt vom Sicheren, einer nachgehenden Interpretation seiner Werke auszugehen und danach seine möglichen Quellen zu beurteilen – dann ist in diesem weiten Feld keine Sicherheit zu gewinnen.

3. *Gralswelt.* Durch seine Mutter Herzeloyde stammt Parzival aus Grals-geschlecht. Vom Urahn Titurel leitet sich seine *triuwe* (451, 3 ff.), er ist *ganerbe,* der einzige schließlich, zum Gral (333, 30). Damit kommt in den Artusroman hinein der Gralkomplex, der sein neues Zentrum wird. Er ent-hält, wie wir schon zu Anfang sagten, wesentlich christliche Motive, ob symbolisch wie bei Chrétien, ob noch krauser verrätselt wie bei Wolfram. Interpretation und Quellenforschung stehen hier vor den wichtigsten Fragen wie vor der größten Wirrnis, schon durch das Zwielicht über den Texten selbst verleitet. Überblicken wir zunächst wieder so knapp wie möglich, doch hier notwendigerweise mehr im Detail, den Bestand, wie ihn Wolf-ram beim Gralbesuch (V) als Rätsel, bei Trevrezent (IX) als Erklärung und im Schluß (XVI) als Auflösung zeigt. Dabei ist zu unterscheiden zwischen Gral-Beschreibungsmotiven und Parzival-Handlungsmotiven.

Gralsland und Gralburg. In wüster Wildnis und dazu aufs stärkste verteidigt liegt die Burg, zu der man, allein, nicht mit Absicht, sondern nur *unwizzende* gelangt (250, 28). Die Gralherrschaft aber und ihre Pracht reichen unbestimmt weit und hoch über alles hinaus, wie nur noch des Feirefiz östliches Reich.

Gralgefolge. Ritter und Jungfrauen edelsten Geschlechts beruft das *epitafjum*, die Inschrift am Gral, aus allen Landen als Kinder zum Dienst. Keuschheit ist ihr Gebot. Die Ritter, bei Wolfram *templeisen* – Templer genannt, haben nur die Unzugänglichkeit des Gralslandes zu verteidigen, die Jungfrauen dienen beim Gral. Aus jenen schickt man außerdem heimlich weltliche Helfer für bedrängte Länder, dann auch zur Ehe; um diese kann offen zu fürstlicher Ehe geworben werden.

Gralkönigtum. Beim Gral herrscht nach Wahl-Erbrecht (478, 2; 796, 17) die Familie des Titurel, der König wird aber auch durch das *epitafjum* berufen. Er darf auf Minnedienst ausziehen, aber nur der dienen, die das *epitafjum* nennt (478, 14), wogegen Amfortas verstößt. Dem König allein ist nach gleicher Verkündigung die Ehe beim Gral erlaubt. Sein Dienst besteht im Streiten für den Gral, was aber hier noch weniger als bei den Rittern konkret sichtbar gemacht wird.

Der Gral selbst ist bei Wolfram ein »Ding«, ein »Stein« mit Namen *lapsit exillis,* das größte Wunder auf Erden (235, 24), Fülle aller Weltsüße fast wie das Himmelreich (238, 22). Nur Getaufte können ihn sehen. An Festen wird er von einer Jungfrau – allen andern ist er zu schwer – und von Jungfrauen umgeben vor der Gralgemeinde ausgesetzt wie eine Reliquie, und zaubert wie ein Tischlein-deck-dich deren feierliches aber irdisch reiches Mahl: *spîse warm, spîse kalt...,* dazu beliebiges Getränk. Auch die Minne-Büßerin, die Rekluse Signe wird von diesem Gralswunder gespeist; auch das Taufwasser zu Feirefiz' Taufe spendet er so. Dazu hat er die Kraft, jeden, der ihn erblickt, eine Woche lang am Leben und in seinem Alter zu erhalten. Aber er heilt nicht Wunden noch Leid. Seine Kraft hat er von der »kleinen, weißen Oblate« (470, 5), die eine Taube am Karfreitag vom Himmel auf ihn niederlegt. Die Taube ist seit Amfortas das Gralswappen.

Gralsgeschichte. In Buch IX erzählt Trevrezent, daß die im Kampf Luzifers gegen Gott neutral gebliebenen Engel auf Erden beim Gral waren, ehe er dem Titurelgeschlecht anvertraut wurde. Ihr Schicksal bleibt ungewiß. In Buch XVI (798, 1–30) nimmt Trevrezent das als zu Parzivals Trost erdachte Lüge zurück: sie sind verdammt[2]. Entdeckt wurde, so erzählt Wolfram selbst, das Gralgeheimnis kraft astronomischen Wissens durch den Heiden Flegetanis, christlich gedeutet sowie mit dem Titurelgeschlecht *und* dem Artuskreis (455, 13) in Verbindung gebracht durch den Provenzalen Kyot, den Wolfram am Schluß gegen seine einzige Erzählungsquelle, Chrétiens Perceval, ausspielt[3].

Die Handlungsmotive, die den Gral mit Parzivals Weg verbinden, hängen alle mit Leid in der Gralkönigsfamilie zusammen[4]. Von Titurels Enkeln tragen drei »Leid bei reichem Leben« (251, 12): die Frauen Schoysiâne und Herzeloyde sterben an ihren Kindern Sigune und Parzival; Amfortas lebt – tod-siech an der Gift-Wunde, die er im Minnedienst um Orgeluse, den der Gral nicht erlaubte, durch einen Heiden empfing – nur vom Anblick des Grals weiter. Der vierte, Trevrezent, lebt in Armut heiligmäßig als Einsiedler, seit Amfortas verwundet wurde. Die letzte, Repanse de schoye, ist die Gralsträgerin.

Parzival, der einzige Urenkel, schließlich der einzige Erbe zum Gralkönigtum, kommt nicht als namentlich Berufener zum Gral, sondern *unwizzende*, aber angekündigt als der, der durch seine, nochmals *ungewarnete* Frage nach des Amfortas Leid ihn heilen und das Königtum statt seiner erwerben soll (483, 20). Da er die Frage versäumt, bleibt Amfortas im Leid, und ihm selbst verkündet die Verfluchung durch Sigune und Cundrie den endgültigen Verlust von Ritterwert und -ehre.

Damit stellt sich die Frage nach Parzivals Schuld. Bei Trevrezent (Buch IX) erkennt, bereut und beichtet er verschiedenartige Verfehlungen seines Lebens bisher. Zuerst: er hat seit seiner Verfluchung durch Cundrie alle Kirchen und das Kirchenjahr bewußt versäumt, er glaubt im *haz* Gottes zu leben (332, 5 ff.), weil er Gott, der Rittertreue nicht mit seiner Hilfe lohnte, den schuldigen Dienst aufsagte, und trägt den gleichen rechtlosen Zustand als *haz* gegen Gott (441, 5 f.). Das löst sich auf in Trevrezents Belehrung über *hôchvart,* Luzifers Sünde, und *diemuot,* der allein Gottes unendliche Hilfe zu Lohn werden kann. Zwar sind es Sünden – läßliche (Versäumnis von Kirchen und Kirchenjahr), aber in todsündiger Gesinnung (Gottesfeindschaft) –, doch Parzival ist im Augenblick der Erkenntnis bekehrt, nicht einmal seine Besserung wird später erwähnt, geschweige eine Buße.

Als zweites bekennt er seine zwiefache *nôt* (467, 25 ff.): um den Gral, den er verlor, um sein Weib Condwiramurs, die er verließ. Die Ehe-Not preist Trevrezent als Verdienst für die Seligkeit, die Gral-Not will er ihm als Torheit ausreden. Beide, Gral und Condwiramurs, Erbbestimmung und Minnegemeinschaft, werden später beim Kampf gegen Feirefiz zu Helfern Parzivals angerufen (743, 13 f.), beide Nöte zusammen am Schluß gestellt.

Erst als Drittes werden Parzival zwei *sünden grôz* (499, 20) enthüllt, die er aber ohne sein Wissen und Wollen beging: die Tötung Ithers, nur des *rêroup* wegen bekannt, stellt sich als Verwandtentötung heraus (475, 5; 475, 21); den Tod der Mutter über seinem Fortziehen auf Rittertum entdeckt ihm erst Trevrezent (476, 12 ff.). Auch für diese ungewußten »Sünden« legt er ihm nicht Buße auf – aber ein ganzes Bußleben und Besorgung eines guten Todes (499, 27 ff.).

Am schwersten gesteht Parzival seinen verfehlten Gralbesuch. Die Unter-

lassung der – wieder ungewußten! – Frage nach Amfortas' Leiden gilt ebenfalls als *sünde* (473, 14 und 18; über 501, 5 s. u.). Parzival wird dadurch unglücklich und ehrlos. Sigune, Cundrie und Trevrezent klagen ihn an, daß
er kein Mitleid, keine *triuwe* hatte, als er, *unwizzende*, Amfortas durch die
ungewarnete Frage zu erlösen bestimmt war – wozu ihn aber, wie zum eigenen Gralkönigtum, das *epitafjum* angekündigt hatte. Die Frage selbst ist
auch bei Wolfram keine Mitleidsfrage, in den beiden Formulierungen, die
er gibt (484, 27; 795, 28), sondern reine Tatsachenfrage nach dem Grund
von Amfortas' Leiden. Trevrezent gibt auf das Geständnis nur den Rat, nach
anderem wertvollem Ersatz für den entgangenen Gral zu streben (489, 13ff.),
nicht nach dem Gral! Er stellt also nur Parzivals Ritterehre vor Gott richtig,
die Gralbestimmung bleibt nach seiner Meinung versäumt.

Als letztes werden, fast im Scherz, *sünden* abgetan, die mehr gegen höfische
Etikette, höchstens höfisches Recht verstießen. Den Besitz des Gralrosses
rechtfertigt Parzival selbst (500, 1ff.). Aber auch daß er Repanses Mantel
und Amfortas' Schwert nicht mit der Frage dankte (501, 2ff.), auf die hin
sie ihm gegeben waren, tut Trevrezent ganz nebenbei ab: *die sünde lâ bî den
andern stân* (501, 5ff., ähnlich gebraucht etwa von Feirefiz 759, 15). Auf die
unterlassene Frage selbst, wie fast durchweg angenommen wird, bezieht sich
sünde hier nicht.

Soweit die Schuld. Sünde ist hier in keinem Falle beichttheologisch behandelt[5]. Nur für eine »Sünde« wird Bußgesinnung, nicht Buße auferlegt:
für das Verwandtengeschick, Ithers und der Mutter Tod. Der Laie Trevrezent verspricht, als Bürge vor Gott (*wer* 402, 26), stellvertretende Fürbitte
und Buße. Daß er Parzival »von Sünden schied« (501, 17, dazu 448, 26),
braucht schon deshalb nicht als Absolution gemeint zu sein, weil es keine
Sünden im strengen Sinne sind. Die Beichte vor dem Einsiedler ist auch
weder eine sakramentale vor dem Priester, noch eine Notbeichte vor dem
Laien ex desiderio sacerdotis[6]. Dafür steht am Schluß der Einkehr das
bezeichnende Lob des Priesters[7]. Den Rat Trevrezents, in demütigem,
aber ritterlichem Leben *des willen unverzagt* zu bleiben, bezieht Parzival
auf den Gral, den er so am Schluß auch gewinnt – zum Erstaunen Trevrezents.

Zum Verständnis gehören noch die drei Lehren, die Parzival gewissermaßen als Leitmotive für die drei Stationen seiner Queste zuerst nach Artus,
dann nach dem Gral erhält. Die erste Lehre gibt ihm seine Mutter. Er be-
folgt sie wie ein Tor, als der er auch ausreitet: rein praktisch dumm am
Bächlein ohne Furt, im Minnedienst zerstörend bei Jeschute, was er später
selbst wieder gutmachen kann, im Rittertum zur ungewußten, aber nicht
wieder gutzumachenden Verwandtentötung an Ither, die ihm die Ritter-
rüstung verschafft. Die kindliche Gotteslehre Herzeloydes bleibt, bis zur
Wiederaufnahme durch Trevrezent, ohne Folgen.

Dann die Lehre des Gurnemanz. Sie führt ihn zu äußerem und innerem Rittertum und zu Minnedienst für Liaze, den bald die Ehe-Minne mit Condwiramurs ablöst. Diese Minne wird auf seinem weiteren Weg und noch in der Gralserfüllung bestätigt. Ebenso die Ritterethik, einschließlich des Mitleidgebots. Der kirchlich frommen Gotteslehre des Gurnemanz sagt er nach Cundriens Fluch ab. Allein das Frageverbot aus dem Bereich des tieferen gesellschaftlichen Anstands [8], bei Condwiramurs nur Hemmung, die sie überwindet, wird ihm beim Gral zum Verhängnis (239, 10).

Schließlich die Lehre Trevrezents. Ihr Inhalt erstreckt sich, außer den schon besprochenen Schuldfragen, auf die allgemeine Heils- und die persönliche, verwandtschaftliche Grals-Geschichte. Beider Ziel ist rechte Demut gegen Gott im weltlichen Ritterleben. Ihr Inhalt zwar tief christlich, jedoch untermischt mit mythologisierend legendären Motiven: Luzifers Gesellen, Magdtum der Erde, Plato und Sibille; für die Gralsgeschichte sogar offen voll Geheimwissen: neutrale Engel, Astronomie. Buch, denudierter Altar und Reliquien-*kefse* zeugen für die halbgeistliche Zwischenwelt des Laieneinsiedlers, der wie Sigune weltliches Leid büßt.

Die literarischen Quellen Chrétiens (le livre?, Robert von Boron?) wie Wolframs (Kyot?) bleiben dunkel. Für die Vorgeschichte des Gralkomplexes sind viele Wege versucht worden. Der Gral gilt z. B. als Eucharistie-Symbol östlicher Abkunft (WEBER), als mystischer Altarstein (SCHWIETERING), als legendäre Kreuzigungs- und Eucharistie-Reliquie und Nachahmung der byzantinischen Messe (BURDACH), als Stein vom Paradies, aus dem Alexander-Roman übernommen (RANKE), als alchemistischer Stein der Weisen (PALGEN), ist kosmisches Welt-Mitte-Symbol aus iranischem Priesterkönigtum (RINGBOM, W. WOLF). In Parzivals Weg zu Gott und Trevrezents Belehrung spricht thomistische Scholastik vor Thomas (WEBER), bernhardische Passions-Mystik (SCHWIETERING), biblische und augustinische Sektenlehre (WAPNEWSKI), priesterliche Kult- und mönchische Volksfrömmigkeit einer »urchristlichen« Laienreform (W. J. SCHRÖDER), neumanichäische Gnosis (F. R. SCHRÖDER), Katharer-Häresie (ZEYDEL), Leid als Schicksal (MAURER). Bewußte Häresie ist auf jeden Fall auszuschließen (zuletzt WESSELS).

Dabei wird öfter anerkannt, daß eine einzige Deutung nicht ausreicht (KELLERMANN, Aufbaustil und Weltbild Chrétiens von Troyes im Percevalroman, 1936, S. 220; W. J. SCHRÖDER S. 30; W. WOLF, Festschrift Panzer, S. 76). Aber es ist doch auch unmöglich, ein kunstvolles System von Anspielungen als bewußten Bau Wolframs zu erweisen, wie MERGELL wollte. Solange der Bedeutungshorizont des Gralkomplexes in Chrétiens und Wolframs Werk, solange auch Wolframs bewußte Mischung von religiöser Stimmung und Ironie (487, 12) nicht eindeutiger geklärt sind, können auch hier die möglichen Quellen nicht kritisch beurteilt werden.

Eine greifbare literarische Vorgeschichte hat nur das, was als Wolframs
eigenste skurrile Zutat zum Gralkomplex gilt, ähnlich der Gahmuret-Feirefiz-
Welt und z. T. mit ihr verbunden: die medizinische Salben-, Kräuter-, Tier-
und Steinkunde, die Astronomie, der Schwertsegen auf des Amfortas
Schwert (490, 23), die Heilsgeschichte in Trevrezents Belehrung. Das ist die
Welt der althochdeutschen und frühmittelhochdeutschen religiös-pragma-
tischen Prosa und Dichtung, die Welt auch der früheren volkssprachlich-
geistlichen Literatur in England, der späteren in Frankreich. Ihre vielartigen
Quellen brauchen uns hier nicht zu interessieren. Ein Zusammenhang freilich ist gerade bei dieser Art Literatur noch schwerer konkret zu fassen als
für die geschichtlichen Epen. Die Vielzahl von frühmittelhochdeutschen
Werken, die MERGELL als Quellen anführt (Der Gral in Wolframs Parzival,
1952, S. 144 und 153), ist in keiner Weise bewiesen, sogar die Hinweise
auf Physiologus, Brandan und Tundalus (W. J. SCHRÖDER S. 258 ff.) sind
es noch nicht. Die religiös-pragmatische Literatur ruht, so sehr die Übersetzung aus dem Lateinischen lebt, noch stärker als die Kreuzzugsepik auf
einer breiten Schicht volkstümlicher Vorstellungen auf. Zur Untersuchung
der Abhängigkeiten müssen erst noch genauere Kriterien entwickelt werden. Daß Wolfram viel von frühmittelhochdeutscher Literatur bekannt war,
ist zunächst wenig wahrscheinlich. Denn sie wurde zum großen Teil nur
in geschlossenen Kreisen tradiert und mehr noch in Bearbeitungen 'ver-
braucht' [9].

II. Die Bedeutung der drei Welten und ihr Horizont

1. *Abenteuerwelt.* Die Bedeutung von Wolframs Orient, als Kern der Gahmu-
ret-Beziehungen, scheint zunächst nur in ihrer skurrilen Phantastik, bis in die
Namen hinein, zu liegen. Der Schluß aber greift, wie wir sahen, weiter. Steht
des christlich gewordenen Feirefiz Ostreich dem westlichen Gralsreich ver-
wandt-verbunden zur Seite, so visiert damit Wolfram einen weltpolitischen
Frieden im alten Mittelmeerreich. Das Christentum trägt ihn: Feirefiz' Taufe
und Ehe mit Repanse de Schoye. Aber mehr noch sind es märchenhafter
Reichtum, Rittertum und Minnedienst, die schon vor Feirefiz' Taufe eine
Gemeinschaft von Ost und West bilden.

Und doch nimmt Wolfram damit nicht nur den Stoff, sondern auch ein
Grundmotiv der deutschen Dichtung seit dem Annolied auf, nur in später
Märchenverkleidung: die Reichsgeschichte als christlicher Anti-Mythos.
Schon die Prologstrophe des Annoliedes spricht es ausdrücklich aus:

> *Wir hôrten ie dikke singen*
> *von alten dingen,*
> *wi snelle helide vuhten,*

wi si veste burge brechen
wi sich liebin vuiniscefte schieden
wi riche künige al zegiengen...

Hier wird nicht nur die horazische Definition des carmen heroicum zitiert[10], sondern auch der Inhalt tragischer Geschichtsdichtung von antiken Heroen und mehr noch von germanischen Völkerwanderungshelden. (Die fast wörtliche Übereinkunft mit der späten Einleitungsstrophe des Nibelungenliedes macht das Typische noch evidenter.) Ihr stellt das Annolied christliche Heilsgeschichte und historische Weltreichs- und Bistumsgeschichte entgegen, als gegenwärtige und persönliche, als ganze Verpflichtung des Menschen, als memento mori:

Nu ist ciht daz wir dencken
wi wir selve sülin enden...,

wie es dann Anno als heiliges Zeichen dokumentieren soll.

Dieser Gegensatz bedeutet mehr und anderes als die verschiedenen Äußerungen über das Verdrängen von *cantus obscoenus laicorum* vorher[11]. Denn hier steht gegen ein älteres, auf die zeitlose heroische Einzelpersönlichkeit bezogenes Geschichtsbild – verbindlich nur im Sinne der Herkunft, des Ursprungs: als Mythos – eine volkssprachlich neue, gelehrte Welthistorie, deren Schauplatz der historische Raum des Römerreiches wie des Christentums ist, bewußt historisch zurückverfolgt bis Babylon und Ninive, aber verbindlich für das Heil jedes einzelnen jetzt im »Reich«, das als politisches zugleich Reich Christi in dieser Welt ist.

Solche Welthistorie bleibt allerdings weit entfernt von der Erkundung des Historikers 'wie es gewesen ist' – sogar nach mittelalterlicher Auffassung, nicht nur nach antiker oder neuzeitlicher. Es geht dem Annolied und der ihm folgenden deutschen Dichtung nicht um Wissen, aber auch nicht nur um die Sünden-, die Teufelsangst des einzelnen und seine Buße, wie noch in der althochdeutschen Literatur. Sondern es geht um die Deutung bzw. Umdeutung eines kollektiven Bewußtseins. Die antike Abstammung der vier deutschen Stämme, die Geschichte der vier wachsend universalen Weltreiche im Universaldrama der jüdisch-christlichen Heilsgeschichte, und darin immer wieder die geschichtliche Verbindung von Orient und Okzident – sie dienen hier trotz des memento mori auch als allgemeine Orientierung der Gegenwart an 'Ursprüngen'[12], als ihre Ver-Gegenwärtigung für das jetzt in der Breite erwachende kollektive Selbstbewußtsein des geistlichen und weltlichen Adels. Sein neuer Mythos ist der alte Mittelmeerraum, der von Babylon und Ägypten, vom Schauplatz des Alten Testament an bis zum römischen Reich und der christlichen Kirche 'die Welt' war, gestört zwar durch die islamischen Eroberer, aber mit den Kreuzzügen als europäisches Ziel, als Weltmittelpunkt Jerusalem[13] wiedererstanden und in

Deutschland sogleich mit dem Gedanken des Romanum Imperium verbunden. Dieser neue christlich-politische Mythos fordert die gelehrte Mythologie des geistlichen Dichters heraus, fordert sie in der Volkssprache.

Hier liegt der Antrieb für die Entwicklung der volkssprachigen, aber
zuerst noch von Geistlichen geschriebenen Epik in Frankreich und Deutschland: in Frankreich zunächst kaum nach dem Orient gerichtet, für ein sogleich mehr lokal-nationales und zeitgenössisches Kollektivbewußtsein bestimmt, kontaminiert mit dem tragischen Heroenepos zur chanson de geste;
in Deutschland zunächst für ein konservatives, reichs- und heilsgeschicht-
liches Kollektivbewußtsein, wie besonders deutlich etwa auch am lateinischen Ludus de Antichristo abzulesen ist. Auch die deutsche Epik aber läßt
die geschichtliche Rückverbindung zusehends fallen und wird, wie wir
sahen, unter französischem Einfluß mehr und mehr zeitgenössisch, dabei
zugleich zusehends märchenhafter, sagenhafter, legendärer.

Wolframs Ausgleich von Ost und West ist ein End- und Wendepunkt
dieses vor allem deutschen, antimythischen, aber selbst fortschreitend my-
thisierten Geschichts- und Raumbewußtseins der Kreuzzugszeit. Für seinen
rein höfischen und märchenhaften Aspekt mag die Gattung, der höfische
Roman, mitverantwortlich sein – im Willehalm nimmt Wolfram das gleiche
Ziel auf, nun aber mit der Handlung und dem Schauplatz der chansons de
geste[14]. Es mag auch Abkehr von den politischen Verhältnissen der Zeit
mitspielen, vom Schicksal der staufischen Reichspolitik, von der widerspruchsvollen Fürstenpolitik der Zeit, derselbe Konflikt wie bei Walther,
mögen andererseits mehr zeitgenössische Anspielungen verborgen sein als
wir bisher ahnen. Doch würde dieser Aspekt auf jeden Fall zu kurz greifen. Denn Wolframs Gestaltung der alten Mittelmeer-Weltreichsidee, sein
höfisch-christlicher Ausgleich von Ost und West muß zusammengesehen
werden mit Parzivals Weg: mit der Gestaltung der Artuswelt, durch die
er führt, und der Gralswelt, in der er sich vollendet.

2. *Artuswelt.* Die Bedeutung der matière de Bretagne, insbesondere in den
Werken Chrétiens und seiner deutschen Nachgestalter scheint, folgt man
der communis opinio, klar. Sie dient der Verklärung des Rittertums, des
Feudalismus. Eine typische Ideologie – und da ist es nicht weit bis zum
Schema vom sozialen Unterbau und ideologischen Überbau. Erec, so glauben die meisten Interpreten, »verliegt« sich, Iwein 'verfährt' sich, damit
beide das optimale Verhältnis von Ritterkampf und Minne als Lehnsdienst-
Ideologie demonstrieren. Parzival: da wird noch die religiöse Ideologie zum
gleichen Zweck darübergestülpt. Soziologische Interpretation ist bei diesen
Musterbeispielen soziologisch bedingter Literatur unumgänglich, weit mehr
als bisher. Aber sie kann erst angewandt werden, wenn der Text eingehend
und umfassend interpretiert ist. Sonst begeht man den so häufigen Zirkelschluß, daß das soziale Bewußtsein, die Grundlage der ideologischen Deu-

tung, zum größten Teil erst aus dieser selbst rückerschlossen war. In Wahrheit sind zwar Stoff und Form dieser Werke ganz und gar soziologisch bedingt – nicht aber ist es gerade die 'Idee'!

Da war das ältere, einfachere Urteil noch besser: Unterhaltungsliteratur! Nur muß man Unterhaltung mittelalterlich verstehen: als Repräsentanz, als Teil der äußeren Vollzüge, die hier *ére,* d. h. Rang und Wert sichtbar darstellen.

Doch müssen wir der Bedeutung dieses Unterhaltungs-Stoffes in den Artusepen genauer nachgehen. Die motivgeschichtliche Forschung hat schon lange auf nahe märchen- und religionsgeschichtliche Parallelen hingewiesen. Nur nahm sie sie als Quellen in Anspruch. Dann bleibt aber für die ideell und formal hochgezüchtetsten Werke Frankreichs und Deutschlands nur unselbständige und gedankenlose Depravierung solch 'ursprünglicher' Motive übrig, wie es zuletzt noch R. S. LOOMIS demonstriert. Das verfehlt nicht nur das Bild, das die bewußte Komposition dieser Werke eindeutig bietet – davon gleich mehr –, sondern schon den Eindruck der einzelnen Motive selbst und das Bewußtsein der Dichter davon. Wir müssen sie zuerst einmal in den allgemeineren Horizont ihrer religionsgeschichtlichen Typik stellen.

Es ist nicht schwer, in Artus eine Entsprechung zum Typ des zentralen aber funktionslosen Himmelsgottes, Weltherrschers usw. zu sehen; in seiner Tafelrunde den Typ der Weltmittelpunkt-Symbole; in den Minne-Paaren die Struktur der Syzygien, die Symbolik der polaren Ergänzung mit ihrer typischen Ambivalenz[15]; in den Questen schließlich die Struktur der Suche nach dem Mittelpunkt, der Einheit, nach dem Selbst; in den Turnier- und Schönheits-Siegen seine Bestätigung. Aber das sind doch nur sehr allgemeine Analogien zu den selbst nur analogisch zusammengebrachten Symbol-, Kult-, Mythen- und Märchen-Parallelen, wie sie, religionsgeschichtlich reichlich belegt, auch sonst in den Literaturen sich fänden.

Genauer spricht eine begrenzte Zahl von Handlungsmotiven, die, in charakteristischer Abwandlung, in den Chrétienschen und nicht-Chrétienschen Artusgeschichten immer wiederkehren.

Der Erec, Chrétiens und Hartmanns Erstling[16], verwendet zur Handlung noch die wenigsten Motive dieser Art: schimpfliche Niederlage Keies; Eindringen in ein durch schwere Bedingungen unzugängliches, selbst ambivalentes Freudenland (Joie de la court).

Lancelot: Von den zahlreichen magischen und märchenhaften Episoden in Ulrichs von Zatzikhoven biographischem Lanzelet enthält Chrétiens episodischer Karrenritter nur einen Teil, wenn auch mit Wundern genug. Halten wir nur fest: die wunderbar bedingte Burg; Gefangenschaft, Minnelähmung des Helden; Befreiung der Ginover; dazu die Parallelhandlungen um Keie und Gawein.

Yvain-Iwein: das wunderbar bedingte Land (Zauberbrunnen, ambivalente
Minneherrin); Keie-Handlung (in Gesprächen) und schimpfliche Niederlage Keies; die Botin Lunete am Artushof; Minnewahnsinn des Helden,
später absichtliche Namenlosigkeit (der Ritter mit dem Löwen); Entführung der Ginover in der, nur berichteten, Gegenhandlung Gawans im Hintergrund des zweiten Teils (Gawan 'fehlt' bei der Entführung der Ginover
und, im Gegensatz zu Iwein, bei der Rechtshilfe für Lunete und gegen den
Riesen Harpin, er kämpft für das schlechtere Recht der älteren Schwester);
zum Schluß unentschiedener Zweikampf mit Gawan.

Perceval-Parzival: Namensuche, Dümmlingsmotiv und Namenlosigkeit
später (der rote Ritter); Keie-Handlung (Cunneware) im Hintergrund und
Besiegung Keies; Minnelähmung (Blutstropfenszene); die Botin Cundrie
am Artushof; Gawanhandlung, hier im Vordergrund (VII–VIII; X–XIII),
und unentschiedener Zweikampf mit Gawan als Schluß (bei Wolfram noch-
mal ein Zweikampf dieser Art mit Feirefiz). Die typischen Motive des Artuskreises greifen aber auch in die Gralswelt über: Queste nach der bedingten
Burg (Gralburg – vierfach bedingt: durch Unzugänglichkeit und Verteidigung, dazu Unauffindbarkeit und für Parzival die ungewußte Frage) zur
Befreiung der Gralfamilie aus Trauer (Amfortas); dazu Gawans parallele
Queste nach der bedingten Burg (Schastelmarveil: auch nach Aufforderung
durch die Botin Cundrie), zur Befreiung der Frauen des Artusgeschlechts
dort (Ahne, Mutter und Schwester), mit seinem Minneweg verbunden.

Das sind typisch verwendete und variierte, strukturell immer bedeutende
Motive, die Hauptbausteine des Artuskreises. Stellen wir sie in eine motiv-
typische Reihe: 1) zu Anfang Neutralisierung oder Namenlosigkeit des Helden, freiwillige Namenlosigkeit später; 2) seine wehrlose Lähmung, Wahn-
sinn, sogar Scheintod (Erec) bei getrennter Minne; 3) Trauer im Bereich
der glänzenden Zentralfamilie selbst (unmotivierte Trauer am Artushof im
Erec; Entführung Ginovers mit typischer, unmotivierter Ambivalenz für
deren Charakter; Wunde des Amfortas im Gralbereich); 4) Eindringen des
Helden in das bedingte Freudenland, Wunderschloß usw. (wieder mit dessen typischer Ambivalenz von Glück und Unglück); 5) Zweikampf des Helden einerseits mit Keie (diesem Prototyp der Ambivalenz im Artuskreis,
die von den Deutschen, Hartmann und Wolfram, mit rührender Mühe doch
nicht erklärt werden kann), funktionell immer der 'Lästerer', endend in
schimpflicher Niederlage – Zweikampf andrerseits mit Mabonagrin (Erec)
oder Meleagant (Lancelot) als Antitypen, im Iwein und Parzival mit Gawan, *dem* Helden, immer vor dem Abschluß; der Kampf mit Gawan immer
unentschieden, als irrtümlicher Kampf gegen sich selbst, gegen das andere
Ich interpretiert. Das sind nicht nur typische Vollzüge vieler religionsgeschichtlicher Mythen und des Märchens: Initiation, Krise, Wandlung,
Wiederherstellung der 'Mitte'. Es sind auch geradezu archetypische Produk-

tionen im Sinne C. G. Jungs, sie könnten nicht deutlicher die Geschichte einer Analyse, eines Weges zum »Selbst« darstellen. Ich vermeide allerdings absichtlich genauere Parallelen, so nahe sie liegen, und ebenso die Deutung zahlreicher Detailmotive. Die Arbeit von Fierz-Monnier [17] zeigt als Beispiel, wie leicht man damit den Klang und das Gewicht der Dichtung verfehlt. Und daß auch die allgemeinere Deutung nicht trifft, oder besser: nicht genügt, werden wir gleich sehen. Aber man muß zuerst einmal den Anspruch dieser Motive auf typische mythenhafte Bedeutung ernst nehmen.

Der Anspruch ist bewußt: nicht nur die Variation und wechselnde funktionelle Eingliederung der Motive bei Chrétien zeigt es, sondern auch ihre Geschichte in der Artusdichtung, wie wir sie von Chrétien und seinen deutschen Nachdichtern aus sehen [18].

Es scheint mir sicher, daß im 12. Jahrhundert diese Artusmotive, noch halb als unheimlich gescheut, frei schwebend, ob als *contes* oder wie sonst, über Europa hin bekannt wurden. In den französischen Vorlagen von Eilharts Tristrant und Ulrichs Lanzelet finden sie, und zwar schon charakteristisch variiert, doch wohl vor Chrétien Aufnahme und Gestalt.

Der entwicklungsgeschichtlich sicher frühe Tristrant Eilharts, d. h. meist seine französische Quelle, zeigt sie in einen scheinbar biographischen Roman eingefügt: Erzählung jedoch zuerst von der Fern-Minne im Stil der Werbungssagen (mit z. T. germanischen Namen: Isalde, Morolt), dann episodische Illustration zu Thesen der früheren französischen Minnetheorie. Nicht nur die bekannte, wenig besagende Artus-Episode, sondern auch die typischen Motive: Zur Ankunft bei Marke Namenlosigkeit (absichtlich hier!); Zweikampf mit dem Anti-Typ (Morolt); das bedingte Land noch im Sinn der Werbungssagen (Irland); die Entführung der zentralen Frau (Gandin-Episode), überhaupt ihre noch wörtlich erotische Ambivalenz (Isalde I zwischen Marke und Tristrant, umgekehrt Isalde II und das mutige Wasser); die magische Auffassung der Minne (Goldhaar, Fahrt ohne Ziel, Zaubertrank); schließlich das ambivalente Minne-Land (Waldleben) – sie alle sind sicherlich in das ältere Schema der Werbungssagen, und zwar als Früh-Typen der Artusmotive, eingefügt. Gottfried von Straßburg (bzw. schon Thomas) rationalisiert dann vieles davon oberflächlich, aber die Grundzüge behält er bei, das Waldleben steigert er ins Allegorische.

Der Lanzelet Ulrichs von Zatzikhoven, d. h. wohl wieder zum größten Teil seine französische Quelle, gibt schon einen Artusroman. Wieder mit biographischer Anlage; die sehr unmotivierten märchenhaft aufgefaßten und addierten Grundmotive (z. B. Namensuche und Minneweg als Auftrag der Meerfee; mehrere Gefangenschaften, z. B. im Freudenland Limors und Zauberlähmung in der Burg des bösen Mabuz; Entführung und Befreiung Ginovers; Zauberländer und Zaubergärten, Boten, Minnezelt und Mantel-Probe, Schlangenkuß) bleiben in derselben kompositionellen Vereinzelung wie die vier Frauen im Minneweg des *minnesæligen* Lanzelet, ganz wie auch im Eneasroman die zwei Frauen, Dido und Lavinia, im Minneweg des Helden (also in zeitlicher Nähe zum Eneasroman?). Trotz einer rätselhaft durchschimmernden Gesamtkomposition in Richtung Chrétiens[19]!

Chrétien baut in sein erstes uns erhaltenes Werk, den Erec, gerade mehrere Motive auch des Lanzelet ein, die er später nicht mehr so verwendet: Die Zwergenbeleidigung (im Lancelet vor Pluris, im Erec gleich zu Anfang) –, die Rettung durch die Minnepartnerin (im Lanzelet sowohl Ade wie Iblis, im Erec ambivalentes Grundmotiv der zweiten Abenteuerreise); das dreitägige Turnier mit Wappenwechsel des Helden; die realistische Krönung zum Landesherrn am Schluß u. a. Der Anlage nach gibt Chrétien mit dem Erec aber keine Biographie, keine eigentlichen Questen, sondern zwei episodische Ausfahrten, zuerst vom Artushof, dann von Karnant, mit Rückkehren zum Artushof. Für diese klarste und schematischste Struktur unter allen Artusepen und für ihre Sinn-Gestalt – Deklassierung in Tulmein als erster, Todes-Szene in Limors als zweiter Wendepunkt – müssen Chrétien andere Vorbilder bewußt gewesen sein. Und die Artus-Motive des Erec sind gerade die am wenigsten zauberischen. Der Erec ist überhaupt so ʻrealʼ wie nur möglich, bis auf die Zwerge und Riesen, allgemeine Sagenmotive, und das Freudenland Joie de la court – die Burg Penefrec des Zwergenkönigs Guivreiz vorher bleibt noch denkbar real! Aber es leuchten darunter weitere, sozusagen unterdrückte Artusmotive hervor: zwar nicht die Entführung Ginovers im Iders-Abenteuer, wie Loomis kombinierte[20], aber doch die, hier ganz unmotivierte, »Trauer« am Artushof, die Namenlosigkeit des Helden (beim dreitägigen Turnier). Und: Hartmann benutzt, überträgt mindestens die Namenlosigkeit neu in Erecs noch unbeschriebene Jugend, die Trauer am Artushof in sein Mitleidsmotiv.

Auf diese erste, aber fast ängstlich abschwächende Aufnahme der Artusmotive folgt bei Chrétien freilich sein Karrenroman. Hier gibt es genug des Wunderbaren. Aber als Gefäß für die minnesängerische Ehebruchsminne verwendet, die ihm seine Herrin, Marie von Champagne, als *sens* auftrug; von Chrétien nicht zu Ende geführt. Da uns der Erec zeigte, daß Chrétien ihm vorausliegende Artusmotive kannte, womöglich eine Lanzeletstufe, auch eine von Tristan – er spricht von eigener, uns verlorener Tristandichtung –, daß er sie aber abschwächte, so hat er wahrscheinlich seinen Karrenritter aus dem uns vorliegenden Ulrich-Typ neu zum episodischen Roman umgebildet, um die eine Ginover-Episode als minnesängerische Bindung zwischen Ginover und Lancelot darzustellen. (Die späteren Fassungen, die diese Minne aufnehmen, verraten dann Chrétiens Einfluß.)

Übergehen wir den Cligès, so vermehrt der nochmals episodische Roman vom Löwenritter Yvain-Iwein die mythischen Artus-Motive sehr stark (s. o.), aber in ironischer Distanz, als märchenhafte Komödie. Offenbar aus größerer Sicherheit, sei es seinem Publikum, sei es seinem Programm gegenüber.

Der Perceval-Roman führt den bewußten Einbruch der Artus-Mythe noch fort. Hier findet sich nach biographischer Anlage und nach Inhalt fast alles, was Chrétien an Tristrant- und Lanzelet-Motiven bisher vermieden hatte. Nur weniges allzu Statische, wie die Mantel-, Becher-, Stein-Proben, bleibt draußen. Sonst ist nichts mehr von dem Apparat der Boten und Zauberer, der Wunder und der Ambivalenzen gespart (bei Wolfram noch vermehrt), und das neue Zentrum der Handlung, der Gral neben und über dem Artuskreis, hat bei all seiner religiösen Symbolik kräftigen Anteil daran (wieder von Wolfram verstärkt). Man kann von hier aus sagen, Chrétien habe Gestalt und Funktion des Gralkomplexes fast ganz aus dem Vorrat der Artus-Motive entwickelt – nur mit dem neuen Zweck, der Artuswelt ein nun wieder ernsthaft, religiös signiertes Zentrum entgegenzustellen.

Die übrige Artusdichtung (von den deutschen Texten: Wigalois, Krone, Mantel, Daniel, Prosa-Lanzelet) schwimmt hemmungslos im Meer der mythischen und magischen Artus-Motive. Hier kann, anders als bei Chrétien, wahllos alles 'alles' bedeuten. Mythischer Sinn wird künstlerischer Unsinn. Das Urteil von FIERZ-MONNIER über den Bel Inconnu gegenüber Chrétien demonstriert vom C. G. JUNG-Standpunkt her die gleiche Urteilsverwirrung wie die keltische Motivgeschichte vom positivistischen. Die deutliche Verflachung, das bloß literarische Verfügen, ein Variieren in antike und legendäre Analogien ist nicht 'echter', ist auch keine Frühstufe, wie noch im Tristrant und Lanzelet, sondern Spätstufe.

Diese Entwicklungsgeschichte macht, ob das einzelne richtig oder falsch gesehen ist, doch wohl zwei Tatsachen sicher. Einerseits: die mythenhafte Bedeutung dieser Artusmotive wurde bei Chrétien und den Deutschen bewußt empfunden. Chrétiens Weg vom nüchternen Erec zum mythisch-komödiantischen Yvain, zum religiös-mythischen Gral, Hartmanns und Wolframs weiterführende Umgestaltungen neben ihren Vertuschungsversuchen können nicht leicht übersehen werden. Und Hartmann deutet es geradezu verwegen an in der überhaupt so 'leichtfertigen' Einleitung seines Iwein, wenn er, für sich selbst freilich auf Artus' êren krône und namen, den Nachruhm abbiegend, von Artus sagt:

> des habent die wârheit
> sîne lantliute:
> sie jehent er lebe noch hiute.   (12 ff.)

Und doch ergibt sich andrerseits dem Philologen, schon rein von seinen Texten aus, ein entscheidender Einwand auch gegen die religions-strukturalistische mythische Deutung. Warum ist es gerade die niedere Artusepik, vor und neben und nach Chrétien-Hartmann-Wolfram, die diese mythenhaften Motive reiner, direkter, 'archetypischer' kultiviert? Oder: warum machen sich die dichterischen 'Klassiker' des Artusromans die Mühe der Auswahl, warum bauen sie sie kompliziert und ständig experimentierend in Zusammenhänge ein – wenn sie nur mythische Typen oder Archetypen suchten? Der religionsgeschichtliche Strukturalismus – nicht allerdings VAN DER LEEUWS Phänomenologie[21] – endet noch immer, wie die ältere Motivforschung, beim vereinzelten Motiv und damit beim 'typischsten' Beispiel, auch wo es nicht mehr als das 'ursprünglichste' an den Anfang gestellt wird. Sogar Thomas Manns kluger Blick im Josephsroman auf die Dünenlandschaft des Mythos entwickelt die Dialektik der mythischen 'Geschichte' (die erzählt wird, um sich selbst zu erzählen), d. h. die Dialektik zwischen mythischer Wiederholung nach rückwärts und Persönlichkeits- und Menschheitsgeschichte nach vorwärts, nur eben als in tausend Ironien funkelnde *stehende* Dialektik, nicht als Verlauf, der die 'Geschichte' gegenwärtig ernst nimmt, sei es religiös, historisch oder psychologisch[22].

Wir sehen: die mythenhafte Bedeutung der Artusmotive wird von unseren Dichtern bewußt einbezogen. Für die Quellenfrage können daher motivliche oder strukturelle Parallelen in einer Literatur, etwa der keltischen, wenig beweisen. Denn bewußte literarische Absicht findet gerade im 12. Jahrhundert Material genug aus den verschiedensten Richtungen, unterliterarisch und literarisch. Antike und legendäre Motive in den Epen beweisen es. Die 'Artussage' braucht nicht mehr gegeben zu haben als Anstoß und Zentrum.

Aber der mythische Sinn der Motive erklärt nicht die Gestalt, nicht den Text dieser Werke. Der Sinn ihrer Ganzheit, ihrer Struktur, Komposition, läßt über ihre Bedeutung erst ganz entscheiden.

Von der Forschungslage her gesehen ist das ein bedenkliches Kriterium. Ich setze ihr mit dem Mut zur Demonstration mein Bild entgegen. Gleich der Erstling, Erec, zeigt ein Schema, das später Iwein und Parzival zwar variieren und komplizieren, aber konsequent fortbilden:

»Der Held erwirbt sich, vom Artushof ausgehend oder auf dem Weg zum Artushof, durch eine außerordentliche Tat eine Gemahlin – was als Ausdruck der schicksalsmäßigen Vorherbestimmung zu sehen ist – und wird im Artus-Bereich gefeiert, welcher anzeigt, daß der Held eine gewisse Stufe der Vollkommenheit erreicht hat. Diese ist jedoch nicht von Dauer; der Held verliert sie, weil er schuldig wird, oder richtiger gesagt: weil er die rechte Vollkommenheit noch nicht besitzt, wird er schuldig, und damit verliert er die im Artushof verkörperte höfische Daseinsform. Er muß aufs neue durch eine Reihe von Abenteuern hindurchgehen, ehe ihm wieder die jetzt nicht mehr in Frage gestellte, höchste Vollkommenheit zuteil werden kann; sie findet ihren Ausdruck in der Schlußeinkehr am Artushof und dann im vollendeten Königtum des Helden, welches, wie es im Erec be-

reits anklingt, im Iwein und Parzival deutlich über den Artushof hinaus-
führt.«[23]

Den gleichbleibenden Sinn dieser Struktur geben noch deutlicher ihre
thematischen Wandlungen in Chrétiens Schaffen zu erkennen. Ich benutze
hier nur die drei deutschen Werke: Erec, Iwein, Parzival, die klarsten auch
bei Chrétien. Daß er selbst in bezug auf diese Struktur genau dasselbe meinte
wie seine deutschen Nachdichter – nur um so viel ursprünglicher, nüchter-
ner und zugleich atmosphärischer, als er ihr Schöpfer ist –, wäre leicht zu
zeigen.

Erec findet in der Tiefe der Deklassierung (Tulmein) durch die Gemeinschaft mit Enite seine Ritterehre wieder. Ein Kampfsieg für ihn (Iders) und
ein Schönheitssieg für Enite (Sperberpreis) erwerben sie, ein zweiter Schönheitssieg Enitens (Artus' Kuß) und ein zweiter Kampfsieg Erecs (im dreitägigen Turnier) bestätigen die *êre* als höchste am Artushof (Erste Glanz-
Einkehr). ‖ Im Liebesgenuß von Karnant aber geht diese Ehre wieder ver-
loren. | Eine zweite, nun freiwillige und bewußte Preisgabe ins Abenteuer
muß sie neu erwerben, über zwei Rittersiege Erecs und zwei Schönheits-
siege Enitens auch hier. Aber zuerst, in absichtlich getrennter Gemeinschaft,
verlockt Enitens Schönheit im Sieg nur einen Fremden in falsche Minne
(Graf Galoein), führt Erecs Rittertum im Sieg nur zum *ungemach* seiner
Wunde (Guivreiz der Kleine). Die Zwischeneinkehr beim Artushof, nach
Keies schimpflicher Niederlage nur durch Gawans List bewirkt, bestätigt
den Tiefpunkt. Erst ganz in der Tiefe gelingt dann die Wende: in zwei Nie-
derlagen, die zu Siegen neuer Art werden. Zum zweitenmal verlockt Enitens Schönheit zu falscher Minne (Graf Oringles), aber die hier in Limors
schon zum Treue-Tod bereite Enite rettet Erec, der als Toter auf der Bahre
liegt; zum zweitenmal kämpft Erec gegen Guivreiz, aber den von seiner
Wunde geschwächten, unerkannt vom Freund schon besiegten Erec rettet
Enite vom Tode. Jetzt erst 'gilt' die Minnegemeinschaft wieder, führt steil
hinauf zu höherer Ehre: Erecs Zweikampf und Sieg über Mabonagrin in
der Aventiure von Brandigan, der Joie de la court; Erec als Freudebringer
am Artushof (Schlußeinkehr). ‖ Dann Krönung und bei Hartmann Heimkehr.

Thema: Ehre nur durch Minnegemeinschaft. Diese Minne aber hält die
Ehre nur fest, wenn der Ritter Minne nicht in sich, im Genuß sucht, sondern 'außer sich': im Tode geschenkt und im Dienst der *êre* (Chrétien *honor*),
bî den liuten bestätigt.

Iwein findet gegen Keies Rat zur Schande die *êre* des Brunnenabenteuers
und gewinnt – mit Hilfe Lunetens und des Zauberrings – Laudine zur
Minne-Ehe. Der Artushof kommt zum Brunnen (statt Artuseinkehr zweites
Zentrum). Niederlage Keies und Hochzeit. ‖ Aber durch Gawans Rat zur
êre (gegen Erecs Verliegen) versäumt Iwein auf Abenteuern die Frist, die

triuwe zu Laudine. | Die Botin Lunete verflucht ihn am Artushof – Wahn-
sinn Iweins, Heilung durch die Zaubersalbe und Hilfe für die Retterin, aber
triuwe für Laudine – Iwein gewinnt durch *triuwe* die *triuwe* des Löwen; er
ist künftig namenlos: der Löwenritter. Zwei Rechtsfälle, zwei Prozesse, fordern nur Iweins *triuwe* und Pünktlichkeit. Zuerst der Prozeß Lunetens –
am Ende Iweins Zwischeneinkehr am Brunnen (wieder nicht Artushof!):
unerkannt, unversöhnt mit Laudine. Dann der Erbschafts-Prozeß der zwei
Töchter vom schwarzen Dorn – am Ende Zweikampf mit Gawan am Artushof. Je ein eingeschacheltes Abenteuer stellt Iweins Pünktlichkeit und
triuwe noch auf die äußerste Probe. In den Kämpfen aber besteht er nur
durch die menschlich rührende Treue des Löwen! Gawan dagegen versäumt in einer Hintergrundshandlung drei Termine zur Hilfe (Ginover,
Lunete, Harpin-Abenteuer, in zweien hilft Iwein); Gawan steht im Erb-
schaftsprozeß für das schlechtere Recht ein, Iwein für das bessere. Diese
Parallelhandlung schließt der Zweikampf der beiden einander nicht Er-
kennenden am Artushof ab (Schlußeinkehr): Erkennung. ‖ Aber Iwein ist
freudlos am Artushof. Er reitet noch einmal zum Brunnenabenteuer, und
Lunete verbindet zum zweitenmal das Paar.

Thema: Zuerst Iweins *êre* gegen Keies Schande; dann Iweins *triuwe* gegen
Gawans *êre*. Viel Zauber und mythische Motive – doch ironisiert fast wie
im Rokoko-Märchen, eine Komödie! Darunter aber bleibt der ganze Ernst
der programmatischen Struktur erhalten: Ehre und Glück gewinnt man
gültig nicht in sich, hier: in eigener Ritteraventiure. Sondern 'außer sich'
aus der Hand – des Märchens, durch Lunete und den Zauberring, durch
den Löwen, am Zauberbrunnen!

Parzival findet, nun wirklich in einer Queste aus tiefster Tiefe (auch noch
bei der ersten Artusszene), über Rittertum und Minne zur Tafelrunde –
doch dort verkündet ihm Cundrie den Fluch. ‖ Denn sein Verlust der Ehre
ging schon voraus: beim Gral. Auch Minnelähmung (Blutstropfenszene)
und Niederlage Keies samt listiger Rückführung an den Artushof durch
Gawan (wie im Erec) gehen voraus. So ist diese Artusszene schon mehr
die traurige Zwischeneinkehr des Erec als eine erste, glänzende Artusein-
kehr. | In Feindschaft mit Gott, Queste nach dem Gral und Leid um Cond-
wiramurs geht nun Parzival namenlos, der rote Ritter, durch viele Abenteuer. Hier verdeckt ihn fast ganz Gawans Vordergrundhandlung: Ehrverlust
durch Boten und Botin am Artushof, zugleich mit Parzival; zweimal falsche,
ehrelose Minne; Minne schließlich zur Orgeluse, Erleiden der Unehre, Erleiden des Zaubers, damit aber Erwerb von Schastelmarveil und der Orgeluse, Befreiung der Frauen des Artusgeschlechts. Darunter geschieht Parzivals Wende (IX) bei Trevrezent. Zu Gottesliebe und neuem, demütigem
Trotz bekehrt, taucht er dann erst zu der ganzen Folge von Zweikämpfen
mit Gawan, Gramoflanz und Feirefiz wieder am Artushof auf (Schlußein-

kehr). ‖ Noch immer freudlos – da verkündet die Botin seine ertrotzte Berufung: zur Befreiung des Amfortas von Leid, zur Wiederkehr Condwiramurs', zur Herrschaft am Gral. Feirefiz' Taufe und Ehe mit Repanse de Schoye verbündet der Gralsherrschaft die Herrschaft im Osten.

Thema: Artusehre gegen Gralsdemut. *Mannes muot* gewinnt erst 'außer sich', in demütiger Unterwerfung unter Gottes Willen, den 'bestimmten' Beruf.

Auch in dieser äußersten Schematisierung dürfte erkennbar sein, wie alle drei Werke den gleichen strukturellen Sinn jedesmal neu schöpferisch variieren. Alle drei Helden finden zuerst einmal aus der Tiefe, wo sie nicht mehr oder noch nicht sie selbst sind, zu eigener Ehre, Minne-Ehe und Artusglanz. Nicht nur aus eigener Kraft, aber durch Erwerb und Erfüllung höfischer Artusnorm! Doch dem folgt schnell die Katastrophe: Ehrverlust, Selbstverlust! Erst in einem zweiten Weg des freiwilligen Selbstverzichts, geführt bis in tiefste Ohnmacht, Tod (Erec), Todesschwäche und Selbstmordabsicht (Iwein), Tod-Sündigkeit (Parzival) – erst da erfahren sie wirklich sich selbst, die Minne, die Welt und Gott: wenn sie aus sich heraustreten, durch demütige Tatbereitschaft an Stelle der idealen Artusnorm. Dann erst wird ihnen Ehre, Minne, auch Herrschaft und Glanz hundertfältig wiedergeschenkt, zur Dauer jenseits des Artushofes.

Es dürfte auch deutlich geworden sein, wie sehr der Iwein schon die Konstellationen des Parzival vorbereitet – obwohl von außen kein größerer Gegensatz denkbar ist. Auch Ort und struktureller Sinn des Grals sind schon im Iwein, märchenhaft als Brunnenabenteuer, geformt. Einzig das religiöse Signum kommt neu hinzu [24].

Dieser klar programmatische Aufbau – die niedere Artusepik zeigt ihn nicht, in Ulrichs Lanzelet spukt wohl etwas ähnliches, aber in mythischer Vereinzelung – dieser Aufbau darf nun wieder nicht isoliert betrachtet und gedeutet werden. Mindestens die Form des Doppelweges ist literarisch eine, wenn man so will archetypische, Konstante.

Hier nur ein paar Beispiele. W. SCHADEWALDT sieht im doppelten Heimkehrweg die Struktur der Ur-Odyssee: dazwischen die wendende Krise [25]. Ähnlich ist Vergils Äneis angelegt, deren französische Nachdichtung zu Chrétiens Ausgangspunkten gehört. Beide sind, im Gegensatz zur tragischen Ilias, Weg- und Heils-Epen. Fast im Sinn der Artusepen Erec und Parzival verwenden einige hellenistische Liebesromane die Struktur: Jamblichs Babyloniaka aus dem 2., Heliodors Aithiopika aus dem 3. Jahrhundert n. Chr., der späteste [26]. Aus dem 19. Jahrhundert, um auch hier Typ und Sinn dieser Konstante zu belegen: Kleists »Marquise von O…« in W. MÜLLER-SEIDELS, Hofmannsthals »Andreas oder die Vereinigten« in R. ALEWYNS intensiver Interpretation [27]. Und Thomas Manns Josephsroman baut ganz bewußt, mit zahllosen Mythenanspielungen von Re-Osiris bis, ganz verborgen, zu Chri-

stus, den Weg Josephs so: Von daheim durch den Brunnen zu Potiphar in
Ägypten – Katastrophe: Potiphars Weib – von da durch das Gefängnis zum
Pharao – Erfüllung: das Einholen Jaakobs. Wobei Ägypten für die Israe-
liten im ganzen auch wieder ein 'Drunten' ist, aus dem sie später hinauf-
geführt werden.

Der Sinn des Doppelwegs ist wohl immer ähnlich. Der erste Weg führt
zur Gefährdung der Helden, der Liebesgemeinschaft, durch Selbstentfremdung, Selbstverlust; der zweite mündet in einer neuen, gewissen und dauernden Möglichkeit von Selbst- und Liebes-Einheit.

Damit aber liegt noch einmal, auch für die Komposition, religionsgeschichtliche oder auch tiefenpsychologische Mythendeutung nahe. Der
Weg zum Selbst, zur Bestimmung, zum Ursprung, zur Höhe, zur Dauer,
ist die mythische Bahn, die von Gilgamesch bis zum Märchen Götter und
Helden wandeln. Er führt in den Tod. Als Tragödie in den einmaligen Untergang des Heroen, der nur im Zerschmettern die Vision einer neuen, ge-
ordneten, dauernden Welt eröffnet. Als ältere, göttliche Komödie, im Götter-
Mythos, ist der Tod nur die Tiefe der Wende, Initiation zur Auferstehung,
zur Erneuerung der Welt; Mythos, Mysterium und Märchen zeugen davon.

Zu diesem zweiten Typ, den ich hier nicht zu belegen brauche, gehört
auch der Weg der Artushelden – denen Deutschland im Nibelungenlied den
tragischen Helden neu entgegenstellt, nachdem in Frankreich die chansons
de geste durch mittelalterliche religiös-politische Konflikte der frühmittel-
alterlich-europäischen Tragik die Spitze abgebrochen hatten, nachdem sie
in Deutschland der geschichtliche, gelehrte Antimythos in eine unterliterarische Schicht verbannt hatte.

Aber der Doppelweg der Artushelden läßt sich auch in diese Mythen-
Deutung nicht einfangen, so sehr sie im Bewußtsein der Zeit vorhanden
gewesen sein mag. Er wäre so nur als mythische Wiederholung zu verstehen –
etwa als märchenhafte oder legendäre, pseudomythische Wiederholung, wie
sie in den Brautwerbungen der sogenannten Spielmannsepen oder in den
Verdoppelungen von chansons de geste vorher versucht wurden. Dagegen
sprechen, wie ich meine bewußt, die Artusepen durch den klaren Sinn ihrer
Struktur. Die mythische Deutung erweist sich wohl überall, wo sie auf diese
literarische Konstante angewandt wird, als zu ungenau, zu unkünstlerisch,
auch zu dogmatisch, zu psychologisch. Auch für den hellenistischen Liebesroman gilt Kerényis Mysterien-Interpretation als gescheitert[28].

In der gleichen Gefahr aber schweben auch alle anderen Interpretationen,
die in den Artusepen einen direkten Lösungsvorgang suchen: innere Selbstentwicklung, Erlösung von außen, oder Schuld und Sühne, Sünde und
Buße. Jeder inneren Selbstentwicklung widerspricht schon die plötzliche,
augenblickliche Einsicht und Anerkennung der Schuld, jedesmal so betont
wie nur möglich dargestellt. Sie ist keine Erleuchtung, sondern Erkenntnis

einer metaphysischen Station. Vor allem: der Held findet sein Heil gerade
nur im Außer-sich-Sein, in einer unio mit Sinn und Wert jenseits des Selbst:
als Minnedienst, Weltdienst, Gottesdienst. Jedem Erlösungsmythos widerspricht andrerseits der bewußte Verzicht der Dichter auf eine von außen
erlösende Instanz. Auch noch im Gralsroman! Wolfram bestätigt ebenso
ausdrücklich Parzivals *mannes muot* wie seine Gralberufung. Innere Entwicklung und Erlösung wirken höchstens zusammen.

Um Schuld und Sühne für Erec-Enite, Iwein-Laudine, für Parzival und
für Gawan streiten sich Gelehrte bis zur beschämenden Kleinlichkeit der
herbeigezerrten Handlungsmotive. Nicht viel anders ist es mit Sünde und
Strafe. Selbst in dem von Hartmann so ausdrücklich gegen die Artusepik
abgesetzten Gregorius hat noch niemand eine motivierende Sünde nach zeitgenössischer wie gegenwärtiger Theologie beweisen können. Gräßliches
Geschick gewiß, *vil starc zu hœrenne* (53), Versuchung des Teufels und Prüfung Gottes – aber keine Sünde: nicht Abstammung, nicht Klosterflucht,
nicht der ungewußte Inzest, nicht Zorn gegen Gott. Denn in all dem widerlegt der Dichter selbst ausdrücklich die direkte Zurechenbarkeit für den
Helden. Alle Werke Chrétiens und Hartmanns haben im Zentrum *ungewußte*
Schuld. Sie kann und soll nicht als Sünde angerechnet werden. Sondern sie
soll gerade so den Ritter dahin leiten, daß er sein Nicht-schuldig-Sein von
sich wirft, aus seinem sicheren Rechnen mit Leistung und Verdienst her-
austritt und außer sich, durch nicht mehr rechnenden Dienst, die unio, die
Minnegemeinschaft findet, die dauert. Wie Hartmann es auch in seiner Ab-
sage an den Minnesang überdeutlich selbst formuliert:

> *Ez ist geminnet, der sich dur die Minne ellenden muoz.* (MF 218, 17)

Ebenso ist es im Parzival. Die einzigen wirklichen Sünden sind der Tod
Ithers und der Mutter, aber beide ungewußt und ungewollt! Sie können
nicht einmal als Folgen einer sündhaften Grundgesinnung zur Sünde gerechnet werden, sondern sind zunächst Unglück, Geschick, Schickung –
aber, in der Wende, Prüfstein für Parzivals allgemeine Verantwortungs-
erkenntnis, für sein Verhältnis zu Gott. Erst wenn er sie in bußfertigem Ge-
sinnungswandel wie Gregorius sich freiwillig zurechnet, über jede Buß-
Rechnung hinaus auf sich nimmt, sein ganzes Leben daraufhin ändert, wenn
er es »verliert« wie im Feirefiz-Kampf – dann gewinnt er es, dann führt
ihn das zum Heil der Seele, wie Gregorius, und zum Gral zurück.

Hinter der Suche nach direkten Sünden, nach einer kasuistischen Schuld
in diesen großen Werken des Mittelalters steckt eine merkwürdig kleinliche,
allzu ängstlich konkrete und historische Auffassung von der großen Dichtung, auch im Mittelalter. In den hohen Artusepen geht es ausdrücklich
nicht um eine kasuistische, ritterethische oder moraltheologische Schuld –
sondern um die Schuldzurechnung gerade für unzurechenbare Geschicke.

Es geht, heißt das, um die Entdeckung des Gewissens, der Verantwortlichkeit und Verantwortungsannahme überhaupt, um die selbstgewiß falsche und die sachgewiß richtige Tat. Es geht um die Minne, die unio, die den eigenen Sinn und Wert im andern findet, in der Frau, der man dient, in Gott; um die *triuwe*, die nicht mehr rechnet, sondern sich schenkt und so sich gewinnt. Dazu freilich auch um Verlust von Glück und Rang durch falsche Selbstsicherheit, um Wiedergewinn und hundertfältige Vergeltung – nach Verzicht und Umkehr und demütig-treuer Bewährung.

Den gedanklichen und ethischen Horizont dieser 'Thesen', dieses 'Programmes' schon ihrer ganzen Artusdichtung lieferte Chrétien und Hartmann-Wolfram natürlich auch das Christentum, die augustinische Tradition, die Kirche, die Liturgie. Und die zeitgeschichtlichen Möglichkeiten solcher Vermittlung müssen noch konkreter als bisher erforscht werden. Andrerseits läßt sich ein Hauptmotiv dieser Epen, das der hundertfältigen irdischen Vergeltung, in der mittelalterlichen Theologie überhaupt nicht auffinden[29]. Es ist nur einfach biblisch. Wie auch die andern Grundmotive der Struktur zunächst einfach biblische Grundstellen sind. Vor allem: Wer sein Leben gewinnt, wird es verlieren, wer es verliert, um meinetwillen, wird es gewinnen (Matth. 16, 24–26; Marc. 8, 34–37; Luk. 9, 23–26; Matth. 10, 37–39; Luk. 14, 26f.; 17, 33; Joh. 12, 25). Oder auch bekannteste augustinische: *uti deo ut fruantur mundo – uti mundo ut fruantur deo*[30].

Gerade ihre Allgemeinheit verbietet, sich an häretische Traditionen zu wenden. Andrerseits verbietet ihre ganz freie, selbständige Verwendung hier – nicht nur eingeschmolzen in Märchengeschichten, sondern auch selbständig umgedacht in das nicht geistliche, nicht einmal betont christliche, ganz undualistisch genommene Laienleben, ohne Stütze durch die Theologie fast der ganzen Patristik und des Mittelalters! – diese Selbständigkeit, meine ich, verbietet es, ständig »Flocken oder Flöckchen vom Gewand« der mittelalterlichen Theologie zu reißen zur Erklärung dieser großen Dichtung. Nicht Bibel, Augustin, Thomas 'lehren' diese Gedichte, womöglich in sektiererischer Konventikelei, sondern ein allerdings erstaunliches, in der mittelalterlichen Theologie ganz übersehenes Laiendenken, eine Laientheologie des Menschen in der irdischen Welt, von der uns fast nur die volkssprachliche Dichtung Zeugnis gibt. Und später die Mystik – aber wieder die deutsche, nicht ihre lateinischen Quellen[31]. Theologische Einflüsse muß man sich mehr in der Form von Induktionsströmen vorstellen, als Anregung eines getrennten Stromkreises, nicht so sehr als direkte Leitung.

Die Artusepen, nach ihren mythischen Elementen bewußte Märchengestalt kollektiver Bindungen, nach ihren ideologischen Momenten bewußte Glanzgestalt feudaler Bindungen, sind ihrem programmatischen Aufbau nach ebenso bewußt anti-mythisch und anti-ideologisch. Aufruf, durch Selbstverlust und Lebenskrise, zu persönlicher Verantwortung und sachdemütiger Tatbereitschaft: zur Entmythologisierung [32]! Aber Entmythologisierung aufgesetzt auf eine bewußte, fortschreitende Mythisierung und Ideologisierung der erzählten Ereignisse. Warum so? Die Frage stellt und beantwortet in schärfster Zuspitzung der Gral.

3. *Gralswelt*. Die Bedeutung von Gral und Gralhandlung im Parzival, auch die Forschungsdiskussion darüber haben wir fast ganz schon in die Erörterung des Artuskomplexes gezogen. Das folgt aus dem neuen Aspekt der Artusepik, den, wie mir scheint, die Interpretation der Werke, besonders ihrer Struktur fordert. Der Gralkomplex ordnet sich ein in die mythische und ideologische Symbolik der Artusmotive, aber auch in das entmythologisierende Ziel ihrer Handlungsstruktur.

Und doch tritt im Gralkomplex das Neue hinzu. Krise und Erfüllung von Parzivals Weg bringt die Botin, Cundrie, auch hier noch zum Artushof. Aber Krise und Erfüllung entschieden sich bereits am Gral. Wie diese Verdoppelung der Zentren, wenn auch durch die Funktion des Brunnenabenteuers im Iwein vorbereitet, so zeigt auch die Verdoppelung der Helden, die spiegelbildliche Zwiesträngigkeit der Gawan- und Parzival-Handlung [33] nach der Gral-Krise, obgleich ebenfalls schon im Iwein vorbereitet, das Neue: das Religiöse direkt, ausdrücklich gestaltet und gesagt.

Wer leugnet, daß im Gral christliche Kult- und Sakrament-Analogien sprechen, wer leugnet, daß die christliche Seelsorge Trevrezents in Buch IX den Wendepunkt bezeichnet, muß die Augen zumachen. Aber wer beides direkt christlich, kirchlich, theologisch interpretiert, tut es auch. Die fast ängstliche Säkularisierung und Laisierung von all dem bei Chrétien und noch mehr bei Wolfram, Wolframs Schillern zwischen Ernst und Ironie, die Art, wie er den Gralkomplex geradezu bewußt in die alte literarische Zwischenwelt zwischen Heilsgeschichte und Zauberspruch, zwischen Gotteslehre und Astronomie ansiedelt – all das spricht eindeutig gegen jede direkt christliche Deutung der Gralswelt. Wer das, wieder direkt, so zu erklären versucht, daß hier entweder realer Volks-Köhlerglaube – auch der höchsten Stände! – spräche, oder reales häretisches Sektierertum, oder gar reales Erbe außerchristlicher Religionen, schließlich doch wenigstens dichterisches Spiel mit den realen Sakramenten, dem Kult und der Seelsorge der Kirche – sie alle müßten erst unser historisches Wissen von der doch bekannten Umgebung Wolframs, von ihren Interessen und Taten, von der bei ihm doch ständig zitierten literarischen Umwelt auf den Kopf stellen, ehe ihren Beweisen zu glauben wäre.

Vielmehr: Der Gegensatz, den wir schon in der Abenteuer- und der Artuswelt zur Einheit verbunden sahen, steigert sich in Gral-Vorstellung und -Handlung zu äußersten Extremen. Die eine Seite heißt jetzt: Märchen-Mythos. Parzival ist zum Gral 'geboren', der letzte Erbe, ist bestimmt durch das *epitafjum*. Aber er darf es nicht wissen. Nur der *unwizzende* Besuch,

die *ungewarnete* Frage des Unbekannten, und doch vom rechten Mann am
rechten Ort zur rechten Zeit gesprochen, erschließt das äußerste Erden-
glück für ihn und die Erlösung für seine Familie. Das ist, im Typ noch
einmal verstärkt, die mythische Bestimmung, die mythische Bahn des Märchenhelden, die mythische Erkennung durch die Frage, das mythische
Wunsch- und Märchenglück im Gral. Wolfram baut das aus zu einer nach
allen Seiten schillernden Mythologie dunklen Stils: Gral-Ding, Frauen-
prozession, das verborgene Reich und der verborgene Orden, Astronomie
und 'Wissenschaft' aller Art um Gralsgeschichte und Amfortas' Leid, sogar die Hostientaube und die neutralen Engel sind Märchen-Wunder. Daß
er dabei begierig von allen Seiten her aufnahm, was ihm nur zuströmen
konnte, ist deutlich. Die zeitgeschichtlichen Möglichkeiten für christliche,
jüdische, byzantinische, islamische, iranische Traditionen sind erst noch genauer zu bestimmen. All das übertrifft das Artus-Typische noch bei weitem
an mythischer Märchenhaftigkeit.

Dann aber geht es anders aus. Der Held scheitert, ist nicht der Erwählte
und Bestimmte, verfehlt das Glück – und beim zweiten Besuch ist es nicht
mehr märchenhaft bedingt, die Frage nicht mehr *ungewarnet,* denn der Held
ist nicht mehr berufener Märchendümmling, sondern ein Sünder (783, 7).
Das ist der »Wandel der Gralsprämissen«! Ja noch mehr: der reine Mutter-
Sohn, der reine Minne-Ritter verfehlte das Glück. Diese irdischen Bindungen werden nicht etwa falsch, nicht aufgehoben, aus ihnen kommt nicht
einmal mehr die Krise, wie in den früheren Artusepen. Die Mutter, von
dem Toren ständig im Munde geführt, dann von Gurnemanz' Ritterlehre
verdeckt – sie wird seit Trevrezents Lehre in Parzivals Bußgesinnung wieder neu und nun lebenslang gegenwärtig. Condwiramurs, die der jugend-
reine Ritter Parzival noch vor der Gralkrise aus verfänglicher Situation
keusch errang, schenkt ihm mit den Söhnen der Gral zurück – doch dazwischen liegt wieder die Trennung durch die Gralsuche, muß liegen Trevrezents Heils- und Gralbelehrung, seine Seelsorge und, noch darüber hinaus, Parzivals demütig trotzender *mannes muot.*

Das ist die andere Seite des Gralkomplexes: Nicht die sorgfältig im Laien-
bereich abgeschirmte, von Wolfram sogar ironisch und ernsthaft mythisch
behandelte christliche Symbolik und Theologie selbst, sondern ihre Wirkung für Parzivals Leben. Parzivals zunächst auch noch märchenhafter
Selbstverlust vor dem Gral läßt in der Gottesfeindschaft sein Leben direkt
vor Gott als falsche Dienst-Lohn-*triuwe* offenbar werden. Dem folgt die Bekehrung in christliches Gewissen und christlich demütige Tat, mehr noch:
in christlich geläuterten *mannes muot.* Und darauf antwortet schließlich die
Berufung, die nun nicht mehr märchenhaft verklausuliert sein darf. Sie ist
zwar auch noch Märchenwunder am Märchending Gral. Aber jetzt zugleich
göttliches Wunder an einem Sünder durch das Eucharistie-Märchen Gral

hindurch [34] – weil als solches in allem Märchenzauber sachdemütig erkannt und tatdemütig erdient, jenseits jeder Rechnung von Bestimmung auf Glück, von Dienst auf Lohn dem über alles *getriuwen* Gott gegenüber – auch noch jenseits von Trevrezents heilsgeschichtlichem und Grals-Wissen. Denn nicht nur über den Artushof führt Parzivals Weg hinaus, wie schon der Weg Erecs und Iweins. Auch über den Gral von Buch V, über die wendende Lehre Trevrezents von Buch IX hinaus, die Heilswissen, Gralsgeschichte, astronomische und sonstige Wissenschaft und Askese zu einer von Wolfram ausdrücklich so bezeichneten halbgeistlichen Laientheologie verband: Bücherlehre (462, 11 ff.) – im Gegensatz zu Parzivals Leben und zu Wolframs eigener Fahrt *âne der buoche stiure* (115, 25 ff.).

Zum drittenmal die gleiche Gegensätzlichkeit zwischen mythisch kollektiver Bindung und persönlicher Tat, zwischen einer fast paradoxen Endstufe von Mythisierung, nun sogar christlicher, und einer fast paradox zum Selbstsein befreienden Entmythologisierung! Damit stellt sich als letzte Frage die nach dem Zusammenhang der drei Welten von Wolframs Parzival.

III. *Verbindung der drei Welten.* Die Welt des Abenteuers war bei Wolfram zum Mittelmeerraum geworden: dem Raum der alten Geschichte, dem Raum der Kreuzzüge, d. h. des Versuchs, diesen Raum wenigstens in Jerusalem wiederzugewinnen für den christlichen Westen. Er trägt hier nur noch die Züge des höfischen Märchens – ja, der Höchste, dem Gahmuret dient, ist der Kalif von Bagdad. Am Ende aber steht der Zweikampf des gewandelten, am Schluß wehrlosen Parzival mit Feirefiz. Ihm folgt die Minne-Taufe und Minne-Ehe des Märchenherrschers im Osten, die Vision eines christlichen, doch ritterlichen Ausgleichs von Ost und West – vor dem Gral.

Die Artuswelt, von Anfang an noch bewußter mythisch und ritterlich-ideologisch gesehen, wird im Erec in die glasklar gebaute Doppelweg-Struktur hineingestellt: Geschichte zuerst von mythenhafter ideologischer Selbsterfüllung, dann aber von der Katastrophe, dem Selbstverlust, und von neuer, gewandelter, sach- und seinsbestimmter Selbstwahl und Selbstfindung, über Artusmythe und Artusideologie hinaus. Auch hier wachsen die mythischen Elemente, bis zur fast ironisch märchenhaften Struktur und Lösung des Iwein und der sogar religiös märchenhaften Struktur und Lösung des Parzival. Doch ebenso spitzt sich die Queste des Ritters, des Menschen nach dem Selbst und dem Sein zu; sie wird so real ethisch, weit über die Realität der politischen Welt-Vision hinaus, daß sie schließlich an die Realität der mittelalterlich christlichen Kirche und Theologie stoßen muß. Sie sucht und findet den Gral als zweites, als religiöses Zentrum.

Aber die Gralswelt stellt nun nicht einfach religiöse Wirklichkeit dar, auch nicht in den laikalen Möglichkeiten der Zeit, etwa als geistlichen Ritterorden. Der Name *templeisen* bei Wolfram kennzeichnet mit fast ironischer Schärfe die Nähe zu solcher Realität und zugleich die Entfernung[35]. Denn die militia Christi ist hier ganz und gar eliminiert, ersetzt durch den irdisch märchenhaften Graldienst, dem noch dazu jede praktische Aufgabe fehlt außer der Wahrung des Gral-Tabus. Und um den Gral versammelt sich der extremste Märchenmythos des Werks, das äußerste ironische Zwielicht. Zugleich aber befreit sich an dieser Gralserfahrung die nun direkt christliche Erkenntnis vom unendlichen Dienst für Gottes unendliche *triuwe,* von bußfertiger Annahme des Geschicks als Schuld, darüber hinaus vom *mannes muot* zu demütiger Tat und von der hundertfältigen irdischen Vergeltung. Dieses von den drei Welten am meisten transzendente Handlungsziel ist zugleich das realste, gemessen an seiner religiösen, ob auch sorgfältig aufs Laien-, aufs Ritterleben eingeschränkten Geltung.

Es geschieht also, am Ende von Chrétiens Werk und bei Wolfram verstärkt, dasselbe, was in Hartmanns Werk schon nach dem Erec, parallel dazu auch in seinem Minnesang, und vor dem Iwein geschieht: ein Einbruch des real Religiösen in Stoff und Struktur der hohen Ritterdichtung.

Die Gründe, die Hartmanns Werk für diesen Einbruch nennt: Todesgefahr in blühender Jugend (Gregorius-Prolog), media vita in morte sumus (AH-Prolog), der Tod seines Herrn (MF 206, 14; 210, 23; 218, 19), bleiben bis jetzt für uns privat und unbekannt. Wenn man den Zeitpunkt der vermutlichen Entstehung von Chrétiens Gralroman erwägt, die 1180er Jahre, dazu den wahrscheinlichen Zeitpunkt der Krise in Hartmanns Werk: vor 1189, dann läßt sich die Frage stellen, ob nicht, als gemeinsame allgemeine Ursache, eine neue europäische Welle von Kreuzzugs-Gesinnung im Jahrzehnt 1180–1190 dahintersteht[36].

Aber Chrétien und Hartmann realisieren das Religiöse ganz verschieden. Beide allerdings, auch Hartmann, wie gleich zu zeigen, halten das laikale Rittertum als Gegenstand der Erzählung wie als Ziel ihres Wirkens fest. Aber Chrétien bildet den ritterlichen Gottesdienst, bildet christliche Symbole, eventuell sogar Jerusalem-Reliquien[37], und ritterliche Christenlehre in die rein säkulare Motivsprache der Artusepen ein, sogar mythisch verschärft. Hartmann bricht aus dem Artuskreis aus, sucht und findet im Gregorius eine Legende, die zum Schluß sogar aus dem Ritterleben überhaupt herausführt, zu äußerster Askese, zur Wahl als Papst. Doch bleiben auch bei ihm diese realer geistlichen Züge bewußt märchenhaft, nur abschließendes Siegel auf eine freilich schwebende Zwischenwelt zwischen Ritterleben und geistlichem Leben. Und der Arme Heinrich korrigiert dann auch diese Stoffwahl. In ihm wird das hohe Artusthema von der Selbstfindung zwar noch direkt auf Gott bezogen, die Krise durch Eingreifen Gottes bewirkt – genauer: durch den Zufall, das im Gregorius fast antikisch gräßliche und im Armen Heinrich medizinisch gräßliche Geschick, doch als Hiob-

Prüfung. Im Armen Heinrich aber steht wieder ein fürstlich-ritterlicher Konflikt in der Mitte und die irdische Heirat am Ende: Ritterleben sogar der
eigenen Vorfahren, wenn Hartmann die standesmindernde Heirat nicht rein
märchenhaft religiös verstand, was nach BEYERLES ständerechtlichen Darlegungen doch sehr unwahrscheinlich bleibt [38]. Und dann kehrt Hartmann
zu Chrétiens Iwein-Märchen zurück. Chrétiens Lösung ist nicht nur künstlerisch reiner, sie ist offenbar auch die wirklichere, sogar schon im Yvain-
Märchen angelegt auf den Perceval!

Die für Wolfram veränderte historische Lage spiegelt sich in seiner Er-
weiterung und Umgestaltung des Gralromans. Wir haben es oben schon für
seine politische Vision angedeutet (S. 161) und können es nun auch auf den
Gralkomplex beziehen. Es ist kein Zweifel, daß Wolfram die religiöse Wendung Hartmanns so gut kannte wie die des Chrétienschen Gralromans. Er
verbindet beide, übernimmt den *zwîvel* des Gregorius-Prologs und des
Armen Heinrich (1004) als Begriff für den Zustand aller Artushelden vor
der Selbst- und Gottfindung; verstärkt das Gralrittertum zur ritterlich-geist-
lichen Zwischenwelt im Sinne von Hartmanns Gregorius: als *templeisen;*
verstärkt auch Parzivals Schuld in der Richtung auf das ungewußte Verwandtengeschick: der Mutter und Ithers Tod. Aber er steigert auch den
Märchentyp des Gralkomplexes, sogar bis ins real Astronomische, ja in die
wîlsælde, deren Widerspruch und doch auch geheimnisvolle Attraktion zum
christlichen Geschick schon Jahrhunderte beschäftigte [39]. Doch all das wird
überholt, sogar Trevrezents Einsiedlerleben und fromm-buntes Laien-
Bücherwissen von Gott wird überholt durch Parzivals neu irdisches, Gott
erkennendes, sach- und tat-demütiges Ritterleben, durch diesen neuen Trotz
seines *mannes muotes.*

Dreimalige Wiederholung, eine mit wachsender Realität wachsende Zuspitzung dieses Gegensatzes! Auf der einen Seite kollektiv mythenhafte Welt:
als 1. politisch, 2. ritterlich und 3. religiös-christlich mythenhafte Welt. Etwa
wie *guot, êre* und *gotes hulde* Walthers in der Ritterideologie. Nur immer tiefer
nach unten, immer weiter rückwärtsführend: von der politisch-geschicht-
lichen Mythologie der Zeit über den psychologisch-ideologischen Märchen-
Göttermythos der Artushelden bis zum magischen und mythischen religiösen Symbolismus des Grals. Auf der andern Seite aber Befreiung des Selbst,
Wandel des ganzen Menschen und seiner Welten durch die Konversion des
Gewissens zu demütiger Tat: Parzival als 1. visionärer Einiger der politischen Welt, 2. ritterlicher Überwinder der Ritter-Ideologie und 3. laienfrom-
mer Überwinder christlicher Laien-Mythologie. Wieder ein Greifen in immer
tiefere, immer höhere Realität: Welt – Mensch – Gott. Wenn diese strukturelle
Wiederholung richtig gesehen ist, dann gibt es wohl keinen Zweifel, daß hier
das eigentliche Thema, daß hier der Schlüssel zum ganzen Parzival und zu
seiner zeitgeschichtlichen und überzeitlichen Bedeutung verborgen liegt.

Chrétiens Werk, in Deutschland aber noch darüber hinaus Wolframs Parzival ist der hochmittelalterliche Gipfel, zugleich Abschluß und Wende eines jahrhundertlangen Laiendenkens über die Rechtfertigung des irdischen Lebens vor der Welt und vor Gott zugleich – als Thema der deutschen Artus-Dichtung ausgesprochen in den bekannten Epilogen des Erec (10124ff.) und des Parzival (827, 19–24).

Der Parzival ist, wie wir sahen, eine Summe seiner literarischen Vorgeschichte, eine Summe ihrer Stoffe und Welten, die Wolfram, immer tiefer zurück- und hinuntergreifend und immer höher hinauf, dreifach übereinandertürmt.

Welt, Mensch und Gott, so heißt es nun, werden nicht allein mit Selbstgewißheit, Normen-Erfüllung, nicht allein auf ritterlichen Dienst und Lohn hin erfahren. Dem, der so lebt, zerfallen sie vielmehr alle, er verliert sie und sich selbst, gibt Selbst-Wahl und Selbst-Adel, die Entdeckungen des Minnesangs und der höfischen Epik, gibt Selbst-Tat, betonte Hinzufügung Wolframs, dafür preis. Sogar, was als Anlage recht und gut ist und aus reinem Herzen bleibt: *mannes muot, êre, triuwe* und *minne* im Streben und Dienst nach unio, nach Vereinigung mit dem Guten, ist doch vor Gott verloren – wenn es nicht hinter dem Gralmärchen erschaut wird, demütig sich einordnend und so um die Frage wissend. Denn gerade in der unglaublichsten Welt (1), im mythischsten Menschenleben (2), im Märchendickicht um Gott (3) kann demjenigen Welt, Mensch und Gott aufgehen, der gelernt hat, sich und die Welt aufzugeben, im andern, in der unio Sein, Sinn und Wert zu suchen, die Wunder-Schicksale in Verantwortung vor dem Gewissen und vor der Welt zu verwandeln, die Normen und Märchenbedingungen in demütig handelndes Wissen um sein Zugehören, die zukommende Leistung in demütige Tat. Denn Namens- und Tatwissen fehlen Parzival zuerst, das waren, so eingesehen, vor dem Gral seine Fehler, wie vor Gott gewissenloses Selbst-Sein, superbia seine Schuld.

Es ist hier keine Entmythologisierung im Sinn des gegenwärtigen Schlagworts gemeint. Sondern Parzivals Weg 'lehrte' eine Erkenntnis, eine Umkehr des ganzen Menschen, so daß er gerade durch einen Schleier von Mythos und Märchen hindurchzugreifen weiß mit persönlicher Verantwortung und Tat, durch den Schein von Welt, Mensch und Gott hindurch sich ihrem Sein zu unterwerfen weiß.

Dies scheint mir der Ansatzpunkt, der Horizont des Wolframschen und, vergleichsweise, auch des Chrétienschen Parzival-Rätsels zu sein. Die genauen Gewichte der Welten, die bunten, das Ganze in tausend Brechungen spiegelnden Einzelheiten, auf die hier leider ganz verzichtet werden mußte, auch alle Beziehungen zu Chrétien im Ganzen wie im einzelnen, hätte intensivere Interpretation erst noch einzutragen. Vieles würde sich dabei profilieren, vieles sich auch verschieben und modifizieren. Aber der Bau als gan-

zer scheint mir gegründet, gestützt auch von außen durch die literarische
Vor- und Zeitgeschichte in Frankreich wie in Deutschland. Auch sie muß
freilich weit genauer durchgearbeitet werden, als es dieser mehr programmatischen Vogelschau möglich war. Und dann erst kann die Quellenarbeit,
die schon geleistete und die künftig erst mögliche, auf Beweise rechnen.

UNTER DEN VOLKSBÜCHERN im weiteren Sinn, vom 16. bis hinein ins 19. Jahrhundert ,»gedruckt in diesem Jahr«, auf Messen und Jahrmärkten verkauft, gelesen von einem stoffhungrigen, aber immer anspruchsloseren Publikum in Stadt und Land, bei hoch und niedrig, jung und alt – unter solchen Büchern findet sich auch deutsche Heldensage, in Prosa allerdings erst spät, aber mit am längsten: »Eine wunderschöne Historie von dem gehörnten Siegfried...«, 1726 und dann noch oft gedruckt – die ersten 'wissenschaftlichen' Ausgaben des Nibelungenliedes beginnen fast gleichzeitig: BODMER 1757, MYLLER 1782, VON DER HAGEN 1807. So lange gibt es also noch einen direkten Zugang, lebendig und naiv, wenn auch schließlich à la mode verkleidet, zu dem, was mehr als tausend Jahre früher bei heidnischen und eben christianisierten germanischen Völkern als frühe heroische Dichtung entstand und lebte. Durch wieviele Umformungen: vom Harfenlied, dem germanische Kriegergefolgschaften und freie Herrenbauern seit der Völkerwanderung lauschten, hinab zur Unterhaltungskunst frühmittelalterlicher 'Spielleute', sogar in lateinischer Ziselierung, dann wieder hinauf zur höfischen Kunst der Ritter im 12. Jahrhundert, von da seit dem 13. in die mannigfachsten Überkreuzungen mit spätmittelalterlicher Weltliteratur in Stoff und Form, bis schließlich noch in die modische Kavalierssprache des 18. Jahrhunderts! Und doch trägt die Heldensage Stoff und innere Form ihrer ganz und gar entschwundenen Geburtsstunde im Kern fast unbeeinflußt durch die Jahrhunderte.

Man kann das Ohr noch so nah an die uns überkommenen Werke des Mittelalters legen, an ihre sich wandelnden Formen und ihren Geist, und wird doch nie ganz das Geheimnis dieser Dauer begreifen, das Geheimnis der Traditionsgebundenheit mittelalterlicher Literatur überhaupt. Von der Weite der spätantiken Welt bis ins 15., ja bis ins 18. Jahrhundert zieht eine Zahl fester Stoffe und noch begrenzterer Motive durch die europäischen Literaturen, bei aller unbefangenen Gegenwart ihrer Einkleidung fast unverändert in ihrem stofflichen Kern: Trojas Untergang und Alexanders Taten, uralte Tierfabeln, Novellen und Schwänke, der romanhafte Weg zu Liebe und Glück durch die Krise des Todesmysteriums in hellenistischen wie in Artus- und Amadis-Romanen.

Unter ihnen sind die Fabeln deutscher Heldensage die merkwürdigsten, weil sie, aus der Völkerwanderung germanischer Stämme genommen und nie in die Würde antik-romanischer Tradition eingesetzt, die zerbrechlichsten und die festesten zugleich sind.

Was bewahrt sie so? Wir wissen, dem Mittelalter in jenem weitesten Sinn – vom Zusammenhängen mit der spätantiken Welt bis zum Ausklingen im »Heiligen Römischen Reich Deutscher Nation« – diesem Mittelalter gilt der Stoff für unangreifbar; die persönliche Teilnahme, der eigene Zugang durch Gefühl oder Betrachtung, die Vergegenwärtigung des Historischen, sie wirken hier nur wie ein Kleid, das man dem allgegenwärtigen Stoff überzieht, zu manchen Zeiten dünn und arm, zu manchen so reich, daß er unter dem blitzenden Stilschmuck fast verschwindet; immer aber in die zweite Instanz verwiesen vor der abstandslosen Gegenwart der stofflichen 'Wahrheit'. Nicht etwa, daß hier der Sinn fürs Historische gefehlt hätte; sogar bewußtes künstlerisches Spiel mit der religiösen oder historischen Wahrheit tritt immer wieder hervor. Aber der Beschauer, der mit Teilnahme und Abstand zugleich dem Stoff gegenübersteht, bestimmt im Mittelalter nicht die ganze Perspektive, so wie es uns zur zweiten Natur geworden ist. Anders gesagt: er überläßt immer dem Stoff zuerst eine eigentümliche Substanzkraft – keine bloß stoffliche Substanz, sondern mit ihr zugleich eine eigene innere Geformtheit, in die keine persönliche oder geschichtliche Aneignung ganz eindringen kann. So leben auch die Fabeln der deutschen Heldensage bis tief in die Neuzeit: ständig umgebildet und doch stets 'naiv' in ihrer ursprünglichen Substanz gegenwärtig.

So lange gibt es auch für ihr Publikum keine Frage nach Wert oder Unwert, so lange ist es kein Problem, in welcher Form deutsche Heldensage im Wandel der Zeiten ihren Zugang, ihre Teilhabe erlaubt. Die geheimnisvolle Teilhabekraft im Stoff selbst schlägt durch jede Formung durch bis ins Publikum hinein.

Davon sind wir Heutigen weit entfernt, so nahe die letzten Ausläufer des 'naiven' Lebens der Heldensage auch noch ans 19. Jahrhundert heranreichen. Nicht religiös-moralische, literarisch-ästhetische oder soziale Kritik, die schon seit der germanisch-christlichen Frühzeit bis zur Aufklärung immer wieder die Heldensage angriff, haben dieses Leben ausgelöscht, die stofflichen Zugänge verstellt. Es war vielmehr gerade die positive Aufmerksamkeit der Romantiker und der folgenden Wissenschaftsgenerationen bis heute: Philologie, literarische und nationale Historie, Geistesgeschichte, ästhetischer Heroenkult.

Es soll hier durchaus nicht einer Erneuerung des 'naiven' Unwissens des Mittelalters das Wort geredet werden. Was deutsche Heldensage ist und bedeutet, wie sie entstand und lebte, das hat erst die wissenschaftliche Arbeit seit der Romantik erkannt und zwar in erstaunlicher Annäherung daran, »wie es wirklich gewesen ist«. Nur war damit auch der Zugang zu ihr kanalisiert, und die Kanäle wurden immer schmäler. Die Romantiker spürten noch den 'Volksgeist', die allgemeine Lebenskraft des 'Gemüts' am Werk, ohne mehr etwas davon realisieren zu können; dann verengte sich der Zugang aufs National-Heroische: als erstarrte Denkmale nationaler Vergangenheit erhielten die Heldensagen ein blasseres Scheinleben im Deutschland der Reichsgründung; schließlich hauchte ihnen ein Heroen-Kult, zuerst ästhetischer, zuletzt sogar aktuell politischer Direktion, ein neues Scheinleben ein, das doch, ähnlich wie beim Rückgriff expressionistischer Kunst auf die Primitiven, in seinem Werte schillernd und in seinem Verhältnis zur Gegenwart problematisch blieb. Die Wissenschaft zwar konnte sich trotz dieser immer schmäleren Zugänge doch noch am geschichtlichen Tatbestand orientieren – wenn auch dessen Zugänglichkeit unmethodisch vorausgesetzt blieb und insofern das Lebendige daran verfälscht wurde. Das allgemeine Publikum war nur auf jene Kanäle angewiesen, die je bewußter je enger wurden. Hier mußte man sich ausschließlich an 'Werte' der Heldensage halten, die – in Wahrheit mehr Aspekte der Zeitgeister – nur Zugänge zu einer immer zweifelhafteren geschichtlichen Teilhabe eröffneten, vor allem auch, wo sie die alten Stoffe als Jugendliteratur zu rechtfertigen hatten. Die an sich ziemlich genaue, nur leise systematisierende Wiedergabe deutscher Heldensage durch Simrock, Schwab und ihre Nachfolger enthält in Wahrheit, schon in der Sprache, mehr von unbewußter Neubildung als gut war, ähnlich den architektonischen Stilnachahmungen des 19. Jahrhunderts, und verdeckt so gerade wie dort die Lebenswirklichkeit, die eigentliche, unnachahmliche historische Substanz.

Die Frage nach der unnachahmbaren Substanz der Heldensage, sowohl in ihrer stofflichen Kontinuität wie in ihrer wechselnden Einformung, das ist zugleich die Frage, die sich heute der Fachwissenschaft selbst stellt, wenn sie mit ihrer Situation nach dem Scheitern des Historismus ernst machen will. Versuchen wir also, uns an den Epochen der deutschen Heldensagen-Literatur zurückzutasten bis zum Anfang, um in der Umbildung die jeweilige Lebensform, im Gleichbleibenden die geheime Lebenskraft, die Substanz und Zugänglichkeit des Stoffes selbst zu erspüren.

Die letzte Epoche deutscher Heldensage, von der auch die naiven Ausstrahlungen bis tief in die Neuzeit herkommen, bildet jene merkwürdige Mittelalter-Renaissance in der zweiten Hälfte des 15. Jahrhunderts, von der schon andeutend die Rede war. Sie fällt zeitlich zusammen mit den Ver-

suchen eines deutschen Humanismus und trifft an den kulturtragenden
Höfen der Zeit wie in den Städten auch soziologisch mit ihnen zusammen.
Die Heldensage hält allerdings, wie seit je im Mittelalter, stärkeren Abstand
von der höfischen und der humanistischen Literatur. Sie hat damals auch
fast ausnahmslos den Übergang zur zeitgenössischen Prosa noch nicht mit-
gemacht, sondern ihr hochmittelalterliches Vers- und Strophengewand festgehalten. Typisch aber ist auch hier das rückblickende Sammeln im Ausgang des Mittelalters: die Fabeln von Siegfried und den Burgunden, vor
allem auch die um Dietrich von Bern und Wolfdietrich werden jetzt in
großen Sammelhandschriften vereinigt. Das Straßburger Heldenbuch und
die Wiener Piaristenhandschrift entstehen um 1450, der Ritter Kaspar von
der Rhön schreibt 1472 in Nürnberg für Herzog Balthasar von Mecklen-
burg das Dresdner Heldenbuch, 1477 erscheint in Straßburg das erste gedruckte Heldenbuch; schließlich läßt Kaiser Maximilian das ausgezeichnet-
ste Korpus der ganzen höfischen und Heldenepik herstellen im Ambraser
Heldenbuch 1504–1512. Daneben beginnen die Drucke einzelner Heldenepen: von den Riesenkämpfen des jungen Dietrich von Bern mit Sigenot
z. B. 15 Drucke von 1480–1606.

Was ist hier die Heldensage? Was hält sie lebendig? Stoff und Form fußen
ganz auf Werken des späteren 13. Jahrhunderts – die Zwischenzeit dürfte
nur wenig beigetragen haben und nur in der schon eingeschlagenen Richtung. Höchstens wird jetzt gekürzt oder vorsichtig zyklisch ausgeglichen.

Das Neue ist einzig die plötzliche Sichtbarkeit des Interesses. Daran hat
nicht nur der Buchdruck schuld, nicht nur das breitere lesehungrige Publikum. Auch die Ansätze nationaler deutscher Renaissance, die sich zu dieser
Zeit verschiedentlich zeigen, erklären nicht alles. Gewiß sieht man in Dietrich von Bern, auch in Siegfried Gestalten der nationalen Vergangenheit,
jedoch mehr im Sinne der Reichsgeschichte, wie sie die Weltchroniken schon
lange als Einheit von den Assyrern und Alexander her bis zu den deutschen römischen Kaisern darstellten. Im übrigen aber herrscht wahllos der
Stoff: Märchenkämpfe mit Drachen, Riesen und Zwergen, Wunderringe und
Zauberwaffen, dazu ein sentimentales Ritterbild, gemischt aus Kraftprotzen-
tum, burleskem Witz, religiösen Reden, höfischen Feiern und handfesten
Hochzeiten – das interessiert. Es wirkt darin ein Drang zur Überhöhung des
praktischen Lebens, der doch ganz im Stofflichen stecken bleibt: Schicksal
und Saelde, eine gnadenlose und doch untragische Welt, für die Phantasie-
spiel nur als faktischer Stoff, faktische Kraft als Voraussetzung phantasti-
scher Möglichkeiten erscheint – in der Umwelt von Bürgerhandwerk und
-handel, Türkengefahr und Fürstenkriegen, französisch-burgundischer Rit-
terromantik und italienischer Renaissance. Gerade so aber erhalten sich die
alten Fabeln, unter vielerlei Anwüchsen, lebendig: ohne Erneuerung der
inneren Kräfte, auf die Kraft des Stoffes reduziert, mit ihr schon fortschwim-

mend in die Neuzeit, bleibt ihnen ihr ursprüngliches Leben noch immer rätselhaft eingebunden.

Die nächste Epoche der Heldendichtung nach rückwärts liegt im späteren 13. Jahrhundert. Auch das ist eine Zeit sekundären Gestaltens. Sie benutzt nur, was kurz vorher in hochmittelalterliche Formen gedrängt worden war. Schon um 1200 waren Lieder und frühe Klein-Epen von Dietrich von Bern, von Siegfried, Kriemhild und Gunther, von Ortnit und Wolfdietrich da, neben dem Nibelungenlied uns kaum noch sichtbar. Sie flechten sich jetzt in den zwei letzten Dritteln des 13. Jahrhunderts, mit Zügen früherer Chronikdichtung, französischer Heldenepik um Karl den Großen und seine Paladine (Chansons de geste) und mit Motiven der höfischen Artus-Epik ausgeschmückt und ausgeweitet, zu breit gewalzten oder im Stil Konrads von Würzburg zierlich aufgeputzten Heldenromanen zusammen. Ständige Motivwiederholung, viele Schlachten, immer neue Drachen- und Riesenkämpfe, das wird geradezu gesucht. Kraftschläge auf der einen Seite, eine sentimentale Rührseligkeit auf der anderen verbinden sich mit endlosen Repräsentationsszenen pseudo-höfischen Zeremoniells zu einer Buchform, die, in sich ziemlich haltlos, auch gegen das höfische Epos der Spätzeit unpointiert wirkt. Man bringt die Helden Dietrichs von Bern und des Wormser Burgundenhofs in eine Geschichte zusammen, damit sie ihre Kräfte miteinander messen (Rosengarten); man staffiert Randfiguren mit schematischen Kopien alter Motive aus (Biterolf) oder erfindet zu alten Helden neue Abenteuer-Wiederholungen (Sigenot) – kurz, man schlachtet die alten Stoffe aus ohne neues Leben. Der Stil weiß Handlung fast nur durch Reden oder Übertreibungen wiederzugeben. Hier ist die schwächste Zeit in der Geschichte der Heldensage, obwohl sie uns, sogar bis nach Skandinavien hin (Thidrekssaga), die meisten Stoffe und Werke in Deutschland zur Kenntnis gebracht hat. Die angestaute Woge der kurzen klassischen Energie um 1200 verläuft sich hier in seichten Wellen am Rande einer neuen Zeit, die zu eigener Form nicht kommen kann. Aber auch hier, gerade hier wirkt die Intensität des stofflichen Lebens der Heldensage, die rätselhaft in den Stoffen selbst stecken muß. Gerade das formende Ungeschick, die Verdoppelung und Wiederholung als einzige Arbeit am Stoff, weist darauf hin.

Was diese Zeit an Stoff und Substanz mit sich trägt, stammt ganz – und damit gehen wir einen weiteren Schritt zurück – aus der großen Zeit um 1200. Im Zentrum steht hier das Nibelungenlied: es gab dem Nibelungenstoff die endgültige Gestaltung, gab deutscher Heldensage überhaupt die Form, die in Strophe, Szenentechnik, innerer Anlage vorbildlich wurde; es hat sogar alle andere Heldendichtung so sehr überschattet, daß wertvolle Ansätze der Zeit nicht gediehen und uns leider nur in den dichterischen Ungeheuern der nächsten Jahrzehnte bewahrt blieben.

Alle späteren Epochen, die wir von rückwärts überflogen haben, fanden nur indirekten Zugang zur Heldensage, griffen zu vorgeformten Gestalten. Im Nibelungenlied sehen wir zum ersten Mal die Heldensage von lebendiger Formkraft ergriffen, von einem Dichter im wahren Sinn des Wortes. Goethesche Originalität oder romantische Ursprünglichkeit dürfen wir hier freilich nicht suchen – das wäre allzu mittelalterfremd. Nicht einmal die ganze Freiheit seiner höfischen Dichter-Brüder, eines Hartmann von Aue, eines Wolfram von Eschenbach, hat unser Dichter gesucht. Weit verbindlicher als für sie das zeitgenössische Vorbild Chrétiens de Troyes war, das sie geistig nachschufen, wirkte für ihn die originale Kraft längst verklungener Fabeln nach, obwohl seine gestaltende Freiheit, der Abstand vom ursprünglichen Sinn, hier eigentlich größer sein mußte als bei den frisch aus Frankreich importierten Minneliedern oder Artus-Romanen. Seine Gestaltungsmittel erscheinen sogar dem alten Stoff gegenüber seltsam vage, fast wie ängstlich und unsicher an die ursprünglichen Kern-Fabeln angelegt, durchaus unmodern im Sinne der zeitgenössischen höfischen Dichter: Stilmittel der französischen Heldenepik um Karl den Großen (Motivtypik und Szenenstil), des frühen österreichischen Minnesangs (Kriemhilds Falkentraum, die Werbung Siegfrieds), einer noch primitiven höfischen Repräsentation im Sinne der 1170er Jahre (die 'Schneiderstrophen'). Ja, das große Werk stellt uns noch in seiner Überlieferung vor die Verlegenheit, daß wir ständig schwächliche Mache neben kraftvollen Bildern antreffen und nicht wissen, wo älteres Erbe, wo der Dichter selber spricht, wo jüngere Manier einsetzt – als ob der Dichter des Nibelungenlieds nur wie eine schwankende Mitte im Übergang vor uns stehe. Seine 'Persönlichkeit' ist nicht zu fassen.

Doch ist sie da – aber auch sie steckt so tief in der Substanz der Stoffe selbst, daß man sie nicht daraus lösen kann. Und das ist das eigentlich Charakteristische an deutscher Heldendichtung überhaupt, auch bei diesem Gipfel. Zwei Ur-Fabeln sind hier erst endgültig verbunden, die doch schon von Anfang an miteinander verwandt waren, zwei tragische Geschichten. Die erste: der Streit zweier Königinnen in Worms, Kriemhild und Brünhild, der – zur Sühne alten geheimen Betrugs und neuer Eifersucht – Siegfrieds Tod nach sich zieht aus der Mitte seines Lebensglanzes heraus; die zweite, stärker umgestaltet schon seit Jahrhunderten: der Untergang der burgundischen Helden, Gunther mit seinen Brüdern und Hagen, im trotzigen Blick auf das tragische Ende am Hof König Etzels, neu motiviert durch Kriemhilds Leid- und Liebesrache. Was darüber hinaus dem Werk die Breite des Epos gibt, zieht sich oft mühsam durch ärmliches oder äußerliches Handlungsgelände. Die dichterische Vision steckt in der Verklammerung dieser beiden Fabeln. Aus ihr entsteht der Raum von Leid und Schicksal, von großer Liebe und starkem Haß, der aus unscheinbaren Anfängen leise sich aufbaut, sich im ersten Schicksalsschlag, Siegfrieds Tod, zum ersten Mal entlädt und doch erst im zweiten, im Kampf der Burgunden und Hagens Ende, gewaltig sich weitet, gewitterschwer und nur zu tragischer Trauer befreiend. In diesem Handlungsbereich zeigt auch der Dichter seine eigentliche, neue Stilkunst: hier gelingen ihm Szenen von einer bis in 'Bühnenraum' und Szenerie projizierten Handlungskraft, die auch Hebbels dramatischer Neudichtung versagt blieb.

Konsequent und geschlossen aus der Steigerung des menschlichen Herzens unter leidvollem Schicksal abgeleitet, vor der sogar die direkten Anlässe und seelischen Bindungen nebensächlich werden – Jugendliebe und Gattentreue und beleidigte Ehre bei Kriemhild, Heldenkraft und Dienstmannentreue und tragische Ironie bei Hagen –, so steht dieses Epos sehr fremd neben den Ritterromanen der Zeit mit ihrem metaphysischen Optimismus; fremd auch neben den so rationalen wie realen Konflikten französischer Karlsdichtung. So wirkt die Mitgift der bald 800 Jahre älteren Urfabeln. Ihre Motivierung liegt nicht an der gleichen Stelle wie im Nibelungenlied – wir werden es gleich sehen. Aber die Intensität der schicksalhaften Konstellation, das ist es offenbar, was dem Stoff als innere Gestalt mitgegeben war. Sie kann sich im Stoff verstecken, sie kann sich wandeln, das wissen wir jetzt; sie muß sich sogar wandeln, wenn sie echt bleiben soll – aber all das kann nur geschehen innerhalb jenes Raumes, der im Stoff selbst geheimnisartig angelegt ist. In der stummen Tragik blind gesteigerter seelischer Möglichkeiten liegt die eigentliche Substanz des Stoffes, die zwar im Nibelungenlied Geschmack und Geruch der höfischen Ritterwelt angezogen hat und doch gerade aus dem Widerstand des Stoffes gegen die hochmittelalterliche positive Weltsicht ihre eigene Tiefe gewinnt. Das nur 30 Jahre jüngere Epos von Kudrun, ganz im Banne des Nibelungenliedes, hat die Kriemhild-Tragik schon bewußt umgebogen zur positiven Bewährung einer institutionellen Verlöbnistreue und Charakterfestigkeit seiner 'romantischen' Heldin.

Wir sagten, daß neben dem Nibelungenlied andere Ansätze verblichen. In der Tat wissen wir von einer Reihe von Klein-Epen, die vor und neben dem Nibelungenlied entstanden sein müssen, aber in der Regel nur aus den Kompilationen des späteren 13. Jahrhunderts erschlossen werden können: die alte Völkerwanderungsfabel vom Exil des Gotenkönigs Dietrich von Bern und seinem tragischen Rückkehr-Sieg (in Dietrichs Flucht und Rabenschlacht und Alpharts Tod später kompiliert), daneben die auch schon im 7. Jahrhundert bezeugten märchenhaften Jugendtaten Dietrichs mit seinem Waffenmeister Hildebrand, so der Kampf mit dem Riesenjüngling Ecke (Eckenlied), weiter die Vertreibung des fränkischen Wolf-Dietrich und seine Treue zu seinen Getreuen (Wolfdietrich erste Fassung). Sie alle versuchen zu vermitteln zwischen dem alten Erbe und dem Stoff und Geist des Rittertums, z. T. weit stärker als das Nibelungenlied. Und so gibt es jetzt auch fast rein höfisch erfundene Dietrichabenteuer (Virginal erste Fassung, Laurin). Der Stil des späten 12. Jahrhunderts schlägt, wenn auch vielfach gekreuzt, hier kräftig durch. In der Zeit vor dem Nibelungenlied – aus der uns auch die übrigen Literaturgattungen meist nur in Fragmenten bekannt sind – muß es einen erstaunlichen Aufbruch zur 'frühhöfischen' Neuformung deutscher Heldensagen gegeben haben. Sie gestalteten ihre Szenen noch mit einer Ansage- und Vordeutetechnik von hohem symbolischem Gehalt, die bis auf das germanische Heldenlied zurückreichen muß (vgl. das Rother-Epos und die zu erschließende Vorform des Nibelungenepos, die sog. Ältere Not).

Das gilt für die Heldendichtung dieser Epoche überhaupt, vom Nibelungenlied wie von den Klein-Epen und den Balladen: sie gestalten frei aus dem Zeitgeist, greifen dabei tief ein in den früheren Stoffbestand – und doch spüren wir zugleich die früheste, noch gar nicht deutsche, sondern germanische Heldendichtung hier so frisch und lebendig durchschlagen wie kaum einmal in der Zwischenzeit. Im skandinavischen Norden könnten wir das eher verstehen.

In Deutschland trennen Jahrhunderte voll einschneidender Veränderungen die Werke des hohen Mittelalters um 1200 von ihren germanischen Urstoffen. Dazwischen liegt die Mode französischer Heldendichtung und höfischer Romane im 12. Jahrhundert, die Tradition geistlich-christlicher Dichtung durch Jahrhunderte vorher, vor allem auch der sprachliche Wandel und der Umtausch des germanischen Stabreim-Versgewandes in die europäischen Endreime mit all ihren Stilfolgen. Aber der Umweg hat den alten Stoffen eher genutzt als geschadet. Wo sich im Norden Neugestaltung zeigt, noch ganz im alten Gewande, schwächt sie eher das Alte ab. Hier in Deutschland erneuert die mehr zwangsweise als freiwillige Umtaufe das alte Blut, und es quillt vor und um 1200 mit neuer Lebensfrische aus dem ursprünglichen Grund. Dies Ursprüngliche aber hat nichts zu tun mit christlich oder germanisch, mittelmeerisch oder nordisch. Sein Leben, seine Substanz dauert vielmehr in jenem Raum heroischer Steigerung des menschlichen Herzens, der nicht neutral, sondern als ewige Spannung zwischen Immanenz und Transzendenz liegt, zwischen Selbstherrlichkeit und Ohnmacht der Größe.

Überspringen wir die Jahrhunderte der Salier, Ottonen, Karolinger: zwischen einer spritzigen höfischen Unterhaltungskunst und treuer Bewahrung alter Vers- oder Prosaerzählungen verläuft hier der Weg der Heldensage fast unsichtbar. Wir verlassen das Volk des mittelalterlichen deutschen Staates, wenn wir auf die Ursprünge zurückblicken, nicht aber seine Stämme und seinen Raum. Franken, Sachsen, Thüringer, Bayern, Schwaben – sie haben an der Entstehung deutscher Heldensagen im 5.–7. Jahrhundert ihren Anteil und noch mehr am Weitergeben zu späterer Bewahrung. Doch sind nun mehr oder weniger alle germanischen Stämme beteiligt. Von etwa 50 Heldenstoffen glauben wir zu wissen, die es einmal gab. Erhalten, so daß wir wenigstens Ursprüngliches ahnen können, sind viel weniger: einige unbekanntere Stoffe, ins Epos oder ins Merkgedicht abgeleitet, im England des 7.–8. Jahrhunderts (Beowulf, Widsiđ), das althochdeutsche Hildebrandslied, unschätzbare Aufzeichnung aus einem deutschen Kloster des 9. Jahrhunderts, die Lieder der Edda, unter denen Islands Überlieferungstreue im 13. Jahrhundert einige so aufgezeichnet hat, wie wir sie uns ähnlich im 8. Jahrhundert, ja früher, vorstellen dürfen (Altes Sigurdlied, Altes Atlilied, Hamdirlied und Wielandlied in der Edda, dazu das Hunnenschlachtlied aus anderer Aufzeichnung, der Herwarasaga). Dazu kommen helfend, ebenso oft auch störend, unsere Kombinationen aus späteren Zeugnissen und Denkmälern.

Die Stoffe entstammen fast ausschließlich der Völkerwanderungszeit (was Tacitus von Gesängen über den Römersieger Arminius schreibt, gehört nicht hierher). Zwei Stämme haben sich besonders tief eingeprägt: die Goten und die Burgunder, dort vor allem Theoderich = Dietrich von Bern, hier Gunther und sein Hof, dazu der landfremde Siegfried. Aus der gemeinsamen Heimat der Germanen um Ost- und Nordsee ist wenig erhalten (Hilde-Gudrun?), Späteres nicht zu weiter literarischer Wirkung gediehen, ebenso Sagen anderer Stämme.

Heldensage – das Wort deckt auch hier noch etwas Festes und etwas Flüssiges zugleich. Doch kann man nicht einfach aufteilen, etwa: fest ist der Stoff, flüssig die Form, oder umgekehrt. Wir müssen wieder in beiden, Stoff und Form, nach der tragenden Substanz fragen.

Die Stoffe beziehen sich fast ausnahmslos auf Geschichtliches. Es sind kriegerische Schicksale und Taten geschichtlicher Persönlichkeiten in der heroischen Beleuchtung der Nachfahren gleichen Volkes. Märchenhaft-Mythisches schließt sich nur selten an sie an, bei Siegfried etwa Drachenkampf und Nibelungenhort, bei Dietrich von Bern alte Riesenkämpfe. Aber sie leben nicht in absoluter geschichtlicher Frühe wie die homerischen Helden. Für die germanischen Erzähler, Sänger und Hörer ist die Völkerwanderung wohl Frühzeit. Für die andere Seite der von den Ereignissen Betroffenen ist sie Spätzeit der Antike, mit dem mannigfachen Erbe antiker Geschichte und Geschichtsbetrachtung. Von der Schlacht zwischen Goten und Hunnen irgendwo in Südrußland, die das Hunnenschlachtlied überliefert, wissen wir zwar nichts. Aber die Ereignisse des Hamdirlieds um den Tod des Gotenkönigs Ermanrich erwähnen auch spätantike Historiker. Dietrich von Bern ist Theoderich, der Ostgotenkönig, dessen Gestalt und Politik im Licht der Geschichtsschreibung steht. Eine geschichtliche Vernichtungsschlacht von Hunnen gegen die Burgunden 436 und der Tod Attilas 453 liegen dem alten Lied vom Burgundenuntergang (im Atlilied

der Edda) zugrunde. Sogar die Kriemhild der Siegfriedfabel hat möglicherweise mit der bekannten fränkischen Königin Brunhild des 6. Jhdts. zu tun.

Diese Gestalten und Ereignisse der politischen Geschichte im Übergang
vom Altertum zum Mittelalter werden jedoch im Lied seltsam gespiegelt.
Der Kampf zwischen Goten und Hunnen erscheint im Hunnenschlachtlied
als Bruderstreit. Ermanrichs Tod erfolgt – dem Dichter nach – aus tragischer Rache der Brüder für ihre Schwester, des Königs Gemahlin, die er von
Rossen zerreißen ließ. Theoderich der Große ist als Dietrich von Bern nicht
der Besieger Odoakers (459), Beherrscher Italiens bis an seinen Tod (526),
sondern Besiegter Odoakers oder später sogar Ermanrichs († 370), lebt in
langem Exil beim Hunnenkönig Attila († 453); der Sieg, der die endliche
Rückkehr erkämpft, ist in der Sage tragisch für Dietrich, denn er verliert
den jungen Bruder oder die Attila-Söhne, die ihm auf Treue anvertraut
waren (Rabenschlacht). Sein Waffenmeister Hildebrand, von dem die Geschichte nichts weiß, muß bei der gleichen Rückkehr mit der gleichen Tragik
seinen Sohn töten, der ihm, als Feind unter den Feinden, gegenübersteht.
Siegfried ist überhaupt ein 'privater' Held, sein Tod folgt aus Frauenstreit,
wie er wohl die Merowinger-Geschichte oft verwirrt hat, hier aber ohne
geschichtliche Stelle. Die Burgunden schließlich gehen im Lied deshalb
unter, weil Attila sie, seine Schwäger, aus Goldgier verderben will, worauf er der Rache ihrer Schwester erliegt.

Man hat es oft wiederholt: Geschichte sei hier 'privatisiert', auf Familien-
Konflikte zurückgeführt; und: das gehöre zum Wesen jeder 'heroischen'
Geschichtsüberlieferung. Doch ganz so einfach liegt die Sache hier nicht.
Zunächst ist die 'Privatisierung' nicht so konsequent, wie es scheinen
könnte. Gewiß sind es echte, Geschichtliches in Menschliches erweiternde
Dichtungen, die hier aus Geschichte entstanden. Doch wird die Handlung
nicht ganz zum plastischen Gefäß dieses Menschlichen wie bei den home-
rischen Helden oder in der griechischen Tragödie.

Es bleibt in den germanischen Heldenfabeln ein Rest unaufgelöster Geschichte, der nicht ins Menschliche aufgeht. Genauer gesagt: die Anlässe
der tragischen Fabeln, der Goten-Hunnenkonflikt, der Ermanrich-Konflikt,
Dietrichs Heimkehrschlacht und Hildebrands Waffenmeistertreue, Attilas
Goldgier, ja sogar Siegfrieds, des Märchenhelden, Rolle am Burgundenhof,
sie sind zwar nicht die geschichtlichen Fakten der spätantiken Welt, aber
auch nicht ganz allgemein dichterische Wahrheiten. Sie bleiben dazwischen
in der Schwebe. Und eben dieses Schweben zwischen spätantik geschichtlichen Fakten und privaten Deutungen, das ist die reale Perspektive germanischer Wanderkrieger und Eroberer im politischen Feld der Spätantike
(wie sie uns auch später noch aus den Wikingerberichten entgegentritt). So
sehen wenigstens die Gefolgschaften, vor allem auch die Byzanz- und Rom-
ferneren Siedlungs- und Stammverbände ganz real die Ereignisse. Kaum

auch die Hauptakteure, die Erobererfürsten selbst; sie tauchten viel tiefer in die spätantike Politik hinein. Aber auch sie unterliegen der reduzierten Sicht der Völkerwanderung. Die tragische Vergeblichkeit gerade der Kühnsten beweist es deutlich. Und genährt wird diese reduzierte Sicht der Zeitgeschichte wohl sogar durch eine entgegenkommende Reduzierung der politischen Perspektiven im spätantiken Raum selber.

Daher rührt das Faktische, das Sprunghafte, das dichterisch Unerlöste, das an den germanischen Liedern haftet. Ich meine damit nicht naiv-gegenständliche Züge der Völkerwanderung wie die Gier nach Gold, nach dem 'Hort', nach Land, nach fremden Königinnen, die auch auf dem Grunde der Heldenlieder als Motivierung wirken. So der Hort in Siegfrieds Tod, im Burgundenuntergang; die Landsuche in der Hunnenschlacht, in den Theoderichfabeln – nur von der 'Land-Gier' aus, als Zentralmotiv der Stämme, die die Sage ausbildeten und vermittelten, ist die sonst undenkbare Umbildung der historischen Eroberergestalt Theoderichs in den Exilhelden Dietrich der Sage zu verstehen (vielleicht mit Hilfe einer älteren Exil-Fabel der Weltliteratur); Erwerb einer fernen Königin in allen Werbungsfabeln, wie Gunther-Brunhild, die jedoch in der ältesten Schicht fehlen könnten. Das alles gehört wohl auch sonst zur heroischen Atmosphäre. Aber daß das Lied diese heroische Lust zum Besitz hier eben nicht genug 'privatisiert', nicht plastisch mit hinaufgehoben hat in den tragischen Raum menschlicher Leidenschaft wie beim Zorn des Achill über den Raub der Brisëis – das bezeichnet die schwebend faktische Gegenständlichkeit dieser Dichtung.

So bleibt der germanischen Heldensage die volle Mythisierung, die Gestaltung ihrer ganzen Welt, von der Natur bis hinauf zu den Göttern, als Kosmos tragisch-heroischer Leidenschaft verwehrt. Das Fehlen der Götter im germanischen Heldenlied erklärt sich von daher – mitwirken mag freilich auch die Zwischenschicht im Erleben jener Zeit zwischen den alten Göttern und dem Christengott.

Wir wollen damit nicht alte klassizistische Werturteile aufwärmen, sondern das Gesetz der Stunde germanischer Heldendichtung zu verstehen suchen; die Mitgift der Völkerwanderungszeit an diese doch großartige Erneuerung heroischer Frühwelt in einer Spätzeit; das Gesetz vielleicht auch, unter dem die Germanen in die Geschichte eingetreten!

So erklärt es sich auch, daß wir als ausgeformte Dichtungen hier nur Lieder finden, kein Epos (das altenglische Beowulfepos steht unter besonderen Bedingungen). Sie können sich natürlich nicht so zum Kosmos ausweiten wie das homerische Epos. Auch das ist jedoch bezeichnend. Der reduzierte Weltaspekt der germanischen Heldenlieder geht auch in ihre Form ein: diese 'sprunghafte', fast ganz vom Dialog verschlungene Handlung, nur von Gipfel zu Gipfel, von tragischer Kernsituation zu Kernsituation springend, mit dem unruhigen Funkeln ihrer Stabreim-Verse – sie erinnert an die Völkerwanderungskunst mit ihrer ebenfalls reduzierten Gegenständlichkeit, der ja auch die Spätantike schon entgegenkam.

Ob germanische Heldensage auch in fester, gebundener Prosaerzählung lebte, wie man sie heute als Ergänzung zur Liedform wieder häufig erwägt, ob diese Prosa an der Stilform und dem nur halbmythischen Welt-Aspekt der Lieder genau so teilhatte – darüber wissen wir leider nichts. Erreichte sie schon die Kraft der frühen isländischen Familiensaga – und in geschlossenen Lebenskreisen dürften wir ihr ähnlich feste Form-Überlieferung zutrauen –, dann konnte sie sogar jene Schwächen des Heldenliedes teilweise neutralisieren. Hier fehlt, wie gesagt, jeder Zugang.

An die reduzierte Gegenständlichkeit der germanischen Heldenlieder aber schließt sich gerade ihre mittelalterliche Fortwirkung, ihre Fortentwicklung zur deutschen Heldensage an. Im deutschen Mittelalter wird zwar fort und fort Gegenständliches aufgenommen, aus Antike, Byzanz usw., wird institutionelle Gegenständlichkeit neu gebildet, und so lebt auch die spätere Geschichte der Heldensage von wachsender Vergegenständlichung. Im Nibelungenlied z. B. haben die burgundischen Könige und ihr Hof ein erstaunliches Maß zeitgenössischer politisch-diplomatischer Wirklichkeit an sich gezogen, die Handlung ist aus springenden Gipfelszenen zur dichten Folge gegenständlicher und räumlicher Szenen entwickelt. Und doch wirkt auch hier noch die reduzierte Gegenständlichkeit vom Ursprung der Fabeln her fort. Ja, gerade die seltsam dumpfe Gegenwart der Stoffe durch das ganze Mittelalter hindurch, jene unaufgelöste Stofflichkeit, jenes Mißverhältnis zwischen Gegenwartskolorit und Handlungsurgestein, das auch dem Nibelungenlied unentrinnbar anhaftet – das gerade trägt ja die alten Stoffe im Kern unberührt durch viele Jahrhunderte, ist das Geheimnis ihrer Wirkung und ihrer stets erneuten naiven Zugänglichkeit bis hinab zum Volksbuch.

Damit hängt eng ein Zweites zusammen. Wir wissen: auch die germanische Heldendichtung, und gerade sie, will wie jede heroische Kunst einen Raum menschlicher Möglichkeiten neu abstecken, ihn in tragischer Erschütterung bestätigen. So ist heroische Psychologie im Kern dieser Lieder angelegt. Wie hoher Rang, Kraft und Mut, vor tragische Verkettungen gestellt, im Untergang oder im Leiden eine neue Freiheit finden können – dies ist die Leitlinie in der Tragödie der Hunnenschlacht, Dietrichs von Bern, des alten Hildebrand, Gunthers, Hagens und der Burgundenschwester; sie kann sich verengen bis zur Ahnungslosigkeit Siegfrieds in tragischer Situation; eine andere Lösung zur Freiheit, positiver, aber bösartiger, zeigt Wieland der Schmied.

Dabei ist diese tragische Erneuerung keineswegs auf die Hauptfiguren beschränkt. Es läuft kein Mechanismus ab, sondern es geschieht eine Verkettung aller Beteiligten, auch der Gegenspieler und Nebenfiguren. So 'ord-

net' die tragische Befreiung wie in der antiken Heroentragödie zugleich eine
Welt, läßt sie im Sturz, der alle mit sich reißt, zittern, aber, um den Raum
der Freiheit erweitert, nachbebend sich wieder festigen. Eine Welt nicht nur
aus Ehre, Ruhm und Rache, wie man sie oberflächlich zu sehen pflegt, sondern aus tieferer menschlicher Substanz.

Doch wirkt auch hier die Reduktion, die das Gesetz von Zeit und Raum,
das Gesetz der spätantiken Situation im germanischen Heldenlied ist. Seine
Welt bleibt nicht nur im Gegenständlichen ärmer, sondern auch im Psychologischen isolierter als etwa die griechische. Das tragische Aufbäumen ist
steiler, aber die Bahn ist kürzer. Manche Helden wie der Gunther des Atli-
lieds und noch der Hagen des Nibelungenlieds nähern sich in ihrer gegen-
standsärmeren Welt psychologisch jenem Typ des tragischen 'Durchgängers',
der gerade in der Literatur Skandinaviens immer wiederkehrt. Dieser Gunther ist ähnlich wie Ibsens Peer Gynt, Hamsuns August Weltumsegler ein
solcher Durchgänger, der plötzlich aus der Situation ausbricht, der, mehr
passiv als aktiv handelnd, sich selbst und seine Welt verzehrt, ohne sie zu
verändern.

Dieser Typ bringt sogar in älteste Lieder einen inneren Zwiespalt, einen
Widerspruch zur gegenständlichen Verkettung der Handlung. Und während
im europäischen Raum die alten germanischen Heldenlieder mehr und mehr
mittelalterliche Gegenständlichkeit an sich ziehen, neigen sie charakteristischerweise gerade im Norden, in der späteren eddischen Dichtung, schon
dazu, jenen Ansatz zum bloß psychologisch 'Interessanten', zur psychologischen Selbstbespiegelung fortzubilden. Die Spätformen des »Situations-
liedes« und der sentimentalisch zurückblickenden »Elegie« in der Edda sind
das Ergebnis, und schon alte Lieder wie das eddische Bruchstück von Sigurds Tod sind auf diesem Weg. Der Zwiespalt zwischen Gegenständlichkeit auf der einen Seite und Psychologie auf der anderen, der die Uranlage
des germanischen Heldenliedes nach zwei entgegengesetzten Richtungen
fortentwickelt, liegt schon in der ursprünglichen Substanz. Er spiegelt am
klarsten das Schicksal des Übergangs von Antike zu Mittelalter, die Völkerwanderungszeit.

So weit mußten wir die Betrachtung der deutschen Heldensage zurückführen – nicht um mit unverbindlicher Schwärmerei oder auch mit billiger
Kritik ästhetische Ideale und nationale Werte zu beleuchten, sondern um in
der besonderen Zeit-Situation, in den Möglichkeiten und Hemmungen dieser Werke ihre eigentliche, unnachahmbare historische Substanz zu greifen –
wenn auch nicht restlos zu verstehen. Und nun stellen sich die Fragen des
Anfanges neu: welchen Ort hat, so verstanden, die deutsche Heldensage für
uns? Welche Zugänge bietet sie, die diese Substanz nicht zerstören, sondern
erschließen? Können auch wir sie lesen, sie unserer Jugend geben, und wie?

Wir sahen: der eigentliche, naive Zugang zur deutschen Heldensage steckt im Stoff selbst drin. Die dumpfe Gegenständlichkeit und die isolierte Psychologie sind die Formkräfte des Ursprungs, die Völkerwanderungszeit bringt beide zusammen, und sie bestimmen auch die Bahnen, auf denen diese Fabeln naiv durch das ganze Mittelalter und in Ausläufern bis ins 18. Jahrhundert laufen konnten. Hierin liegt das Geheimnis ihrer ständigen neuen Aneignung und tieferen Unveränderlichkeit, ihrer Zugänglichkeit durch viele Verwandlungen hindurch. Hat doch das Mittelalter sogar den Kampf um Troja nicht aus Homer hören können, sondern nur aus dumpf-stofflichen, pseudohistorischen Fabeleien (Dares, Dictys), die eben jene naive Teilhabe ermöglichten. Gegenüber der lebendigeren, aber mehr institutionellen Gegenständlichkeit der romanischen Traditionen halten die germanischen Heldendichtungen sogar mehr plastische Welt fest, die einzige tragische Vision des Menschlichen im Mittelalter.

Für den erwachsenen Leser der Gegenwart wird es gründlicher Vorbereitung bedürfen, um bis dahin heranzudringen. Daß er dafür entschädigt sein wird, wenn ihm gerade dieses Geheimnis unbegreiflicher historischer Substanzialität aufgeht, als Gegenbild zur allzu weit gediehenen Konstruierbarkeit jeder Substanz in unserer Zeit – das ist die neue Art von 'Werten', die jede echte historische Erkenntnis von Kunstwerken heute vermittelt.

Für den Jugendlichen gilt grundsätzlich die gleiche Schwierigkeit, aber von ihm kann das Maß an Bewußtheit, das hier gefordert ist, nicht erwartet werden. Dafür hat er selbst noch direkten Anteil an dieser naiveren Welt. Gerade der Jugendliche bringt beide Voraussetzungen mit, die nötig sind: noch die Kinderwelt, die ja auch gerade die dumpfe Stofflichkeit der Gegenstände sprechen läßt und damit die isolierten psychologischen Reaktionen des Kindes verbindet – und schon das Gefühl für die tragische Erschütterung, die mit dem Aufbrechen der 'Wirklichkeit' bei ihm selbst korrespondiert. Daran wird auch die Darbietung deutscher Heldensagen für die Jugend heute anknüpfen dürfen – sie braucht nicht an romantisches Gefühl, nicht an verengte nationale Werte und nicht an heroische Ideale zu appellieren. Zwei entgegengesetzte Wege stehen dabei durchaus gleichwertig, wie wir jetzt wissen, der Darbietung offen: die schlichte Stofferzählung (sie würde aber wohl besser die einzelnen Fabeln für sich nebeneinander stehen lassen wie in den späten Heldenbüchern, als an zyklische Kompilationen wie Völsungasaga oder Thidrekssaga anzuknüpfen) und die (wenn auch zu vereinfachende) Form-Nachbildung, sei es der ältesten Lieder, sei es vor allem des Nibelungenliedes. Die Stofferzählung eignet sich besser für die Jüngeren; geeignete Nachdichtungen könnten dagegen gerade das Formgefühl und die psychologische Erkenntnislust der Älteren erregen und spannen, bei denen der Stoffhunger nachläßt oder sich der modernen Wirklichkeit zuwendet. Beide Wege sind jedoch nur gangbar, wenn im Stoff die formende

Substanz, in der Form die stoffliche Kraft sichtbar wird, jenseits einer billigen 'altgermanischen' oder 'nordischen' Atmosphäre. Am wichtigsten ist, daß auf jede Weise das neue gute Gewissen spricht, mit dem wir unseren Kindern wie uns selbst den Zugang zur dichterischen Vision echter Substanz von Mensch und Welt, gerade auch in dieser heroisch-tragischen Gestalt, heute zumuten dürfen und können.

ÜBER NORDISCHE UND DEUTSCHE SZENENREGIE
IN DER NIBELUNGENDICHTUNG

DER SZENISCHE AUFBAU DER HELDENDICHTUNG ist seit ANDREAS HEUS-
LER ein fruchtbarer Besitz unserer Wissenschaft. Seither wurde die Erkenntnis der Formtypen[1] und ihrer gattungsgeschichtlichen Hintergründe[2] weiter gefördert. Weniger hat man bisher auf die inneren Bedingungen dieser
Form und ihren Wandel geachtet. Das ist nur natürlich, denn die vielfach
geschichteten Denkmäler machen genauere Beobachtungen solcher Dinge
nicht leicht. Trotzdem sei hier der Versuch gewagt, mit einigen Bemerkungen aus der Geschichte der Nibelungendichtung Fragen und Möglichkeiten in dieser Richtung anzudeuten.

I

Fassen wir die Sache vom Ende her an. Es gibt im Nibelungenlied Abschnitte, die eine ausgeprägte Raumgestaltung zeigen. Wenn wir die meist
handlungsarm und oberflächlich dahinfließenden 13 Aventiuren des Anfangs zunächst übergehen, so fällt zuerst das Streitgespräch der Königinnen
(14. Av.) in dieser Hinsicht auf. Die Königinnen sitzen beisammen (815)
und schauen mit vielen anderen zu, wie *manige recken* ritterliches Spiel *ûf
dem hove* pflegen (814). Sie *gedenkent* zweier Recken (815), und ohne daß näher
auf die Szenerie eingegangen wäre, ist ihr Gespräch doch offensichtlich vom
Anblick Siegfrieds und Gunthers bestimmt (*nu sihestu wie er stât...*, 817).
Eine doppelte Bühnenszene, Spiel im Spiel, leitet also den Streit hier ein.

Er entwickelt sich dann in den überkommenen Stichworten und Stufen:
man — *mannes kebse* – Beweis mit Ring und Gürtel. Hier aber bilden sie nicht
eine Szene (wie in der Thidrekssaga und im Norden), sondern werden in
deren drei zerlegt. Die Königinnen »scheiden«, nachdem der Vorwurf *man*
beim Spiel auf dem Hof erhoben ist, »sich und ihr Gesinde« (830). In
prächtig geschmücktem Aufzug treffen sie beim Kirchgang vor dem Mün-
sterportal aufs neue zusammen, und hier behauptet Kriemhild ihren Vor-
rang nicht nur im Wortstreit, sondern zugleich räumlich sichtbar als Vor-

tritt in die Kirche, Brünhild, als *mannes kebse* gedemütigt, muß ihr nachgehen. Und für die dritte Stufe des Streites, den Beweis mit Ring und Gürtel, wird nochmals eine neue Szene aufgewendet: beim Auszug aus der
Kirche erwartet Brünhild die Gegnerin (wieder vor dem Portal), und so,
unterm Aufprall und Stocken von Kriemhilds Kirchenauszug, folgt deren
letzter Schlag.

Der Dichter löst hier also jeden dramatischen Schritt auf in räumliche
Bewegung, die in einer durch 'Versatzstücke' räumlich bezeichneten Szene
spielt; und zwar ohne daß das Epos als solches ein Wort darüber verlöre,
ja, so will es fast scheinen, ohne daß sein Dichter es überhaupt gewahr
wurde. Denn auch der Abgang der weinenden Brünhild wird so wenig wie
der Kriemhilds erwähnt, und die folgenden Auftritte scheinen sich ohne
eine Spur solcher Regie weiter auf der nun kaum mehr passenden Szenerie
des Streites abzuspielen.

Auch die dann folgenden Szenen verraten wenig davon. Das ändert sich
eigentlich erst wieder mit Siegfrieds Tod. Schon bei der Jagd trennen sich
die Jäger, und es entsteht eine räumlich und akustisch bewegte Jagdszene
mit Lärm und Gebell und Hornruf hin und her (930–946). Doch geht das
noch kaum aus dem Rahmen des Typischen hinaus. Ebenso die Episode
des von Siegfried am Lagerfeuer losgelassenen Bären, trotz ihres köstlich-
bildlichen Gewirrs von zerstörten Feuern, auseinanderstiebenden Köchen
und nacheilenden Jägern und Hunden (auch sonst steckt viel burlesker
Humor in der Jagd: 968). Die kühne Raumregie aber spricht deutlich wieder beim Mord selbst: Siegfried wird nicht nur heimtückisch angegriffen,
sondern er *läuft* hier mit Hagen und Gunther um die Wette – zum Brunnen
und in seinen Tod (972–981). Gleich anschließend wird die Hand unseres
'Regisseurs' noch deutlicher: bei der Heimkehr des toten Helden. Heimlich
stellt man im Dunkeln die Leiche vor Kriemhilds Kemenate (vor die Tür
1004). Es läutet das Glöckchen zur Frühmette, durch die Dunkelheit wan-
dert ein einsames Licht in der Hand des Kämmerers (1005), er sieht den
Toten, meldet ihn (1007), Kriemhild weiß über den Raum und die Dunkelheit hinweg sogleich, daß der Tote dort Siegfried ist (1008), sie sinkt in
Ohnmacht, und dann erst folgt ihr berühmter Schrei, die große Gebärde
(1009). Wenn etwas im Nl. 'Theater' im besten Sinne ist, dann diese Szene –
ohne daß man das mindeste hineininterpretieren müßte. Und es geht hier
noch weiter. Siegmund wird geweckt und kommt mit seinen Mannen, die
Klage zu vermehren (was freilich einen mehr äußerlich als innerlich stei-
gernden Aufzug bedeutet), beim Morgengrauen trägt man dann die Leiche
ins Münster, und dort erst fällt die altüberlieferte Anklage Kriemhilds gegen
die Mörder, aber nicht nur mit der alten, schlagenden Replik (*in sluogen
schâchære – mir sint die schâchære, sprach si, vil wol bekant* 1045–46), sondern
zugleich räumlich sichtbar gemacht: als Bahrprobe! Dabei verrät wieder

das Gedicht selbst nicht das geringste Bewußtsein dieser Regiekunst, und die Szene wird auch weiter nicht räumlich ausgenützt.

Gehen wir gleich hinüber in den zweiten Teil. Die groß angelegten Werbungs- und Einladungsszenen (20.–24. Av.) verraten zwar klare Raumanschauung, aber noch nichts von bühnenhafter Raumbewegung. Kaum auch der Donauübergang (25. Av.), obwohl er nun mit bewegten Szenen geradezu vollgepfropft ist: Meerfrauen, Fergensuche, Überfahrt und Zerschlagen des Schiffes durch Hagen. Diese Bilder sind aber gerade nicht im Sinne einer räumlichen Klärung der Handlung ausgenützt, ja sie bleiben räumlich seltsam unklar (der Brunnen der Meerfrauen nahe bei der Donau?). Beides, klare Raumanschauung und dramatische Bewegung, vereinigt erst wieder die 29. Av., und diesmal bewußt und mit der Meisterschaft des erfahrenen Regisseurs: *Wie er niht gen ir ûf stuont.* Hagen und Volker gehen über den hof *vil verre für einen palas wît* (1760), gegenüber von Kriemhilds Saal setzen sie sich auf eine Bank. Damit ist die Bühne abgesteckt. Kriemhild sieht *durch ein venster* (1762), beginnt zu weinen (1763), sammelt dann eine bewaffnete Schar (1766 ff.) und steigt an ihrer Spitze *under krône* (1770) *ab einer stiege* in den Hof hinab (1772). Volker will vor der Königin aufstehen (1780), aber Hagen leidet es nicht (1781), statt dessen legt er Siegfrieds Schwert, mit grünem Jaspis im Knauf, über seine Knie (1783). Die Königin tritt heran und erhebt stehend vor dem Sitzenden ihre Anklage (1786). Sind hier nicht mit sicherer Kunst alle Mittel einer eigentlichen Bühnenregie angewandt, um den inneren Vorgang, um die Stellung der zwei Gegenspieler zueinander sichtbar zu machen?

Man kann die gleichen Mittel, verstärkt durch die Nacht, auch in der folgenden (30.) Av. erkennen: *Wie Hagen unt Volkêr der schiltwaht pflâgen.* Doch bleibt die fast zu stimmungsvolle Szene ohne eigentlich dramatische Bewegung, denn es fehlt ihr der mächtige Atem des Gegenspiels der vorangehenden Aventiure. So erscheint sie fast wie deren schwächere Reprise.

Erst vom Angriff auf die Knechte (32. Av.) an trägt die Handlung dann wieder das Gepräge der bühnenräumlichen Regie, sichtbar vor allem in der 33. Avent. Dankwart, der nach dem Mord an den Knechten (in einer Nebenszene) sich allein den Zugang über die Stiege zum Saal erkämpft hat, erscheint blutig, das bloße Schwert in der Hand, in der Saaltür (1951). Laut ruft er über die friedlich Tafelnden hinweg Hagen an: *ir sitzet al ze lange…* (1952), rufend geht Frage und Antwort über den Saal hin und wider, Dankwart besetzt die Tür, dann beginnt innen Hagen den Kampf mit dem überlieferten Schwerthieb, der Kriemhild das Haupt ihres Sohnes in den Schoß springen läßt (1961). Da geht wieder der innere Gehalt der Szene durch den Raum in Handlung über, einen Raum, der, diesmal auch akustisch, wieder ausdrücklich als Bühnenraum abgesteckt wird. Und zum zweitenmal treffen sich Rufe über den Saal hinweg: Volker, dem bedrängten Dankwart zu Hilfe geschickt, bestätigt von der Tür aus die Abriegelung des Saales. Noch ein drittes Hin- und Widerrufen folgt: Dietrich springt auf eine Bank, das Getümmel zu überblicken (1981), Kriemhild, ohne Aktionsraum darin mit Etzel ganz verloren, fleht ihn um Hilfe an, darauf ruft Dietrich mit aller Kraft über den Saal (1987). Gunther hört ihn, sieht ihn auf dem Tische mit der Hand winken und stiftet die Kampfstille, in der Dietrichs Auszug geschieht (mit symbolisch-räumlicher Bergung Kriemhilds und Etzels: 1995). Dann erhebt sich wieder der *græzlîche schal* (2003), um sich erst zu legen, da die Todesruhe der Vernichtung aller Hunnen über den Saal gefallen ist (2008). Man wird nicht fehlgehen, wenn man auch in diesen Rufen über den Saal hinweg ein ausgesprochen bühnenräumliches Regiemittel sieht.

Auch auf die folgende (34.) Avent. erstreckt sich die Regie: *Wie si die tôten ûz dem sal wurfen.* Wieder wird, wie bei der Begegnung Kriemhilds und Hagens, die Außentreppe des Saalbaus als wirkungsvollstes Raumrequisit verwendet – nicht umsonst sind ja bis heute die Treppen das Aushilfsmittel jeder Raum-Regie geblieben. Die »schreckliche« Treppe[3] dient auch weiter als Hauptschauplatz: Hier spielt in der folgenden (35.) Aventiure der prachtvolle Doppelangriff Irings, hier in der 37. Rüdigers Ende, dessen räumlich glänzende Gestaltung (Schildtausch) NAUMANN feinfühlig geschildert hat.

Damit sind allerdings die Spuren solcher Regie im Nibelungenlied so ziemlich zu Ende. Der Abschluß der Kämpfe, Dietrichs Eingreifen, und auch eine so bildliche Szene wie Kriemhilds letzte Hortfrage folgen einem anderen Typ von szenischer Phantasie, auf den gleich einzugehen sein wird.

Dem Kenner der Überlieferung ist längst aufgefallen, daß die hier herausgehobenen Szenen alle im Parallelbericht der Thidrekssaga fehlen[4]. So scheint es gegeben, diese Regiekunst dem Dichter unseres Nl. selbst zuzuweisen. NAUMANN hat das für die Rüdigerszene getan. Doch liegen die Dinge nicht so einfach. Zwar greift die beobachtete Szenengestaltung über den 1. und 2. Teil des Liedes hinweg, und man könnte auch für sie ein wachsendes Können des Dichters feststellen, wie man sonst getan hat. Aber neben diesen Szenen stehen in beiden Teilen andere, die wie mit ängstlicher Hand die gleiche Regiekunst nur nachzuahmen scheinen.

Sehen wir uns in den bisher ausgelassenen Anfangsaventiuren um, so bleibt da die szenische Gestaltung allermeist vage und unräumlich. Freilich fehlt auch der Atem der großen Handlung – an 'notwendigen' Akten steckt ja in diesen 13 Aventiuren nicht mehr als die Werbung um Kriemhild und Brünhild, und diese sind mit der Kernhandlung nur in ungewissem Zeit- und Motivzusammenhang verbunden. (Die 14.–19. Av. fassen demgegenüber die ganze handlungs- und bedeutungsdichte Folge von Senna, Mordreizung und Mordrat, Mord, Heimkehr.) Trotzdem hätte etwa Siegfrieds Ankunft in Worms (3. Av.) reichlich Gelegenheit zur Gestaltung als

Bühnenszene geboten. Wirklich sehen wir auch Hagen im Fenster die Ankömmlinge mustern – aber das Fenster wird auch weiterhin als Requisit viel
mißbraucht. Die anschließende Gesprächsfolge, ähnlich spannungsgeladen
wie in der Senna und wie dort mit widerspruchsvollen älteren Bausteinen,
bleibt doch ohne jede räumliche Szenengestaltung. Ebenso der Sachsenkrieg (4. Av.).

Erst die 5. Aventiure: *Wie Sîfrit Kriemhilde aller êrste ersach* zeigt räumliche Regie. Schon das Motiv des *schouwens* (273 wie in der Senna 814, 831)
trägt die Raumanschauung auch in den Inhalt hinein. Dann entwickelt sich
ein prächtiger Aufzug von der Kemenate her, Gedränge der Zuschauer,
Kriemhild geht wie Morgenrot aus Wolken, wie der Mond vor den Sternen, Siegfried steht bei ihrem Anblick *sam er entworfen wære an ein permint*
(286). Er neigt sich vor Kriemhild, sie gehen Hand in Hand zum Münster,
nach der in Ungeduld verbrachten Messe erwartet Siegfried Kriemhild wieder vor dem Münster – das könnte wie eine zwar allzu breite, dafür aber
mit dem Schmuck höchsten höfischen Glanzes ausgestattete Regieprobe zur
Senna wirken.

Von der Brünhildwerbung und der Brautnachtepisode wird später zu
sprechen sein. Nur zwischen beiden, am Schluß der 10. Aventiure, begegnet eine weitere Szene, in der man bewußte räumliche Phantasie zu spüren
glaubt: die Verlobung Siegfrieds und Kriemhilds. Kriemhild wird geholt
und kommt mit allen ihren Mägden, Giselher aber springt *von einer stiege* (!)
ze tal (610) und läßt die Begleitung wieder umkehren (warum – wenn nicht
gar nur zum Zweck eines bewegten Bühnenbildes?). Dann steht Kriemhild im Saal allein, im Ring der Ritter, nach gegenseitigem Ja, Kuß und
Umarmung wird das Gesinde geteilt und Siegfried nimmt mit Kriemhild
am *gegensidele* Platz (617). Das sind die Mittel unseres 'Regisseurs' – aber
sie bleiben hier etwas zu sehr im Zeremoniell stecken[5].

Die Aventiuren 11–13 bringen zwar viel Bewegung, Botenfahrten, Empfänge, mit den bekannten Requisiten: Blick vom Fenster, Sitzen im Ring
beim Mahl, Zug ins Münster – aber das bleibt wieder so formelhaft und
anschauungslos, daß fast nicht mangelnde Routine oder fehlender Stoff
allein daran schuldig zu sein scheinen. Man möchte auch hier eine schwächere Hand am Werk sehen, die die Regierequisiten des Vorgängers nicht
ebenbürtig zu nutzen weiß.

Die meisten Szenen des Anfangs (ebenso der Übergangsaventiuren 18
und 19 und vieles im 1. und 2. Teil sonst) gehören also kaum auf die gleiche
Stufe wie die oben herausgehobenen Szenen mit ihrer kühnen Raumregie[6].
Möglich allerdings, daß nur geschlossene Räume und besonders dramatische
Bewegung den Dichter zu solcher Regiekunst veranlassen mochten. Doch
kommt es hier ja weniger auf Klärung der Dichtungsgeschichte an, als darauf, Typen szenischer Gestaltung voneinander abzuheben.

II

Wenden wir uns zu den bisher ausgespart gebliebenen Szenen des Nl., die durch den Parallelbericht der nordischen Thidrekssaga (Ths.) gedeckt sind, so fällt sofort die ganz andere Szenengestaltung auf.

Die Motivführung beim *Streit der Königinnen* – um wieder mit dem verhältnismäßig Sicheren im 1. Teil zu beginnen – zeigt ohne Zweifel in Ths. und Nl. gemeinsame Grundlage: Männervergleich – Frauenvergleich – Enthüllung des Brautnachtbetrugs – Beweis mit dem Ring. In der Ths. ist aber zu Anfang die Reihenfolge umgekehrt wie im Nl.: Der Streit beginnt mit dem Frauenvergleich (Vorrecht auf den Hochsitz in der Halle), geht dann über zum Männervergleich (Siegfrieds dunkle Herkunft), aus dem Kriemhilds Antwort (Siegfried *frumver*) direkt sich ergibt. Das ist ohne Zweifel die natürlichere Folge. Das Nl. zerstört seine eigene, ausgezeichnete Wortpointe, die Replik: *man* (821) – *mannes kebse* (839), durch die Umstellung des Männervergleichs vor den Frauenvergleich, die zur, mehrfach wiederholten, Wendung des Herkunftsvorwurfs *man* auf Kriemhild zwingt: *eigen diu* 828, 838, vorher 822 *eigenmannes wine*! Man dürfte also auch für das Nl. mit einer ursprünglichen Folge: Frauenvergleich – Männervergleich – *man* [7] – *mannes kebse* [8] – Beweisstück – rechnen [9]. So kann man wohl mit Recht annehmen: die Umstellung im Nl. ist das Werk jenes späteren Dichter-Regisseurs, und zwar erfolgte sie gerade, um die 'Bühnen'-Szene des Männervergleichs als Ausgangspunkt zu gewinnen.

Der Anlaß nun, von dem der Frauenvergleich ja ausgehen muß, hat in der Ths. zwar weniger räumliche, aber viel stärkere symbolische Bildkraft als im Nl.: ein Streit um den Hochsitz in der Halle. Diese Szene ist nicht bühnenhaft-räumlich gesehen, sondern mimisch-bildhaft: als Gebärdenraumszene mit all der Pointierung, der bezughaften Spannung, die in der Dichtung wie in der bildenden Kunst vom 9. bis zum 12. Jh. den Szenenraum beherrscht (vgl. etwa Rother 2261f.: *Ja stent dine voze in Rotheris schoze*). Indem aber auch im Nl. noch am Schluß die Aufweisung von Ring (und Gürtel) steht, eine Gebärdeszene von nicht weniger starker, aber noch reinerer Symbolkraft [10] – beweist sich mindestens, daß die Gebärdenraumregie die gemeinsame Vorstufe bestimmt haben muß.

Der nächste Auftritt, *Brünhilds Klage bei Gunther* (Hvöt) verschmilzt in der Ths. mit dem *Mordrat*. Auch das Nl. zeigte da eine merkwürdige räumliche Unbestimmtheit: ohne ein Wort von Kriemhilds Abgang bleibt Brünhild am Ort, läßt Gunther herbeirufen, und auch der folgende Reinigungseid Siegfrieds (im Ring?) wie die Sondersprache Brünhilds mit Hagen und die Gespräche des Mordrats bleiben ohne räumliche Bestimmtheit. Nur die Strophe 871 gibt fast so etwas wie eine bewußte nachträgliche Rettung der 'Situation':

Dô liezen siz belîben.   spiln man dô sach.
hey waz man starker schefte   vor dem münster brach
vor Sîfrides wîbe   al zuo dem sale dan!
dô wâren in ummuote   genuoge Guntheres man.

Meint man hier nicht in eine räumliche Ausbesserungsarbeit an älterem Bestand hineinzusehen?

Wie steht es mit der szenischen Gestaltung in der Ths.? Da fällt vor allem
die merkwürdige Verknüpfung der Ereignisse auf, die in etwas weiterem
Zusammenhang verfolgt werden muß. Die von Kriemhild verschmähte
Brünhild läuft aus der Stadt hinaus und begegnet drei Männern, es sind
Gunther, Hagen und Gernot (so 261, 19 ff.; in 22 f. werden nur Gunther
und Hagen genannt), die von der Jagd heimreiten: Da ist räumliche Bewegung genug – trotzdem bleibt sie ohne Anschaulichkeit und vor allem
ohne jeden inneren Zusammenhang mit der Handlung. Nach dem Mordrat[11] reiten Gunther und Hagen zur Stadt und tun so, als ob sie nichts
wüßten und ebenso Brünhild (263, 1–7), ihr Zusammentreffen soll also unbekannt bleiben, offenbar um Siegfried und Kriemhild bei der beabsich-
tigten Intrige in Sicherheit zu wiegen. Aber – Siegfried ist gar nicht da,
auch er war, für sich, auf die Jagd geritten (263, 8 – wie in der Meiri),
nach Tagen erst kommt er abends heim und wird nun von Gunther, Hagen
und Gernot in der Halle empfangen als ob nichts wäre und sie sind ver-
gnügt (263, 12–18)[12]. Nach Tagen fragt Hagen Gunther (Siegfried ist offenbar wieder nicht dabei: 264, 11 ff.), wann man auf die Jagd reiten wolle,
und Gunther antwortet: Wenn eines Tages gutes Wetter sei (263, 18–23).
Nach einigen Tagen geht Hagen abends ins Küchenhaus und bestellt ver-
salzene Speisen und säumiges Schenken für den nächsten Morgen und geht
dann zurück (264, 1–9). Am nächsten Morgen kommt Siegfried, zufällig
und ahnungslos, zu dem zeitigen Frühstück, wird zur Begleitung eingeladen
und nimmt an. Gunther sagt: Geh zum Tisch und frühstücke, darauf brechen sie auf (264, 11–23).

Schlechter kann man die an sich schon »grobe« Intrige (SCHNEIDER a. a. O.
S. 40) gar nicht vorbereiten. Daß Siegfried arglos mitkommt, dazu bedarf es
ja der vielen Verstellung und Verzögerung nicht, zumal sie bei seiner Abwesenheit an entscheidender Stelle (bei der Heimkehr vom Mordrat wie
bei dem Gespräch über die geplante Jagd) wirkungslos verpuffen.

So ist doch wahrscheinlich, daß der Sagamann hier eine typische szenische
Stilisierung seiner Vorlage zu wörtlich überträgt und dadurch die Motivierung der Intrige verdirbt. Diese Stilisierung aber arbeitete mit Mitteln, wie
wir sie aus der Volksballade, ja dem späteren Volkslied kennen. Da brauchte
die geschlagene Brünhild nicht – in rationaler Erzählung ganz unmotiviert –
aus der Stadt zu laufen, um ganz zufällig die heimkehrenden Könige zu

einem geheimen Rat zu treffen, dessen Geheimhaltung dann doch sinnlos
bleibt, weil Siegfried nicht da ist und auch Kriemhild keine Rolle spielt.
Sondern da mochte es als Abschluß der Senna heißen: Sie ward wie Blut
so rot (261, 16) – und dann konnte einfach mit springendem Neueinsatz die
Begegnung mit Reitern »draußen« folgen, die zur Szenen-Typik der Volksballade gehört. Auch die pointelose Abwesenheit und Heimkunft Siegfrieds
»nach Tagen« weist auf den Stil der Vorlage: Es mochte da heißen: als
Jung-Siegfried zur Halle kam *(in den zîten, dô, innen des* oder eine ähnliche
typische Zeitbestimmung statt der törichten Formel *fám dogom sidar)*. Und
auch weiter sprang wohl schon die Erzählung der Vorlage von Dialog zu
Dialog, mit ähnlichen kurzen Einleitungen: Hagen-Gunther (wann reiten
wir zur Jagd?) – Hagen-Küchenmeister und Schenke – Gunther-Siegfried
beim Aufbruch. Auch das ist nicht etwa alter 'Liedstil', sondern eben die
Situationstypik der Volksballade in schon kontinuierlicher Zeitfolge.

So auch im Fortgang[13]. Wenn – mit offenbarer Verlegenheit – erzählt wird,
Hagen sei zurückgeblieben, um zu der auch Nl. 863–864 angedeuteten Sondersprache mit Brünhild Raum zu geben, so ließe sich darin wieder eine
balladenhafte Reihung sehen, die mit einfacher Zeitfolge an Siegfrieds Ausfahrt mit den Burgunden den Dialog Hagen-Brünhild anschloß, der den
Mord ja sachlich beginnt. Aus dem gleichen Grund läßt sich vielleicht verstehen, warum der Mordrat hier in der Ths. so verkümmert scheint (SCHNEI-
DER, a. a. O., S. 36). Er wäre in der Vorlage nicht eigentlich 'verkümmert',
sondern nur eben aus dem Bereich einer alten Redeszene ganz in den der
(typischen) Vorgänge selbst verlegt.

Darf man damit rechnen: Mit einer (niederdeutschen) 'Heldenballade'
von Siegfrieds Tod vor 1250, die die überlieferte Handlung als zeitlich dichte
Folge typischer Szenen modelt, die z. T. auch in dem charakteristischen
'Natur'-Raum der Ballade spielen (Brünhild begegnet vor der Stadt den
von der Jagd heimreitenden Königen), typisch dialogisch stilisiert? Das
jüngere Hildebrandslied beweist doch wohl, daß man es darf. Natürlich
bleibt ein Hinweis auf Stilmittel der späteren Volksballade, deren Geschichte
und Alter unsicher ist, eine zweifelhafte Basis. Aber der Abstand des Typs
von den andern hier beobachteten, auf den es uns ankommt, wird darin
doch greifbar. Blicken wir auf den Anfang des Berichts der Ths. von Siegfrieds Tod zurück, so könnte auch der so merkwürdige Neueinsatz vor der
Senna (mit Prolog 258, 9–259, 8) sich als Anfang eines solchen Liedes (nur
mit Erweiterungen des Sagamannes versehen) erklären: Hier brauchte
sicherlich die Brünhildwerbung nicht ausführlich erzählt zu werden. In der
Senna der Ths. lebt dann allerdings im ganzen mehr der Stil jener auf pointierte Gebärdenszenen gestellten Regie. Ob da die 'Heldenballade' selbst
den älteren Liedkern stärker festhielt, ob der Sagamann mit mehreren Vorlagen arbeitete, das kann mit unseren Mitteln nicht entschieden werden.

Das Nl., das in der Senna eine ältere Gebärdenszenenregie und die jüngere Umgestaltung zur bühnenhaften Raumbewegung deutlich unterscheiden ließ, zeigt zwar in Mordreizung und Mordrat die Hand dieses Jüngeren nur vorsichtig bessernd am Werk (871, vielleicht noch in der Eidszene), das übrige aber gibt auch kein einheitliches Bild: alte Pointen (863 f., und 870 auch in der Ths. greifbar, 867 nur im Nl.) sind eilig und unklar eingebettet. Nichts aber stimmt zu der besonderen Stilisierung der Ths. Klarheit über die Szenengestaltung der Nl.-Vorlagen läßt sich damit nicht gewinnen.

Nun zum *Mord*. Auch hier erzählt die Ths. »etwas hastig und selbst roh« (SCHNEIDER a. a. O., S. 42) – wir mögen da weiter den Ton der Ballade hören: Jagd auf einen Eber – Trinken zu dreien am Bach (der einfache Erzählzusammenhang: sie waren heiß und müde zum Zerspringen, dann kamen sie an einen Bach – könnte wieder die direkte Reihung im Balladenstil anzeigen) – Mord, kurze Rede Siegfrieds – dann die Wortpointe vom Eber und Bären (sie ist nicht ganz klar; 266, 26–267, 3 ist aber deutlich Interpretation des Sagamannes), die Gunther noch aufnimmt.

Im Nl. sahen wir von der Jagd bis zum Wettlauf die Hand des Dichterregisseurs beteiligt. Ihm könnte auch noch Siegfrieds höfisches Warten am Brunnen gehören. Aber Siegfrieds Schlag, die Gerstange im Rücken, nach dem Mörder (fehlt Ths.) – das ist wieder ältere Gebärdensymbolik.

Die Heimkehr. Dem Bericht der Ths. – a) Glückwunsch Brünhilds; b) Siegfrieds Leiche wird zu Kriemhild ins Bett geworfen; c) Kriemhilds Klage: Du bist ermordet; d) Entschuldigung Hagens: Es war ein Eber. Kriemhild antwortet: Der Eber warst du; e) Jubel der Mörder – hat man hier urtümliche Kraft zugeschrieben. In der Tat liegen da am Schluß, wie in der Senna zu Anfang, auch die genauesten Gleichklänge zwischen Nl. und Ths. bewahrt[14]. Die Endgipfel stellen ja (hier wie im zweiten Teil) die bis ins Nl. bewahrten Glanzpunkte schon früher Stufen dar, und auch ihr Szenenstil weist dorthin zurück: Kriemhilds Schrei, die Mörderfrage, Brünhilds Triumph (s. dazu unten)[15].

Im zweiten Teil liegen die Dinge klarer. Die Tatsache einer gemeinsamen Grundlage für Nl. und Ths. ist deutlich, und für unsere Frage genügt es, Wesenszüge ihrer szenischen Gestaltung festzustellen. Die Berührung ist, soweit die Ths. nicht fremde Wege geht, sehr eng. Stilistisch hört man nicht kontinuierliche Erzählung heraus, sondern eine dichte Reihe abgeschlossener kleiner Szenen, die sich aber um gewisse Handlungsgipfel häufen. Diese Szenen vergegenständlichen wieder fast durchweg ihren Sinn in einer Gebärde; jede Szene schließt sich als Gebärdenraum zusammen. Wenige Beispiele können genügen, dazu einiges Problematische. Charakteristisch z. B. die Donauüberfahrt[16]. Die Meerfrauenszene vergegenständlicht die Untergangsstimmung im 'sprechenden' Gegenüber Hagens und der 'symbolischen' Wahrsagerinnen. In der Fergenszene erzwingt dann Hagens Trotz die Untergangsfahrt. (Die Gebärde des gebotenen Goldrings beweist dabei eine Stilkontinuität, die bis zum Hildebrandslied zurückreicht). Das Erschlagen des Fergen, das Brechen des Steuers (Ths.: Ruder und Pflöcke, Am.: Pflöcke) und das Zerschlagen des Schiffs nach der Überfahrt (fehlt Ths.) vergegenständlicht in dreifacher bildhafter Gebärde Hagens Heldenstolz – die letzte allerdings am wenigsten als Gebärde und schon stark räumlich gesehen, so daß sie nicht ganz auf die gleiche Ebene gehört. Sicher gilt das von Hagens Versuch, den Kaplan zu ertränken (fehlt Ths.): Trotz WESLE (Der Donauübergang im älteren Nibelungenepos, Beitr. 46 [1922], S. 242) bezweifle ich eine Rettung der Szene für die »ältere Not«, nicht nur weil dann Hagens Untergangstrotz gleich viermal hintereinander verbildlicht wäre, sondern auch wegen der Raumanschauung, die hier über der Gebärde steht: Wie der eine Kaplan zum rettenden Ufer zurückschwimmt, indes die andern alle zum fremden und in den Untergang fahren – darin könnte die Raumgestaltung des 'Regisseurs' stecken!

Besonders deutlich ist die Gebärdenregie auch beim abgestuften Empfang der Burgunden durch Kriemhild. Als Antwort bindet Hagen den Helm fester! Aber auch Kriemhilds zweimalige Hortfrage an Hagen gehört in diesen Zusammenhang. Der Hort ist hier (und noch im Nl.) keineswegs bloß als unorganisch erhaltenes Doppelmotiv neben Kriemhilds Rache mitgeschleppt (wie HANS KUHN, Kluckhohn-Schneider-Festschrift 1948, S. 88ff. meint), sondern mehr: Symbol, an das sich Kriemhilds Rache- und Hagens Heldentrotz hängt. Hagens erste Antwort (»ich bringe Schild und Schwert...«) verdichtet besonders pointiert die Situation.

Statt des – fast möchte man sagen, um der Raumwirkung willen erfundenen – Knechtemords hinter der Szene und der Dankwartbotschaft löste in der »Älteren Not« doch wohl der von Kriemhild angestiftete Backenstreich des Söhnchens (Ths.) den Kampf aus, obwohl das weniger Symbolhafte denn roh Stoffliche der Gebärde auffällt, das besser zum Stil der niederdeutschen Nebenquelle der Ths. passen würde (dazu s. unten). Beim Saalbrand – einer Szene schon der Akv. – steht für die »Not« nichts sicher (außer Giselhers *ich was ein wênic kindel...* s. W. MOHR, Giselher, ZfdA. 78, 90ff.), da die Ths. sich hier ganz in andere Kombinationen verliert. Ist das Bluttrinken im Nl. ältere Gebärde? Das Abwehren der Brände auf Hagens Rat: an der Steinwand mit über den Kopf erhobenen Schilden – könnte der Raumanschauung des 'Regisseurs' entstammen.

Es läßt sich im zweiten Teil des Nl. doch ein relativ genaues Bild von der szenischen Gestalt der Vorlage gewinnen. Ihr Hauptmittel ist die pointierte, symbolisch bildhafte Gebärdenszene. Sie schafft kleine, abgeschlossene, statische Bildchen, die sich wahrscheinlich mit einfacher additiver Verbindung aneinanderreihten – während sich auch in dieser Hinsicht die Tätigkeit des 'Regisseurs' im Nl. deutlich unterscheidet: Seine Szenen nehmen den 'monumentaleren' Raum einer ganzen Aventiure ein! Die ältere Pointierung gilt auch für die schon erstaunlich sichere, konsequente und tiefreichende Psychologie: auch sie wird, vor allem beim Rüdiger-Konflikt[17], in der handlungsträchtigen Gebärde (Geschenksymbolik) deutlich. Kaum finden sich aber Pointen, die auf das Wort gestellt sind (wie im ersten Teil öfter).

III

Was die 'Nebenquellen' der Ths. beim Burgundenuntergang betrifft, so braucht auf ihre Entwirrung (niederdeutsches Gedicht, Soester Lokalisierung, nordische Einwirkung?) hier nicht eingegangen zu werden[18]. Es handelt sich um die Szenen: Kentern bei der Überfahrt und Trocknen am Feuer beim Hunnenempfang, Kampf im Baumgarten (mit Ochsenhäuten vor der Tür), Bresche, Ausfälle, Straßenkämpfe mit Brand, Kriemhilds Grausamkeit (sie stößt dem toten Gernot und dem noch lebenden Giselher einen Feuerbrand in den Mund), weiter um den Hagensohn-Komplex und Etzels Goldgier. Soweit sich über die Szenengestaltung dieser gewiß nicht einheitlichen Masse allgemein etwas sagen läßt, beruht auch sie auf statischen Einzelbildern, die aber weniger durch Symbolgehalt und mehr durch eine ziemlich grobe Stofflichkeit bezeichnet sind. Zu erschließen, wie weit sich darin räumliche (Niederdeutschland), wie weit zeitliche Unterschiede zum Nl. spiegeln, wäre bei der unsicheren Grundlage zu gewagt.

Blicken wir schließlich mit der inzwischen gewonnenen Anschauung noch einmal zurück auf den ersten Teil. Im Anfang des Nl. ergibt sich nicht allzuviel aus dieser Stufe. Der Falkentraum Kriemhilds gehört zwar in den Umkreis symbolhafter Bildlichkeit, jedoch mit besonderem früh-höfischem Charakter. Siegfrieds Ankunft in Worms mit der reichlich verlegenen Umbiegung des Reckenmotivs weist auf älteren Bestand, erscheint aber in einheitlicher Neufassung (und zwar ohne jede szenische Anschauung oder Bildlichkeit).

Die Brünhildwerbung zeigt motivlich mit dem 'Handel' zwischen Gunther und Siegfried[19] und formal in einer Reihe kräftiger Strophen (darunter der 'Aventiurekopf' 326, weiter 379, 465) älteres Gut. Nun gibt die Abfahrt der vier Recken im kleinen Schifflein (379) gewiß ein kräftig behagliches, gebärdenstarkes Bild, das der Nibelungendichter sich – eigens motivierend – bewahrt hat. Es bleibt aber ohne jeden symbolischen Bezug zur Handlung, sehr realistisch. Und ähnlich sind dann die Kampfspiele geschildert, wobei besonders burleske Übertreibungen (die Waffen!) auffallen (die dann wieder bei der Mordjagd anklingen: Siegfrieds Durst 968). Die Parallelen im Rother (die Riesenwaffe) zeigen den Zeitstil. Sehr auffällig betont wird aber die Tarnkappenlist (453: *Waz hât mich gerüeret?* usw.[20]). Das bringt zwar ein charakteristisches Anschauungsmoment herein. Aber es ist weder die Anschaulichkeit bühnenhafter Raumszenen noch symbolhaltiger Gebärdenszenen. Wenn Gunther die Bewegungen mimt, indes Siegfried unsichtbar-sichtbar hinter ihm die Handlungen ausführt, so ist das so extrem auf mimischen Effekt hin angelegt, daß der Gedanke an einen Einfluß mimischer Burlesken schwer abzuweisen ist: Die Komik von Krafttaten eines sichtbaren Kleinen und Schwachen mit Hilfe eines unsichtbaren Starken ist ja bis heute als Gesellschaftsmimik lebendig geblieben. Sie reicht, wie sich wohl unschwer zeigen ließe, sicher in den Urbereich mimischer Traditionen hinauf. Auch W. MOHR (Dichtung und Volkstum 42 [1942], H. 4, S. 112 ff.) arbeitet die besondere spielmännische Grundlage dieser und der Brautnachtszene heraus – die Übereinstimmungen mit Spielmannsepen wie Orendel und Rother, die er aufführt, betreffen zwar nur Typisches, sind aber darum hier um so wichtiger. Klare räumliche Begrenzung erhält die Szene im Nl. höchstens bei der Huldigung der Brünhild-Mannen nach den Kämpfen (466–468: der Ring!). Obwohl auch das mehr Zeremoniell bleibt, könnte da der überarbeitende 'Regisseur' wirken.

Auch die Brautnächte Gunthers (Ths.) sind im Nl. überarbeitet, vielleicht bei der ziemlich anschaulichen Räumlichkeit der Szenerie (Schlafengehen, weiter das Ringen zwischen Bett, Bank und Schrank) vom 'Regisseur'. Um die Bewältigung der grotesken Unanschaulichkeit des Motivs (Gunther am Nagel an der Wand aufgehängt) hat er sich nicht weiter bemüht. Wenn man die Dinge nimmt wie sie sind, so enthält es doch nur *eine* Pointe: Gunther, der in der Hochzeitsnacht schlapp am Nagel an der Wand hängt – Siegfried, der kraftstrotzend die Braut auf das Bett zwingt – das sind derb erotische Symbole! Muß man nicht auch hier – da zudem wieder der unsichtbare Starke dem sichtbaren Schwachen hilft – wieder geradezu die Welt des 'Mimus' erkennen? Dazu sind hier auch sonst mimische Effekte wieder stark betont: Siegfrieds Verschwinden vor Kriemhilds Augen (662), dann der über Gebühr benutzte Witz, daß Siegfried unsichtbar die Lichter ausbläst (654, 663). In einen einfachen Entwicklungszusammenhang mit den keuschen Nächten des Nordens – der heroische Werbungshelfer bei der Jungfrau hinter dem Flammenwall – kann diese Darstellung kaum gebracht werden. MOHRS Versuch, statt KRALIKS »Hochzeitslied« eine zeitgeschichtlich möglichere »spielmännische Burleske« als Vorlage auch dieser Szene herauszuarbeiten (a.a.O., S. 116 ff.), fände hier eine Bestätigung – wenn auch die Strophenauswahl im einzelnen unsicher ist.

Bleiben so 'Sonderquellen' und 'Sonderstile' genug, deren Abgrenzung nicht sicher gelingen will, bleiben sogar die Unterschiede der Hauptvorlagen von Teil I und II ohne klare Konturen – die geistige Heimat des 'Gebärdenszenenstils' überhaupt kann nicht zweifelhaft sein. Es ist der Stil auch der 'Spielmannsdichtung' des 12. Jh. Aber schon der Ruodlieb und die

Cambridger Lieder überraschen im 11. Jh. mit solchen Zügen, und der Waltharius des 9.–10. verrät schon die Ansätze. Man muß da allgemeiner typische Entwicklungslinien der vorhöfischen deutschen Heldendichtungs-geschichte unterscheiden von der 'Spielmannsfrage' im engeren, sozialen Sinn, die zwar dicht genug damit zusammenhängt, uns hier aber nicht zu kümmern braucht.

Auch in der bildenden Kunst trägt, von den ottonischen Miniaturen und der Bernwardtür in Hildesheim an[21] bis zu den Bamberger Chorschranken, vor allem die pointierte Gebärde (s. besonders die beziehungshaften Blick- und Deute-Motive) und der durch sie geschaffene Szenenraum die Raum-darstellung. Ebenso liefert die allgemeine deutsche Literaturgeschichte Be-lege genug für die Bedeutung der Gebärdenszene und ihres Raumes, von der Wiener Genesis etwa über den Rother bis noch zur Eneit. Die Entwick-lung der Heldendichtung fällt nun freilich in das große Dunkel zwischen Hildebrandslied und Nibelungenlied. Waltharius und Ruodlieb sind nur sehr bedingte Zeugen – obwohl sie entschieden mehr auszusagen hätten als man bisher glaubt.

Soviel aber läßt sich doch auch hier schon über die Entwicklung sagen: Sie muß in einer zunehmenden Vergegenständlichung der Handlung, und zwar vor allem durch vermehrte Gebärdensymbolik, bestanden haben, deren Folge erst das von HEUSLER in den Vordergrund gestellte Wachsen der Szenenzahl war. Im Mittelpunkt des einszenigen und mit Ausnahme des erzählenden Rahmens ganz dialogischen Hildebrandliedes steht die eine Ge-bärde der Ringgabe – die Ältere Not vergegenständlicht die eine Stelle von Hagens Untergangstrotz bei der Überfahrt über die Donau gleich durch drei oder vier Gebärdenszenen. Doch ist das Hildebrandslied ein Unikum und soll nicht überfordert werden. Ganz allgemein läßt sich jedoch wenig-stens auf die von HEUSLER betonte, aber ganz allmähliche Vermehrung und Verkleinerung der Szenen weisen: Noch aus dem Waltharius kann auf relativ wenige Großszenen der Vorlage geschlossen werden; die Komposition des Ruodlieb zeigt, wie seine ganze Epoche, entschiedene Kleinteiligkeit; in der »Not« wird dann, weit auch über den Siegfriedteil des Nibelungenlieds hin-aus, schon fast kontinuierliche Reihung kleiner Einzelbilder verwirklicht[22], im Rother ist die kontinuierliche Erzählung erreicht, allerdings da wohl außerhalb der eigentlichen Heldendichtung. Denn noch das Nibelungen-lied bleibt in dieser Hinsicht z. T. beim Altertümlicheren (und bei der Strophe). Wo allerdings sein Dichter selbständig neugestaltet, da bricht er im Szenenstil die Entwicklungskontinuität vom Hildebrandslied her ab, die der Rother z. T. noch festhielt[23]. Denn er setzt an die Stelle jener inneren, 'symbolischen' und immer stärker in Gebärden vergegenständlichten Szeneneinheit nun die ganz neue, von der äußeren Einheit eines 'Bühnen-raums' aus gesehene Szenengestaltung. Die weitere Entwicklung des Heldenepos aber verläuft dann schon im Zeichen des französischen höfischen Romans.

Schon bei der Vergegenständlichung und Verkleinerung der Szenen und Schritte im 12. Jh. aber wirkt, wenn auch noch mit alten Stilmitteln, die Tendenz zur Vereinheitlichung des räumlichen und zeitlichen Horizontes mit. Um auch hier nicht zuviel aus den deutschen Heldendichtungsresten herauszupressen, sei nur kurz auf die allgemeine Literatur verwiesen: Die Brautfahrten etwa, die unsere 'Spielmannsepen' erfüllen – sie tauchen im Heldenlied schon im Waltharius und bei Siegfried auf[24] – verraten jetzt, nach einem Jahrhundert streng symbolischer heilsgeschichtlicher Weltordnung in der Dichtung, mit ihrem konkreten räumlichen und zeitlichen Ausgreifen nicht zuletzt den Versuch einer 'Neuentdeckung von Raum und Zeit'. Sie beginnen, zwar noch gebunden an symbolhaltige Orte und Ereignisse, sich hier doch bereits als Koordinaten einer fast naturalistisch einheitlichen und wirklichen Welt darzustellen. Beantwortet und erfüllt werden diese Versuche dann allerdings erst durch die hochmittelalterliche 'beziehungsweise' Raum- und Zeiteinheit, wie sie etwa die 'monumentalen' Szenen der Plastik nach 1200, wie sie ebenso der 'monumentale' Szenenraum im Nl. und die Zeit- und Raumeinheit der Artuswelt im höfischen Roman zeigen – nicht anders als dann um 1500 die Hochrenaissance die Versuche des 'spätgotischen Naturalismus' beantwortet und erfüllt. Um aber die Entwicklungslinie auch nach rückwärts abzuschließen: Das germanische Heldenlied müßte, von hier aus gesehen, in die spätantike Stilwelt einrücken. Wie sein Stoff an noch antiker Völkerwanderungsgeschichte, so hat seine Großszenigkeit Teil an noch antiker Raum- und Zeitanschauung – aber mit jener ganz allgemein spätantiken Entgegenständlichung und Symbolisierung, die hier formal zur andeutenden Auflösung von Raum und Zeit (»Gipfeltechnik« usw.) und inhaltlich zur symbolisierenden 'Privatisierung' der Völkerwanderungsgeschichte führt.

IV

Man muß freilich diesem auf dürftige Reste begründeten Versuch einer deutschen Entwicklungsgeschichte des Szenenstils unbedingt den Reichtum der nordischen Heldendichtungsüberlieferung zur Seite stellen. Sie muß sowieso eintreten, wo wir nach älteren Gestalten der Nibelungendichtung fragen. Allein was sie an Fülle gewährt, versagt sie an zeitlicher und damit auch entwicklungsgeschichtlicher Fixierbarkeit.

Die szenische Form des Heldenlieds erfuhr ja im Norden eine besonders reiche Ausbildung, sie hat in der isländischen Spätblüte geradezu gewuchert. Dabei ging in ihren Lieblingsformen – in den Situationsliedern, vor allem der situationsgebundenen Rückblickselegie, die neben den älter überlieferten Gattungen des 'doppelseitigen' oder 'einseitigen Ereignisliedes' das Lieblingskind der eddischen Sammlung sind – die gleiche Entwicklung zum Einheitsraum und zur Einheitszeit vor sich wie im Süden. Das Besondere der isländischen Dichtung bleibt aber, daß sie in Sprache, Versform und dichterischer Technik so zäh am germanischen Liedstil festhält, daß sie 'modernes' südländisches Mittelalter (z. B. die 'Ballade' des 12. Jh.) gleichsam nur durch diese germanischen Formen filtriert aufnimmt, bis der Druck des Südens – erst im 'gotischen' 13. Jh. – schließlich doch zu stark wird und diese Formenwelt zusammenbricht. So steht der zu starken Überdeckung und Umbildung der Heldendichtung in Deutschland (ins Lateinische des 10.–11. Jh., ins Epos des 12.–13.) hier eine so starke stilistische Einheitlichkeit durch fünf Jahrhunderte gegenüber, daß mit allen bisher möglichen Kriterien doch noch heute keine Übereinstimmung über die Entwicklungsgeschichte erreicht ist, vor allem für die früheren Stufen.

Für unsere Frage seien nur die zwei vergleichsweise ältesten Gedichte aus dem Nibelungenkreis herangezogen: »Brot« und Atlakviða. Sie bieten genug Material aus der nordischen Entwicklungsgeschichte, und die Schwierigkeiten der inneren Chronologie würden bei breiterer Basis den Rahmen dieser Bemerkungen sprengen.

Über den verlorenen Anfang des Alten Sigurdliedes herrscht seit HEUSLER im großen ganzen Übereinstimmung. Man erschließt aus den Enthüllungen am Schluß (Blutseide und keusches Beilager 17–19) und aus der Stoffmasse der Völsungasaga die Szenenfolge: Sigurds Ankunft und Heirat mit Gudrun (Blutseide) – Brünhildwerbung mit Waberlohe und keuschem Beilager (dahin werden meist – zuletzt in F. GENZMER, Eddische Heldenlieder, 1947 – die zwei 'losen Strophen' der Vs. gestellt) – Senna mit Frauenvergleich (beim Baden im Fluß), Männervergleich (Herrschaftsmotiv?), Enthüllung des Brautnachtbetrugs und Ringbeweis – Mordreizung (»Nicht zwei Männer in einer Halle?« – BOER, WIESELGREN und MOHR stellen hierher die Str. 8 und 9 des Liedes, in denen Brünhild das Herrschaftsmotiv ausspielt[25]). Das wäre also, im Stil eines besonders sprunghaften 'doppelseitigen Ereignisliedes', doch eine sich ähnlich wie in Deutschland aus 'gegenständlicher' Handlung (Werbungsbetrug und Herrschaftsmotiv) entwickelnde Szenenfolge – eine 'Tatsachengeschichte'. Aber wird dabei nicht zu unbedenklich das Vorhandene auf das Prokrustesbett einer 'Normalform' gezwängt? Die szenische Gestaltung kann sich niemand recht vorstellen.

Nimmt man zunächst einmal das Lied wie es ist, so muß unbedingt sein besonderer motivlicher Aufbau zum Ausgangspunkt dienen. Seine Grundlage bilden allein die zwei Eidbrüche[26]: der (angebliche) Sigurds bei der Werbungshilfe, der (wirkliche) Gunnars an Sigurd. Es ist allerdings keine Gunnar-Tragödie, wie MOHR will – Gunnar bleibt nicht nur ganz passiv (das teilte er z. B. mit Dietrich), sondern er erhält auch bloß ein (wenn auch interessantes) psychologisches Nebenlicht (12–13). Das ganze Licht fällt vielmehr, wie schon HEUSLER sah, auf Brünhild (3; 8–10; 14–19), und sie allein auch lenkt alle Fäden der Handlung. Denn sie veranlaßt bewußt den Eidbruch Gunnars an Sigurd: durch die Vortäuschung des Brautnachteidbruchs Sigurds (3), die sie nachher selbst zurücknimmt (17–19), wie des Herrschaftsmotivs (8–10)[27], die sie ebenso, als bewußte Täuschung, nachher zurücknimmt (17, 7–8). Damit aber ist die Fabel hier überhaupt keine 'Tatsachengeschichte' mehr, sondern nur noch psychologische Brünhilderzählung: eine 'Charaktergeschichte'!

Indem nun Brautnachtbetrug wie Herrschaftsmotiv nur als Brünhilds sachlich falsche, von ihr selbst später zurückgenommene Ränke erscheinen, wird aber die *Senna* pointelos: sie verliert ihre auslösende gegenständliche Notwendigkeit, ihre sachliche Stelle. Wenn auch nicht ausdrücklich, so doch innerlich (15) bewegt sich so das »Brot« schon auf der Linie der Skamma, die keine Senna mehr kennt, eben weil ihr Motiv nur Brünhilds alles verschuldende zwiespältige Psychologie ist (hier als Liebe zu Sigurd interpretiert). Ob und wie also die Senna im Alten Sigurdlied erschien (noch als Anlaß wenigstens: Frauenvergleich beim Baden im Fluß?), bleibt vage. Ihre 'tragische' Bedeutung ist auf jeden Fall stark herabgemindert.

Das gleiche gilt für die vorangehende Szene, die *Brünhildwerbung*. Auch ihr hat die Brünhild-Psychologie des Liedes die handlungsmäßige Kraft geraubt. Das Wesentlichste ist in Brünhilds Enthüllung am Schluß aufgenommen: das keusche Beilager. Natürlich besagt das keineswegs, daß es in streng 'analytischer Technik' erst da bekannt wurde, es dürfte sogar sicher vorher erwähnt worden sein. Aber das Gegenständliche der Handlung spielt auch hier eine so untergeordnete Rolle gegenüber der Psychologie Brünhilds, daß alles unsicher bleibt, was über eine bloße Erwähnung der Werbung (wie sie wieder die Skamma bietet) hinausgeht[28].

Die erste Szene schließlich, *Sigurds Ankunft* und *Heirat* mit Gudrun – dazu die Blutseide, die wieder in Brünhilds Rückblicksenthüllung nochmals erscheinen – wird nach allgemeiner Anschauung kaum über prologartigen Bericht hinausgegangen sein.

Den Beweis, daß das Sigurdlied so aussah, liefert schließlich das erhaltene »Brot« selbst. Von der psychologischen Geschichte Brünhilds aus verliert ja auch die *Mordszene* ihren gegenständlichen Eigenwert, auch sie wird stellenlos – und ist es im Lied in der Tat: der Mord ist nur durch Högnis Antwort in der Heimkehrszene berichtet (7). Außerdem wird er allerdings noch in jener einen Langzeile erzählt (5, 1–2), die zur Anknüpfung der Rabenweissagung dient. Die Str. steht aber in der Hs. erst nach 11. Dazu gleich mehr.

Hier bestehen also die gegenständlichen Voraussetzungen für die Szenen jenes erschlossenen »Ereignisliedes« im Grunde gar nicht. Sondern es gibt nur drei szenische Fixpunkte dieser Handlung, die sich um drei psychologische Brünhild-Situationen sammeln. Erstens die Hvöt: Brünhilds betrügerische Anstiftung der Burgunden zum Mord an Sigurd wegen angeblichen Eidbruchs – zweitens die Empfangs-Situation, die den Mord im verschiedenartigen Empfang der Mörder durch Gudrun und Brünhild spiegelt – drittens die Ausblicks-Situationen auf das zukünftige Unheil, das aus dem Eidbruch an Sigurd entspringen wird: Rabenweissagung (5), Gunnars Sorge (13), Brünhilds Warnträume (16), die den Ausblick dann mit der Enthüllung des Eidbruchs und ihres Ränkespiels (17–19) psychologisch verbinden. Also im wesentlichen, was das »Brot« jetzt noch bietet: am Schluß dann sicher vollständig, am Anfang außer der Hvöt nur durch wenige Prologstrophen zu ergänzen.

Gehen wir zur Gegenprobe die erhaltenen Szenen im Zusammenhang durch. Vom *Mordrat* geben 1–3 nur noch psychologisch räsonnierendes Gespräch: Gunnar variiert den Eidbruch Sigurds, Högni verurteilt Brünhilds Aufreizung psychologisch (s. Mohr a. a. O.). Sachlich handlungsträchtig (im Sinne des deutschen Mordrats, oder etwa der Gespräche des Hunnenschlachtlieds) ist das nicht. Die Gewinnung Gothorms als Mörder schließt sich an (4): eine bewegte Szene, aber ihre stoffliche magische Symbolik dient nur der vordergründigen Psychologie einer Nebenfigur, die vom Blutseidmotiv her nötig scheint – und doch in dem späteren kollektiven Schuldbekenntnis Högnis (7) wieder aufgegeben wird.

Dann kommt in der überlieferten Folge unmittelbar der *Heimkehr-Empfang* der Mörder durch Gudrun (6–7), wieder eine sehr bildliche Szene – aber nun fast zu bildlich: Dem Pferd, das trauernd sein Haupt über den toten Herrn neigt (7, 5–6), sagt man Herkunft aus der Ballade nach[29], aber auch daß Gudrun »draußen« steht und die heimreitenden Mörder anspricht (6), weist auf ähnliche Szenentypik[30] und ebenso die bildliche Einkleidung ihrer Frage nach Sigurd (Voranreiten der Verwandten). Schließlich entspricht überhaupt der Mord 'hinter der Szene', d. h. seine Spiegelung nur in der Szenentypik des Ankunftsgesprächs mit den Mördern, auch weniger germanischem Liedstil als mittelalterlichem Balladenstil. Ob man damit die Strophen als Interpolation fassen darf? Vielleicht als Ersatz älterer Strophen? Bei dem folgenden (auch in der deutschen Überlieferung gerade noch bestätigten) Triumph Brünhilds (8–10) ist der Gleichlauf von 8 und 10 auch durch Umstellung (11–10: s. Genzmer a. a. O.) doch kaum zu bessern: An diese Stelle gehört nur 10! (Steckt im Lachen Brünhilds älteste symbolische Gebärde? *Eino sinni* enthält aber zugleich Brünhilds zwiespältige Psychologie.) Mohr, wie übrigens schon andere[31], stellt 8–9 in die Hvöt, womit der Hinweis auf mögliche Söhne Sigurds in der Tat erst seine Pointe erhielte. Noch mehr aber wird der Zusammenhang durch Str. 11 verwirrt, wo Gudrun *Gunnar* als Mörder flucht. Die »großen Frevel« ihrer Anklage liegen doch in Brünhilds vorangehenden Worten nicht eigentlich, und der Fluch richtet sich ja auch an Gunnar, nicht an Brünhild. Ich glaube, daß die Strophe sinnvoll nur als Fortsetzung der Empfangsgespräche 6–7 verstanden werden kann. Dort fehlte eine Antwort Gudruns an die Mörder, die auch in Deutschland zur Heimkehrszene gehört: Str. 11 gibt sie mit allem wünschenswerten Anschluß! Daß aber Gudrun trotz Högnis »wir« ausschließlich Gunnar als Mörder nennt, darin könnte sogar eine noch engere Verwandtschaft zur deutschen Fassung liegen: da muß Kriemhild ja aus einer Ausflucht den Mörder erst erkennen! Nicht daß die Pointe schon genau wie in der Ths. anzusetzen wäre (»ein Eber« – »der Eber warst Du«). Aber eine pointierte Bezeichnung Gunnars als Schuldigen ließe sich, in dieser Form, denken und wäre ein weiterer Rest von Handlungs-»Urgestein« in dem sonst so handlungs-verarmten »Brot«. Und an die jetzige Stelle kam Str. 11 vielleicht, weil man die Verwünschung Gunnars zusammenbrachte mit den in 5 und 13 und 16 nun wirkungsvoll aufgebauten Zukunftsausblicken. Gerade diese aber haben anderen, und zwar neuen Inhalt (Burgundenuntergang durch Atli), anders als die allgemeine Verwünschung durch Gudrun in Str. 11.

Dagegen möchte eher der überlieferten Strophenfolge für 5 (also zwischen 11 und 12) zu glauben sein. Daß zwischen 4 und 6 nichts zu fehlen braucht, weil der Mord ja in 7 mit den späten Darstellungsmitteln dieser Szene folgerichtig erzählt ist, haben wir gesehen. In 5 fiele an dieser Stelle die Rabenweissagung ins Leere und ebenso Gunnars, daran anschließende, »Gedanken« in 13. Vor 12 aber wäre die Strophe Einleitung und Glied der kunstvollen Steigerung jener *Rückblicks- und Vordeutungsszenen,* die nun in geschlossenem Zusammenhang folgen. Denn Gunnars (12–13) wie Brünhilds (14 ff.) Reflexionen sind typische, fast sentimentale psychologische Szenen. Beider Schauplatz ist das Bett, einmal des Abends, einmal des Morgens; beide enthalten, mit Details liebevoll ausgemalt, psychologisch zwiespältige Situationen: Gunnar liegt nach froher Trunkrede sorgenvoll in Unruhe wach und denkt über die Unheilsweissagung nach – Brünhild nimmt nach Angstträumen ihre lachende Aufforderung zum Mord nun weinend zurück.

Es scheinen recht verschiedenartige Elemente szenischer Gestaltung, die sich im »Brot« vereinigt finden: verdeckte Andeutungen alter Handlungsszenen in Übereinstimmung mit der deutschen Fassung (Erkennung der Mörder bei der Heimkehr, Triumph Brünhilds; dahin auch die Gebärdensymbolik von Brünhilds Lachen) – die stofflich-magische Symbolik der Gothorm-Reizung (4) und des Rasengangs (17), dazu die Vogelweissagung (5) – balladenhafte Szenentypik in 6 und 7 – typische psychologische Reflexionssituationen in 12–14 und psychologisch räsonnierendes Gespräch 1–3. Über das Ganze hinweg und alles verbindend aber zieht sich doch die eine psychologische Linie von Brünhilds zwiespältigem Charakter mit der daraus entwickelten Eidbruchsintrige.

Was 'früh', was andererseits 'spät' ist und warum – das läßt sich wie gesagt hier schwerer zeitlich fixieren als in Deutschland. Für Einzelnes mag man an Überarbeitung denken. Festzustellen bleibt dann doch der Gegensatz in den Grundlinien: In Deutschland lebt die Fabel deutlich vom gegenständlichen Gehalt einer Reihe von Szenen, die Psychologie und Sinn nur implizit enthalten (Senna, Hvöt, Mordrat, Mord, Heimkehr und Erkennung der Mörder, Triumph Brünhilds – über die Form der Vorgeschichte läßt sich Sicheres kaum sagen). Im nordischen Gedicht lebt hier die Fabel von der einen psychologischen Linie des Brünhildcharakters, die eine einzige motivliche Verknüpfung schafft: die Eidbruchsintrige. Durch sie aber werden ganze Szenen der Handlungsfabel entwertet – der Weg ist offen zur willkürlichen Umgestaltung und Neuverknüpfung, wie sie die späte Schicht der Eddalieder zeigt.

Und doch ist damit noch keineswegs über das Alter entschieden. Die psychologische Linie ist ja in Form und Inhalt geradezu die Lebenslinie schon des germanischen Heldenlieds. Auch das Hunnenschlachtlied beruht auf ihr, auch das Hildebrandslied enthält randvoll Psychologie und Argumentation. Nur ein relativer, freilich schwerwiegender Unterschied besteht zwischen diesen Liedern und dem »Brot«! Dort bleibt die psychologische Linie doch noch stärker an die gegenständlichen Substrate der Handlung gebunden als hier: der Brüderkonflikt des Hunnenschlachtliedes gebunden an Völkerkonflikt und Landnahme, der Vater-Sohn-Konflikt des Hildebrandliedes gebunden an die Exilheimkehr. Im »Brot« ist die psychologische Linie schon ganz zum Selbstzweck geworden, das Gegenständliche im Grunde schon gleichgültig. Dürfen wir also sagen: das germanische Heldenlied enthielt zwar im Vordergrund die psychologische Linie, aber doch gebunden an gegenständliche Substrate – die deutsche Entwicklung vergegenständlicht die Handlung bis schließlich zur dichten Reihe von Gebärdenraumszenen – die nordische steigert umgekehrt die psychologische Linie bis zur Entgegenständlichung und Entwertung der Handlungssubstrate, die hier im »Brot« schon auf recht später Stufe sich darstellt [32]?

V

Eine ältere Stufe der 'Szenenregie' gibt nun die Akv. zu erkennen. Sie ist zwar schon stark auf dem Wege zur kontinuierlichen Erzählung (den dann die Am. weitergehen). Diese Tendenz aber verbindet sich hier mit dem besonderen Darstellungsstil, der wie eine deckende Schicht über dem ganzen Gedicht liegt: Beiworttechnik, Variationsstil, Technik typischer Situationen (mehrfach wiederkehrend das Gastmahl z.B.), dazu Sentimentales und viel Skaldisches. NECKEL (Beitr. z. Eddaforschung [1908], S. 129ff.) und GENZMER (ANF 42 [1926], S. 97ff.) haben darüber das Nötige gesagt[33]. Sie entstammt gemäß GENZMERS glücklichem Nachweis einer einheitlichen Überarbeitung. Ihr gehört wohl auch hauptsächlich der kontinuierliche Erzählstil durch kleinschrittige (oft strophenweise) Übergangsszenen, deren szenischer Gehalt, trotz betont 'anschaulicher' Elemente des Variationsstils, doch meist mehr im 'Stimmungsmäßigen' liegt als in szenischer Anschauung.

GENZMER sieht den Bearbeiter im Verfasser der Hrafnsmal, Thorbjörn Hornklofi; die Umgestaltung gehörte dann schon ins ausgehende 9. Jh. Das erscheint für den fortgeschrittenen Erzählstil erstaunlich früh. Man kann aber bedenken, daß da, nicht unähnlich wie beim Waltharius, eine andersartige Kunsttechnik ins Heldenlied eingriff, nämlich die des preisliedgewohnten Skalden, dem von daher kontinuierliche Schilderung von Ereignissen bereits vertrauter war. Wie anders kontinuierliche Erzählung in nordischen Gedichten späterer Zeit aussieht (z. T. sogar in der Nachfolge der Akv.), zeigen ja Atlamal und Meiri: Sie nehmen die psychologische Situation und ihr Raisonnement, die die Akv. noch ganz vernachlässigt, entschieden herein, greifen sogar von daher motivierend in den Handlungsgang ein, was Akv. ebenfalls nicht kennt. Sie zieht dem alten Gedicht nur das Prunkgewand einer technischen Bearbeitung über.

Was läßt sich von ihrer Vorlage aufdecken? Es bleiben Fragezeichen genug auch für die szenische Gestalt der Auftrittsfolge, die handlungsmäßig ja nicht einmal problematisch ist. Am Anfang steht als Szene (wie im Nl.) kaum sicher die *Botensendung* Atlis (1), wohl aber die *Botenankunft* am Burgundenhof (2) – doch man greift hier unter dem Variationsstil der Bearbeitung keinen Inhalt mehr. Es folgt die Beratung[34] mit *Warnung Hagens*. Hier hat die Schrift- und Zeichensymbolik des warnenden Rings (Akv. 8) manches Wahrscheinliche[35]; kaum aber war es eine Gebärdenszene. *Gunthers Entschluß*: die 'Selbstverfluchung' (11) enthielte einen wirkungsvollen gebärdenszenischen Ansatz, aber wohl auch in reiner Rede, ohne sichtbare Handlung; und ihr Alter läßt sich nicht erweisen[36]. Die *trotzige Fahrt* (13) steht durch die »Not« sicher, für ihre szenische Gestalt aber fehlen die Anhaltspunkte jenseits des Variationsstils der Akv. Dagegen hat die *Warnung Gudruns* bei der Ankunft (auch Ths. und Nl. 1716–17?) sich in Akv. 15 den Charakter einer älteren Redeszene erhalten: Entgegentreten beim Saaleingang; eine Gebärde ist auch hier nicht greifbar und zum Dialog hinzu auch nicht wahrscheinlich. Erst die *Horterfragung* (26–27, 4) gab ohne Zweifel beides: zur bis in die Formulierung noch durch das Nl. bestätigten Antwort Gunnars auch die große Trotzgebärde (das Haupt Högnis [Nl.] – in der Hand Gunnars [Akv.] ?[37]). Nochmalige *Warnung* Atlis durch Gudrun vor Gunnars Tod (29–30)[38]? Situation und Gebärde (*varnaði við tárom* 29) werden nicht klar, der Anteil des Bearbeiters scheint stark. *Gunnars Tod*: hier zeigt diesmal die Akv. die größere, bildlichere Gebärde: Statt des ziemlich abrupten Schwerthiebs im Nl. (er gehört da ja auch durchaus zusammen mit dem zweiten, nicht minder abrupten Schwerthieb, durch den Hildebrand unmittelbar darauf Kriemhilds Leben endigt) steht hier Gunnar mit der Harfe im Schlangenturm (31). Aber darf man dem hohes Alter zutrauen? Es paßt doch mehr in den Vorstellungskreis des Bearbeiters. Empfang Atlis nach dem Mord durch Gudrun: Da nun die direkte Vergleichbarkeit der »Not« aufhört, beginnt glücklicherweise die Akv. selbst zu sprechen (35). Sie zeigt eine ohne Zweifel schon ursprüngliche Redeszene an, wenn auch im Inhalt nicht recht faßbar [39]. Aber auch eine, mit dem Tod der Söhne zusammenhängende, starke Gebärde (Trank oder Mahlreichung) ist hier sicher. In dem, vielleicht überarbeitungsfreieren, erzählenden Schluß tritt dann eine Folge kurzer, aber gebärdenstarker Bildszenen hervor: die tränenlose Gudrun (38), Verteilung der Schätze (39), Tod Atlis (40–41), brenna (41–42) [40].

Eine Gebärdenregie findet sich also schon hier. Aber sie ergreift keineswegs jeden Auftritt. Nur die Gipfel – Gunnars Trotzantwort, Gudruns Atli-Empfang – sind dadurch ausgezeichnet. Der größere Teil der Szenen spielte in reinem Dialog. Handlungsstrophen ergänzen, ähnlich wie im Hildebrandslied, nicht etwa das Lied zur geschlossenen 'Fabel', sondern sie geben, hier schon stärker in der Form der Gebärdenszene, Rahmen und Übergänge zu den wenigen dramatischen Großszenen (hier sind es drei: Einladung, Burgundenuntergang, Atlis und Gudruns Untergang). Standen vielleicht ursprünglich Gebärdenszenen überhaupt nur inmitten des dramatischen Dialogs an der Gipfelstelle einer Großszene: Hildebrands Ringgabe; Kriemhilds Ringbeweis, Siegfrieds Schlag nach dem Mörder oder Kriemhilds Schrei im Siegfriedlied; Gunnars Trotzgebärde bei der Horterfragung, Gudruns Atli-Empfang im Burgundenlied? Genauere Vergleiche möchten vielleicht auch Nuancen des Gebärdenraums erkennen lassen: Hildebrands Ring ist indirekter symbolisch als Kriemhilds Ring, und wieder anders, realistischer, ist Gudruns Warnring verstanden. Auch Gunnars Trotz, Gudruns Atli-Empfang scheinen realistischer als die mehr symbolhaltigen Gebärden des Siegfriedlieds; Gizurs Speerschleudern im Hunnenschlachtlied wäre umgekehrt geradezu magisch rituell.

Doch sind direkte Vergleiche gefährlich. Was die Akv. von ihrer Vorlage verrät, gilt erst für das 9. Jh. Das Lied vom Burgundenuntergang hat da, wenn wir die Entwicklung richtig sehen, schon gewisse Schritte auf dem Wege südländischer Vergegenständlichung hinter sich, es hat, besonders in den erzählenden Teilen, szenische Untergliederung und Gebärden-Verdichtung erfahren.

Es scheint aber zugleich schon eine merkwürdig entgegengesetzte Entwicklung zu tragen. Blickt man nämlich auf die motivliche Verbindung der

Szenen in der Akv., so fällt da eine nicht geringere psychologische Linearität auf als im »Brot«. Gunnars Heldentrotz beherrscht ganz einsträngig die erste und zweite Großszene (Einladung und Tod der Burgunden) – so sehr, daß auch hier ursprüngliche Handlungstatsachen (der Burgundenhort als wirkliches und die Verwandtschaft als vorgebliches Einladungsmotiv?) dadurch entwertet erscheinen. Und im dritten Akt (Tod Atlis und Gudruns) setzt Gudrun einfach die Linie Gunnars, die Sippenlinie fort – nur biegt, wo Gunnar nach dem einen Entschluß (11) fast passiv sich dem Schicksal bot, die Frau aktiv den Sippentrotz zum Schicksalsring zurück: dem toten Gunnar leistet am Schluß der tote Atli Genüge, was aber die Gegner verband, wird dabei zerrieben: die Gudrunsöhne, sie selbst! Diese Einsträngigkeit ist noch deutlicher am Gegenspieler abzulesen: Atli bleibt durchaus passiv. Im dritten Akt zu Recht, da er hier wie vorher Gunnar im Wirbel seines Schicksals verschlungen wird. Aber auch im ersten Teil, wo doch er das Schicksal anstößt, tritt er selbst überhaupt nicht auf: Seine Goldgier wie die verräterische Einladung wird nur von den Burgunden aus gesehen, Atli steht gleichsam nur als Fallensteller hinter der Szene – auch wenn man 14, 12 ff., wo das besonders deutlich wird, mit GENZMER u. a. als Eindringling betrachtet. Denn auch bei der Horterfragung, dem unstreitigen Höhepunkt des ersten Teils, hat Atli keine Rolle [41], ebenso bei der Tötung Gunnars [42]. Der Gegenstrang, der doch notwendige Einschlag im Handlungsgewebe, wird also so weit zurückgedrängt als nur irgend möglich, sogar wieder auf Kosten wichtiger Handlungstatsachen und -szenen, weil alles Licht nur auf den einen Strang, die eine psychologische Linie des burgundischen Helden- und Sippentrotzes fällt.

Man könnte darin die Hand des skaldischen Umarbeiters sehen. Aber die psychologische Linearität ist diesmal auch in Deutschland bewahrt – bis ins Nl. hinein. Noch der letzte Nibelungendichter hat sie nur verstärkt und unterbaut: Hagen, auf den Gunnars Rolle in beiden Teilen überging, stößt nun sogar seit dem ersten Augenblick, beim Eintreffen Siegfrieds in Worms, alle Ereignisse an und zwar in der einen Richtung: zur Ehre der Burgunden. Diese Rolle – der Dichter gewinnt gerade aus ihrem Widerspruch zu retardierenden Momenten der Hoffnung Perlen wie den Schildtausch mit Rüdiger (2192 ff.) – war dem Nl. ohne Zweifel schon von der »Not« her überkommen und ihre Kontinuität bis zurück zum Gunnar der Akv. ist sicher.

Allerdings steht der psychologischen Linearität der Hagenrolle das Gegenspiel Kriemhilds gegenüber. Psychologisch ebenso einlinig, ist es doch, im Unterschied zu einer komplexen weiblichen Psychologie als Selbstzweck wie im »Brot«, durch die gegenständlichere Handlungsgebundenheit der Anlässe (Siegfrieds Tod vor allem) weit mehr vertieft. Vorzüglich aber gewinnt die Handlung durch das Gegenspiel beider Rollen räumliche Tiefe. Sollte

nicht auch das zur Umwandlung der Bruderrache Gudruns in den Bruder-
mord Kriemhilds mitgewirkt haben – nicht nur die äußeren stofflichen
Gründe, die man annimmt? Mindestens setzt diese Umwandlung einen wie
in der Akv. aus dem Gegenspiel verdrängten Atli voraus. Denn einem kräftigen Gegenspieler der Burgunden hätte die Burgundenschwester Kriemhild seine Rolle nicht so ohne weiteres abgenommen.

Und nicht nur die Gegnerin, auch die eigene Partei gibt dem deutschen
Hagen ein Gegenspiel. Der Gunnar der Akv. war trotz Högnis Warnung
(die ja charakteristisch kein Abraten ist: 8) doch ganz betont auf sich gestellt (9–11), ein gradliniger 'Durchgänger'. Da wir die Fabel im 12. Jh.
in Deutschland zu Gesicht bekommen, haben die Rollen schon gewech-
selt. Der Trotzheld ist Hagen, und er hat als solcher immer mehr an Adel
und Geburtsehre verloren – am Schluß ist er Dienstmann der Burgunden,
ob er nun vom echten Bruder oder vom elbischen Halbbruder, ob von
der Siegfried- oder Burgundenfabel ausgig. Aber was er an Adel verlor,
gewann er an räumlicher Plastizität. Denn nun steht der Trotzheld auch
bei den Seinen in einem Raum gegeneinander strebender Kräfte, und er
selbst ist Warner und Täter zugleich (s. z. B. die Einladungsszene: erst durch
den Spott der andern wird der alles-wissend abratende Hagen zu dem, der
alles-wissend den Untergang fördert). Das mag aus der Siegfriedfabel stammen; aber es ließe sich denken, daß auch dort noch beim Übergang der
Rolle Gunnars an Hagen dieses Gegenspiel fehlte. Denn der Wechsel ge-
schah anscheinend zunächst eindeutig auf Kosten des einen von beiden:
Dem 'gesunkenen' Gunther des Waltharius steht ja der Gunther der Kampfspiele und Brautnächte nicht fern; für ausbalancierte Gegenkräfte ist da noch
kein Platz. Die Doppelrolle Hagens als Warner und Täter bezeugt allerdings
auch schon der Waltharius, sogar bis zum tragischen Konflikt getrieben[43].
Aber auch das ist erst deutsche Sonderentwicklung.

Das Zeugnis des Nl. trifft also mit dem der Akv. dahin zusammen, daß
in der gemeinsamen Vorstufe – einem deutschen Lied spätestens des 9. Jh. –
die eine psychologische Linie des burgundischen Sippentrotzes so einsträngig herrscht wie in der Akv., obwohl das in der Fabel angelegte
Gegenspiel dadurch verkürzt und wichtige Handlungsszenen gestört werden mußten. Besonders merkwürdig, weil sich die deutsche Tendenz zur
Vergegenständlichung hier gleichfalls schon meldet, die dann zur Entwicklung eines neuen Gegenspiels führte. Der Widerspruch in der Anlage, der
sich aus der Sonderart der Fabel[44] nicht erklären läßt, muß tiefere entwick-
lungsgeschichtliche Gründe haben.

Er liegt doch wohl schon in der zwiespältigen Anlage des germanischen
Heldenliedes überhaupt. Schon in seinen Anfängen greifen die gegenständlichen Momente der Fabeln und die psychologische Linearität, mit der sie
verbunden werden, nicht genau ineinander. Es verhält sich damit wie mit

der germanischen Geschichte selbst. Die ältesten dichterischen Stoffe liegen
ja mit den Zielen und Schauplätzen der germanischen Geschichte seit der
Wanderungszeit fast ausschließlich inmitten oder am Rande der spätantiken
Welt, haben an ihrer trotz auflösender Tendenzen doch noch stark gewahr-
ten antiken Gegenständlichkeit teil, werden manchmal sogar vom klaren
Licht antiker Geschichtsschreibung getroffen. Die Form aber, mit der die
Germanen dichterisch und geschichtlich diese Welt erfassen, ist eben eine
weithin gegenstands-, raum- und zeitlose psychologische Linearität. An
ihrem Anfang und auf lange hinaus ist die Form des germanischen Heldenliedes keine Gestaltungs-, sondern eine Reduktionsform: eine reduzierende
psychologische Stilisierung der Wirklichkeit, d. h. des Geschehens in Raum
und Zeit. So steht sie in der allgemeinen Stilwelt der Spätantike und in der
besonderen germanischer Ornamentik. Wie diese Form am spätantik Gegenständlichen zustande kommt, wie sie dann im Süden sich langsam mit neuer
mittelalterlicher Gegenständlichkeit füllt, wie sie andrerseits im Norden
(unter abgeschwächter Berührung mit dem Süden) sich weiter zu psychologischer Linearität ausbildet – das aus der ganzen Breite der Überlieferung
darzustellen, wäre die Aufgabe einer allgemeinen Form- und Stilgeschichte
der germanischen Heldendichtung.

VIRGINAL

Das Gedicht von Dietrichs erster Ausfahrt (Virginal), noch in der Ausgabe Zupitzas (Deutsches Heldenbuch Bd. 5, 1870) mehr vergraben als erschlossen, hat später eine Zeitlang lebhaftes kritisches Interesse gefunden. Es ist uns sogar gerade durch die Philologie einer jetzt fast ausgestorbenen Forschergeneration erst lebendig geworden[1]. Sie hat aus dem Wust spät überlieferter Fassungen[2] ein Werk befreit, das in der Literaturgeschichte der Heldendichtung einen recht hohen Platz einnimmt.

Zupitza glaubte noch an die Einheitlichkeit des Gedichts und an Albrecht von Kemnaten als seinen Verfasser. Wilmanns zerstörte diesen Glauben: er entdeckte, daß im ersten Viertel (bis etwa h 250) kurze offene Tonsilbe nur in stumpfer Kadenz gebraucht wird, von da an aber auch in klingender. Damit waren zwei verschiedene Schichten bestimmt und Wilmanns' Nachfolger bauten das mit sprachlichen und inhaltlichen Gründen weiter aus. C. von Kraus fügte drei weitere Kriterien hinzu: 1. verstechnische, besonders Reimwiederholungen als Zeichen der Unechtheit, 2. die dichterische Wortwahl überhaupt, 3. in geringem Maß auch die Handlungsführung.

Mit ihrer Hilfe ordnet er die Überlieferung folgendermaßen (s. seine Zusammenfassung S. 122f.). Das allen drei Fassungen gemeinsame Stück bis h 240 gehört, von mannigfachen Interpolationen abgesehen, einem ältesten Gedicht (A). Es ist das zierliche Werk eines ausgezeichneten Alemannen, Schülers Konrads von Würzburg, von rein höfischer Haltung. Sein Schluß steckt – von Kraus folgt hier der These Wilmanns' – in den d und w gemeinsamen Teilen der Fortsetzung. Das Gedicht erzählte demnach, »wie Dietrich unter der Leitung seines Waffenmeisters Hildebrand seine ersten Abenteuer erlebte. Sie befreien eine Zwergenkönigin von dem Menschentribut, den ihr ein Heide aufgezwungen hatte, erretten hierauf den Sohn des Herzogs Helferich aus den Zähnen eines Drachen, werden deshalb an seinem Hofe zu Arone gastfreundlich aufgenommen und ziehen schließlich nach allerlei Festen, nach einer Jagd und nach einem Turnier Dietrichs mit

Libertin zu der Zwergenkönigin, die der Berner dann als seine Gemahlin heimführt in sein Reich«.

An dieses Gedicht machen sich verschiedene Bearbeiter. Ein Rheinländer (B), gröber, aber doch kräftig und handlungsfroh, überarbeitet den Anfang und gestaltet die Fortsetzung ab 240 neu: er fügt die Episode von Dietrichs Gefangenschaft in Mûter ein und ändert den Schluß im Sinn der historischen Dietrichsage (keine Hochzeit mit der Zwergenkönigin). Diese Fassung (A + B) wurde schließlich von einem »ungemein rohen« Alemannen (E) interpoliert und in wachsendem Maße aufgeschwellt, ab h 768 in völliger Neubearbeitung. Ihm vor allem verdankt man die ungereimten Botenszenen, Briefe, Empfänge, Aufbrüche, die die Hs. h kennzeichnen. Denn diese enthält die Schichten A + B + E.

Andrerseits schaltete ein Ostfranke (C) in das Gedicht A (mit dem »echten« Schluß) die pointelosen Abenteuer mit dem Riesen Janapas auf Orteneck und Dietrichs Eberjagd und Riesenkampf auf der Fahrt zur Zwergenkönigin ein, dazu auch sonst zahlreiche Interpolationen: Waffen- und Kleiderschilderungen, Religiöses. Auf dieses Gedicht A + C geht der roh kürzende Auszug des Dresdener HB.s (d) zurück. Ihm folgt auch die Wiener Piaristenhs. (w), die es aber mit einer h-Redaktion kompiliert (aus der sie die Mûter-Episode übernimmt); durch Übersetzung, Umdichtung, Streichungen und Zusätze versucht sie ein zusammenhängendes Ganzes aus diesem Konglomerat zu machen, in allerdings recht biederer Art.

Dieses Bild ist so bestechend einfach wie methodisch überzeugend[3]. Die kritische Forschung ruht denn auch seither[4]. Das »Meisterwerk der Kleinkunst« (VON KRAUS S. 122), das mit dem Gedicht A vor 30 Jahren der Literaturgeschichte neu geschenkt wurde, blieb seither unangefochten.

Wenn im folgenden einige Beobachtungen vorgelegt werden, die sich ergänzend, aber auch kritisch vor allem darauf richten, unter Gesichtspunkten weniger philologischer als inhaltlicher Art, so soll damit nicht die Bedeutung philologischer (sprachlicher usw.) Kriterien abgeschwächt werden zugunsten jetzt oft beliebterer, aber auch oft oberflächlicher 'ganzheitlicher' Betrachtungsweisen. Die hier benutzten Gesichtspunkte – sie sind nichts weniger als neu – und ihr Ergebnis, soweit es kritisch gegen die bisherigen Ergebnisse ist, mögen nur als Versuch beurteilt werden, einen gewissen Schematismus, der allerdings der rein philologischen, wenn nämlich nur atomistischen Kritik anhaftete, auf seinem eigenen Felde zu korrigieren.

1. Das Gedicht A bis h 233

Liest man den Anfangsteil des Gedichts in VON KRAUS' gereinigter Gestalt durch, so muß man immer wieder in das »vorzüglich« und »ganz vortrefflich« (S. 18 ff.) einstimmen. Der Dichter solcher Strophen verdient in der Tat jedes Lob. Richtet man aber den Blick von der einzelnen Strophe weg auf das Ganze, auf die Komposition, so verstimmt da doch sehr vieles [5].

Dietrich reitet mit seinem Meister Hildebrand ins Gebirge, um *aventiure* zu lernen. Er ist noch so jung, daß er die hohen Berge bestaunt: »*Ist daz aventiure genant?*« Wie wir später (75, 2) erfahren, kann er nur erst schirmen, noch nicht stechen.

Kaum begegnet aber den Reisenden die erste Merkwürdigkeit im Sinne des Programms, die *wilde* Stimme (22), so vergißt Hildebrand seine Rolle als Meister und Erzieher ganz. Er führt die Aventiure mit der Jungfrau und ihrem Bedränger allein durch, indes Dietrich verloren zurückbleibt [6], verschont vor dem einen – aber nur um inzwischen nicht weniger als 80 Heiden [7] in die Hände zu fallen! In der entscheidenden Aventiure, die zudem alles Folgende bis hin zu Dietrichs Hochzeit mit der Zwergenkönigin direkt oder indirekt motiviert, hat also Dietrich keine Rolle – er kämpft nur mit dem Gefolge, und das wiederum ist für ihn zugleich zu wenig und zu viel: zu wenig im Rang für den lernenden, künftigen Helden, zuviel aber in der Zahl für den noch ungelernten [8].

Merkwürdig ist auch die Handlungsführung. Die Helden reiten zusammen aus; dann läßt – ohne Motivierung, wie wir sahen – Hildebrand Dietrich zurück. Die ganze Aventiure bestreitet er allein, Dietrich bleibt hinter der Szene, bis Hildebrand schon mit der befreiten Jungfrau zu ihm unterwegs ist (71). Da bricht die Erzählung unvermittelt ab (*Nû lâzen wir sie rîten hie und sagen wiez dem Bernære ergie* 72, 4 f.) [9], wendet sich zu Dietrich zurück und holt dessen Kämpfe nach (bis 99), indes Hildebrand mit der Jungfrau zu Pferde gleichsam auf der Stelle erstarrt. In Str. 100, nachdem die Handlung Dietrichs auf gleicher Höhe angekommen ist, geraten sie erst wieder in Bewegung (*Die slege erhôrte er Hildebrant* 100, 1), Hildebrand sucht den kämpfenden Dietrich auf (100–106), und damit endlich kommen die beiden wieder zusammen zum gemeinsamen Schlußkampf (108–109 – indes allerdings schon wieder die Jungfrau hinter der Szene warten muß: 100). Es ist, als ob der Dichter alles daransetzte, die einzelnen Personen nicht zusammentreffen zu lassen, weil ihm dann sofort der Stoff, der Antrieb, der erzählerische Atem ausginge. Diese Manier einer nachholenden Handlungsführung in getrennten Zügen aber zieht sich durch alle Fortsetzungen und Einfügungen späterer Schichten [10]. Wir kommen noch darauf zurück – stellen wir sie vorläufig nur fest.

Hübsch ist der Abschluß der Kämpfe: auf Dietrichs Frage nach Aventiure zu Anfang (*ist daz aventiure genant?* 21, 4) antwortet nun abrundend Hildebrand:

> *seht diz sint aventiure:*
> *ir lernent dulden ungemach*
> *und hânt iu daz ze stiure*

daʒ man vil êren an iuch lât,
sît iuwer hant sô hôhen pr.ïs
durh werdiu wîp ervohten hât.   (110, 8 ff.)

Das ist also das Erziehungsprogramm für den jungen Dietrich: die Aventiure lehrt ihn durch Kampf im Dienste edler Frauen ritterlichen *prîs* erwerben. Hier meldet sich aber nochmals der gleiche Einwand: Das Programm ist gut und schön, nur paßt diese Handlung nicht dazu! Denn Dietrich hat zwar inzwischen gefochten, aber nur zufällig, am Rande der Aventiure, und ganz und gar nicht *durh werdiu wîp.* Davon weiß er ja bis jetzt noch nicht das mindeste (wenn man nicht alle Interpolationen – davon unten mehr – als echt ansehen will). Sein Zorn auf die Frauen in dem folgenden hübschen Gespräch hängt also auch pointelos in der Luft.

Recht bedenklich im Sinne der Komposition ist auch das Intermezzo 55–59: Während Hildebrand noch mit dem Heiden kämpft, schicken die Frauen, die den Schall davon bis zu ihrem Berg gehört haben, einen Zwerg als Kundschafter aus. An dieser Stelle ist der Ausgang des Kampfes aber noch ganz in der Schwebe, die Botschaft geht denn auch aus wie das Hornberger Schießen. C. v. KRAUS (S. 22) streicht 55 und 57, mit Recht, und deutet den Boten um in einen ständigen Beobachter, mit Unrecht, denn die ganze Str. 56 spricht dagegen und die ergebnislose Botschaft wird um nichts besser. Man kann in der Szene nur eine schlecht angebrachte Gelegenheit zum Aussenden und Empfangen von Zwergen-Boten sehen. Das aber ist ein Zug, der sich als üble Manier durch die späteren Schichten besonders in h zieht.

Die Kämpfe sind durch das Aventiure-Gespräch 110 ff. abgeschlossen und abgerundet. Nun wird Dietrich dem befreiten Mädchen zugeführt[11]. Kaum sind damit alle handelnden Personen einmal beisammen, so läßt diesmal die Jungfrau ihre Helden wieder zurück: Dietrich und Hildebrand müssen auf einer schönen Aue warten, damit jetzt sie Botin spielen kann (schon die 2. Botschaft!). Mag das angehen, um dem Dichter Gelegenheit zu der reizenden Schilderung der Empfangsvorbereitungen 130–138 zu geben[12]. Doch sie werden schnell wieder abgebrochen durch ein neues Botenmanöver: die Jungfrau will sofort zurück, nicht, um Dietrich und Hildebrand zu holen, was noch verständlich wäre, sondern – um sie vor jungen Drachen zu warnen (139 – sie will sie schon auf dem Herweg gesehen haben: 122 – aber diese Str. stand dort offensichtlich zu keinem andern Zweck, als um vordeutend das Manöver hier zu ermöglichen). Es ist natürlich klar, daß der Dichter damit zur folgenden Episode der Drachenkämpfe überleiten will. Aber ungeschickter geht es schon kaum mehr: wir verlassen die Helden im tiefsten Frieden, und anstelle irgendeiner weiterführenden Handlung werden sie – durch Boten von der neuen Episode benachrichtigt! Und

damit noch nicht genug: unter der fadenscheinigsten Motivierung wird die
Jungfrau als Bote ersetzt durch den Zwerg Bibung (140 ff.), das »perpetuum
mobile« (VON KRAUS S. 68) der späten Schichten. Er soll Bote sein, weil
er das Gebirge kennt und weiß, wo die Drachen liegen – dabei hat doch
das Mädchen eben erst die Helden verlassen und die Drachen angeblich
selbst auf dem Wege gesehen! Das Eintreten des Zwergs ist hier überhaupt
nicht zu verstehen.

Und nun treffen wir, mit dem Boten zurückkehrend, die Helden mitten
im Kampf mit den Drachen wieder. Die neue Episode ist, ohne einen eigenen
stofflichen Anfang, schon mitten im Gange – das Beste, was unser Dichter
tun konnte! Die Handlungsführung dieser Episode aber ist wieder von der
gleichen Manier beherrscht wie die der ersten: man hält Dietrich und Hildebrand geradezu mit Gewalt einander fern. Ja, diesem Schema zuliebe ist
hier sogar die Handlung der Vorlage, die wir mit Hilfe der Thidrekssaga
erschließen können (BERTELSEN I, 196, 7 ff.), absichtlich verbogen. Dort
befreien Dietrich und sein Begleiter einen Mann aus dem Drachenmaul,
und das ist bei der Untauglichkeit ihrer Schwerter nur möglich mit dessen
eigenem Schwert. Hier werden aus dem einen Drachen zwei, damit jeder
Held seinen eigenen Drachen in eigener Handlung hat. So erhält Hildebrand allein die Befreiungstat (147–160), Dietrich den Schwertaustausch,
der damit aber seiner Pointe beraubt wird (171–176). Auch formal ist diese
Manier ebenso durchgeführt wie in der ersten Episode. Dietrich kämpft
hier zuerst allein (144–146), mit Str. 147 bricht das unvermittelt ab, und es
wird Hildebrands Kampf und ganze Aventiure mit Rentwin eingeschoben
(147–160). Da erst entsinnt sich Hildebrand wieder Dietrichs – für dessen
Fernsein hier ja überhaupt jede Motivierung fehlt! – und reitet mit dem
Befreiten zu ihm hin (161–171). Als sie schon ankommen, müssen sie wieder wie vorher mitten auf dem Wege stecken bleiben, damit Dietrichs Kampf
(an 146 anknüpfend) nachgeholt werden kann (172–174), dann erst kommen wieder beide Helden zusammen zum gemeinsamen Abschluß der
Kämpfe (175–176). Diese Handlungs-Parallele zur ersten Episode geht sogar stellenweise bis in alle Einzelheiten[13]. Und zwar ist es nicht nur Übereinstimmung in der Manier, sondern bewußte Kopie, wie 175, 9 offen aus-
spricht: *ir tuot der alten art gelîch*... Auch das wirft ein merkwürdiges Licht
auf den »Dichter« A.

Gehen wir erst weiter. Zu den mehrfachen Botenszenen kommt mit Rent-
wins Bericht 180–183 auch eine erste Rekapitulation: ein weiteres Motiv,
das in den späteren Schichten als sinnlose Manier wuchert[14]. Die Drachenkampf-Episode geht mit dem Empfang in Arona zu Ende (in höfischer,
z. T. nur etwas blasser Darstellung). Nun aber folgt das eigentliche Monstrum an Komposition in A. Der Bote Bibung (dessen Sendung anstatt
der Jungfrau 140 ff. niemand einsah) war 143, 4 ff. auf *manegem engen pfat* bis

dahin gelangt, wo er Dietrichs Donnerschläge auf den (inzwischen auf-
getauchten) Drachen hören konnte. An dieser Stelle aber ist der Zwerg
offenbar in einen tiefen Märchenschlaf versunken. Denn nach einem ganzen
Roman: nach Dietrichs und Hildebrands Drachenkämpfen, den Gesprächen
mit Rentwin, mit seinem Vater, dem Empfang in Arona, dem Festmahl dort
– nach all dem erinnert erst die Str. 218 in der bekannten Weise plötzlich
wieder an ihn (*Nû lân wir sie in vröiden hie und sagen wiez Bibunge ergie* 218, 1f.).
Da hält Bibung noch immer an der gleichen Stelle – inzwischen aber hat sich
die ganze Szene geändert! Die Zeit: Bibungs Roß scheut nun (219) vor
den tot daliegenden Drachen, bei deren noch sehr lebendigem Kampfgetöse
wir ihn verließen (143); sein Ziel: Bei seiner Aussendung soll er ins Gebirge, *ze walde* (141, 6) – jetzt reitet er nachtwandlerisch sicher weiter nach
Arona (220); verändert auch sein Auftrag: dort sollte er erkunden, wie es
den Helden mit den angekündigten Drachen erginge (141, 6ff.) – jetzt
überbringt er eine formelle Neueinladung der Königin (229). Daß sich die
Königin mit ihren Mädchen schon einmal ganz umsonst geputzt hat (130ff.),
verschweigt er dabei taktvollerweise[15] – sie hat sich inzwischen in einem
Zelt auf das Warten eingerichtet (229).

Wozu diese absurde Handlung? Nun, sie läßt sich erklären: das kompositionelle Monstrum erfüllt – einen kompositionellen Zweck! Eine Botin
mußte kurz vor dem Ende der Rahmengeschichte die eingeschobene Episode einleiten (139ff.); nun muß ein Bote nach gleicher Manier an ihrem
Ende die Rahmenhandlung neu in Gang bringen. Er ist die einzige Ver-
bindungsbrücke, die von der Drachenkampf-Episode zur Haupthandlung
zurückführt. Nur auf diesem Notsteg weiß der Dichter von Arona zurück-
zulenken zur Zwergenkönigin, die er so kurz vor dem Ende ihrer Geschichte, mitten in den Vorbereitungen zum Empfang der Helden, im Stich
gelassen hatte.

Diese Manöver sind schon einfallslos genug, zumal gleich in doppelter
Anwendung – die spätere Botenmanie steht also auch in A schon in voller
Blüte. Warum aber hat dieser Dichter nun noch beide verbunden in der
Person Bibungs und so den absurden Sprung von Str. 143 nach Str. 218
geschaffen? Auch dafür ist ein Grund zu finden: Der spätere Bote nach
Arona wurde schon am Anfang der Episode abgesandt, einfach weil das
die letzte Stelle ist, an der das Personal der ersten Episode noch vorkommt.
Darum ersetzt er dort die Botin (140)[16]. Zur Erfindung auch der beschei-
densten Neueinführung an geeigneter Stelle hat es bei diesem Dichter offenbar nicht gereicht.

Fassen wir zusammen. Das in einzelnen Strr. so »vortreffliche« Gedicht A
zeigt in seiner Handlung erhebliche Schwächen. Nicht alle Paradoxien ließen
sich bisher auflösen (Dietrichs Rolle im Verhältnis zum Programm). Aber
das meiste weist in eine Richtung:

Die Neigung zu Botschaften und Rekapitulationen, die in späteren Schichten zur wahren Manie ausartet, kennzeichnet schon den »Dichter« A. Weiter: Er kopiert bewußt und z. T. fast sklavisch in der zweiten Episode die Handlungsführung des ersten. Schließlich: Er kann die einzelnen Handlungsteile nur durch die schlimmsten Boten-Praktiken miteinander verbinden. Der Erfinder dieser kompositionellen »Meisterstücke« ist nicht nur unselbständig und einfallslos, sondern er klebt in allem geradezu an den vorgegebenen Fakten; und er lebt stofflich überhaupt nur von – Boten!

Paßt das zu den »vortrefflichen« Strophen und ihrem Dichter? Muß man nicht scheiden: dort der wirkliche Dichter – hier ein unselbständiger Kompilator?

Suchen wir Gewißheit mit stärkeren Kriterien. Sie finden sich in der vermutlichen Fortsetzung von A.

2. Die Fortsetzung von A

Die letzte Strophe der gemeinsamen Überlieferung h–d–w ist h 233. Von da an gehen die Redaktionen h und d–w textlich und stofflich ganz auseinander[17]. Fortsetzung und Schluß von A sucht VON KRAUS wie schon WILMANNS in der Fassung d–w[18]. Seine Vorgänger und er selbst haben mannigfache Gründe, sprachliche und dichterische, dafür beigebracht. Aber diese sind alle nur negativ, ein durchschlagender positiver Grund fehlt. Vor allem die sprachlichen Hauptkriterien der Unechtheit – WILMANNS' Dehnung offener Kürzen in klingender Kadenz und VON KRAUS' Reimwiederholungen – sind nicht nur in sogenannten »echten« Teilen von d–w selten, sondern in ganz d–w einschließlich der sicher interpolierten Janapas-Episode[19].

Vergleicht man einmal die stofflich entsprechenden Stücke in beiden Redaktionen – es sind nur wenige: neue Aventiure-Gespräche, Bibungs Rückkehr, der Abschied von Arona, der Empfang in Jeraspunt –, so ist die Darstellung in d–w unbedingt besser als in h, wenn man die sehr späte Patina, die w selbst über alles zieht, abrechnet[20]. In h sind ja auch diese Stellen in die Bearbeitungen B und E eingebettet. Trotzdem kann der Vergleich für unser Bild von A fruchtbar werden: wenn wir nämlich neben diesen Parallelfassungen auch die Doppelfassungen in A selbst heranziehen. Das soll im folgenden versucht werden.

a) Das Aventiure-Gespräch

Schon in dem bisherigen Teil von A waren wir einer doppelten Fassung des Gesprächs zwischen Hildebrand und Dietrich über die Aventiure als Abschluß von Kämpfen begegnet: als Abschluß der Heiden-Kämpfe 110 ff.,

als Abschluß der Drachenkämpfe 175, 7 ff., hier mit ausdrücklicher Rückbeziehung auf das erste: *ir tuot der alten art gelîch* 175, 9.

Ein ebenso geführtes Streitgespräch steht nun in den Strr. h 234–239, in
unmittelbarer Fortsetzung des gemeinsamen Grundstocks A und überein-
stimmend zu A gerechnet (die Bearbeitung B läßt man erst mit h 240 beginnen), und in w 369–371, das VON KRAUS auch A zuschreibt. Also gleich
in vierfacher Fassung noch in A!

Das ist allerdings zuviel. Wie schon LUNZER[21] gesehen hat, berühren sich
die beiden letzten Fassungen (h 234–239 und w 369–371) sehr eng, nur die
Rollen von Helferich und Hildebrand sind vertaucht. C. v. KRAUS nimmt
diese Wiederholung für A in Anspruch, w 369–371 als eine beabsichtigte
Revanche Hildebrands für h 234 ff., in »köstlichem Gemisch von Ernst und
Humor« (S. 117)[22]. Aber der völlig gleiche Inhalt und der stellenweise sogar durchschimmernde gleiche Text[23] beweisen entschieden, daß hier doch
nur eine Parallelfassung für die gleiche ursprüngliche A-Stelle vorliegt. Text-
kritisch ergibt sich dabei: h ist gründlicher verderbt[24], oft auch absichtliche Umdichtung. Aber auch w steht nicht minder weit von einem zu erschließenden gemeinsamen Urtext (A) ab – auch noch in dem kritischen
Text, den VON KRAUS für w 370 gibt (S. 117), und der ihn selbst nicht befriedigt[25]. Man kann diesen Urtext stellenweise ahnen – und zwar immer
noch mehr nach h als nach w – aber die Hoffnung, ihn durchgehend herzustellen, muß man natürlich bei diesem Überlieferungsbild aufgeben. Mit
einiger Sicherheit ist zu vermuten:

h 235 = w 370 (da sind wenigstens die Reimworte z. T. erhalten):

> Der wîse *sprach: Her Helferich,*
> *ir sult den jungen vürsten rîch*
> *niht alsô werden prîsen!*
> *ob er gewinne heldes muot,*
> 5 *sô muoz er wâgen lîp und guot*
> *und sol sich des bewîsen.*
> *ich muoz in in der jugende vil*
> *mit scharfen worten walken,*
> *sam der reiger vâhen wil*
> 10 *die ungemachten valken...*[26]

h 238, 7 = w 371, 9:

> *Ir tuot als alle tage ein lîp*
> *wie disteln ûf geriute*
> *mir wahse......*[27].

Sicherer als beim Text sind wir hinsichtlich des Strophenbestands. Den
3 Strr. in w stehen 6 in h gegenüber. In den drei gemeinsamen Strr. (= h

234. 235. 238) steht aber alles, was hier originell ist. Der Rest in ʾh ist inhaltlos und dürftig[28].

Auch die Differenz in der Rollenverteilung macht keine Schwierigkeiten: LUNZER hat natürlich recht, daß es besser Hildebrand (in h) ansteht, seinen Zögling Dietrich zu tadeln, als dem Gastgeber Helferich (in w).

Dafür bleibt aber die Stelle und die Motivierung dieses Gesprächs in A um so bedenklicher. Die jetzige Stelle ist in beiden Redaktionen schlecht[29]. In h ist es, noch einigermaßen motiviert, an Bibungs Botschaft in Arona angeschlossen: *sie wartent iur ein ganzez jâr* (229, 12) – darauf Helferich: *Iust aller sælden hort beschert daz iuch sô stolze meide mit liebe in ir herzen hânt* (234, 5 ff.). In w steht es, ohne Verbindung, mit Neueinsatz nach Bibungs Heimkehr. Hier wie dort ist nicht recht klar, wie Helferich zu dieser Rolle, zu der Lobrede für Dietrich kommt.

Aber – es ist auch ursprünglich gar nicht die seinige! Sondern an einer früheren Stelle sagt *Hildebrand* zu Dietrich:

> *Dô sprach der alte grîse dô:*
> *herr, ich bin iuwer êren vrô,*
> *daz iu sô stolze meide*
> *mit dienste undertænic sint,*
> *ritters vrouwen und ir kint...*   (209,1 ff.)

Ein Zusammenhang zwischen diesen beiden Stellen besteht offensichtlich (209, 3 = 234, 6). In 209 nun rühmt Hildebrand die Frauengunst, die sein junger Herr gefunden hat, und mit Recht. Denn dem dienen hier in der Tat die *stolzen meide:* Str. 207 schildert köstlich, wie sie ihn mit ihrem weiblichen Kram unterhalten und ihm bei Tische dienen[30]. Und warum folgt hier Hildebrands Lobrede?

Nun, Str. 209 fährt fort:

> 6 *sagt an, hât iur geklegede (?)*
>   *an iu ein ende noch genomen...*
> 11 *hât sich volendet iuwer muot,*
>   *der mit rede zegelîch*
>   *dicke mir vil leide tuot?*[31]

> 210 *Des antwurte ime der junge man:*
>   *hab ich iu leides iht getân*
>   *daz lânt von herzen sîgen:*
>   *wol stât iuwern zühten daz.*
>   *von uns sî der alte haz:*
>   *der rede sol man geswîgen...*

Dieser *alte haz* aber ist nichts anderes als das frühere Aventiure-Streitgespräch 110ff. (darauf bezieht sich Dietrichs *geklegede* 209, 6 und die *rede zegelîch*

209, 12!). Hier führt also *eine* Linie von Dietrichs kindlicher Frage: *ist daz aventiure genant?* (21, 4) – über Hildebrands Antwort nach dem Kampf: *seht diz sint aventiure!,* samt Dietrichs kindischem Zorn über solche *aventiure* (110 ff.) – bis zur Aussöhnung hier: *von uns sî der alte haz* (210, 5). Aventiure also heißt das Erziehungsprogramm für den jungen (ritterlichen) Helden (21, 4). Seine erste Hälfte ist harter Kampf, und sie will dem *tumben* wenig schmecken trotz des verheißenen minniglichen Lohnes, von dem er ja auch noch nichts versteht (110 ff.). Nun er auch ihn, die zweite Hälfte des Programms, kennen lernt: von den *meiden* umworben und in der Folge vielleicht noch köstlicher belohnt – nun ist er mit der Aventiure ausgesöhnt: *von uns sî der alte haz* (209 ff.). Das ist dichterische Komposition, nicht die Stümperei, die wir im vorigen Kapitel kennenlernten. Und sie wächst rein aus den »vortrefflichen« Strophen heraus, deren Programm sie erfüllt![32]

Es ist klar, daß damit das Thema abgeschlossen ist. Auch die Kopie innerhalb der Rentwin-Episode (175) kann nicht dazu gehören. Und die Wiederaufnahme des Gesprächs (h 234–238; w 369–371) ist danach in jeder Hinsicht verfehlt: Weder findet es da den wunderhübschen Anlaß wie in 209 ff., der vergeblich zu kopieren versucht ist, noch kann auf die formelle Aussöhnung hin (210) der Streit einfach wieder ausgegraben werden. Trotzdem erweist die Doppelfassung in h und w diese Kopie als Bestandteil von A.

Ergebnis: Drei Gespräche (aus im ganzen sechs im Bereich von A) markieren Anfang, Mitte und Ende einer vortrefflichen Komposition (21; 110 ff.; 209 f.). Damit ist das Motiv zu Ende geführt. Die in h und w folgenden Gespräche (h 234–239; w 369–371) sind nur stärker abweichende Parallelfassungen eines weiteren Gesprächs, das in seinem z. T. noch erkennbaren Urtext also auch zu A gehörte. Die Bearbeitung ist in w konservativer für den Strophenbestand, in h aber für den Text. Seine Stelle in A bleibt unklar. Es waren gute Strophen (hübsche Vergleiche) in guter, metrisch noch älterer Form. Aber stofflich sind sie doch nur ein Anwuchs – ein Weiterspinnen, das sich ganz aus der Substanz des Vorhergegangenen nährt, ohne Neuerfindung oder neue Vorlage[33].

Unser Eindruck und unsere Frage aus dem vorigen Kapitel hat sich hier noch verstärkt. Muß man nicht auch hier zwei Schichten in A unterscheiden: die eine das ursprüngliche Gedicht von dem jungen Dietrich – die andere seine stofflich unselbständige und kompositionell dürftige früheste Ausweitung?

b) Der Empfang

Kompositionell markiert, wie wir eben sahen, das Versöhnungsgespräch zwischen Dietrich und Hildebrand (209 f.) Gipfel und Ende der Rahmenhandlung im Sinne ihres Programms. Stofflich aber sind wir da – in Arona,

im Bereich der eingeschobenen Drachenkampfepisode; die Königin und
ihr Minnelohn erwarten Dietrich noch immer vergebens. Und doch hat das,
was wir bis jetzt vom Fortgang der Handlung kennen, keinerlei stoffliche
Substanz: Mit dem üblen Mittel der Botschaft und mit stofflicher Wiederholung (Aventiuregespräch) muß die Fortsetzung arbeiten, um die Handlung – und was für eine Handlung – in Gang zu halten. In diesem Widerspruch von Arona steckt offenbar der Kern der Probleme von A.

Überschauen wir wieder alle parallelen Darstellungen abschließender
Empfänge, die für A gesichert oder anzunehmen sind. Am Schluß der ersten
Episode führt die befreite Jungfrau die Helden bis in die Nähe der Königin,
diese läßt Vorbereitungen zum Empfang treffen (130–136)[34]: (1) – da bricht,
um der eingeschobenen Drachenepisode willen die Szene ab. Am Ende dieser zweiten Episode steht, genau parallel, aber fast überbreit, der Empfang
der Helden in Arona (190–217): (2). Mit der anschließenden Bibung-Bot-
schaft hört der für A gesicherte Stock auf. Fast unmittelbar folgend stehen
in w ein paar hübsche, in ihrem Zusammenhang aber merkwürdige Strophen
ähnlich der Aronaszene (w 360–362): (3a), und in der Anfangsstr. der Neubearbeitung in h deutet sich die Parallelfassung dazu noch an (h 240): (3b)[35]
Den als Abschluß für A zu fordernden Empfang bei der Königin sucht
VON KRAUS in der Fassung d–w (w 767–789): (4a)[36]; stofflich ist in h parallel Dietrichs Empfang im Bereich des VON KRAUSSCHEN Bearbeiters E
(h 950–967): (4b)[37].

Schauen wir zuerst diesen vierten Bericht an. Fassung w und Fassung h
berühren sich hier überhaupt kaum; allerdings ist die Führung der Handlung gleich bis in Details[38]. In h ist aber die ganze Szene überhaupt wörtlich abgeschrieben aus den früheren Empfängen[39], nur mit erheblich ver-
dorbenem Text. Doch auch w schreibt nicht weniger ab, nur in freierer
Bearbeitung[40] (durch d, wo ja nur ein rohes Handlungsgerüst übrig bleibt,
wird doch gerade auch das Vorbild von h 136 [w 770] für die Fassung d–w
bestätigt)[41]. Also auch hier nichts Eigenes, kein einziger Einfall; sondern
ausschließlich Zweitehandware: Kopie oder aber leeres Zeremoniell.

Mag nun die Szene in w oder in h 'besser' sein, mag sie überhaupt in
A gestanden haben oder nicht – sicher ist das eine, daß sie nicht der 'echte'
Empfang Dietrichs bei der Königin ist: der Empfang, der den Ansatz von
130ff. würdig fortführte. Dieser 'echte' Empfang muß einmal dagewesen
sein[42], aber in den jetzigen Fortsetzungen von A gibt es ihn nicht mehr[43].

Lassen wir das einstweilen dahingestellt. Was müßte man denn als 'echten'
Abschluß der Rahmengeschichte erwarten? Soviel wissen wir bereits von
ihr, daß wir Folgendes vermuten dürfen: Der junge Dietrich kommt, nachdem er die männliche Welt des Kampfes gekostet hat – sie will ihm noch
wenig behagen (Aventiuregespräch 110ff.) – in die weibliche Welt der Minne,
deren heilenden Balsam ihm Hildebrand ja vorausgesagt hat. Ihre Reize

(in Fortsetzung der weiblichen Vorbereitungen 130 ff.) und schließlich wohl die Minne selbst bekehren den jungen Schwerenöter rasch (Versöhnungsgespräch 209 f.), so daß er am Ende als vollkommener Aventiure-Ritter durch Kampf und Minne nach Bern zurückkehrt.

Das ist Phantasie, wir haben aus den bisherigen Andeutungen weitergedichtet. Aber vergleichen wir nun damit die folgenden Szenen:

206 . . . .
dan vuorten sî den jungen lîp

. . . .
ûf in ein wunneclîchen sal.
5 *der was gezieret überal*
mit golde und ouch mit sîden.
er dâ ein rîchez bette vant.
sîn harnesch wart enpfangen
von maneger schœnen vrouwen (!) hant,
10 *die zime kômen gegangen.*
diu herzogîn (l. künegîn!) die wunden bant;
sie schuof im keiserlîch gewant, (?)
da von im sorgen (vil ver)swant.

207 *Man bôtz im wol und dannoch baz.*
vil schœner vrouwen (!) umbe in saz,
die kurzten ime die stunde.
sî zugen vür in werkes gaden (!),
5 *sî truogen dar krâm unde laden (!):*
swaz ieglîch bestes kunde,
daz treip sî vor dem werden man,
durch daz in niht verdruzze,
swaz man zu vröude erdenken kan
10 *den senenden nâch genuzze.*
dar man vil reiner spîse truoc:
ze dienste bôt sich manegiu hant
wîz an klâren megeden kluoc.

Das ist doch genau das, was wir oben erwarteten: Dietrich wird von Frauen empfangen, die Fürstin verbindet seine Wunden. Und dann wird eine ganze bunte Mädchenwelt aufgeboten, die den Jungen mit ihrem Tand und Kram zu unterhalten strebt. Wenn etwas, dann ist das eine würdige Fortsetzung der Ansätze von 130 ff. [44]. Daran schließt sich aufs beste abrundend – wir sahen es schon oben – das versöhnende Aventiuregespräch zwischen Dietrich und Hildebrand (209–210) ganz im Sinne unseres Programms (nur an etwas früherer Stelle als vorhin vermutet). Wir sind hier

aber wieder – im Bereich von Arona, nicht bei Dietrichs abschließendem
Empfang durch die Königin.

Aber lesen wir erst noch weiter:

215, 1 *Alsus gezieret wart der sal*
mit schœnen vrouwen (!) *überal:*
die sâzen als er wolde …

216   *dâ dienten juncvrouwen* (!) *vil:*
10 *die langen und die kurzen*
ze dienste bugen si ir bein.
rôter munt gap manegen smier
vil goldes ob reiden löcken schein

217   *Sî heten kurzwîle vil*
sî hôrten maneger leige spil
harpfen rotten gîgen,
von worten maneger leige sanc,
5 *der durch der vrouwen ôren klanc.*
man sach in zühten swîgen (l. *nîgen*).
zuht unde mâze in herze las
alle die dâ sâzen.
mit in der sal gezieret was.
10 *die jungen muosten lâzen,*
des sie ir kintheit niht erlie.
vor den tischen manegen dôn
mit rîcheme sang man an gevie! [45]

Also beim Fest nun wieder die Frauenwelt: Frauen zieren den Saal »überall« (!), Jungfrauen dienen bei Tisch, Frauenzucht beherrscht auch die völlig
verderbte Str. 217.

Zur Arona-Szenerie, in der diese Strr. und Strophenbruchstücke eingebettet liegen, paßt dies alles aber schlecht [46] – es widerspricht ihr sogar
z. T. so, daß der Text empfindlich unter Harmonisierungsversuchen ge-
litten hat [47].

Sind wir so aufmerksam geworden, dann kann uns noch manches in
Arona auffallen:

203   . . . .
sie nam den vürsten bî der hant.
5 *nû vüerent hin sprach Hiltebrant*
den helt ûz arbeite.

. . . .
er wænet dâ ze Berne sîn,

10 *mit kinden spilen der tocken,*
und waz sî habent in ir laden,
daz er daz lâze durch sîn hant
und in nâch trage ir privesaden [48].

So spottet Hildebrand über Dietrichs Furcht vor den Automaten in Arona –
hier absolut unverständlich und im Text offensichtlich entstellt. Die reizende
Pointe aber, die offenbar dahintersteckt, hätte in unserem 'echten' Schluß
den besten Sinn: sie demonstrierte zugespitzt die letzte Wandlung des »Kindes« Dietrich – durch die Minne! [49]

Das reich geblümte Frauenlob der Portalaphe als Herrin von Arona schließlich (196) ist im Munde ihres eigenen Mannes doch recht auffällig [50]. Stünde
es nicht besser der jungfräulichen Königin an? Ja, gehörte nicht besser ihr
auch der Name der Arona-Herrin: die in A ja namenlose Königin wäre
also eigentlich *Portalaphê diu reine* – d. h. eine Parthenope (wie sie ja
dann in B Virginal ist!)? [51] Heißt dann vielleicht ihre in A gleichfalls
namenlose Burg schon ursprünglich ebenso 'griechisch' *Jeraspunt* =Hiero-
spont (wie wieder nur in B), und der Name wurde in A durch 'Arona'
so verschluckt wie die ganze Szene, die dort spielte? [52]

Die einzelnen Möglichkeiten lassen sich kaum zur vollen Gewißheit bringen. Aber uns genügt hier das Gesamtbild, in dem sich die vielen Möglichkeiten stützen: Im Arona-Empfang stecken Elemente, die dort blaß und
blutleer, oft sogar auch mißverstanden und verdorben wirken – in anderem
Zusammenhang aber werden sie pointiert und zugleich höchst reizvoll. Dieser Zusammenhang aber ist der 'echte' Abschluß, den wir für die Rahmengeschichte fordern müssen.

Noch fehlt allerdings darin die Minne. Für sie besteht ja auf Arona auch
gar kein Anlaß. Und doch steht im Fortgang der Aronaszenen in w die
Strophe:

w 360   *Hier mit der rede geswigen wart.*
man pflac ir wol in hôher art
mit manger tiuren koste,
man bôt in êre und werdekeit.
5 *sie heten frôude und wârn gemeit.*
manc süezer blic erlôste
von herzen mannes ungemach
und brâhte frôude stiure.
ich wæne nie kein man gesach
10 *von frouwen sô gehiure*
sô minneclîchen ougen blic.
der Berner muose vergezzen
het er ob wunden (keinen) stric [53].

Da ist also auch die Minne, und zwar die Minne ausdrücklich als Medizin für Dietrichs Wunden: genau das aber hatte Hildebrand im Aventiuregespräch 110 ff. an betonter Stelle schon so hübsch angekündigt (114, 7 ff.):

> *Er sprach: herre sô wol dan*
> *mit mir zuo den frouwen:*
> *ir sulnt die wunden sehen lân*
> *und sî den schaden schouwen,*
> *der iu ist worden durch sî kunt.*
> *dâ hœrent wîse meister zuo*
> *und sulnt ir werden wol gesunt.*

Müssen wir noch mehr für einen 'echten' Empfang erwarten? Für eine würdige Fortsetzung der reizenden Vorbereitungsszene 130 ff.? Für eine sinnvolle Komposition in der Linie der Aventiuregespräche 21–110 ff.–209 f.? All das aber finden wir nicht beim Empfang Dietrichs durch die Königin – sondern in Arona! In Arona, wo hauptsächlich der Befreier des Sohnes, der Drachensieger und Verwandte, also Hildebrand zu begrüßen war – schon die Figur der Portalaphe gehört nicht in den Rahmen der Sage – und wo die Frauenwelt von Str. 207 usw. durch nichts motiviert ist.

Der Schluß ist nicht schwer: der Arona-Empfang hat in A den »echten« Schluß-Empfang verschluckt; d. h., er hat dessen Darstellung für sich ausgebeutet. Und darum gibt es in A einen »echten« Empfang bei der Königin am Schluß überhaupt nicht mehr. Sondern was w dort bietet (der Empfang [4a], der von h [= 4b] in den Grundzügen bestätigt wird), gehört schon A, aber dem Kompilator A: eine unselbständige Darstellung, Rückgriffe auf die stoffliche Substanz der früheren Empfänge, ohne eigenen Einfall (wenn auch in sicher ursprünglich noch besserer Form als jetzt in w und h) [54].

Zum drittenmal das gleiche Ergebnis – es darf damit wohl für gesichert gelten. Das Gedicht A ist selbst nicht einheitlich. Sondern es enthält zwei Schichten. Die älteste ist die jetzt z. T. herausgeschälte 'Rahmengeschichte' (A I). Sie erzählte die Erziehung des jungen Dietrich auf seiner ersten Ausfahrt: durch Kampf und Minne wird er zum höfischen Aventiurehelden. Mit der vortrefflichen Komposition (s. die Aventiuregespräche) gehören ihr auch die »vorzüglichsten« Strophen des von Kraus'schen Gedichts A (: der Anfang, die Empfangsvorbereitungen 130 ff., die Aventiuregespräche, die in Arona eingefügten Strr.).

Über dieses Gedicht erst kam der Redaktor der v. KRAUSschen Fassung A (= Red. A). Um eine zweite Episode mit Drachenkämpfen einzufügen (deren Vorlage mit Hilfe der Thidrekssaga zu erschließen ist: A II), unterbrach er die Rahmengeschichte mitten in ihrer Abschlußszene (bei den Empfangsvorbereitungen der Königin 130 ff.), verband Anfang und Ende der neuen Episode mit der Anschlußstelle durch Boten und kopierte in ihrem

Innern Handlungsverlauf und Motive der Rahmengeschichte ausdrücklich
(s. 175, 5 ff.) Für ihren Abschluß aber, den Empfang in Arona, verbrauchte
er die Darstellung vom Schluß der Rahmengeschichte – doch sichtlich, weil
er für das ihm wichtigere Arona nichts Eigenes zustande brachte (wie die
zwischen den 'echten' stehenden Strr., z. B. 197–199. 201–205. 211–214 zeigen). Damit aber war die stoffliche Substanz der Vorlage vorzeitig erschöpft.
Ohne weiteres episches Material und ohne Phantasie, griff er, um Dietrich
von Arona zurück zur Königin zu führen, zu Reprisen: Wir kennen davon bereits die Bibungreise, das nochmals aufgelebte Aventiuregespräch,
die Wiederholung der Empfangsszene, die er schon in Arona vorweggenom-
men.

Die stoffliche und kompositionelle Unfähigkeit verband sich aber noch
mit recht ansprechender Darstellung nach Stil und Form: hier gilt zum
großen Teil, was VON KRAUS für A festgestellt hat, mit Recht. Der Red. A
ist gewandter Epigone – mehr allerdings auch nicht. Das eigentlich Dichterische in A gehört dem älteren Gedicht (A I).

Einzuschränken ist aber wieder VON KRAUS' Vertrauen auf die Fassung
d–w für Fortsetzung und Schluß von A (= Red. A). Hier muß sowohl die
Rahmengeschichte A I als auch die Tätigkeit des Red.s A noch weiter verfolgt werden, ehe wir uns ein rundes Bild der Schichten machen können.

c) Der Schluß

Mit Str. 218 fängt der Red. A an weiterzudichten. Die Bibungbotschaft
(218–233) ist noch in gemeinsamer Überlieferung (Grundstock Red. A) erhalten, von da an gehen die überlieferten Fassungen auseinander; allerdings
in der nächsten Szene (neues Aventiuregespräch, h 234–239: w 369–371 – s.
oben) als Parallelfassung, die den ursprünglichen gemeinsamen Text durch-
schimmern läßt, noch erkennbar [55]. Auch für die folgende Szene (w 360
bis 361: Fortsetzung des Aronafestes) deutet sich die Parallelfassung, also A,
in beiden Redaktionen gerade noch an (w 361, 1–2 entspricht h 240, 1–2);
diese Strophen, die in der Situation genau an 217 anschließen – jetzt davon getrennt durch den Komplex der Bibungbotschaft und des erneuerten
Aventiuregesprächs [56]: typische 'Dichtungen' des Red. A – gehörten, wie
wir sahen, zum alten Schluß von A I. Dann gehen aber die überlieferten
Fassungen rettungslos auseinander: die Rückkehr Bibungs hat in h 66 Strophen (241–307) – in w ganze 7 (w 362–368), die VON KRAUS dazu noch
»stark aufgeschwellt« nennt (S. 116 Anm. 1) und mit gutem Grund. Gegen
h erzählt w zwar sehr vernünftig, aber trocken und auch schlecht in der
Form [57]. Ähnlich in beiden ist nur eine Folge von Fragen der Königin:
wo fandest du die werden? (w 367, 3 – in h 270, 4–6: *wâ sæhe du die vürsten wert…
vunde du sî…*) – *waz tuont sî dâ?* (nur in h 281, 8) – *wie lang sol wir sein pei-*

ten? (w 368, 8 – in h 301, 11: *sage mir vriunt wan welnt sî komen?*). Vielmehr als Bibungs Ausritt von Arona und diese Fragen bei seiner Ankunft in Jeraspunt wird in A (Red. A) nicht gestanden haben – auch das aber ist hauptsächlich rekapitulierend.

Nach VON KRAUS' sehr ansprechender Vermutung (S. 116 ff.) folgte nun in A (Red. A): Die *Jagd* (w 410–417) – der Zweikampf mit Libertin (w 375 bis 398) – der Abschied von Arona (w 399–409) [58]. Sehr möglich – aber positive Gründe fehlen, und Sicherheit gibt es ohne die Parallele von h nicht. Auf jeden Fall aber sind es wieder gegebene Stoffe, die hier nur zur Aufschwellung dienen [59]. Und es ist charakteristisch, daß diese episodischen Anwüchse an derselben Stelle ansetzen, an der dann in h die Mûterepisode und in d–w nochmals die Janapas-Orteneck-Geschichten eingefügt sind; diese Gelenkstelle am Ende von Arona war der schwächste Punkt von Red. A. Denn die Handlung mußte ohne jedes gegebene epische Material zum Abschluß geführt werden [60].

Nun folgte in A (Red. A) jedenfalls der Empfang bei der Königin (w 767 bis 789: h 950–967), der schon oben erörtert wurde: wieder stoffliche Reprise! Dann aber wird es schwierig: die Fassung d–w führt die Handlung mit Dietrichs Liebe zur Königin, Werbung, Hochzeit und Rückkehr nach Bern zu Ende; h umgeht trotz der Breite der Darstellung jede engere Beziehung zwischen Dietrich und der Königin und gibt nur ein unendlich ausgewalztes höfisches Zeremoniell. Gefühlsmäßig hat man sich immer dafür entschieden, daß w hier den Schluß des Gedichts A bewahrt, aber positive Gründe gibt es bisher nicht. Man kann sie jedoch finden, wenn man gewisse Parallelen in h und w heranzieht – obgleich h hier dickste Bearbeitung trägt.

Im Anschluß an den Empfang gibt w ein parodistisches Zwergenturnier (w 819–823) – es folgt das Aufheben der Tafel und ein minniglicher Spaziergang der Herren und Meide im Grünen (w 824–826) – darauf die Minne Dietrichs zur Königin, Werbung und Hochzeit (w 827 ff.) [61]. Und in h folgt auf den Empfang (950–967): ein Zwergenturnier (ausgeführt erst 975–986, angekündigt durch Bibung aber schon 968–969!) - darauf Tafelaufheben und minniglicher Tanz *vür dem gezelt* (970–971) – und anschließend stehen drei Strophen von der Minne mit Bezug auf die Königin und Dietrich (972–974), hier ohne Zusammenhang, ohne Folgen und im Text gänzlich mißverstanden [62].

Das könnte noch zufällige Übereinstimmung typischer Requisiten sein. Vergleichen wir darum im einzelnen.

Das Zwergenturnier läuft in jeder der drei Hss. anders, aber überall gleich wirr. Am einfachsten erzählt noch d: Zwei Zwerge, Willung und Lodober, stechen miteinander. In w turnieren die gleichen Zwerge, Bibung und Lodaber, aber diesmal gegen zwei fahrende Aventiurezwerge, die plötzlich wie

vom Himmel gefallen da sind. Als ursprünglich läßt sich auch hier das Turnier der zwei Zwerge gegeneinander noch erkennen [63].

Der Text von h gibt eine ganz wirre Geschichte. Man muß sie so lesen:
Ein großsprecherischer Zwerg will gleich drei der Helden bestehen (975).
Wolfhart wird darüber zornig (975): Er will wirklich den Zwerg nieder-
reiten, wird aber darum als Menschenfresser getadelt (977) [64]. Wolfhart sieht
die Schande ein, nun wird er von den andern gründlich ausgelacht (978) [65].
Hildebrand verteidigt ihn: Nun gerad soll er mit dem Zwerg turnieren
(979) [66]. Weitere Ulkerei mit den andern; sie sagen: du bist feige (981–983),
Wolfhart geht darauf ein: Wenn mir zu beiden Seiten einer von euch Hilfe-
stellung gibt, will ichs wagen – der Zwerg wird mich hoffentlich nicht um-
bringen (984) [67]. Höfisch hält er nun nur still und läßt sich von dem Zwerg
berennen; als beim Zusammenprall dessen Speer zerkracht, da schreien alle
Zwerge auf – ein reizender Zug: sie schreien vor gepreßtem Schreck (985) [68]!
Das ist, unter Schutt des letzten Bearbeiters (E) vergraben, eine recht hübsche Geschichte – sie verrät die Hand von B, den gerade psychologische
Feinheiten auszeichnen [69]. Mit der Zwergenszene von d–w hat sie jedenfalls
nicht mehr als den Anlaß gemein.

Wir haben aber bisher die Strr. h 976 und 980 ausgelassen, die zu diesem Zusammenhang nicht stimmen wollen [70]. Sie nun enthalten Spuren einer
anderen, kürzeren Darstellung, die sich entfernt mit der von w–d zu berühren scheint [71]. Allen drei gemeinsam ist der humoristische Sinn der Szene [72].
Etwas dergleichen hat sicher in Red. A gestanden, in besserer, feinerer Form;
es entspricht im Charakter der Szene des bei Tisch gewappneten Zwergs
Bibung oben. Sicheres ist nicht mehr zu greifen – vor allem aber auch nicht
in w, wie von Kraus hoffte.

Ähnlich ist es auch bei dem folgenden minniglichen Spaziergang: verschiedene, späte und z. T. typische Darstellungen. Ein Zusammenhang besteht
aber offenbar – nur daran, den Text von A zu gewinnen, kann auch hier
niemand denken. Zu ahnen ist aber für A eine hübsche Szene voll Natur
und Minnevorgefühl [73].

Nun das dritte Motiv: die Minne-Strophen. Die Hss. d und w geben
Minnegeständnis und Werbung Dietrichs in mannigfachen Dialogen zwischen Hildebrand, Dietrich, der Königin und den Fürsten [74]. Daß das so
nicht ursprünglich ist, kann man schon aus der Umständlichkeit dieser Dia-
loge [75] und dem aufgeschwellten Personal schließen.

In h ist die ganze Stelle (971, 11–974) offenbar mehrfach aus dem Zusammenhang gerissen. Beginnen wir mit 974:

> *Der Berner tougenlîchen sprach*
> *dô er die künigin ane sach*
> *vil harte minneclîche.*
> *er sprach: 'vil edel künegîn,*

> 5 *mir ist kumber worden schîn*
> *in dem* (lies: *dînem?*) *künecrîche.'*
> *sie sprach: 'lieber herre mîn*
> *des bin ich iuwer eigen* (?).
> *ir sulent mîn gewaltec sîn:*
> 10 *ich wil iuch gerne seigen* (lies: *geben ze eigen?*)
> *lîp guot und dar zuo lant.*
> *des sullent ir gewaltec sîn* (?)
> *vil hôch gelobeter wîgant'* (?) [76].

Da fehlt mehrfach der Zusammenhang. Leitete V. 1–3 erst ein Selbstgespräch des von der Minne getroffenen Dietrich ein (etwa wie die an ihrer Stelle zusammenhanglosen Verse 971, 11–13)? 4–6, mit neuem *inquit,* enthält schon Gespräch mit der Königin. Dieses *'mir ist kumber worden schîn in dînem künec-rîche'* – nämlich sein Liebeskummer durch sie – wird eine der ursprüng-lichen Pointen sein, zumal sie auch in d 120, 2 angedeutet und in w 813 ausgebreitet wird. Damit zeigt sich zugleich, wie sekundär die umständ-lichen Vermittlungen in d–w sein müssen. V. 7 ff. enthalten nun sofort – das Jawort der Königin! Natürlich sind nicht alle diese Verse ursprünglich (schon als viermalige Variation desselben Satzes in 8. 9. 10. 12 unmöglich) [77], aber V. 9–11 spricht deutlich genug; Liebesdialog und Jawort der Königin sind damit, wenn auch sehr fragmentarisch, doch auch durch h bestätigt [78]. Und zwar in z. T. ursprünglicherer, sehr gedrängter und witzig pointierter Fassung. Allerdings fehlt ein engerer textlicher Zusammenhang zwischen h und d–w; aber der fehlt ja zwischen d und w auch.

Nur diese eine Strophe allerdings bestätigt einen ursprünglichen Aus-gang im Sinne der jetzigen Red. d–w auch für h. Die beiden in h vor-hergehenden Strr. schildern nur die minnigliche Wirkung der Königin (972) und das Wesen der Minne ganz allgemein. Trotzdem sind sie für uns wichtig.

972 ist wieder eine Reprise – die Str. wird schon von Bibung bei seiner Botschaft in Arona benutzt, um die Königin zu schildern. Dort in der relativ guten Überlieferung des Grundstocks von A, hier bis ins Unkenntliche ver-dorben. Man kann das Ursprüngliche nur noch ahnen:

> . . . . *gestalt*
> *wer möhte bî ir werden alt*
> *den sie mit triuwen meinet!*
> *ir ougen brehen gît liehten schîn*
> 5 *ir* . . . . *wengelîn*
> *in* . . . . *varwe erscheinet*
> . . . . .
> . . . . .
> . . . . .

> 10 . . . . . . *der minne strâle* (?)
> *durch ougen in des herzen grunt:*
> *solde ez ein sieche ane sehen (schouwen?)*
> *er wurde schier gesunt*[79].

Hier wird also wieder der Red. A eine alte A I-Str. für Arona verwendet, sie aber zugleich an unserer Stelle im ursprünglichen Zusammenhang von A I erhalten haben – sie läßt da an einigen Stellen noch die bessere Formulierung erkennen[80]. Den bestätigenden Zusammenhang zwischen h und d–w aber, der bisher noch fehlte, bringt 973. Die gemeinsame Grundlage ist unverkennbar – die große Differenz aber schließt direkte Übernahme durch w aus der h-Redaktion (wie in der Mûterepisode) aus. Ein Text ist daraus für A allerdings nicht zu gewinnen. Zu ahnen ist aber eine Minnestrophe späteren Stils, die den beiden vorhergehenden an Pointiertheit nichts nachgibt (wieder nach h mehr als w). Sie könnte etwa lauten:

> *Minne ist kreftic für den tôt:*
> *sie blîchet unde machet rôt*
> *sie sterbet liebe liute.*
> *sie twinget in der minne kloben*
> *und lît . . . . oben*
> *. . . . . bediute*
> *sie brinnet durh des herzen zil*
> *sie ze allen stunden*
> *sie kan fuogen wunder vil*
> *und manegen sêre wunden*
> *sie kumet in geslîchen dar*
> *und stilt . . . .*
> *daz sin nieman wird gewar*[81].

So ähnlich mögen also die Strophen 972–974 in A gestanden haben.

Fortgang und Schluß des VON KRAUSSCHEN Gedichts A haben sich uns hier zugleich verdunkelt und erhellt. Verdunkelt insofern, als jetzt deutlich ist, daß ohne Parallelüberlieferung in h und d–w nichts Sicheres über A gesagt werden kann. Erhellt aber so, daß wir jetzt durch das Zusammentreffen von h und d–w für einige Szenen die Gewißheit haben: das hat bestimmt in Red. A gestanden (z. T. bis zur Vermutung des Textes). Es sind im ganzen: das erneuerte Aventiuregespräch (w 369–371: h 234–239) – die Minnestrophen (w 360–361: h 240, 1–2) – (Bibungs Rückkehr w 362–368?) – Empfang bei der Königin (fast unkenntlich in w 767–789 wie in h 950–967) – Zwergenturnier (w 819–823: h 976. 980) – minniglicher Spaziergang (w 824–826: h 970–971) – Dietrichs Minne, Werbung und Erhörung (w 827–...: h 972–

974). Weiter allerdings erstreckt sich diese Gewißheit nicht. Ob und wie vor allem die Hochzeit (Hochzeitsnacht w?) und Rückkehr nach Bern in A geschildert waren, wissen wir nicht[82].

Müssen wir hier für Red. A resignieren, so können wir andrerseits doch nochmals einen Schritt von ihr aus rückwärts dringen. Erinnern wir uns: mit w 360–361 waren einige Minnestrophen in den Arona-Empfang aufgenommen, obwohl sie dort nicht eben am Platze waren. Wir sahen in ihnen Teile des älteren Schlusses der Rahmengeschichte (A I), vom Red. A nach Arona verpflanzt. Im ganzen hatten wir für A I herausgelöst: Dietrichs Empfang in dem Mädchenreich der Königin – versöhnendes Aventiuregespräch – Fest – erste Minne. Schließt man an w 360–361 nun an: h 230–=h 972, weiter h 973 und 974: Minne und Werbung, so ergäbe sich eine fast geschlossene und höchst folgerichtige Erzählung. Sie dürfte den Schluß des älteren Gedichts (A I) darstellen[83]. Auch er bricht allerdings für uns mit Dietrichs geglückter Werbung ab, und nun endgültig: was für Red. A nicht sicher steht, ist für A I verloren.

3. Der Anfang und die Interpolationen bis h 233

CARL VON KRAUS läßt sein Gedicht (= unsere Red. A) mit den wirklich »ausgezeichneten« Strr. 19–21 beginnen. Was vorangeht, ist im ganzen sicherlich interpoliert, wovon gleich noch zu sprechen sein wird. Aber Str. 19 ist keine Anfangsstr.[84], auch wenn man sie sich in den ersten Versen geändert vorstellt. Ein sehr guter Anfang für A steckt dagegen in Str. 14:

> *Ez reit ûz Berne alsô man seit,*
> *durh sînes lîbes degenheit*
> *her Dieterîch von Berne,*
> *mit ime sîn meister Hiltebrant*
> *der sich noch nie von ime gewant:*
> *daz mugent ir hœren gerne...*

Sie gibt: Quelle *(alsô man seit)*, Programm *(durh sînes lîbes degenheit)*, Vorstellung der Personen, Empfehlung an die Zuhörer – ganz ähnlich wie die alte Anfangsstr. des Eckenliedes (69)[85]. Die Einwände VON KRAUS' (S. 18) wiegen nicht schwerer als in anderen Strr., für die er nur Überarbeitung annimmt, die stärksten gelten zudem dem Schluß der Str., der so auch nicht stimmen kann.

Vers 13 läßt sich allerdings bessern. Es heißt da von Dietrich: *und vil des landes herren twanc.* Das sind sicher die gleichen *herren* wie 19, 12 f.: *daz der walt gewürme vol und vil der herren drinne was*[86] und 25, 1: *Si sprach 'diz lant ist herren vol'* (= Eckl. 163, 1: *Er sprach 'diz birge ist herren vol'*!). Was das aber für merkwürdige Waldesherren sind, lehrt eine andere Stelle verstehen,

27, 7: *ein wîser der ein heiden ist.* Dieser *wîse* ist natürlich ursprünglich – *ein rise, der ein heiden ist,* so daß Hildebrand 29, 11 f. mit Recht antwortet: '*ich hân mich maneges erwert der über mich ein elle gienc*'! Es ist aus dem Zusammenhang völlig klar, daß auch die Landes-, Wald- und Gebirgsherren in 14[87]. 19 und 25 eigentlich *risen* sind, ebenso in 70, 2: *swâ wilde herren* (lies: *risen*) *stürme sind*[88]! Da hat also überall ein besonders Schlauer die *risen* in *herren* verwandelt, einmal sogar in *wîse* (ihr riesischer Charakter liegt ja hier, wie im Eckenlied auch, im Inhalt noch offen zu Tage und wurde schon immer vorausgesetzt), um sie – so oberflächlich wie möglich – etwas höfischer zu bemänteln. Das Vorbild gab vielleicht das Eckl., wo ja in seinem Gebiet der Riese Vasolt zugleich *des landes herre* heißen mag (162, 7) und so dann auch an unpassender Stelle wie 163, 1 *herren* für *risen* eintreten konnte[89]. Virginal A hat sonst überall *heiden,* sogar *Sarrazîn* (54, 11; 61, 4)[90], Red. A hat also unmöglich die *risen* für einen späteren Korrektor stehen lassen. Also muß die Korrektur schon aus einer Vorstufe übernommen sein – das aber in diesem Teil, den man bisher für eigenste Erfindung des Dichters von A hielt? Es ist klar: Die Korrektur der *risen* in *herren* muß vor der Red. A liegen, und A I hatte *risen* im Text. Die Strophen, die darauf weisen, gehören also A I. Dazu noch eine *risen*-Konjektur: A hat 21, 6 *sol ich mit wurmen strîten* – auch hier muß es aber statt *wurmen* heißen: *risen.* Denn der kindliche Dietrich sieht zum erstenmal das hohe Gebirge und fragt: »Ist das Aventiure? Soll ich mit solchen Riesen streiten...?« Die *wurme* haben hier gar keinen Zusammenhang und sind vielleicht erst mit den späteren Drachenkämpfen hereingekommen. Erklärt sich daraus vielleicht auch ihr gehäuftes Auftreten: neben 21, 6 auch noch in 19, 13 und 22, 4? In 22, 4 steht der *wurm* genau so unmotiviert, und ein *rise* paßte auch besser für die unmenschlich laute Stimme Vers 1 ff.; in 19, 12 erstreckt sich die Verderbnis von Vers 13 (s. v. KRAUS S. 19) sicher auch auf 12 (richtig etwa: *daz der walt ××× und vol der risen was*).

Strr. 1–18 gelten im übrigen mit Recht als spätere Interpolation in Red. A; C. v. KRAUS wollte sie geschlossen der Schicht B zuweisen. Dem widerspricht aber schon die Überlieferung: h 1 und 14–18 sind in allen 3 Hss. überliefert, h 2–13 nur in h (und daraus in w). Dabei gibt nicht nur 14 einen zweiten neu einsetzenden Anfang, (eigentlich den alten, wie eben gesagt), sondern auch 7: *(Innen des) der Berner saz...* Wir haben in h also gleich 3 Ansätze von Anfängen: 1. eine Vorgeschichte des Heiden 1 ff.; 2. eine einleitende Szene: Dietrich sitzt bei schönen Frauen und weiß zu seiner Schande nichts von Aventiure 7 ff.; 3. den echten Anfang 14, dem in 15–18 gleich wieder eine Interpolation folgt: das überaus törichte Gespräch mit dem Bürger.

Fangen wir mit dem Letzten an: der Bürger in Str. 15 ff. mit seiner gepriesenen Brünne stammt aus Wolfdietrich D[91]. Hildebrands Antwort aber

(18) bezieht sich auf die gleiche Szene, die Str. 7 ff. schildert: 18: *swenne er bî vrouwen sitzen sol, er* (Dietrich) *hât sîn iemer schande daʒ er in des niht kan verjehen daʒ ime bî allen sînen tagen dekein aventiure sî geschehen.* C. v. KRAUS nennt deshalb ihren Inhalt »zusammengerafft« aus den Strr. 7 ff. (S. 19). Nach der Überlieferung muß aber das Verhältnis umgekehrt sein: 18 gehört, wie gesagt, einer h–d–w gemeinsamen Interpolation an, 7 ff. einer späteren Interpolation nur in h. Bereits Str. 18 muß also direkt aus dem Vorbild der Szene, dem späten Anfang des Eckenlieds geschöpft haben [92].

Beide Szenen (Dietrich bei Frauen, der Bürger) werden nun in Strr. h 7–13 noch einmal breiter ausgeführt, und zwar unter erneutem Rückgriff auf ihre Quellen. Denn in Str. 12 erscheint (kürzer) der Bürger wieder – daß er von *Meilân* geboren ist und zum Reichsverweser eingesetzt wird, kann aber der Verfasser nur direkt aus der angeführten Wolfdietrich-Stelle haben [93]. Die breiter ausgeführte Frauenszene in 7 ff. aber schöpft wohl auch nicht nur aus Str. 18, sondern neu aus dem Anfang des Eckenlieds.

Der jetzige Anfang schließlich, die Vorgeschichte des Heiden in h 1, gehört wieder einer allen Fassungen gemeinsamen Interpolation an (h 1 = d 2 = w 3). Die Redaktion d–w hat diese Vorgeschichte um zwei Strr. erweitert: den menschenfressenden Vater (d 1, w 1) und die Herzogin von Zertugein (d 3, w 2 – d hat dabei die ursprüngliche Strr.-Folge bewahrt, w stellt um, weil sie die aus h genommenen folgenden Strr. an h 1 anschließt!). Beide, d und w, enthalten aber weiter auch noch eine eigene Anfangsszene (die 4. im ganzen!), die den Aufbruch, das Waffnen der Helden usw. mit neuen Zügen schildert (d 5–6–7, 4 ff.; w 38. 39. 42): Frauen klagen um Dietrichs Jugend, die Rosse werden gebracht, Frau Ute empfiehlt Dietrich noch besonders an Hildebrand. Das könnte VON KRAUS' Schicht C angehören.

Wichtiger ist aus Red. d–w für uns die Str. d 4 (fehlt in w): Hildebrand erfährt die Mär, daß ein Heide einer Jungfrau *all ir friunt genomen* hat. Er sucht darauf ein Gespräch mit Dietrich und fordert seine Hilfe, um den Heiden aus dem Land »der Königin« (so ohne Einführung!) zu treiben. Dietrich sagt zu. Dieses Gespräch nun hat eine genaue Parallele in h 9: Nach der Frauenszene (Str. 7) geht Dietrich zu Hildebrand, ihm seine Schande zu klagen (Str. 8); Hi. aber geht darauf gar nicht ein, sondern fordert ihn statt dessen abrupt auf, die Verwüstung seines (!) Landes zu wenden (Str. 9); aus Di.s Antwort (10) geht hervor, daß Hi. damit die Bedrohung der »Königin« durch den Heiden meint. Di. sagt zu. Offensichtlich ist die Sache hier in h 9–10 wirr, vor allem *iuwer lant* 9, 8 ist Unsinn. Aber gerade daraus muß man schließen, daß etwas d 4 Entsprechendes einmal in h gestanden haben muß, vermutlich ähnlich wie d 4 in gutem Zusammenhang auf die Vorgeschichte des Heiden (Str. 1) unmittelbar folgend. An dieser Stelle finden wir aber in h die merkwürdige Str. 2: sie ist in der

Tat nichts weniger als eine dritte Parallelfassung desselben Gesprächs
(Vers 5 ff.):

> *daz mær was für den Berner komen*
> *und ouch für Hiltebrande.*
> *her Hiltebrand mit zühten sprach:*
> *'hât ir diu künegîn lîden,*
> *wir müezen dulden ungemach*
> *dar umbe in herten strîten*
> *vil snelleclîche an dire stunt*
> *mîn herre unde ich müezen dar (?)*
> *sô wirt uns aventiure kunt'.*

Das ist das Vorbild für h 9–10[94]. Diese Str. h 2 fehlt in d und w. Aber in
einzelne Verse aufgeteilt ist sie doch in beiden enthalten[95]. Die Sache ist wohl
so: Die Vorlage h–d–w erzählte die Vorgeschichte des Heiden (h 1), ging
dann zur Königin in Tirol über (h 2, 1–4 – in d–w in die Erweiterungen
der Vorgeschichte d 1 und 3 = w 1 und 2 aufgegangen), darauf folgt der
Appell Hildebrands an Dietrich (in d 4 kürzend ausgezogen; in h 2, 5 ff. aber
auch gekürzt und abgebrochen – dafür in der Interpolation h 9–10 mißverstanden neu verwendet; in w des Zusammenhangs wegen dann ganz
ausgelassen). Daran schloß sich h 14 ff. Warum aber ist dieser Zusammenhang, den d noch erkennen läßt[96], in h mit h 2 abgebrochen? Das führt
zum Problem der dort folgenden Strr.

Die Strr. h 3–6 schildern die Rüstung des Heiden. An späterer Stelle gibt
h selbst dazu eine Parallelfassung in h 31–37[97]. Vermutlich hat die Schilderung des Heiden in h 1 Anleihen bei der A-Str. 30 gemacht, vor allem
die 80 Mannen stammen sicher daher (1, 9 und 11 aus 30, 3–4!). Das hat
dann auch einen Teil der dort folgenden (selbst interpolierten) *wapenliet*-
Strr. mit an den Anfang geführt (wobei dieser Anfangs-Interpolator nicht
einmal die Verdoppelung beseitigte). Um sie unterzubringen, mußte er aber
den Zusammenhang nach h 2 zerreißen (h 2 selbst war wegen der Tatsachen
am Anfang nicht zu entbehren).

Die älteste Anfangs-Interpolation, noch in der Vorlage h–d–w, enthielt
also h 1–2 (Vorgeschichte des Heiden und der Königin, Gespräch Hilde-
brand-Dietrich über die Hilfe für sie, vielleicht mit weiteren Strr.), dann
nach der echten Anfangsstr. 14 die weitere Interpolation 15–18 (Gespräch
mit dem Bürger). Die nächsten Schichten gehören schon den getrennten Fassungen: in d–w die Strr. d 5–7 (vielleicht VON KRAUS' C ?) – in h die Strr.
7–13 (die Szenen Dietrich bei den Frauen, der Bürger: nach h 15 ff. und 18,
aber mit erneutem Rückgriff auf Wolfdietrich und Eckenlied) und 3–6 (die
wapenliet-Strr., vielleicht gleichzeitig; zu deren Einfügung wurde das Gespräch nach h 2 abgebrochen, in h 9–10 aber mißverstanden noch einmal

aufgenommen!), die für VON KRAUS' B doch wohl zu schlecht sind, also
E oder noch später?

Es hatte an sich wenig Wert, diese etwas komplizierten Verhältnisse über
die Ansätze bei VON KRAUS hinaus zu klären – außer der echten Anfangsstr. 14 ist ja an diesen Interpolationen und ihrer internen Geschichte nichts
interessant. Aber in methodischer Hinsicht ist es nicht ohne Bedeutung.
Die Strr. waren noch einmal eine Art Probefeld für die methodischen Tatsachen, die uns beim weiteren Verlauf des Gedichts schon so wichtige
Dienste leisteten: für Parallel- und Doppelfassungen.

Stellen wir gleich noch die übrigen Interpolationen kritisch zusammen,
die VON KRAUS und seine Vorgänger bis h 240 angenommen haben. Alles
Sondergut von d–w gilt mit Recht für durchaus sekundär. Nicht ganz so
ist es bei h. Interpoliert sind 31–37 (die *wapenliet*), 79–92 (das Gespräch
mit dem Todwunden) [98], 166–169. 231–232 [99]. Sicher echt und nur in w übergangen sind h 212 und 215, 10–216, 10 [100]. KRAUS scheidet außerdem eine
ganze Reihe von Einzelstrr. mit Hilfe seiner Kriterien aus Red. A aus [101]. An
einzelnen Stellen kann man natürlich schwanken, ob Neudichtung oder bloß
Überarbeitung anzunehmen ist – im ganzen überzeugt VON KRAUS völlig.

4. Das Rahmengedicht (A I)

Versuchen wir nun noch, was sich von dem ältesten Gedicht von Dietrichs erster Ausfahrt in geschlossenem Zusammenhang aufbauen läßt.

Für die Kritik fand sich ein sprachlicher Fingerzeig: Zu A I gehören
sicherlich die Stellen, an denen das ursprüngliche Wort *rise* durch *herre* u. ä.
oberflächlich überdeckt ist. Auszuscheiden sind also die Stellen, die *heide*
(*Sarrazîn*) vor allem im Reim bieten. Zu diesen dünnen, aber doch vorhandenen sprachlichen Fädchen kommen die inhaltlichen Beobachtungen,
die wir oben gemacht haben. Sie erlaubten Rückschlüsse auf Strophenteile
und ganze Strophen von A I. (Damit ist für A I auch die gleiche Strophen-
form wahrscheinlich wie für Red. A – mit Ausnahme der 3 letzten Verse allerdings, die meist noch viel unsicherer sind als schon VON KRAUS für A annahm.)

All das ist zusammen natürlich nicht so sicher wie der Nachweis mund-
artlicher Formen oder literarischer Reminiszenzen in einer bestimmten
Schicht. Aber man wird zugeben müssen, daß umgekehrt solche rein philologischen Kriterien zu statistisch sind, wo Verhältnisse wie die hier vermuteten zu erkennen wären. Sie könnten sie höchstens stützen, und auch
da spielen viele Zufälle der Bearbeitung und Überlieferung herein. So muß
man der hier geübten inneren Kritik – trotz ihrer seit LACHMANNS Zeiten
bekannten Irrwege – doch ein Eigenrecht einräumen, auch auf die Gefahr
subjektiver Konstruktion hin.

Tasten wir uns an diesen Fäden entlang, so ergibt sich ungefähr folgender Verlauf von A I.

Auf die epische Einleitung (14!)[102] folgt in schneller Erzählung sogleich der Ritt ins Waldgebirge (19!)[103], und Dietrichs kindliche Aventiurefrage (21!) leitet die Handlung programmatisch ein. Die beiden hören eine wilde Stimme (22), Hildebrand reitet auf Erkundung – Dietrich bleibt indessen zurück – und findet eine Jungfrau (23), die ihm auf seine Frage (24) ihre Not durch einen Riesen klagt (25!)[104]. Der Riese ist unversöhnlicher Gegner ihrer schönen Herrin, der Königin im hohlen Berg (27!): sie muß ihm Zins und alljährlich eine Jungfrau als Menschentribut geben (28). Hildebrand erbietet sich zur Hilfe: er hat schon mit manchem gefochten, der eine Elle über ihn ging (29!)[105]. Der Riese kommt mit seinem armdicken Speer (43?)[106] ... Hildebrand schlägt ihm eine Wunde (52!), der Riese zerhaut Hildebrands Schild so, daß kein Bild mehr darauf zu erkennen ist (53)[107]... (Tod des Riesen 66, die Jungfrau will Hildebrands Wunden heilen 67, Hildebrand will erst nach dem zurückgelassenen Dietrich sehen 68 – das hat wohl den Tatsachen nach in A I gestanden, aber für den jetzigen Text fehlt die Gewähr[108].)... Hildebrand antwortet der Jungfrau: Dietrich ist noch zu jung, mit Riesen zu streiten, aber er soll durch *arbeit* ein *ûzerwelter man* werden (70!)[109]. Indes ist Dietrich voller Angst allein geblieben (72)[110], er kann nur schirmen, noch nicht stechen (75)[111]... Dietrich wird mit Speeren so dick wie ein Bein angegriffen (97?)[112]. Hildebrand (der Dietrich sucht, hört den Schall 104?[113] und) freut sich, daß Dietrichs edle Natur ihn selbst in der Gefahr erzog (105)[114]; er kommt ihm nun zu Hilfe *in die wal genistert als ein kiel* (108)[115]. Nach dem Kampf rundet das Aventuregespräch die erste Phase ab und führt hinüber zur zweiten: *seht diz sint aventiure,* nämlich *ungemach dulden durch werdiu wîp* (110)[116]. Dem Jungen leuchtet das noch wenig ein; aber Hildebrand baut auf die Frauen als *wîse meister* für Dietrichs Wunden wie für seine weitere Erziehung (111–114)[117].

Er führt ihn zu der befreiten Jungfrau, und sie begrüßt ihn mit Kuß und Umarmung (118)[118]. Da Dietrich als Antwort über seine Wunden stöhnt, bringt sie die Helden auf den Weg zur Königin (120)[119] (um selbst vorauszueilen 121?)[120]. Nun folgt die reizende Vorbereitungsszene bei der Königin: kleine *hundel* und Psalterbücher werden in Eile vom Schoß gestreift und alle Jungfrauen fangen schnell sich zu putzen an: *setz eben mir das kränzel* usw. (130. 133. 135–136)[121]... (Die Ankunft, in 190–191, das Lob der Königin [durch Hildebrand?] 196 [V. 11–13 = 971, 11–13], die Begrüßung 200 sind unsicher.) Hildebrand sagt zur Königin: *Nû füerent... den helt ûz arbeite,* um Euretwillen läßt er seine Kindheit fahren (203). Mädchen entwaffnen den Jungen, die Königin verbindet seine Wunden (206), und die Jungfrauen unterhalten ihn mit ihren Handarbeiten und weiblichem Kram (207). Als Hildebrand ihn nun wieder fragt: hat jetzt Euer Schimpfen

auf die Aventiure ein Ende? (209), da sagt er freudig ja (210, vielleicht auch
212). Dann folgt ein großes Fest (Teile von 213. 215–217), in dieser minniglichen Umgebung (w 360–361) entdeckt Dietrich den Liebreiz der Königin
(230 = 972. 973), er gesteht ihr verhüllt seine Liebe und wird von ihr er-
hört (974)... Damit bricht das Gedicht für uns ab.

Natürlich kann das keine Rekonstruktion von A I sein; allzuviel ist durch
Bearbeitung und Überlieferung verdunkelt. Aber sichtbar wird doch ein
Gedicht von überraschend geschlossenem Aufbau. Der junge Dietrich wird
von der Aventiure durch Kampf und Minne zum ritterlichen Helden er-
zogen – das ist das Programm der inneren Handlung, durch die Aventiuregespräche rahmenartig bekräftigt.

Eine Frage bleibt dabei noch offen: ist es auch das Programm der äußeren
Handlung? D. h. ist solche Aventiure auch von vornherein des alten Hildebrand Absicht mit dem jungen Dietrich? So fassen es der Red. A (s. Strr.
234 ff.) und alle späteren Bearbeiter auf. Dann aber erhebt sich doch auch
hier noch immer der Widerspruch, von dem wir zu Anfang ausgingen: zu
dieser Absicht paßt Dietrichs Rolle noch immer ganz und gar nicht. Er hat
nichts für die Aventiure selbst zu tun (für die Befreiung der Jungfrau) und
doch allzuviel für seine Jugend (Kampf gegen mehrere Begleiter)[122]. Eine
so rohe Erziehung ist typische Manier spätester Heldendichtung, an sie
pflegt sich mit Vorliebe ihr grotesker Humor anzusetzen.

Ist das schon in A I gemeint? Dagegen spricht nicht nur die Handlungsführung, die damit widerspruchsvoll würde, sondern auch deutliche Stellen
im Text selbst:

Dietrich ist doch noch *kint:*

> *Mîn herre ist gar ein kint:*
> *swâ wilde risen stürme sint,*
> *der kan er lützel walten.*   (70, 1 ff.)

Er weiß nichts von Aventiure und hält kindlich die Berge für Riesen (19).
Er hat nur erst Schulfechten gelernt – darin sich allerdings hervorgetan –,
aber noch nie scharf gefochten (75). Und im Wald allein fürchtet er sich
entschieden – noch bevor überhaupt Gegner auftauchen (72)! Einen solchen Zögling überläßt der alte Waffenmeister nicht allein der Gefahr. Sondern er läßt natürlich Dietrich zu Anfang zurück, gerade um ihn aus der
Gefahr herauszuhalten (23. 70). Das ist ja soweit auch klar. Ebenso der
weitere Verlauf: Das Unglück will es, daß umherschweifende Begleiter des
Riesen (wohl gleich mehrere, aber jedenfalls nicht 80) den Jungen finden
und angreifen; im Kampf mit ihnen wird er, gegen seine wie des Alten
Absicht, in der Not zum Helden:

er tuot reht als ein edel hunt,
dem daz wazzer in den munt
get und er danne swimmet. (105, 4 ff.)

Nur so ist die Rollenverteilung wohl begründet und auch die Folgehandlung reizend psychologisch motiviert: der unfreiwillige, fast noch kindliche Held wird weiter zum unfreiwilligen, fast noch kindlichen Minner!

Aber eine Schwierigkeit bleibt: Wie motiviert sich so der Anfang? Warum reitet überhaupt Hildebrand mit Dietrich aus? Doch: *durh sînes lîbes degenheit* (14, 2); doch um ihn durch *arbeit* zum *ûzerwelten man* zu erziehen (70, 2 ff.); doch: auf *aventiure* (19. 21. 110, 8 ff.)! Natürlich ist damit nicht gesagt, daß er sie gleich mit Riesen suchen soll; aber es hieße harmonisieren, wollte man in der Ausfahrt zunächst bloß eine Art 'Schulausflug' sehen. Unser Gedicht sagt nichts davon; es gibt sich nicht die Mühe, die Ausfahrt eigens zu motivieren. D. h. es motiviert sie rein 'sachlich', ist gleich auf die künftigen Ereignisse hin angelegt – obgleich es diese so hübsch aus der indirekten Andeutung in Str. 21 heraus entwickelt. So behält es zwar nicht eigentlich einen Widerspruch, aber doch eine Lücke in der Motivierung.

Es gibt aber ein anderes Heldengedicht mit z. T. denselben Motiven, das diese Ausfahrt besser motiviert. Auch da zieht ein später berühmter Held noch als Kind mit seinem Erzieher auf Aventiure und vollbringt dabei ganz 'aus Versehen', gegen dessen Absicht, seine erste Heldentat: auch einen Riesensieg! Nur stammt das Gedicht nicht aus dem 13., sondern aus dem 19. Jahrhundert: Es ist Uhlands Ballade »Roland Schildträger«.

Da ziehen Karls des Großen Paladine aus, um den Riesen mit dem Karfunkel-Schild zu bestehen. Jung-Roland darf den Vater begleiten – nur um ihm den Schild zu tragen; denn er selbst ist »noch zu jung und schwach, daß ich mit Riesen stritte« (wie fast wörtlich gleich in 21, 6: *sol ich mit risen strîten...* und im Inhalt auch gleich 70, 1 ff.). Als der Vater schläft, kommt Roland allein zum Riesenkampf und erweist sich durch die Gelegenheit als Held und Riesenbesieger. Gewiß ist Uhlands »junger Fant« ein anderer Kerl als unser etwas weinerlicher Jung-Dietrich. Aber man könnte darin fast einen Unterschied der nationalen Charaktere sehen: Roland, der 'freche' Romane, der seine erste Tat keck zupackend beim Schopfe greift – Dietrich aber ist das 'frömmere' deutsche Kind, das von außen zu der seinen genötigt werden muß. Wer glaubt da nicht die französische chanson de geste mit Händen zu greifen, die Uhlands Quelle war – und die Quelle auch unseres mhd. Gedichts? Enfances Roland also, auf den deutschen Dietrich übertragen! Daß es dabei der mhd. Dichter mit der Motivierung des Ausritts nicht so genau nahm, weil sein Blick durch die so wohlgelungene 'sachliche' Gesamtkomposition gefangen war, daß er dafür aber die kindliche Psychologie überraschend vertiefte – das brauchte uns nicht mehr zu wundern.

Aber – eine Quelle für Uhlands Ballade ist nicht bekannt; Enfances Roland gibt es, soweit man feststellen kann, nicht; die Ballade gilt darum als freie Erfindung Uhlands[123]. Trotzdem scheint mir der Zusammenhang mit dem mhd. Gedicht so zwingend, daß man doch auch hier eine französische Quelle Uhlands annehmen möchte. Könnte sie in den Hss. der Pariser Bibliothek, die er studierte, noch vergraben liegen?

Das eine dürfte sicher sein: Unser Dichter A I hat romanische Enfances gekannt; ihr Vorbild hat er auf Dietrich und dessen erste Ausfahrt übertragen. Freilich nicht alles hat er dort beisammen gefunden. Die Sage vom Jungfrauentribut[124] mag doch eher dem Eckenlied verpflichtet sein (Fasolt und das Waldfräulein), in dessen Nachfolge ja auch die Darstellung z. T. gehört. Von der tirolischen Ortssage vom Unhold Orco, die (ähnlich wie im Eckenlied) dem Riesen Kontur gegeben haben könnte, ist dagegen wenig mehr zu spüren; vielleicht ist doch umgekehrt der Name erst später in die Überlieferung eingedrungen[125]. Ein weiterer Quellenhinweis läge in den 'griechischen' Namen *Portalaphe* und *Jeraspunt* – wenn sie wirklich A I gehören.

Das Wesentliche unseres Gedichts stammt doch von seinem Dichter selbst – er war es wirklich, in ganz anderem Maß als der Verfasser des »Meisterwerks« A! Der kindliche Zauber um den jungen Dietrich, die reizende Mädchenwelt der Königin – sie sind Würfe aus einer Hand! Und ihnen entspricht die überlegene Gesamtdisposition, die in den rahmenden Aventiuregesprächen gipfelt. Grundgedanke und Atmosphäre sind hier rein höfisch[126]. Und trotzdem behält die Darstellung den herben Reiz der ursprünglichsten unserer märchenhaften Heldengedichte, des ältesten Eckenlieds, des Wolfdietrich A, auch des Laurin z. T.[127], der erst von dem Red. A mit seiner späthöfischen Epigonen-Verfeinerung überzogen wurde. Manche Reminiszenzen könnten eine Datierung versuchen lassen[128] – aber bei der vielfachen wechselseitigen Überlagerung schon in nur zu erschließenden Schichten gewinnt man damit keine Sicherheit. Für eine stilkritische Datierung – die einmal möglich werden muß – fehlen vorläufig noch die allgemeinen Voraussetzungen.

ANMERKUNGEN

Zur Deutung der künstlerischen Form des Mittelalters

(S. 1–14)

[1] s. dazu den Vortrag von H. HIRSCH in Das Mittelalter in Einzeldarstellungen, 1930, S. 1 ff.

[2] In den Schriften des heute unterschätzten JULIUS MEYER-GRAEFE kommt dieses Bewußtsein besonders deutlich zum Ausdruck.

[3] s. GEORG WEISE, Der Begriff des Mittelalters in der Kunstgeschichte, DVjs. 22 (1944), S. 121 ff.

[4] s. dazu vor allem DAGOBERT FREY, Gotik und Renaissance als Grundlagen der modernen Weltanschauung, 1929.

[5] a.a.O. S. 59 ff.

[6] Am meisten hat sich die Kunstgeschichte darum bemüht, am entschiedensten DAGOBERT FREY.

[7] Es sei an GÜNTHER MÜLLERS »Gradualismus« erinnert (DVjs. 2 [1924], S. 681 ff.) oder an WORRINGERS vom Expressionismus geleitete Schlagworte »Abstraktion und Einfühlung«, ganz abgesehen von älteren Erscheinungen wie dem Zusammenhang zwischen WÖLFFLIN und dem Marées-Kreis.

[8] Zum Problem vgl. EDUARD SPRANGER, Der Sinn der Voraussetzungslosigkeit in den Geisteswissenschaften, 1929 (SB der Preuß. Akad. d. Wiss. 1929), S. 2–30; H. M. FLASDIECK, Kunstwerk und Gesellschaft, 1948.

[9] Ob ich positivistische Tatsachen meine, oder geistesgeschichtliche, ästhetische, mythisch verbindliche usw. – das bleibt in dieser Hinsicht doch auf der gleichen Ebene!

[10] s. HUGO KUHN, Mittelalterliche Kunst und ihre 'Gegebenheit', DVjs. 14 (1936), S. 224 ff.

[11] s. dazu die Zusammenschau von Gottfrieds von Straßburg Tristan mit Bernhard von Clairvaux bei JULIUS SCHWIETERING, Der Tristan Gottfrieds von Straßburg und die Bernhardische Mystik, 1943 (Abh. d. Preuß. Akad. d. Wiss. 1943, 5). Christliche Wurzeln für die ältesten Troubadours nimmt DIMITRI SCHELUDKO an: Über die Theorien der Liebe bei den Trobadors, ZsfromPh 60 (1940), S. 191 bis 234.

[12] Diese Zusammenhänge wären insbesondere auch an der Entwicklung der mittelalterlichen Sakramentslehre zu erkennen und abzuleiten.

Struktur und Formensprache in Dichtung und Kunst

(S. 15–21)

[1] Daß auch die Architektur in bestimmten Perioden als 'Nachahmung' oder 'Abbild' verstanden wurde, darauf hat Hans Sedlmayr eindrücklich hingewiesen (vgl. Die Entstehung der Kathedrale, 1950, Kap. 25 und 26), obgleich sein Beweis gerade für die gotische Kathedrale kaum überzeugen kann. Viele Beispiele auch bei Dagobert Frey, Grundlegung zu einer vergleichenden Kunstwissenschaft, 1949, Kap. IV und V passim.

[2] Auch die genauesten Farbtöne eines Bildes von Cézanne z. B. wiederholen nicht einfach die Farbtöne der 'Natur', sondern nur ihre Relationen und räumlichen Valenzen, jedoch übertragen in ein neu und frei geschaffenes Farbton-System der *Fläche* – darum nur läßt Cézanne bei zunehmender 'Genauigkeit' die berühmten weißen Flecke stehen, wo ihm diese Übertragung nicht ganz gelingen will. Und die dogmatischen Naturalisten der Literatur geben doch nicht die Wirklichkeitssprache, auch wenn sie kopieren, sondern sie müssen sie umsetzen in das neue, frei geschaffene Medium der Milieu-'Atmosphäre'.

[3] Vgl. für die Kunst die (etwas einseitigen) Bemerkungen von Richard Hamann, Kunst und Können. Die Kategorie des Künstlerischen, Logos 22 (1933), S. 1–36.

[4] Vgl. Heinrich Wölfflin, Kunstgeschichtliche Grundbegriffe. Eine Revision, Logos 22 (1933), S. 210–218.

[5] Beispiele: Der Manierismus des 16. Jahrhunderts und noch mehr der Barock setzen wirklich, wie Wölfflin gesehen hatte, in allen Künsten an die Stelle klarer, statischer Formen nun unklare, dynamische – z. T. sogar im sichtlichen Gegensatz zu den immanenten Gesetzen etwa der Architektur oder der Plastik. Der Klassizismus des 18. Jahrhunderts gibt freiwillig und bewußt den Reichtum barocken Könnens auf für sein neues Stilideal.

[6] z. B. Maximen und Reflexionen, ed. Günther Müller, 1943, Nr. 810.

[7] Der Begriff wird heute mehr und mehr in allen Bereichen, aber meist ungeklärt metaphorisch oder mehr versuchsweise gebraucht. Vgl. auch die launigen Bemerkungen von Karl Vossler, Puristische und fragmentarische Kunstkritik, Logos 22 (1933), S. 203–209.

[8] Vgl. Hugo Kuhn, Die Klassik des Rittertums in der Stauferzeit, in: Annalen der deutschen Literatur, hrsg. v. H. O. Burger, 1952, S. 122ff.

[9] Zur 'dynamischen' Struktur der Frühgotik vgl. Werner Gross, Die abendländische Architektur um 1300, 1947; zur 'Anlehnung' z. B. Hans Sedlmayr, a.a.O. Kap. 15 u. ö.

[10] Vgl. Georg Scheja, Zur Erkenntnis und Wertung der modernen Kunst, DVjs. 25 (1951), S. 250–265.

Soziale Realität und dichterische Fiktion
am Beispiel der höfischen Ritterdichtung Deutschlands

(S. 22–40)

[1] Max Weber, Gesammelte Aufsätze zur Wissenschaftsgeschichte, 1922: Methodische Grundlagen der Soziologie, S. 503–523; Über einige Kategorien der verstehenden Soziologie, S. 403–450.

[2] Schriften der Deutschen Gesellschaft für Soziologie I, 7, 1931: L. v. WIESE, ERICH ROTHACKER, KURT BREYSIG und Diskussion des 7. Deutschen Soziologen-Tages über »Soziologie der Kunst«, S. 121–195. W. ZIEGENFUSS in A. VIERKANDTS Handwörterbuch der Soziologie, 1931, S. 308–338. M. LERNER und E. MIMS in Encyclopaedia of the Social Sciences 9 (1933), S. 523–543.

[3] Vgl. HUGO KUHN, Dichtungswissenschaft und Soziologie. Studium Generale 3 (1950), S. 622–626 und die dort angeführte Literatur. (Das dort gegebene bibliographische Versprechen kann aus den hier erörterten Gründen nicht ausführlicher eingelöst werden.) Vgl. weiter HUGO KUHN, Eine Sozialgeschichte der Kunst und Literatur. Kritische Reflexionen zu Arnold Hauser, Vjschr. f. Sozial- u. Wirtschaftsgesch. 43 (1956), S. 19–43.

[4] PAUL MERKER, JULIUS PETERSEN u. a. Zuletzt HORST OPPEL, Methodenlehre der Literaturwissenschaft, in: Deutsche Philologie im Aufriß, hrsg. von WOLFGANG STAMMLER, 1952, I, 39–78.

[5] Überblick bei JOSEF KÖRNER, Bibliographisches Handbuch des deutschen Schrifttums, [3]1949, Sachweiser.

[6] Zum Feudalismus vgl. OTTO HINTZE, Wesen und Verbreitung des Feudalismus, in: Gesammelte Abhandlungen, hrsg. von F. HARTUNG, 1941, I, 74–109.

[7] KARL HAUCK, Rituelle Speisegemeinschaft im 10. und 11. Jahrhundert, Studium Generale 3, 611 ff.

[8] Für die Belege und Zitate zu den im folgenden vorgetragenen Anschauungen vom Minnesang und höfischer Epik muß ich auf meine Darstellung im 3. Kapitel der Annalen der deutschen Literatur, hrsg. von H. O. BURGER, 1952, verweisen.

[9] Schriften der Deutschen Gesellschaft für Soziologie a. a. O. S. 130 f.

Gattungsprobleme der mittelhochdeutschen Literatur

(S. 41–61)

[1] Vgl. z. B. JULIUS PETERSEN, Zur Lehre von den Dichtungsgattungen, 1925; WOLFGANG KAYSER, Das sprachliche Kunstwerk, [3]1954; EMIL STAIGER, Grundbegriffe der Poetik, 1946; FRITZ MARTINI, Poetik, und HORST OPPEL, Methodenlehre der Literaturwissenschaft, in: W. STAMMLER, Deutsche Philologie im Aufriß, (1952), I, 215 ff., 39 ff.; zuletzt EBERHARD LÄMMERT, Bauformen des Erzählens, 1955, Einleitung. Forschungsbericht von MAX WEHRLI, Allgemeine Literaturwissenschaft, 1951 (Wissenschaftliche Forschungsberichte, Geistesgesch. Reihe Bd. 3). Zur Geschichte der Gattungseinteilung: IRENE BEHRENS, Die Lehre von der Einteilung der Dichtkunst, vornehmlich vom 16. bis 19. Jhdt. Studien zur Geschichte der literarischen Gattungen, 1940.

[2] Vgl. ANDREAS LIESS, Musikgeschichte und Wirklichkeit, DVjs. 31 (1957), S. 241 bis 263.

[3] Eine Münchner Seminarübung gemeinsam mit Bernhard Bischoff im WS 1955/56 war hier sehr lehrreich. Ein Ergebnis sei kurz angeführt: Bernhard Bischoffs Nachweis, daß die sog. Gebete des Sigihart im Freising-Münchner Otfried (sie sind nicht von Sigihart geschrieben, vgl. B. BISCHOFF, Die süddeutschen Schreibschulen und Bibliotheken der Karolingerzeit, 1940, S. 129 f.) durch beigeschriebenes *Tu autem* als zur Auswahl gestellte Versbenediktionen bezeichnet sind, ähnlich den *benedictiones super lectorem* vor der monastischen Tischlesung.

Das ist ein Beweis, daß – wenigstens im Frisingensis – Otfrieds so literarische fünf Bücher *evangeliôno deil* zur monastischen Tischlesung gemeint waren, auf die diese Benediktionen mit *Tu autem,* hier also am Schluß, folgen sollten.

[4] ERNST ROBERT CURTIUS, Europäische Literatur und lateinisches Mittelalter, ²1954.   [5] IRENE BEHRENS, S. 59, 60, 102.

[6] GUSTAV EHRISMANN, Geschichte der deutschen Literatur bis zum Ausgang des Mittelalters, Schlußband, 1935, S. 201 ff. Quellen: Ulrichs von Lichtenstein Frauendiensthandschrift, die eben zitierte Strophe von Reimar dem Fiedler, die lateinische Predigt SCHÖNBACH ZfdA. 34 (1890), S. 213–218; dazu kämen Lieder und die interessanten Termini der Kolmarer Handschrift. Übersicht über die Probleme: HUGO KUHN, Minnesang des 13. Jhdts., aus CARL V. KRAUS' Deutschen Liederdichtern ausgewählt, 1953, Einleitung Anm. 5.

[7] Zum Gebrauch im Mittelalter: IRENE BEHRENS, S. 51.

[8] Vgl. die mhd. Wörterbücher unter *liet.* Die Dissertation von HANS SCHWARZ, Ahd. *liod* und sein sprachliches Feld, Beitr. 75 (1953), S. 321–365, geht, bei sehr fruchtbarer Kritik und Methode, zu einseitig auf das Preislied aus.

[9] HUGO KUHN, Leich in MERKER-STAMMLERS RL² 2 (1959); URSULA AARBURG, Leich in MGG 8 (1959), Sp. 81–88.

[10] FRIEDRICH GENNRICH, Formenlehre des mittelalterlichen Liedes, 1932; HANS SPANKE, Beziehungen zwischen mittellateinischer und französischer Lyrik, 1936 (AkAbh. Göttingen 3, 18).

[11] Dieser Unterschied bleibt bestehen auch in FRIEDRICH MAURERS Versuch, die Spruchtöne Walthers von der Vogelweide dem Minnelied gleichzustellen: FRIEDRICH MAURER, Die politischen Lieder Walthers von der Vogelweide, 1954. Dahin weisen auch die zyklischen Tendenzen der Spruchlyrik seit Herger-Spervogel, dann von Reimar von Zweter bis Frauenlob. Wieweit beim Vortrag aus den Zyklen jeweils begrenztere, liedähnliche Komplexe ausgewählt wurden, läßt sich mit unserer Kenntnis nicht entscheiden. Die Überlieferung spiegelt jedenfalls weit seltener Repertoire-Gruppen, als es die Liederbücher-Theorie, etwa WILMANNS, annahm.

[12] Z. B. das Frauen-Preislied bei Morungen nur in 'Daktylen', gleichversige und ungleichversige Strophenlieder als beabsichtigte Gruppen bei Burkhart von Hohenfels und Gottfried von Neifen u. a. Zusammenfassend HUGO KUHN, Minnesangs Wende, 1952, S. 88 ff.

[13] Gegen MÜLLENHOFFS und SCHERERS Thesen vom Programm der Vorauer Hs. wandten sich WAAG, Die Zusammensetzung der Vorauer Handschrift, Beitr. 11 (1886), S. 77–158, und MENHARDT, Überlieferung, Titel und Composition der »Wahrheit«, Beitr. 55 (1931), S. 213–223. FRINGS, Die Vorauer Hs. und Otto von Freising, Beitr. 55 (1931), S. 223–230, verteidigt mit Recht die Programm-Einheit, ohne daß die von ihm gezeigten Beziehungen zu Otto von Freising mehr als Typisches ergäben. Eine modifizierte Interpretation der Programme und ihrer Entwicklung versuche ich in MERKER-STAMMLERS RL² 1 (1958), s. v. Frühmhd. Literatur.

[14] Die hochinteressante Möglichkeit, die MENHARDT (Die Bilder der Millstätter Genesis und ihre Verwandten, 1954 [Kärntner Museumsschriften 3, Beitr. z. ält. Kulturgeschichte 3]) zeigt, von den Bildern aus die Wiener und Millstätter Hs. nach Regensburg an den Welfenhof zu lokalisieren, bedarf noch der kunst- und schriftgeschichtlichen Bewährung. Vgl. PICKERING, Zu den Bildern der altdeutschen Genesis, ZfdPh 75 (1956), S. 23–34, dessen These mich allerdings nicht überzeugt.

[15] So der Münchner Parzival G, der Rappoltsteiner Parzival i, die Berliner Tristanhs. o, die Sammelhandschriften Würzburg und Weimar (E und F) und auch der Züricher Schwabenspiegel r, die Riedegger Sammelhandschrift (R). (Siglen nach Minnesangs Frühling, Walther, Liederdichter des 13. Jahrhunderts von LACHMANN und CARL VON KRAUS; Neidhart von HAUPT-WIESSNER.) Es könnte lateinischer usus mitwirken.

[16] St. Gallen 857, nach 1250: Parzival D, Nibelungenlied B, dazu Klage, Strickers Karl, Wolframs Willehalm; die Riedegger Hs. Berlin germ. fol. 1062 vereinigt, Ende 13. Jhdts.: Iwein, Pfaffe Amis und die Neidhart-Lieder R mit Dietrichs Flucht und Rabenschlacht; die Windhagensche Hs. Wien 2779, Anfang 14. Jhdt.: die Kaiserchronik, Iwein, die Heidin, Ortnit, Dietrichs Flucht und Rabenschlacht, Stücke aus dem Passional und von Stricker. Es ist zu fragen, ob diese Sammlungen bis hin zur Ambraser nicht direkt oder doch geographisch und soziologisch zusammenhängen.

[17] Vgl. EDWARD SCHRÖDER, Bruchstücke einer neuen Pergamenths. der Virginal, ZfdA 73 (1936), S. 272, zu den Fragmenten von drei Pergamenthandschriften der Virginal oder umfassenderer Heldenbücher, dazu im 15. Jhdt. die illuminierten Papierhandschriften, auch die Hundeshagensche Handschrift des Nibelungenliedes.

[18] DIETRICH KRALIK, Wer war der Dichter des Nibelungenliedes?, 1954; OTTO HÖFLER, Die Anonymität des Nibelungenliedes, DVjs. 29 (1955), S. 167–214.

[19] HERMANN SCHNEIDER, Einleitung zu einer Darstellung der Heldensage, Beitr. (Tübingen) 77 (1955), S. 71–83; vgl. auch WOLFGANG MOHRS Besprechung von KURT WAIS (s. Anm. 25), AfdA 68 (1955/56), S. 7–20.

[20] Kritisches zur Phänomenologie und Typologie solcher Literatur werde ich demnächst als Einleitung zu einer Darstellung der germanischen Literatur vorlegen.

[21] KARL HAUCK, Mittellateinische Literatur, in: Deutsche Philologie im Aufriß 2 (1954), Sp. 1841–1904; ders., Haus- und Sippengebundene Adelsliteratur, MIÖG. 62 (1954), S. 122ff.

[22] KARL HAUCK, Rituelle Speisegemeinschaft, Studium Generale 3 (1950), S. 611 bis 621; BERNHARD BISCHOFF (Caritas-Lieder, in: Liber Floridus, Festschrift Paul Lehmann, 1950) wies aber auf die eindeutig christliche Seite hin. Ich selbst konnte (Minne oder reht, oben S. 105 ff.) auch keine germanische Anknüpfung für die Rechtsbedeutung von Minne = *consilium,* gütliche Vereinbarung, finden.

[23] Zuletzt bei HELMUT BEUMANN, Die Historiographie des Mittelalters als Quelle für die Ideengeschichte des Königtums, HZ 180 (1955), S. 449–488.

[24] KARL-HEINZ BORCK, Der Tanz zu Kölbigk, Beitr. 76 (1954), S. 241–321; auf finnische und schwedische Parallelen weist hin HANS FROMM, Ural-Altaische Jahrbücher 27 (1956), S. 124; THEODOR FRINGS, Altspanische Mädchenlieder aus Minnesangs Frühling, Beitr. 73 (1951), S. 176–196.

[25] KURT WAIS, Frühe Epik Westeuropas und die Vorgeschichte des Nibelungenliedes, 1953.

[26] Wie es die im übrigen so konkrete Analyse der Schichten der Heldensage von FRANZ ROLF SCHRÖDER (Mythos und Heldensage, GRM 36 [1955], S. 1–21) annimmt.

[27] MARIE-LUISE DITTRICH (Die literarische Form von Willirams Expositio in Cantica Canticorum, ZfdA 84 [1952/53], S. 179–198) zeigt das erstaunliche Feld von Übertragungen und Überschneidungen der Gattungsterminologie bei diesem Werk mustergültig auf.

[28] FRIEDRICH WILHELM, Denkmäler dt. Prosa des 11. und 12. Jh., 1914, I, 76f.: Frauengebete und Benediktionen von Muri.

[29] Dazu IRENE BEHRENS a.a.O. S. 12 (Plato), Anm. 64 (Horaz), S. 34 (Isidor), S. 42 (Honorius Augustodunensis), S. 44 (Hugo von St.Viktor) und weiter. Annolied (polemisch) und Nibelungenlied zitieren in Einleitungsstrophen die horazische Definition des carmen heroicum: *res gestae regumque ducumque et tristia bella* (Ep. ad Pisones = Ars poet.: IRENE BEHRENS, S. 20). Bei Papian (BEHRENS, S. 40) und Eberhard von Béthune (BEHRENS, S. 49, vgl. auch S. 51) könnte man entnehmen, daß auch sonst den gesta von Epos-Tragödie (auch in den französischen chansons de geste) zunächst die *vera* der 'Historie' gegenübergestellt wurden, was mindestens den Gegensatz der deutschen geistlichen Reichsgeschichtsepik (bezeichnet nur als *mære, rede, liet, buoch*) zum unterliterarischen heroischen carmen decken würde. Den Gegensatz, nicht den Terminus (nur bei Gottfried *istorje*), übernimmt auch der höfische Versroman. Vgl. aber das breite Feld bei HEINZ RUPP und OSKAR KÖHLER, Historia – Geschichte, Saeculum 2 (1951), S. 627–638.

Stil als Epochen-, Gattungs- und Wertproblem in der deutschen Literatur des Mittelalters

(S. 62–69)

[1] H. de BOOR, Frühmittelhochdeutscher Sprachstil, ZfdPh 51 (1926), S. 244–274; 52 (1927), S. 31–76.

[2] P. BÖCKMANN, Formgeschichte der deutschen Dichtung, Bd 1, 1949.

[3] F. WILLEMS, Der parataktische Satzstil im Ludwigslied, ZfdA 85 (1954/55), S. 18 bis 35.

Germanistik als Wissenschaft

(S. 70–90)

[1] Dazu R. HÖNIGSWALD, Vom Problem des Rhythmus, 1926.

[2] Vgl. VIKTOR VON WEIZSÄCKER, Der Gestaltkreis, [3]1947.

[3] Vgl. W. HOLTZMANNS Bemerkung HZ 176 (1953), S. 412, zu STEINBACH-FRINGS.

[4] So A. GEHLEN, Der Mensch, [4]1950.

[5] So H. M. PETERS-G. SCHEJA-H. KUHN, Probleme der produzierten Form, Studium Generale 4 (1951), Sp. 246–265.

[6] Ich nenne hier nur: E. HAENISCH, Lehrgang der chinesischen Schriftsprache, 2 Bde, [2]1940 und [2]1949; MATTHEW's Chinese-English Dictionary, Revised American Edition, [6]1952. Eine philosophische Interpretation versucht zuletzt H. H. HOLZ, Sprache und Welt. Probleme der Sprachphilosophie, 1953 (mit einiger Literatur).

[7] PETERS-SCHEJA-KUHN, Studium Generale a.a.O. HUGO KUHN, Zur modernen Dichtersprache, Wort und Wahrheit 9 (1954), S. 348–359.

[8] Dazu: EMILIO BETTI, Probleme der Übersetzung und der nachbildenden Auslegung, DVjs. 27 (1953), S. 493 und Anm. 12.

Hrotsviths von Gandersheim dichterisches Programm
(S. 91–104)

[1] Vor allem durch PAUL VON WINTERFELD. Die Ausgabe (Script. rer. germ. in usum schol. 17, 1902) gibt die wichtigsten und meisten Materialien. Neue Ausgabe von KARL STRECKER, [2]1930, nach der zitiert ist. Vollständige Übersetzung von HELENE HOMEYER 1936. Zusammenfassende Darstellung und ältere Literatur bei MAX MANITIUS, Gesch. d. lat. Lit. d. Mittelalters, 1911, I, 619 und GUSTAV EHRISMANN, Gesch. d. dt. Lit. bis zum Ausgang d. Mittelalters, [2]1933, I, 389.

[2] So heißt es von Hrotsvith z. B. bei F. J. E. RABY, A History of Christian-Latin Poetry, [2]1953, I, 208: »the verses display the smallest degree of talent, though they must have cost much pains«; bei G. DE REYNOLD, L'hellénisme et le génie européen, 1944, S. 188: »dialogue . . . vif, fort crû parfois«.

[3] E. R. CURTIUS, Europäische Literatur und lateinisches Mittelalter, [2]1954, S. 491 f.

[4] Zur 'literarischen Technik' in ähnlichem Sinn: WALTER STACH, Die Gongolflegende bei Hrotsvit, Hist. Vjs. 30 (1935), S. 168.

[5] KARL STRECKERS Ausgabe und H. MENHARDT, Eine unbekannte Hrotsvithahandschrift, ZfdA 62 (1925), S. 233–236.

[6] s. besonders EHRISMANN a. a. O.

[7] WILHELM CREIZENACH, Geschichte des neueren Dramas, [2]1911, I, 17.

[8] Zur 'Unfähigkeitsformel' s. zuletzt E. R. CURTIUS a. a. O. S. 410–415.

[9] Dazu weiter: FRITZ PREISSL, Hrotswith von Gandersheim und die Entstehung des mittelalterlichen Heldenbilds, Diss. Erlangen 1939, S. 1 ff.

[10] Über die Ursprünge 'hagiographischer Komik': E. R. CURTIUS a. a. O. S. 425 bis 428. Unter den Beispielen bei H. GÜNTER, Psychologie der Legende, 1949, S. 25–27 (zum Dulcitiusstoff ebd. S. 138f.) sind Dulcitius und Gangolf Hauptstücke!

[11] K. STRECKER, Progr. Dortmund 1902; Neue Jbb. f. d. klass. Altert. 11 (1903), S. 575 f.; AfdA 29 (1904), S. 34–53.

[12] W. STACH, Die Gongolflegende bei Hrotsvit, Hist. Vjs. 30 (1935), S. 168–174 und 361–397.

[13] s. STACH a. a. O. S. 366 f., 380.

[14] R. KÖPKE, Ottonische Studien, 1869, II, 76 ff.

[15] Worauf schon P. v. WINTERFELD a. a. O. S. VIII hinweist.

[16] H. GÜNTER a. a. O. S. 122 f.

[17] 113, 1 ff.: *Plures inveniuntur catholici, cuius non penitus expurgare nequimus facti, qui pro cultioris facundia sermonis gentilium vanitatem librorum utilitati praeferunt sacrarum sripturarum. Sunt etiam alii, sacris inhaerentes paginis, qui licet alia gentilium spernant, Terentii tamen fingmenta frequentius lectitant et, dum dulcedine sermonis delectantur, nefandarum notitia rerum maculantur. Unde ego, Clamor validus Gandeshemensis, non recusavi illum imitari dictando, dum alii colunt legendo, quo eodem dictationis genere, quo turpia lascivarum incesta feminarum recitabantur, laudabilis sacrarum castimonia virginum iuxta mei facultatem ingenioli celebraretur.*

[18] Die alte Frage, ob Hrotsvith ihre Stücke zur Aufführung geschrieben habe, wird auch von E. H. ZEYDEL (Speculum 20 [1945], S. 443–456) nicht wesentlich gefördert. Dramatische Rede und sogar dramaturgische Vorstellungen schließen keine dramatische Praxis ein, sondern begegnen im Mittelalter z. B auch als ausdrücklich epische Stilmittel.

[19] PAUL V. WINTERFELD hat a.a.O. aus den verschiedenen Vorreden und Widmungen eine Folge von Teilausgaben vor der erhaltenen Gesamtausgabe erschlossen, worauf hier nicht näher eingegangen wird. Die hier folgenden Erwägungen müssen aber seine Aufstellungen modifizieren.

[20] Auf die symbolische Bedeutung der Komposition und vor allem der Kreisform in der Ottonischen Kunst – man vgl. etwa nur die berühmten Evangelistenbilder im Evangeliar Ottos III. – sei hier nur hingewiesen. Zur 'programmatischen' Dekoration besonders der etwas späteren Regensburger Buchmalerei: HANS JANTZEN, Ottonische Kunst, 1947, S. 119f.; WERNER WEISBACH, Ausdrucksgestaltung in mittelalterlicher Kunst, 1946, S. 55 ff.

Minne oder reht

(S. 105–111)

[1] WOLFGANG STAMMLER, Die Anfänge weltlicher Dichtung in deutscher Sprache, ZfdPh 70 (1947/48), S. 10–32, entwickelt unter diesem Gesichtspunkt eine Literaturgeschichte des 'Verlorenen'.

[2] MAX ITTENBACH, Deutsche Dichtungen der salischen Kaiserzeit, 1937.

[3] ULRICH PRETZEL, Frühgeschichte des deutschen Reims, 1941, I, 103; HELMUT DE BOOR, Frühmhd. Sprachstil, ZfdPh 52 (1927), S. 31–76.

[4] In 123 ff. (= Ahd. Lb. Str. 17) hat SCHERER durch Streichen von drei Reimpaaren gebessert. Einige sonst falsche oder fehlende Initialen – Z. 47 und 91 – bleiben ohne Bedeutung.

[5] Was MARLIES DITTRICH (ZfdA. 72 [1935], S. 78) zu *wise* und zu *reht verchoufen* schreibt, trifft kaum den Zusammenhang.

[6] PRETZEL, S. 100.

[7] HELMUT DE BOOR, a.a.O., S. 33.

[8] MSD [3]II, S. 167.

[9] GUSTAV HOMEYER, Über die Formel »der Minne und des Rechts eines Andern mächtig sein«, 1866 (phil.-hist. AkAbh. Berlin), S. 29–56.

[10] DIETRICH SCHÄFER, Consilio vel judicio = mit minne oder mit rehte, 1913 (SB Berlin), S. 719–733; s. auch HANS HIRSCH, Die hohe Gerichtsbarkeit im Mittelalter, 1922, S. 77.

[11] s. dazu OTTO BRUNNER, Land und Herrschaft, [3]1943.

[12] Als Bereiche der Vereinbarung *mit minne* (wofür gelegentlich auch Freundschaft, Liebe, *lîk* – Billigkeit, Ehre) nennt HOMEYER: 1. die haus- und leibherrliche Gewalt, 2. die haus- und leibherrliche Treue, 3. die Genossenschaften, 4. den Staat in den Bestrebungen zur Aufhebung der Fehde im allgemeinen Landfrieden.

[13] GERD TELLENBACH, Libertas. Kirche und Weltordnung im Zeitalter des Investiturstreites, 1936 (Forsch. z. Kirchen- und Geistesgesch. 7), S. 34f. TELLENBACH weist auf die Verwandtschaft der nachpaulinischen Weltordnungsgedanken mit der Stoa hin, die einem reinen Naturrecht des goldenen Zeitalters wegen Sittenlosigkeit, Verbrechen und Kampf später immer positivere Gesetze zur Seite treten ließ. Für das frühchristliche Weltbild war Naturrecht »das göttliche Gebot, das die ersten Menschen im Paradiese leitete«. Nach dem Sünden-

fall wurden neue Regeln und die Obrigkeit nötig. Die ganze Komplexion hat erst Augustin, De civ. Dei, überschaut. Die Herkunft vom Paradies nimmt das Memento mori 129/130 noch einmal für den Menschen auf: vgl. FRIEDRICH RANKE, »Ich bin von Gott, ich will wieder zu Gott«, in: Angebinde für JOHN MEIER, hrsg. von FR. MAURER, 1949, S. 111–117.

[14] »Sie alle« bedeutet (trotz des fehlenden Anschlusses) eher alle Reichen, die das Recht verkaufen (wie auch *siu, er, ir* in den folgenden Strophen) – nicht reich und arm, die das Recht verkaufen und die es kaufen. Vielleicht bezieht sich *se all* 66 in diesem Sinn konkret auf die Leute *mit listen* und *mit unchusten* 59/60 zurück. Zeile 66 möchte freilich auch sonst nicht ganz in Ordnung sein (Opt. statt Indikativ? MSD ³II, S. 165); hinter *se all* (vom Interpolator?) könnte etwas ursprünglich anderes stecken.

[15] Der Einschub der Zeilen 61/62 wäre vielleicht als – allerdings ungeschickte und unlogische – Rückbeziehung auf die *liste* 59 zu verstehen, weil der Interpolator die Rechtsbeugung auf *unchuste* allein bezog.

[16] CARL ERDMANN, Die Entstehung des Kreuzzugsgedankens, 1935 (Forsch. z. Kirchen- und Geistesgesch. Bd. 6), S. 67 ff. HEINRICH MITTEIS, Der Staat des hohen Mittelalters, 1940, S. 206 ff. In den bei LUDWIG HUBERTI, Stud. z. Rechtsgesch. der Gottesfrieden und Landfrieden, 1892 (dazu CARL ERDMANN, a.a.O., Exkurs II, S. 335 ff.) abgedruckten französischen Urkunden finden sich schon bei den *pax dei*-Beschlüssen der ersten Jahrhunderthälfte alle Elemente unseres Gedichtes beisammen: Betonung der göttlichen Herkunft der *pax* (S. 136), religiöse Mahnung an das Jenseits (*sine pace nemo videbit dominum* S. 123), Schutz der Armen (34; 123), das wiederholte Anathema zeigt besonders die erste *pax dei*-Synode, Charroux 989 (34). Das wichtigste Dokument der eigentlichen *treuga dei*, das Sendschreiben des Raimbald von Arles, Odilo von Cluny u. a. an die Italiener (1037–1041?), betont die göttliche Herkunft (273, auch 782), die Pflicht zum Zehnten und zu sonstigen Abgaben an die Kirche (274, auch 319), die Anathematisierung der Friedensbrecher (273/4, auch 305, 321). Nur der Schutz der Armen fehlt hier, aber er wird in den späteren *pax et treuga dei*-Beschlüssen wieder aufgenommen (320, 348, 391).

[17] KARL HAUCK, Heinrich III. und der Ruodlieb, Beitr. 70 (1948), S. 398 ff. ERNST STEINDORFF, Jahrbücher des deutschen Reichs unter Heinrich III., Bd. 1, 1874, S. 185 f.

[18] E. STREHLKE, Brief Abt Bernos von Reichenau an König Heinrich III., Arch. f. Kunde österr. Geschichtsquellen 20 (1859), S. 189–206. Neben einer Reihe anderer biblischer Stellen zitiert hier Bern vor allem Psalm 84, 11: *iustitia et pax osculatae sunt*. Dazu E. R. CURTIUS, Europäische Literatur und lateinisches Mittelalter, ²1954, S. 141.

[19] ALBERT HAUCK, Kirchengeschichte Deutschlands, Bd. 3, ⁸ (1954), S. 573 Anm. 3.

[20] M. G. SS. in us. schol. ³1915: *lex – gratia*; *gratia* ist göttlicher Befehl an die Menschen; das Recht ist nötig wegen ihrer Sünden; Rechtsbildung für die Laien wird gefordert. In den Proverbien Wipos kam auch die geistliche Welt-Kritik stark zum Ausdruck.

[21] Neben der eigentlichen lateinischen Entsprechung *consilio vel judicio*, die am klarsten im Eid Heinrichs IV. in Canossa interpretiert ist (*aut justiciam secundum judicium ejus aut concordiam secundum consilium ejus faciam*: SCHÄFER, a.a.O., S. 724) und im Wormser Konkordat wiederkehrt, belegt D. SCHÄFER a.a.O. allerdings auch *misericordia* oder *pax* oder *gratia – iustitia* (*amor* begegnet erst im 14. Jahrhundert als Rückübersetzung des dt. *minne*).

[22] MENHARDT, ZfdA. 80 (1943/44), S. 7–8. Vor der Arbeit von MARLIES DITT-RICH, ZfdA. 72 (1935), S. 57 ff. wurde das Gedicht in die fünfziger Jahre gesetzt.

[23] D. SCHÄFER, a. a. O.

[24] M. G. Const. I, S. 596–617 (*Treuga Dei*-Beschlüsse 1037–1111) und S. 125 (Landfriedens-Beschluß Mainz 1103); MEYER VON KNONAU, Jahrbücher des dt. Reiches unter Heinrich IV. und V.

[25] R. SCHRÖDER-E. VON KÜNSSBERG, Lb. d. dt. Rechtsgesch., [7]1932, S. 712 ff. HANS HIRSCH, a. a. O., S. 139, 149, 150 ff. MITTEIS, a. a. O., S. 219. Quellen bei K. W. NITZSCH, Heinrich IV. und der Gottes- und Landfrieden, Forsch. z. dt. Gesch. 21 (1881), S. 271 ff.; HERZBERG-FRÄNKEL, Die ältesten Land- und Gottesfrieden in Deutschland, Forsch. z. dt. Gesch. 23 (1883), S. 117–163; JOACHIM GERNHUBER, Die Landfriedensbewegung in Deutschland bis zum Mainzer Reichslandfrieden von 1235, 1952 (Bonner rechtswiss. Abh. 44).

[26] Wohl verbände sich auch hier die geistliche Tendenz mit ausgesprochen sozialen Interessen (H. HIRSCH, a. a. O., S. 232), aber den Friedensordnungen der königlichen Partei steht Vergleichbares damals nicht gegenüber.

[27] MARLIES DITTRICH, a. a. O.

[28] Die Päpste nahmen bis Urban II. wenig Anteil an der Friedensbewegung, auch Gregor VII. nicht (HUBERTI, a. a. O., S. 394). Bei Urban II. aber ist sie schon mit dem Kreuzzug verbunden. Von hirsauischen Friedensbeschlüssen ist nichts bekannt (die berühmten »Wanderprediger« reichen nicht aus!).

[29] Die juristische Formulierung *minne oder reht = consilio vel judicio* ließe sogar an einen hochgestellten Verfasser denken. In dem Weistum über die Vögte, das Heinrich IV. 1104 auf dem Reichstag in Regensburg erließ (M. G. Const. I, 126 f.), begegnet das Paar *iusticia – caritas!* Heinrichs Vogtei-Weistümer gehören zu seiner Politik dieser Jahre: Stützung der Ministerialen, Bauern und Bürger gegen die Fürsten und Dynasten; H. HIRSCH a. a. O., S. 137 ff.

[30] FRIEDRICH HEER, Aufgang Europas. Eine Studie zu den Zusammenhängen zwischen politischer Religiosität, Frömmigkeitsstil und dem Werden Europas im 12. Jahrhundert, 1949.

[31] In der mhd. Dichtung in diesem streng juristischen Sinn zuerst bei Gottfried von Straßburg, Tristan 6404, vgl. auch 6811; 6825 (in Eilhards Tristan 7261: *nâch gnâdin und nâch rechte*), dann beim Stricker: Pfaffe Amis V. 833 ff.

[32] s. auch SCHÄFER und TELLENBACH, a. a. O.

[33] Nach freundlicher Auskunft FELIX GENZMERS. Die Darstellung von O. BRUNNER a. a. O. kann in diesem Punkt nicht überzeugen.

[34] W. H. VOGT, Altnorwegens Urfehdebann und der Geleitschwur, 1936.

Gestalten und Lebenskräfte der frühmittelhochdeutschen Dichtung

(S. 112–132)

[1] Vgl. zum Ganzen jetzt HUGO KUHN, Frühmittelhochdeutsche Literatur, in: MERKER-STAMMLERS RL[2] 1 (1958), S. 494–507.

[2] Zu dieser und den anderen Weltzeitalter-Lehren vgl. jetzt ANNA DOROTHEE V. DEN BRINCKEN, Studien zur lateinischen Weltchronistik bis in das Zeitalter Ottos von Freising, 1957.

³ Das auch für die Gegenwart, die »sechste Welt« teilweise *(unte der sehsten ein vil michel teil)* mitgeltende Präteritum *(gefuoren alle zuo der helle)* steht schon Joh. 1,5 *non comprehenderunt.* (Wie das Präsens *lucet = sament uns ist* S II schon für die Vergangenheit gilt!) Vgl. RUDOLF BULTMANN, Theologie des Neuen Testaments, 2. Lfg (1951), vor allem § 42 (S. 361 ff.), wo besonders deutlich wird, wie genau auch Ezzo die johanneische Theologie aufnahm, wie stark sie sein Gedicht durchwirkt, wie viele Johannes-Zitate darin versteckt sind!

Man muß schon eine in der Zusammenschau so scharfsinnige Leistung (vom System ist hier nicht zu reden) wie die BULTMANNS heranziehen, um die ganze johanneische Fülle bei Ezzo gewahr zu werden. Nicht nur *lux* selbst und *vita* (s. u.) sind Zitate, sondern auch: die Schöpfungs-»Ehre« der Welt (S I, 8; IV, 11), die ganze Str. II, wie wir sahen, das *anegenge* (S III; IV, 1: Joh. 1, 3) und der Mensch als »Ehre« der Schöpfung (S III), Tod, Teufelsknechtschaft in S V, Teufelsnacht, Licht, Sonne in S VI, die Rolle des Johannes Baptista in Vor. 12 (136: Joh. 1, 7; überhaupt Joh. 1, 6–8 und 1, 21–25 für 138f., 141ff.). Für Vor. 13 (145–156) haben wir oben nur Joh. 1, 5 und 9ff. herangezogen, sie besteht aber fast nur aus Johannes-Zitaten. Die folgenden Vorauer Evangelien-Erzählung schließt sich z. T. auch an Joh. an, aber mehr stofflich. Zitate noch: Vor. 20 (233: Joh. 1, 14; 245: Joh. 6, 63), Vor. 26 (311: Joh. 1, 45; 317ff.; Joh. 3, 14) Vor. 29 (355: Joh. 6, 31ff.), Vor. 32 (385ff.: Joh. 12, 32ff.; 388: Joh. 6, 44). Mit solchen Johannes-Zitaten, den auf Gregors Moralia in Job und den auf die Kreuzhymnen des Venantius Fortunatus zurückzuführenden Stellen kann man das alte Gedicht fast lückenlos rekonstruieren. Darüber sowie über sonstige Quellenzusammenhänge s. unten.

Der oft an unserer Ezzo-Stelle (Str. 13, 1–3 = 145 ff.) gerügte, ja zum Kriterium ihrer Unechtheit gemachte Fehler, daß auch die sechste »Welt« scheinbar dem Erlöser vorangeht, ist also – johanneisch, und Ezzos Präteritum *(Duo die vinf werlte) gevuoren (alle zu der helle)* zeigt als Zitat ihre Echtheit – und zeigt auch, wie genau seine Interpreten das Johannes-Evangelium studieren müssen, um ihm überhaupt folgen zu können!

⁴ Auf die programmatischen Worte *(êre, anegenge, manchunne, man, lieht)* besonders in der ersten und letzten Langzeile der Strophen von S war oben hingewiesen. Vielleicht gab, noch genauer, immer die erste Strophe eines Strophenpaares zu Anfang das thematische Programmwort (III, 2 und 11 *anegenge,* V, 1 und 12 *man, manchunne*; VII, 2 *lieht*), die zweite Strophe des Paares am Schluß eine Vorausdeutung (IV *êre – val*; VI die »Sonne« Christus; Vor. 12 *gotes weg*).

Im Vorauer Text hat H. SCHNEIDER, Ezzos Gesang, ZfdA 68 (1931), S. 1–16 [vgl. H. DE BOOR, Ezzos Gesang, ZfdA 68 (1931), S. 226–232], eine Anzahl Strophen aus sachlichen und stilistischen Gründen eliminiert. Auch das so gereinigte Gedicht aber bleibt eine S widersprechende Evangelienerzählung nach dem Programm der umgedichteten Vor. Str. 3 (21 ff.). Nach Vor. Str. 13 (145 bis 156), deren Echtheit sich (gegenüber SCHNEIDER) oben klar ergab, folgt in 14–19 (157–232) eine geschlossene Erzählung von der Geburt bis zu den Wundern Christi. (Die Mariologie bezieht sich auf die unechte Vor. Str. 8 = 79ff.) – Anders Strophe 20 (233–248). Hier ist in einem die ganze Lehre Christi gegeben, Zeile 1 *(Er was mennisch unt got)* schließt an Vor. 13, 11 (155) an *(in mennisclîchemo bilde),* und die Schlußzeilen weisen, ganz in der Art der Straßburger Strophenpaare, voraus: auf den Kreuzestod. Wenn die Zeilen 241–244 fallen (die nach ITTENBACH die Programmzahlen der späteren Vorauer Fassung aussprechen?), so ergibt sich auch innerhalb der Strophe ein klarer Zusammenhang und Zwölfzeiligkeit. – Von Str. 21–25 (249–310) folgt eine andere geschlossene ('Vorauer') Erzählung: von Christi Tod, Auferstehung und Höllenfahrt (so die Reihenfolge?). – Die Strophen 26–30 (311–370) aber bringen ohne Überleitung wieder ein neues Thema: sie greifen zu typologischen Gegenbildern des Kreuzestodes aus dem Alten Testament zurück. Während jedoch in Str. 27–30, in vier Strophen, nur *ein* typologisches Ereignis behandelt wird – der Auszug aus Ägypten, und zwar mit jener Kampfmetaphorik, die, wenn man genau zusieht, erst im 12. Jahrhundert in der deutschen Dichtung üblich wird (dies zu FRIEDRICH HEER, Aufgang Europas, 1949, I, 153 f.) – enthält Str. 26 allein deren vier, wieder mit akzentuierter Nennung des Kreuzes in der Schlußzeile! Es liegt nahe genug, diese Strophe als (jetzt den 'Vorauer' Zusammenhang unterbrechenden) alten Bestand der Fassung S zu sehen. – Dieses Lob des Kreuzes nimmt dann hymnisch Str. 31 (371–382) auf, und Str. 32 (383–394) schließt daran unsere Erlösung als Erfüllung der Verheißungen Christi an: unsere Erhöhung zu neuer Ehre, als Antwort auf die verlorene Schöpfungs-Ehre, durch das Kreuz! Das gehörte also auch der alten Fassung (S). – Gegen die ausführliche Allegorie von Str. 33 (395–406) bestehen mehr kompositionelle Bedenken. Für die Schiffsmetaphorik bringen E. R. CURTIUS a. a. O. (Register) und FRANZ DÖLGER (Sol salutis, ²1925) alte Belege, die RICHARD KIENASTS Nachweis (AfdA 53, 235 f.) aus Horaz höchstens als indirekte Quelle erscheinen lassen; auch die später anzuführenden Predigten des Abtes Berengoz verwenden diese Metapher. So könnte die Strophe auch alt sein trotz ihrer geringeren Verklammerung im programmatischen Aufbau. – Die Trinitäts-Doxologie von Str. 34 (407–420) aber gehört sicher in der Art der lateinischen Hymnen schon ans Ende des alten ('Straßburger') Gedichts. (Die Zeilen 411–412 mit der, allzu gelegentlichen, Erwähnung des Gerichts wären zu streichen, damit ergäbe sich Zwölfzeiligkeit aller 'Straßburger' Strophen mit Ausnahme der beiden Prologstrophen.) – Zu etwas anderer Auswahl, die mit stärkerer Interpolation auch in echten Strophen rechnet, kommt die Dissertation meiner Schülerin INGE MOEHL, Die Einflüsse der Logos-Lux-Vita-Theologie auf die frühmittelhochdeutsche Dichtung (mit besonderer Berücksichtigung des Ezzo-Liedes), masch. Diss. Tübingen 1953.

⁵ Die Benutzung von Gregors Moralia, Hraban, Berengoz von St. Maximin (s. u.), der östlichen Liturgien und der lateinischen Hymnik in S und Vor. untersucht die o. a. Dissertation von I. MOEHL. ITTENBACHS Verweis auf *Grates usiae* der Cambridger Lieder trifft nicht.

⁶ Dazu FR. RANKE, »Ich bin von Gott, ich will wieder zu Gott«, in: Angebinde für John Meier, 1949, S. 111 ff.

⁷ Nach den Parallelen im Bereich von S scheint Vor. die »wir« und »uns« noch zu vermehren (18; 103; 118) – so daß mit solchen Zusätzen auch im späteren Vor. Text zu rechnen ist –, während in S dieser Gegenwartsbezug am richtigen Platz, da aber immer sehr betont aufgenommen wird: II, 2 u. 3; (III und IV sind als hymnische Anrede an Gott gefaßt, III als Ich-Bekenntnis); V, 2 und 9; VI, 10; ganz VII.

⁸ Statt der hier nötigen Interpretationen und Texte und Abbildungen – das vielleicht Ungewohnte dieser Betrachtungsweise liegt in der dabei geforderten Autopsie! – hier leider nur ein paar Verweise. Zur Symbolik in der Geschichte: CARL ERDMANN, Die Entstehung des Kreuzzugsgedankens, 1935; breiter, wenn auch in der Tendenz anfechtbar FRIEDRICH HEER, a. a. O.; zur historischen Bedeutung der Symbole im frühen Mittelalter zuletzt noch: PERCY E. SCHRAMM,

Die Anerkennung Karls des Großen als Kaiser. Ein Kapitel aus der Geschichte der mittelalterlichen 'Staatssymbolik', HZ 172 (1951), S. 449–515. Zum symbolischen Realismus in der Kunst s. WILHELM PINDER, Die Kunst der deutschen Kaiserzeit, ⁵1952; A. GRAF VON SILVA TAROUCA, Stilgesetze des frühen Abendlands, 1943 (zur kritischen Benutzung s. HUGO KUHN, Zum neuen Bild vom Mittelalter, DVjs. 24 [1950], S. 541 ff.); HANS SEDLMAYR, Die Entstehung der Kathedrale, 1950; auf SEDLMAYRS problematische Thesen ist hier nicht einzugehen.

⁹ Das 'Archaische' betont als die eigentliche Leistung der salischen Kunst in Deutschland besonders W. PINDER (Register und S. 118).

¹⁰ Vgl. HELMUT DE BOOR, Frühmittelhochdeutscher Sprachstil I, ZfdPh 51 (1926), S. 244–274. Die Stilbeobachtungen lassen sich über Parataxe und Zeilenstil hinaus ergänzen, was an anderer Stelle folgen soll.

¹¹ ULRICH PRETZEL, Frühgeschichte des deutschen Reims, 1941, I, 226 ff.: nichts von Endsilbenreim-Prinzip, einer der »ungehobeltsten Reimer der Zeit«, trotzdem »nicht völlige Reimlosigkeit«! Meine Auffassung der Assonanzen in frühmhd. Dichtung auf Grund von PRETZELS Material hoffe ich auch a. a. Stelle zu begründen. Vgl. PINDER S. 83.

¹² Auch dies noch ausführlich zu begründen. Schon seit HEUSLER (§ 524 f.) ist es üblich, die frühmhd. Metrik nicht einfach als 'roh' vom Standpunkt von 1200 aus zu verwerfen. Trotzdem bleibt es grundsätzlich richtig, sie als Anfang in eine Entwicklungslinie bis zum höfischen Vers zu stellen. Hier wie in allen Lebensgebieten führt eine konsequente, wie zwangshafte Linie bis zu den hochmittelalterlichen Formen. – Die Reimpaare sind sicher mit FRIEDRICH MAURER (Über Langzeilen und Langzeilenstrophen in der ältesten deutschen Dichtung, in: Festschrift für ERNST OCHS, 1951, S. 31 ff.) als »Langzeilen« zu lesen. Aber nicht im Zusammenhang mit frühen oder späten Langzeilen-Strophen, sondern als Vorform der epischen Reimpaare, die schon in den 'Strophen' des Annoliedes deutlich zur Kaiserchronik hinweisen.

¹³ Analecta Hymnica 50, 66–68.

¹⁴ Vgl. jetzt CARL ALLAN MOBERG, Die liturgischen Hymnen in Schweden, 1947, I, 1 ff.: Definition; 5 ff.: Geschichte; 9 und 37: Wechselchörigkeit. Ohne Zweifel werden die weiteren Bände von MOBERGS Werk und die Regensburger Sammlungen von BRUNO STÄBLEIN neue Gesichtspunkte auch für das Ezzolied (vielleicht sogar eine Kontrafaktur?) zeitigen. Die *lux*-Symbolik Ezzos findet bekanntlich in vielen frühen Hymnen ihren Vorklang. – Über die Einigung der füllungsfreien Verse mit der (durch den Komponistennamen *Wille* in Vor. Str. 1 bezeugten) Melodie fehlen noch Anhaltspunkte, die generell vom Verhältnis deutscher Texte zu lateinisch textierten Melodien auszugehen hätten.

¹⁵ HANS SPANKE, Über das Fortleben der Sequenzenformen in den romanischen Sprachen, ZfromPh 51 (1931), S. 314 und ders., Zur Geschichte der nichtliturgischen Sequenz, Speculum 7 (1932), S. 375: *Aurea personet lyra* (Cambridger Lieder Nr. 10) und *Verbum bonum et suave*. – Strophenbau im späteren lyrischen Sinn beginnt in Frankreich gegen 1100: *Conductus*, Abälards *planctus* u. a.

¹⁶ JOSEF JUNGMANN S. J., Missarum Sollemnia. Eine genetische Erklärung der römischen Messe, ⁸1952. Zur Geschichte der Anaphora I, 20 ff. passim (Parallelen zu Ezzo S. 31, 46 f., 49, 56); römische Weihnachtspräfation von Gregor d. Großen S. 81 Anm. 17; Logostheologie im orientalischen Nicäno-Konstantinopolitanum S. 595; Präfation II, 145 ff.

[17] Kreuzpräfation erst seit dem 9. Jh. bezeugt: JUNGMANN a.a.O. S. 151f. – Auf die römische Weihnachts- und Karfreitags-Präfation verweist schon SCHWIETERING a.a.O. S. 55.

[18] Dazu GEORG SCHREIBER, Gemeinschaften des Mittelalters, 1948, S. 88, 102, 167, 277, 410. – HANS SEDLMAYR, Die Entstehung der Kathedrale, 1950, S. 162 und Register (Kreuzaltar, Symbol).

[19] JUNGMANN an den S. 261 Anm. 16 zitierten Stellen. Texte: F. E. BRIGHTMAN, Liturgies eastern and western, Bd 1, 1896; genaueste Parallelen allerdings zum 8. Buch der Apostolischen Konstitutionen, der sogenannten Klementinischen Liturgie, die kaum in praktischem Gebrauch war: BRIGHTMAN S. 14ff.; B. ALTANER, Patrologie, ²1950, S. 43f.

[20] GEORG SCHREIBER fordert für die bei ihm öfter erwähnte Ost-Beziehung a.a.O. S. 87, 103 Untersuchungen (vgl. noch 129, 226, 410, 420).

[21] Ohne daß man dabei an praktisch liturgische Verwendung des deutschen, wenn auch von Geistlichen gesungenen Liedes denken dürfte! Es gehört eben zu jenem breiteren Kreis religiös-symbolischer Adels- und Volksbewegung, dem die Geistlichen, selbst ja in engem Kontakt mit ihren weltlichen Geschlechtsmitgliedern, vorläufig noch die Stimme geben!

[22] Zur Geschichte der Lichtsymbolik vgl. vor allem FRANZ DÖLGER, Sol salutis, ²1925. Wie die syrische Liturgie, so gibt auch der Syrer Ephrem mit seinen Liedern unzählige Beispiele: Übersetzung in der Bibliothek der Kirchenväter² Bd. 20, 1 und 2 (1919 und 1928); ALTANER, Patrologie, S. 299ff. Die lux-Spekulation des altenglischen »Christ I« beruht aber auf den O-Antiphonen des Advents: JOHANNES BOURAUEL, Zur Quellen- und Verfasserfrage von Andreas, Crist und Fata, Bonner Beitr. zur Anglistik 11 (1901), S. 65–132. – Zur Kunst: H. SEDLMAYR a.a.O. Kap. 33, Kap. 41 und Literatur S. 546. – G. SCHREIBER weist a.a.O. S. 401f. auf eine besondere Verehrung des Johannes Evangelista seit etwa 1000 hin, gerade auch bei Chorherren, die für Ezzo wichtig sein könnte. – Zum symbolischen Denken der Zeit vgl. die oben S. 260f. Anm. 8 angeführte Literatur, dazu G. SCHREIBER a.a.O. Register (Symbol).

[23] PHILIBERT SCHMITZ, Geschichte des Benediktinerordens, 1948, II, 391. – KASSIUS HALLINGER OSB, Gorze-Kluny. Studien zu den monastischen Lebensformen und Gegensätzen des Hochmittelalters, 2 Bde, 1950/51 (Studia Anselmiana 22. 25); vgl. die Rezension von HANS ERICH FEINE Zschr. der Savigny-Stiftung für Rechtsgeschichte 68 (Kanon. Abt. 37; 1951), S. 404–416.

[24] HERBERT GRUNDMANN, Religiöse Bewegungen im Mittelalter, 1935.

[25] CARL ERDMANN, Fabulae curiales, ZfdA 73 (1936), S. 87–98. – WATTENBACH-HOLTZMANN, Deutschlands Geschichtsquellen im Mittelalter. Deutsche Kaiserzeit, I, 3 (²1948), S. 478ff.; zum Ezzolied S. 481.

[26] s. die o. a. Vita Altmanni (WATTENBACH-HOLTZMANN S. 559ff.).

[27] Meine Nachforschungen nach der Pilgerkleidung im 11. Jahrhundert haben noch zu keinem Ergebnis geführt.

[28] Die Annahme von WILMANNS, Ezzos Gesang von den Wundern Christi (Bonner Univ.-Progr. 1887), das Lied sei 1063 als »Festkantate« beim Einzug der Kanoniker zum regulierten Leben (monachari) gedichtet, widerlegt E. FRHR. v. GUTTENBERG a.a.O. S. 14 Anm. 29; HOLTZMANN (WATTENBACH-HOLTZMANN S. 481 Anm. 129) rechnet mit einem »Tropus: alles entsagte weltlichen Gedanken«.

[29] Am ausführlichsten zuletzt von BEYSCHLAG, Die Wiener Genesis. Idee, Stoff, Form, 1941 (SB Wien 220, 3).

[30] Zur Bibelepik als Gattung (»genre faux«): CURTIUS a. a. O. S. 155, 459. Das betrifft auch die Bearbeitungen der Wiener Genesis im frühen 12. Jh., nicht aber diese selbst: s. im folgenden.

[31] So wohl SCHWIETERING a. O. S. 66. Seine Charakteristik der »isolierend« symbolischen Verknüpfung der Erzählungsteile und ihre kunstgeschichtlichen Parallelen treffen trotzdem das Wesentliche des 'symbolischen Realismus' als Stil.

[32] Dies das Ergebnis der Tübinger Dissertation meiner Schülerin EVA MÖSER, Der kompositorische Aufbau der Wiener Genesis, 1947.

[33] Vgl. HANS STEINGER in: Verf. Lex. 2 (1936), Sp. 14–18.

[34] Dazu vgl. vorläufig meine Darstellung in: Annalen der Deutschen Literatur, 1952, S. 103ff.

[35] Vgl. den Bericht von ALWIN KUHN über MENÉNDEZ PIDAL, Herrigs Archiv 187 (Jg. 102, 1950), S. 54ff.

[36] WATTENBACH-HOLTZMANN S. 612, 651, 654.

[37] Vgl. HANS JOACHIM METTE, Doktor Faustus und Alexander, Zur Geschichte des Descensus- und Ascensus-Motivs, DVjs. 25 (1951), S. 29ff.

[38] Biblisch: Hiob 23, 10; Spr. 17, 3; Sach. 13, 9; Mal. 3, 3; Sir. 2, 5.

[39] Vgl. die Vita Heriberti des Rupert von Deutz, Umarbeitung nach Lambert von Deutz: WATTENBACH-HOLTZMANN S. 663 Anm. 88 und S. 650f.; FRIEDRICH HEER, Die Tragödie des heiligen Reiches, 1952, S. 23

[40] Zu Annos literarischen (lateinischen) und Kunst-Interessen vgl. WATTENBACH-HOLTZMANN S. 652, 648.

[41] WATTENBACH-HOLTZMANN S. 456ff. Zur älteren Diskussion (AD. HOLTZMANN u. a.) s. bei ROEDIGER MGH. a. a. O. S. 111ff.

[42] Mit zweifelhaft moderner historischer Beleuchtung betont von WERNER SCHRÖDER, Der Geist von Cluny und die Anfänge des frühmhd. Schrifttums, Beitr. 72 (1950), S. 321–86.

[43] WATTENBACH-HOLTZMANN S. 389.

[44] Memento mori bei Hiob: 4, 20; 7, 6ff.; 9, 25ff.; 10, 20ff.; 13, 28; 14, 1ff.; 17, 13ff.; 20, 5ff.; 24, 19ff.; 34, 20ff. – Unrecht an den Armen: 9, 24; 19, 7ff.; 20, 19; 22, 6ff.; 24, 1ff. – Recht für die Armen: 5, 15f.; 29, 12ff.; 30, 25; 31, 13ff. – Reichtum hingeben: 22, 24ff.; 27, 19ff.; 31, 24f. – Auf das tiefere Problem Hiobs – warum geschieht Unrecht den Gerechten? – geht der Dichter auch in Str. 8 nicht ein; er wendet sich zwar ebenfalls gegen den Hochmut der Gerechten, aber in einem weniger theologischen, vielmehr direkt auf die irdische Weltordnung bezogenen Sinn. Seine Formulierungen schließen sich nirgends enger an Hiob an.

Im altägyptischen »Lied des Harfners« (Altägyptische Liebeslieder, eingeleitet und übertragen von SIEGFRIED SCHOTT, 1950, S. 54 und S. 131–157) heißt es aber:

> *Geschlechter schwinden und vergehen...*
> *Keiner kommt von dort, daß er ihren Zustand künde,*
> *daß er künde, was sie brauchen,*
> *und unser Herz beruhige, bis wir gelangen*
> *zu dem Ort, zu dem sie gegangen sind...*
> *Sieh, niemand nahm seine Sachen mit sich!*
> *Sieh, niemand kommt wieder, der fortgegangen ist!*

Vgl. besonders Str. 4 des Memento mori! Eine Warnung vor 'Parallelen', aber auch eine Aufforderung zu weiterem Verständnis: Das *carpe diem* des Harfnerliedes steht vor dem Hintergrund des tiefen Pessimismus aus den Wirren zwi-

schen Altem und Mittlerem Reich; die 'Weltfeindschaft' des deutschen Liedes
steht vor dem Hintergrund der frühsalischen Reform und am Anfang der sogenannten weltlichen Kultur des Mittelalters!

[45] GEORG REICHERT, Strukturprobleme der älteren Sequenz, DVjs. 23 (1949),
S. 236ff.; HUGO KUHN, Minnesangs Wende, 1952, S. 139.

[46] Ich habe in meinem Aufsatz »Minne oder reht« den Zusammenhang von Str.
7–9, als zwei Str. unter Streichung von Zeile 61/62, begründet. So nur ist auch
die Paarigkeit der Strophen regelmäßig. Diese Bedeutung von *minne* (in der Formel *minne oder reht*) bestätigt K. HAUCK, Rituelle Speisegemeinschaft im 10. und
11. Jh., Studium Generale 3 (1950), S. 611ff. aufs stärkste: *Caritas* heißen die
Mähler von Gilden oder zur Osterfeier u. a. – also *minne* als friedliche oder 'geistige' Einheit, sogar mit Umarmung und Kuß. Von hier aus muß das Wort
auch im Minnesang neu beurteilt werden, vgl. Minnesangs Wende S. 154. –
WILHELM SCHWER, Stand und Ständeordnung im Weltbild des Mittelalters,
hrsg. v. N. MONZEL, ²1952, gibt S. 77ff. für das Verhältnis der Herren und
Knechte in der Sittenlehre die der *minne* sehr entsprechenden Termini *amicitia*
(Rather v. Lüttich), *socialis amicitia* (Jakob von Cessolis), Friede (Konrad von
Ammenhausen), *colligatio socialis in convictu* (Johannes Guallensis). Den Vergleich
solcher Gemeinschaft mit dem Körper (vgl. Memento mori Str. 7) leitet er
einerseits von der »paulinischen Christusmystik« und ihrer späteren Anwendung
auf die Kirche ab; andrerseits aus »der antiken Sozialphilosophie des Platon
und Aristoteles«, so zuerst (als »microcosmus«) im Policraticus des Johann v.
Salesbury belegt, »angelehnt« an die »irrtümlich Plutarch zugeschriebene« In-
stitutio principis – Epistola ad Trajanum. In die letztere Tradition gehört auch
unser Dichter! Wenn sich kein früherer Beleg findet, hat er sogar die Priorität;
auf jeden Fall zeugt auch dieser Zusammenhang für seinen weiten Blick bei
kühner selbständiger Formulierung, vielleicht auch für seine hohe Stellung.

[47] HEINZ RUPP, 'Memento mori', Beitr. 74 (1952), S. 321–354, vgl. S. 346ff.; jetzt
auch: HEINZ RUPP, Deutsche religiöse Dichtungen des 11. und 12. Jahrhunderts, 1958.

[48] ULRICH PRETZEL a.a.O. S. 100ff.

[49] Vgl. dazu meine »Rückschau« in: Annalen der deutschen Literatur, 1952,
S. 175ff.

[50] Zur Epik s. o. S. 123. Zur Lyrik zuletzt: LEO SPITZER, The Mozarabic Lyric
and Theodor Frings' Theories, Comparative Literature 4 (1952), S. 1ff. Doch
ist die musikalische 'Gebrauchslyrik' zu beachten, die vom nichtliturgischen
lateinischen Lied her kommt.

[51] Dieser Bereich wird nicht ganz erfaßt von CURTIUS a.a.O. S. 423ff.

[52] Andeutungen in Minnesangs Wende, S. 153ff.

[53] G. SCHREIBER a.a.O. S. 134 u. ö.

[54] G. SCHREIBER passim, s. Register (Cluny).

[55] s. W. PINDER a.a.O. Die Rückständigkeit Deutschlands im frühen 12. Jh. betont auch MAX HAUTTMANN, Die Kunst des frühen Mittelalters, 1929 (Propy-
läen-Kunstgeschichte 6), S. 87.

[56] Dazu FR. HEER a.a.O. S. 151ff.

Erec

(S. 133–150)

[1] Die Literatur zum Erec verzeichnen: bis 1928 G. EHRISMANN, Geschichte der deutschen Literatur bis zum Ausgang des Mittelalters, 1927, II, II, 1, 161–177, und H. SPARNAAY, Hartmann von Aue, 1933, I, 63–125 (Bd. 2 führt das Literaturverzeichnis bis 1938); bis 1937: E. SCHEUNEMANN, Artushof und Abenteuer, 1937; bis 1953: F. NEUMANN, VerfLex. 5 (1955), 322–31.

[2] Heldendichtung, Geistlichendichtung, Ritterdichtung, ²1943, S. 285ff.

[3] Für das Verhältnis Hartmann-Crestien und die Quellenfrage – für die das Mabinogi [Mab.] von Geraint und die Erexsaga heranzuziehen sind: s. SPARNAAY, S. 63 – kann man überall bei SCHEUNEMANNS gründlicher kritischer Nachprüfung ansetzen, insbesondere seiner Kritik an SPARNAAY (S. 3ff.). – Die Komposition von Crestiens Erec müßte allerdings auch ganz für sich neu aufgerollt werden. Das überlasse ich den Romanisten (vgl. jetzt RETO R. BEZZOLA, Le sens de l'aventure et de l'amour. Chrétien de Troyes, 1947) – hier geschieht es nur, soweit nötig, um Hartmanns Anteil in Nach- und Umbildung verstehen zu können.

[4] I hat bei Hartmann rund 3000 Verse (bei Crestien rund 2400), II rund 7000 Verse (bei Crestien rund 4600).

[5] Gliederungen gaben bisher: W. FÖRSTER in der kleinen Ausgabe von Crestiens Erec S. XVIIff., EHRISMANN a.a.O. S. 162, SPARNAAY a.a.O. S. 67ff.

[6] Bei Crestien folgt hier – was Hartmann an eine spätere Stelle versetzt hat – der Handlungsschluß von *1:* die Königin kehrt mit Artus, der den Hirsch erlegt hat, heim, der König verschiebt auf ihre Bitte aber den Kuß der Schönsten bis nach Erecs Rückkunft. Der Kußaufschub ist objektiv, vom Folgenden aus, sehr gut motiviert, denn der Kuß gehört dann, wie wir sehen werden, als zweiter abschließender Schönheitspreis Erecs Freundin Enite. Subjektiv ist er aber ganz unmotiviert, denn davon kann ja die Königin noch nicht das mindeste wissen – s. SPARNAAY S. 72.

[7] Allerdings sicher nicht einfach Gewalt gegen Gewalt setzend und nur seine Rache dabei verfolgend – obwohl Hartmanns und auch Crestiens ziemlich unliebenswürdige Darstellung diesem Eindruck nicht entgegnen – sondern aus der Voraussetzung, daß Enite wirklich die Schönere sei: das liegt objektiv im Zusammenhang gegeben und wird zudem bei Crestien auch ausgesprochen (747ff., 823ff.).

[8] s. EHRISMANN S. 167.

[9] »Gleitende« Szenenverbindung: SCHEUNEMANN S. 52.

[10] Von der Heimkehr an ist Hartmann wieder knapper als Crestien! Heimkehr: Crestien 146 – Hartmann 63 Verse; Karnant: Crestien 332 – Hartmann 183 Verse! s. dazu auch SCHEUNEMANN S. 39f.

[11] Nicht Crestien (und Mab.), aber Hartmann (und Saga) läßt die 3 und die 5 zu *einer* Räuberbande zusammengehören: SPARNAAY S. 83, SCHEUNEMANN S. 9.

[12] 3106ff. Bei Crestien 319 Verse – bei Hartmann wieder mehr: 360.

[13] Nur bei Hartmann (mit Mab.); SPARNAAY S. 84.

[14] Bei Crestien: zur Geliebten, 3324.

[15] Bei Crestien warnt sie erst am frühen Morgen, 3445ff.

[16] 3472ff. Bei Crestien 576 Verse, bei Hartmann 795.

[17] 4268ff. Der Burgaufenthalt nur bei Hartmann (und Saga), s. SPARNAAY S. 86.

Der Abschied fällt wieder in eine Lücke. Crestien 265 Verse, Hartmann trotz zweier Lücken 361.

[18] Seine zwiespältige Charakteristik – er ist bald treu, bald falsch – gibt nur Hartmann: SPARNAAY S. 90ff.

[19] 4629 [6]ff. Bei Crestien 347, bei Hartmann 657 Verse.

[20] Hartmann weit ausführlicher als Crestien, 4610ff.

[21] 5288ff. Bei Crestien 657 Verse, bei Hartmann 1525!

[22] Bei Hartmann liegt das Paar nun wieder vereint; Crestien berichtet das erst an späterer Stelle: SCHEUNEMANN S. 74.

[23] 6814ff. Bei Crestien 429, bei Hartmann 993 Verse!

[24] 7788ff. Bei Crestien 1043, bei Hartmann 2067 Verse!

[25] 9968ff. Im Gegensatz zur freudelosen Zwischeneinkehr 4, aber parallel der Rückkehr zu Artus in Teil I! – Bei Crestien, wo die Witwen fehlen, ist doch Erec selbst Freudebringer: SCHEUNEMANN S. 104f.

[26] 10002ff. Crestien hat einen ganz anderen Schluß: Krönung des Paares (Erecs Vater ist inzwischen gestorben) durch Artus in Nantes, keine Rückkehr nach Karnant. Diese Schlußepisode mit 8 zusammen umfaßt bei Crestien 547 Verse, bei Hartmann nur 260: das Verhältnis hat sich also hier wieder umgekehrt. Hartmann kürzt also ganz zu Anfang, im Verbindungsteil zwischen I und II und am Ende, erweitert aber dazwischen, und zwar mit jeweils wachsender Länge (allerdings wachsen auch bei Crestien die Episoden fortschreitend je in I und II). Damit fallen die Schlüsse, die man aus einer angeblich durchweg breiter werdenden Arbeitsweise Hartmanns ziehen wollte, zusammen: er arbeitet auch hier durchaus bewußt!

[27] SPARNAAY S. 83.

[28] Bei Crestien sofort, bei Hartmann erst nach dem ersten Ritt – wodurch die nächtliche Flucht eine 'deutsche' Zwielichtstimmung erhält; SCHEUNEMANN S. 73.

[29] Neben ständigen Hinweisen unter der Erzählung wird vor allem stets die Grenze zwischen den Abenteuern durch das Anbrechen des Tages bezeichnet: 3474, 4140, 4629[5], 5270, 7113 (worauf die 14 Nächte in Penefrec folgen).

[30] FÖRSTER, EHRISMANN, SPARNAAY, SCHEUNEMANN a. a. O.

[31] Erec lehnt gleich darauf des Grafen Einladung ab mit dem Hinweis auf seine und Enitens unhovebære Erscheinung (3636). Auch die hübsche Szene Crestiens zu Anfang der Episode – Erec schläft im Wald, indes Enite für ihn wacht (SPARNAAY S. 108ff.) – läßt Hartmann zwar zunächst wohl deshalb weg, weil er Crestiens gleitende Übergänge überhaupt durch 'harte Fügung' ersetzt; aber es wird so auch das Mildernde dieses Schlafes noch aus Erecs Erscheinung weggenommen.

[32] Läßt vielleicht Hartmann, weil in 5 Erec allein ist (Enite blieb am Wege zurück), auch in 2 die Crestiensche Begleitung des Knappen weg: damit auch der höfische Knappe da allein sei, wie dann in 5 sein Spiegelbild, der höfische Erec? (Auch in Mab. fehlt die Begleitung: SPARNAAY S. 83).

Auch die merkwürdige Unkenntnis Hartmanns über die Bestimmung der Speisen, die der Knappe (in 2) trägt (des enist mir niht geseit 3498 – bei Crestien sind sie »für die Schnitter« – s. SPARNAAY S. 85) stammt vielleicht aus der gleichen Absicht: der Absicht nämlich, den Gegensatz des höfischen Knappen zu unserem Paare (dem freilich Crestien, weniger schroff wie immer, auch mildernd höfische Züge gibt, z. B. Erec cortois et larges, s. SCHEUNEMANN S. 69f.; Hartmann nimmt die Tatsache von Erecs Freigebigkeit zwar auf, aber nicht die

Charakteristik) noch mehr als Geheimnis erscheinen zu lassen – ein Geheimnis, das seine Auflösung eben durch den Kontrast der viel späteren Vorgeschichte in *ſ* finden soll?

Beidemal liegt die Unhöfischkeit übrigens nicht im Charakter ihrer Träger – nur in ihrer Situation.

[33] Wieder von Hartmann verstärkt: SCHEUNEMANN S. 42 f.

[34] 6857. Die sehr schwerfällige Motivierung – Guivreiz muß durch einen Boten vom angeblichen Tod Erecs erfahren und sucht ihn, freilich aus Treue, mit Sorgen – überdeckt auch hier kaum das Kontrastschema.

[35] Crestien begründet den Abschied von Penefrec als Aufbruch zu Artus (5280 f.). Das ist er auch bei Hartmann 7798 ff. Aber Hartmann deutet außerdem auch noch auf das folgende Abenteuer (*7*) vor, wenn er 7240–63 Erec aus ritterlichem Streben nach dem *ungemach* der Aventüre aufbrechen läßt – hier doch eine Störung der Komposition.   [36] SPARNAAY S. 95.

[37] SPARNAAY (S. 87) zitiert zustimmend G. PARIS: »épisode de pur ornament«.

[38] 6416 ff., SCHEUNEMANN S. 104.

[39] Die bisherigen Gliederungen setzten alle den Einschnitt erst nach *ſ* an, weil sie *1–ſ* als fortlaufende innere Steigerung zu betrachten suchten – dann bleibt aber für *6–8* wirklich kein anderer Sinn als der des »Anhängsels«.

[40] Dieser Grundgedanke SCHEUNEMANNS wird also durch die Komposition unbedingt bestätigt.

[41] Ausdrücklich am Anfang und Ende der Reihe: *Erec wente sînen lîp grôzes gemaches durch sîn wîp* (2966) – das ist die Ursache der *wandelunge* in Karnant; die Zwischeneinkehr aber bestätigt als Programm nochmals ausdrücklich: *Ich hân ze disen zîten gemaches mich bewegen gar* (4978 dazu weiter: *ungemach erlîden* 4629[32], *ze gemache* 4629[45]) und den Verzicht auf *vreude* (5056 ff.).

[42] Bis dahin durchweg allerdings erst von Hartmann verstärkt: durch die schlechte Bewaffnung der Räuber (*1*), die seinem Kampf alle Ehre nimmt, durch die Flucht als *arger diep* (4172) in *2*, durch die gespielte Furcht in *3*, durch die schimpfliche Behandlung durch Keiî in *4*; s. SCHEUNEMANN zu diesen Stellen.

[43] Siehe dazu HANS NAUMANN in seinem Vorw. zu Hartmann von Aue, Erec. Iwein, 1933, S. 21; SCHEUNEMANN passim.

[44] Den Neuanfang auf Grund der vor dem Tod erwiesenen Minnegemeinschaft des Paares bestätigt Hartmann sofort symbolisch in einem kleinen Zug: auf der Flucht findet nun das Paar seinen Weg auch nur durch (jetzt selbstverständliches) Zusammenwirken: Erec hält Enite auf seinem Pferd, sie aber – da er den Weg, den er als Toter auf der Bahre kam, nicht kennt – leitet ihn! War es aber nicht auch schon vorher so, daß Enite die Gefahr zuerst sah, die dann Erec bekämpfte? Ja aber Erec zeigte bisher durch das Redeverbot und durch sein ganzes Verhalten, daß er nach der Enttäuschung in Karnant dieses Zusammenwirken in Gemeinschaft nicht anerkennen wollte. Erst als der Tod ihn dazu zwingt, gibt er das auf – was Hartmann (nur er: SPARNAAY S. 96) nun sofort reizend, wie wir sehen, symbolisiert. Die bisherigen Auffassungen sehen in dem Limorsabenteuer nur eine einseitige Treueprobe Enitens: SPARNAAY S. 94, SCHEUNEMANN S. 54 ff. Daß es aber von *ſ* ab auf die neue »Minnebeziehung des Paares« ankommt, betont auch SCHEUNEMANN S. 83 f.

[45] 6882, 6905, 6907.

[46] 7000, 7076 – *arbeit vergezzen* 7048 – und mit dialektischer Überspitzung durch Hartmann (s. oben S. 267, Anm. 42) jetzt das *ungemach* der Ritterschaft als höchstes *gemach* 7251.

[47] 10045, 10053, 10076, 10081, 10117; s. NAUMANN a.a.O.

[48] So SPARNAAY S. 98 ff.

[49] Wiewohl FÖRSTER ohne Bedenken so übersetzt: Erec (kleine Ausgabe) XX u. ö.

[50] SCHEUNEMANN S. 84: Ihr Kampf wird »fast zu einem solchen zwischen den Minnekräften, mit denen die Kämpfenden ausgerüstet sind«.

[51] Gerade darum hat wohl auch Hartmann die ganze Begründung neu gestaltet (s. SPARNAAY S. 100), mit seiner schönsten, aber leider etwas trockenen und, Crestien gegenüber, auch oberflächlicheren Schullogik (9414 ff.) – was im einzelnen zu zeigen hier zu weit führt.

[52] In seinem Schluß nimmt auch Hartmann das Stichwort der *êre* auf (9963 ff.). Für beide handelt es sich aber nirgends um einen Konflikt zweier verschiedener Pflichten, der Minnepflicht gegen die Geliebte und der ritterlichen Ehrenpflicht gegen die Welt, wie man es gewöhnlich aufzufassen pflegt. Davon ist nirgends die Rede. Sondern es handelt sich ausschließlich um die Minne. Aber auch nicht der Gegensatz 'sinnlicher' und 'sittlicher' Liebe ist hier gemeint, von dem SCHWIETERING (Die deutsche Dichtung des Mittelalters, 1941, S. 154) spricht: diesen Gegensatz gibt es in der ganzen höfischen Dichtung nicht. Immer ist das Sinnliche der Liebe ganz ungebrochen Sinn und Ziel der Minne. Man könnte eher, wenn man so will, von einem Gegensatz 'irdischer' und 'himmlischer' Liebe sprechen. Genaueres wird sich zum Schluß, bei der Betrachtung des Zusammenhangs des ganzen Romans, ergeben.

[53] Was SPARNAAY S. 99 verkennt.

[54] Wie die allegorisierten Eigenschaften der späteren Minneallegorien, die aber schon Gottfrieds Tristan aufnimmt, wie Hartmann selbst in seinem Büchlein. Gottfrieds Minnegrotte hat das gleiche Problem der Ausschließlichkeit der Minne zum Thema, nur anders und in gewisser Weise gegen Erec gewendet.

[55] Bei Crestien dauert es nur 3 Tage (6392): SCHEUNEMANN S. 96. Hartmann überspitzt – ähnlich wie wir es hier bei der Interpretation auch tun müssen – vielfach die Pointen Crestiens, im großen ganzen allerdings in durchaus angemessener und gelegentlich in ebenbürtiger Weise.

[56] 9779 ff. *Er* (9782) bedeutet, wie der Zusammenhang zeigt, sicher Erec, nicht, wie SCHEUNEMANN S. 101 annimmt, den *künic* (9781).

[57] 9787, 9791, 9792, 9794, 9798. Es bezieht sich auf die 80 Witwen, die Hartmann einführte (SCHEUNEMANN S. 103 f.). Er wird ja überhaupt gegen den Schluß hin immer freier: SCHEUNEMANN S. 78 f., 106 Anm. 322.

[58] SPARNAAY S. 111 f., SCHEUNEMANN S. 106, Anm. 322.

[59] Auch Mab. und Saga lassen das Paar am Schluß nach Karnant zurückkehren, wenn auch auf verschiedene Weise: SCHEUNEMANN S. 106, besonders Anm. 322. Crestiens Schluß ist ein Beispiel seiner sinnlich-sittlichen, immanenten Kunst (französische Flächenkunst) – Hartmanns Schluß begreift sich aus seiner Verschiebung dieser Kunst in einen (doch verhärtenden) metaphysischen Naturalismus (deutsche, aber naturalistische Raumkunst) – der Schluß in Mab. und Saga aber stammt deutlich aus naturalistisch stofflicher Logik. Ist es da nicht denkbar, daß die drei späteren durchaus selbständig aus, wenn auch sehr verschiedenartiger, naturalistischer Umbildung Crestiens zu ihren Schlüssen gekommen sind?

[60] In Brandigan ist diese anfängliche Freude der Bürger überhaupt nicht motiviert wie wenigstens noch in Tulmein durch das Fest (und von Hartmann noch gesteigert: SCHEUNEMANN S. 91 f.); und sie wandelt sich beim Anblick Erecs in Leid (8077 ff.): das zeigt, wie sehr dieser Schematismus im Vordergrund steht.

⁶¹ I: 308 ff. – II: 3273 ff., 3431 ff. Beidemal wird zur Versüßung des Dienstes Gott selbst bemüht – dieser 'höfische' Gott ist aber doch mehr Spielerei, Hartmanns 'Gottesidee' muß man aus zentraleren Zusammenhängen suchen (s. dazu am Schluß).

⁶² I: 1414 ff. – II: 7264 ff. Hartmanns fast mutwillige Ausweitung hier (beim erstenmal kürzt er Crestiens Pferdebeschreibung!) ist also nicht nur Entgleisung des jugendlichen Dichters, sondern wieder Überspitzung der Pointe. – Beide Geschenke stammen übrigens von namenlosen weiblichen Nebenpersonen: beim erstenmal einer *niftel* Enitens, die sonst nicht vorkommt – beim zweitenmal von Guivreiz' Schwestern, die daneben ebenso zufällig noch Erecs Wunde zu heilen haben. Sie treten also fast nur zu diesem Zwecke auf! – Auf die Korrespondenz der Pferdegeschenke macht auch SCHEUNEMANN aufmerksam, er sieht aber wenigstens im ersten einen »unklaren Zug in der Ökonomie der Handlung« S. 26, auch S. 8, Anm. 28. (Die Jeschute-Episode im Parzival könnte Wolfram doch aus dem Erec haben, wie zu zeigen wäre). Er sieht deshalb in den Pferdeszenen Reste einer älteren Stoffschicht, in der Enite handlungsmäßig mit Pferden zu tun hatte! Aber die kompositionelle Beziehung ist, neben der psychologischen Bedeutung, doch wohl Motivierung genug.

⁶³ Was ihm freilich nicht als persönliche Schuld ausgelegt werden sollte! Es ist eine nur objektiv 'schuldige' Ausgangssituation (s. unten). Daß ihm Crestien schon da eine ritterliche Vergangenheit gibt, während Hartmann ihn ein unbeschriebenes Blatt sein läßt, entspricht ganz dem sonstigen Unterschied ihrer Arbeitsweise: Crestiens 'natürlicher' Realismus wird von Hartmann schematisch überspitzt. Quellenkritische Schlüsse aus dieser Abweichung – SPARNAAY S. 77 – sind daher kaum zu rechtfertigen.

⁶⁴ Die 'Ruinenpoesie' besonders bei Hartmann, deren »rührender« Reiz (EHRISMANN S. 170) Eniten weiterhin anhaftet, findet also in der so 'formal' nur scheinenden Komposition eine objektive Stütze. In der bildenden Kunst wird solche Ruinenpoesie erst später, aber dann bis Dürer, Altdorfer usw. wirksam!

⁶⁵ Denn einfach um Iders mit Gewalt zu stellen, dazu hätten die Waffen des Vaters genügt – Enite wäre dann wahrhaftig nur Dreingabe, vom Dichter verschenkt, ein blindes Motiv! Gerade das Fehlen der psychologischen Motivierung (s. S. 154 u. Anm. 7) wird aber zum Hinweis auf das objektive gedankliche Schema, das der Roman meint – wie ja überhaupt, besonders in Teil I, fast anti-psychologisch der objektive Schematismus betont wird: beim Kußaufschub, dem Hinnehmen des Geißelschlags durch Erec, der Werbung fast 'nebenbei', dem Verzicht auf die Rache am Zwerg (die Hartmann aber wenigstens, als Erziehung, erwähnt), und der Vernachlässigung der Minne zu Anfang besonders bei Hartmann (bei SCHEUNEMANN von S. 13 ff. an immer wieder herausgearbeitet). Denn auch darauf fällt von hier aus doch ein anderes Licht als in SCHEUNEMANNS 'System': obwohl Crestien das Minnigliche im Verhältnis Erec–Enite von vornherein deutlicher anlegt als Hartmann, so dient es doch auch bei ihm durchaus nicht der Motivierung! Das besorgt auch bei ihm ganz allein der Schematismus, den Hartmann unverändert übernimmt. Hartmann vereinfacht nur Crestiens 'natürlichere' und schmuckfreudigere Darstellung, wenn er der Minne erst beim krönenden Abschluß in beiden Teilen Raum gibt. Es besteht durchaus kein Gegensatz im Grundsätzlichen zwischen Crestien und ihm, wie SCHEUNEMANN meinte. Sondern Hartmann überträgt sogar höchst konsequent Crestiens kompositionellen und inhaltlichen Schematismus, meist ihn verhärtend, aber gelegentlich auch durch sekundäre Neumotivierung mildernd.

[66] Crestien hält, vollendet ausgewogen, auch dies im Artusrahmen; Hartmann übergreift ihn, künstlerisch gesehen, doch gröber, mit dem Rahmen der religiös gewerteten Alltagsexistenz in Karnant.

[67] Aber auch hier noch sichert ihm der Dichter doch einen Anteil von Selbstbestimmung: Erec kommt in diese Lage, weil er zuvor aus eigenem Entschluß den höfiischen Akt der Hilfe für Cadoc vollzog und damit die Umkehr bereits antizipierte, vor ihrer Begründung in Limors und durch die Versöhnung.

[68] SCHEUNEMANN stellt sie S. 51, Anm. 170 und S. 53 ff. zusammen.

[69] Entgegen SCHEUNEMANNS Behauptung S. 51.

[70] Eine ganz 'objektive' Schuld allerdings, die aus ihrem Dasein als Weib besteht – nur ihre rührende Treue heißt sie das auch als subjektive Schuld sich zurechnen!

[71] Ein *rehtez* – nicht: *triuwez wîp*! Damit scheint mir alles, was SCHEUNEMANN S. 53 ff. über den Ersatz von Crestiens *amors* durch Hartmanns *triuwe* und über den unerotischen, aber doch durch Eifersucht timbrierten Charakter der Reise für Hartmann entwickelt, gegenstandslos.

[72] Crestiens 5251: eine Prüfung für beide (s. auch SPARNAAY S. 95, dessen Folgerungen aber ganz abführen). Die Probe für beide bestätigt auch der Zusammenhang der Episoden *5* und *6* deutlich (s. oben S. 145). – Freilich führt ja dann Enitens Treue vom ersten Abenteuer an die Zusammengehörigkeit des Paares immer wieder vor Augen. Daß sie das Redeverbot jedesmal bricht, beleuchtet ja nicht nur ihre Treue, sondern auch die Notwendigkeit des Zusammenwirkens als Paar: darum sieht sie in den nächtlichen Episoden *1–3* jedesmal zuerst die Gefahr, die dann er bekämpft. Crestien stellt das auch hier wieder (s. oben S. 269, Anm. 65) ohne subjektive Motivierung eben als übergeordnetes Schema dar – Hartmann bemüht sich an der, allerdings rührend ungeschickten Stelle 4150 ff., auf die H. SCHNEIDER aufmerksam macht (a. a. O. S. 287), diesmal um eine genauere Motivierung. – Aber erst als der unmittelbar gegenwärtige Tod selbst die Gemeinschaft gerechtfertigt hat, gibt Erec die Probe auf.

[73] Denn Enite fällt ja darum zweimal der Begehrlichkeit der Grafen anheim, weil ihre Schönheit hier nicht in der Minne Erecs zu rechtem Zusammenwirken 'geordnet' sein darf, sondern 'frei' zur Zerstörung für sie und die beiden Grafen wirkt (in *5* allerdings schon unbeabsichtigt und auf die Versöhnung hin). Erecs Rittertum aber geht aus der ersten Guivreizbegegnung mit der symbolträchtig nachwirkenden Wunde hervor, so daß bei der zweiten ihn gerade Enite in nun wieder 'geordnetem' Zusammenwirken vor dem Tod retten muß und darf.

[74] Schon im Erec bezeichnet ja Hartmann die programmatische Wende (nach *5* und *6,* in der fünften Nacht) unter dem Bild des geretteten Schiffbrüchigen als göttliche Rettung aus *zwîvellîchem leben... an der gnâden sant* (7061–76).

[75] Siehe z. B. Matth. 10, 39. Und Augustin, De civitate Dei XV, 7: *Boni quippe ad hoc utuntur mundo, ut fruantur deo, mali autem contra, ut fruantur mundo, uti volunt deo* (s. dazu OTTO HERDING, Augustin als Geschichtsdenker, Universitas 2 [1947], S. 658). Das *uti deo, ut fruantur mundo* ist genau der Inhalt des Hartmann-Wolframschen *zwîvel*! – Eine Interpretation aller Epen Hartmanns aus dem Zusammenhang von Komposition und Sinn wird im folgenden Aufsatz angedeutet. – Zur Komposition und Struktur deutscher höfischer Epen vgl. HEINZ STOLTE, Eilhart und Gottfried, 1941; HILDEGARD EMMEL, Formprobleme des Artusromans und der Graldichtung, 1951; HANS EGGERS, Symmetrie und Proportion epischen Erzählens. Studien zur Kunstform Hartmanns von Aue, 1956. Hier ist kein Anlaß, darauf zustimmend oder kritisch einzugehen.

Parzival

(S. 151–180)

[1] Eine tiefergehende Interpretation der Verwandtschaften in Wolframs Parzival
geben W. MOHR, Parzivals ritterliche Schuld, Wirk. Wort 2 (1951/52), S. 148
bis 160, und W. J. SCHRÖDER, Der dichterische Plan des Parzivalromans,
Beitr. 74 (1952), S. 409–453. Ich zweifle an der Übertragung von Menschen-
brüderschaft auf Verwandtschaft.

[2] Die neutralen Engel (zuletzt P. WAPNEWSKI, Wolframs Parzival. Studien zur
Religiosität und Form, 1955, S. 177, Anm. 17; P. B. WESSELS, Wolfram zwischen Dogma und Legende, Beitr. [Tüb.] 77 [1955], S. 121f.) gehören ohne
Zweifel in das Gebiet einer mythologisierend ausgeweiteten, nicht der eigentlich christlichen Engel- und Teufellehre. Herkunft aus der Brandan-Legende
ist auch mir am wahrscheinlichsten. Ihre Rolle bei Wolfram bleibt aber dunkel,
vor allem im Wandel der »Gralprämissen« (vgl. GOTTFRIED WEBER, Parzival,
1948; WAPNEWSKI S. 151ff.). WAPNEWSKIS vorzüglicher Kritik an dieser im Text
nicht zu belegenden These WEBERS ist nichts hinzuzufügen. Aber seine Lösung,
Trevrezents Widerruf 798, 1–30 als spätere revocatio Wolframs zu eliminieren,
ist eine Eisenbartkur. Ich behaupte, daß Trevrezent 489, 13–19 Parzival in der
Tat vom Gral 'ablenken' will, auf einen 'Ersatz' (ergetzet: nur in dieseRichtung
weisen W. MOHRS Belege: Festschrift Trier, 1954, S. 179) für den Gral, von
hohem, wenn auch nicht gleichem Wert (18) als prîs (15), also in 798, 6 richtig
sagt, daß er Parzival ableiten wollte. Wieso er aber in Buch IX zu diesem Zweck
von dem ungewissen Schicksal der neutralen Engel zwischen Begnadigung und
Verdammnis »gelogen« haben will, bleibt schwierig. Wenn Trevrezent etwa den
Gral, durch seine Verbindung mit den Engeln des zwîvels, für den vom zwîvel
soeben bekehrten Parzival minder erstrebenswert machen wollte? Aber wie
soll man die Vorstellungen vom Gral und den neutralen Engeln (471, 15; 22
und 23f. 26) ausdeuten können? Vgl. jetzt noch F. R. SCHRÖDER, Parzivals
Schuld, GRM 40 (1959), S. 1–20.

[3] Unter SCHWIETERINGS und MERGELLS Appellen an die Einheitlichkeit und Ge-
schlossenheit von Wolframs Werken ist die ältere Kyot-Diskussion, d. h. die
Suche nach einer realen Nebenquelle, ziemlich untergegangen. Vgl. MERGELL,
Wolfram und der Gral in neuem Licht, Euph. 47 (1953), S. 431–51 [künftig:
Fb. = Forschungsbericht], hier S. 437ff. Kyot mit Personen und Ereignissen
im Umkreis des Landgrafen Hermann von Thüringen zu verbinden (vgl. ED-
WIN H. ZEYDEL, Auf den Spuren von Wolframs »Kyot«, Neoph. 36 [1952],
S. 21–32) ist eine interessante, wenn auch vage und durch die Ketzerhypothese
beschwerte Möglichkeit. Ob L. I. RINGBOMS (Graltempel und Paradies, Stock-
holm 1951) und WERNER WOLFS (Die Wundersäule in Wolframs Schastel mar-
veile, in: Festschr. Öhmann, Helsinki 1954) wichtige Strukturparallelen zu
Wolframs 1. und 3. Welt bis zu einer solchen Quelle, letztlich aus dem Persi-
schen, führen, bleibt abzuwarten. Für Fiktion Kyots durch Wolfram erklärt
sich ST. HOFER (Chrétien de Troyes, Leben und Werk, 1954), S. 245–248.

[4] WAPNEWSKI weist S. 144f. darauf hin, verbindet aber das schon in den Artusepen strukturbedeutsame Motiv (s. weiter S. 162ff.) zu direkt mitParzivals christlicher passio.

[5] Literatur bei MERGELL Fb. S. 441, HANS EGGERS, Wolframforschung in der
Krise? Wirk. Wort 4 (1953/54), S. 274–90 [künftig: Fb.], hier S. 285. Die sehr

intensive Diskussion der Schuldpunkte in der Beichte Parzivals steht zu vor-
letzt bei FRIEDRICH MAURER (Leid, 1951, S. 125 ff.) so: Verwandtentötung und
unterlassene Gralsfrage sind nicht Sünden im strengen Sinn; versäumter Kir-
chenbesuch, *tristitia* (Freudlosigkeit hat aber anderen, strukturellen Sinn: s.
weiter S. 162 ff.) und Gottesfeindschaft sind *poena peccati,* Folge der Erbsünde,
nicht Sünden selbst; Parzivals Leid ist die Grundsituation, es ist zu überwin-
dendes Schicksal. Zuletzt bei WAPNEWSKI im 3. Kap. seiner Arbeit: die Verwandtentötung ist doch wissentliche und willentliche Sünde (dem habe ich den
Typ der ungewußten Schuld in allen Werken Chrétiens und Hartmanns ent-
gegenzusetzen); die unterlassene Frage ist nicht Mitleidsfrage (so mit SCHWIE-
TERING und den meisten jetzt wieder L. WOLFF, Die höfisch-ritterliche Welt und
der Gral in Wolframs Parzival, Beitr. [Tübingen] 77 [1955], S. 263 ff.), nicht Rest
von Märchenkausalität (MOCKENHAUPT, Die Frömmigkeit im Parzival Wolframs von Eschenbach, 1942), sondern Zeichen von Parzivals Sündhaftigkeit,
dem *reatus,* denn seine Sünde ist augustinisch: *cupiditas* statt *caritas, superbia* statt
diemuot, die Lösung Parzivals ist Prädestination – das ist ein gründliches Mißverständnis so Parzivals wie Augustins. Die Mitte, Parzivals *cupiditas* und *superbia,* ist sachlich richtig gesehen, aber gerade theologisch wieder falsch. Ich setze
den Zitaten aus Augustin (auch aus Thomas, Bernhard usw. usw.) schon hier
entgegen einen knappen Aufsatz des Theologen KARL RAHNER S. J., Schuld
und Schuldvergebung als Grenzgebiet zwischen Theologie und Psychothera-
pie, in: K. RAHNER, Schriften zur Theologie, 1955, II, 282 ff. Hier wird als theologisch gültig von einem besonderen Kenner auch der Tradition festgestellt:
theologisch gibt es Sünde nur als Tat, nicht als Verfaßtheit; schuldhafte Verfassung geht unter Umständen vorher, aber doch nur als Folge von Sünde; als
Folge auch der Erbsünde z. B., aber nur als in Tat übernommene Sündigkeit
(Parzivals Vogeljagd, Weggehen von der Mutter, Kampf mit dem roten Ritter
als solche Tat-Sünden zu interpretieren, ist absurd; den Tod der Mutter, die
Verwandtschaft mit Ither fügt der Dichter sorgfältig als ungewußt und ungewollt bei!); gegen Gott gibt es nur eine Sünde, *superbia,* aber in der gegenständlichen Lebenswelt nur verschiedene, unterschiedene Sünden; jede Ord-
nungsstörung – Krankheit, seelisches Leiden, Unglück, Vergehen – ist in der
Welt entweder materielles Zeichen von Schuld, also von Sünde, oder von Leiden ohne Schuld.

Daraus ist, auch als Meinung des Dichters, zu schließen: Parzival ist in töd-
lich sündhafter Verfassung (Gottesfeindschaft, *superbia, ignorantia* usw.) und in
leidvollem Geschick (Verwandtentod: wie jemand, der bei einem Autounfall
seine Frau tötet) – aber ohne Todsünde! Ein Paradoxon, aber ein tief menschliches und ebenso christliches; es muß und soll auf einen tieferen Vorgang hinweisen: nicht auf Sündenlehre, Beicht- und Bußpraxis, sondern auf die Erweckung des Gewissens, der Verantwortung überhaupt und allgemein. Dazu
vgl. wieder KARL RAHNER, Das Gebet der Schuld, Geist und Leben, Zs. f. Asz.
und Mystik 22 (1949), S. 90–100, der die hier im Prinzipiellen gleiche Auffassung der beiden Konfessionen auch in ihre feineren Unterschiede verfolgt.
Zum philosophischen Aspekt: HELMUT KUHN, Begegnung mit dem Sein, 1954,
wo der gleiche Vorgang, abgehoben von der Existenzphilosophie, als Entdeckung des Seins durch die Entdeckung des Gewissens entwickelt wird, wenn
auch die Grenzen zur Psychologie wie zur Theologie wohl nicht scharf genug
gezogen werden. Auf weitere Literatur glaube ich hier verzichten zu können.

⁶ Lex. f. Theol. und Kirche (BUCHBERGER) VI, 340 f. (E. KREBS).

[7] Wieder von J. B. Wessels betont.

[8] Vgl. die feinsinnigen, gegen Gottfried Weber gerichteten Hinweise auf die tiefere ethische Bedeutung bei Ludwig Wolff a.a.O.

[9] Dazu ausführlich Merker-Stammlers RL ²1 (1958), s. v. Frühmittelhochdeutsche Literatur (Kuhn).

[10] *Res gestae regumque ducumque et tristia bella*: Horaz, Ars poet. = Ep. ad Pisones 75 f.; vgl. Irene Behrens, Die Lehre von der Einteilung der Dichtkunst vom 16. bis 19. Jh. Studien zur Geschichte der poetischen Gattungen, 1940, S. 20.

[11] Otfrid, Ad Liutbertum (Erdmann) 6f. Wolfgang Stammler hat ZfdPh. 70, (1947/48), S. 10–32 alle diese Stellen noch einmal gesammelt und richtig als Zeugnis für eine breite nichtliterarische Schicht von Literatur gewertet, aber das alte romantische Vorurteil für die verlorene und gegen die erhaltene Literatur nicht ganz überwunden. Der Versuch Karl Haucks (vgl. Mittellateinische Literatur, in: Stammlers Aufriß, 1954, II, 1841ff.), diese Schicht auf breitester Grundlage, von der germanischen Archäologie bis zur mittellateinischen Literatur, aufzudecken und geschichtlich zu ordnen, verdient schon der bewundernswerten Ansätze halber Erfolg, wenn er sich jetzt auch noch schwer beurteilen läßt. Hier lebt jedenfalls das im Text gleich genannte mythisch-heroische Geschichtsbild.

[12] Über Mythos als Frage nach dem 'Ursprung des Gegenwärtigen' vgl. die weiter S. 67 folgenden Bemerkungen, dazu Ernst Cassirer, Philosophie der symbolischen Formen, Bd. 2, 1925 (im Wiederabdruck der Wiss. Buchgemeinschaft ist das Jahr S. IV verdruckt in 1923). Ein Beispiel für 'Mythisierung geschichtlicher Epochen' zur geschichtlichen Volkssage gibt Josef Dünninger, St. Erhard und die Dollingersage. Zum Problem der geschichtlichen Sage, Bayerisches Jahrbuch für Volkskunde 1953, S. 11.

[13] R. Röhricht, Die Kreuzzugspredigten gegen den Islam, Briegers Zs. f. Kirchengeschichte 6 (1884), S. 561.

[14] Literatur zum Willehalm: Eggers Fb. S. 288. Die Vermutungen von Ludwig Wolff, Der Willehalm Wolframs von Eschenbach, DVjs. 12 (1934), S. 504–539, über den von Wolfram geplanten Schluß gehen genau in diese Richtung. Anders Wolfgang Mohr, Wirk. Wort. 2 (1951/52), S. 159–160.

[15] Beispiele: Enite: arm – reich, gut – schlecht; Laudine: Feindin – Freundin; Condwiramurs mit ihrer keuschen Selbstpreisgabe; Orgeluse für Gawan: schon im Namen und in ihren Taten doppelsinnig; Antikonie für Gawan, usw. – überall wird von den deutschen Nachdichtern die Ambivalenz überdeckt, vertuscht.

[16] So Hofer auch für Chrétien (s. oben Anm. 3) S. 49. – Ich übergehe hier und im folgenden fast durchweg die Unterschiede der Chrétienschen und der Hartmann-Wolframschen Fassungen, wo es sich wesentlich um die bei beiden gleichen, von den Deutschen übernommenen Handlungselemente im Großen handelt. Ich lege dabei sogar die deutschen Werke zugrunde, auch wo sie nicht wie Eilharts Tristrant und Ulrichs Lanzelet verlorene französische ersetzen müssen, wie ich auch der Einheitlichkeit halber meist ihre Namensformen durchführe: einfach deshalb, weil ich sie genauer kenne als die französischen. Die feineren Unterschiede besagen jedenfalls nicht das, was man sehr lange darin sehen wollte: Überlegenheit sei es des schaffenden oder des nachahmenden Teils, auch nicht bei Wolfram, wo zur Fortführung hinzu auch die stärkere Umbildung des Ganzen unbestreitbar ist. Denn das gleiche geschaffen und verstanden zu haben, sogar umbildend verstanden, das ist zunächst einmal beider Stärke. In diesem Sinn ist auch die sonst so wertvolle Arbeit von Mergell,

Wolfram von Eschenbach und seine französischen Quellen, 2: Wolframs Parzival, 1943, zu korrigieren.

[17] ANTOINETTE FIERZ-MONNIER, Initiation und Wandlung, 1951.

[18] Das Folgende ist ein Wagnis – noch dazu auf Grund nur der Chrétienschen und deutschen Werke, ohne Heranziehung der französischen und keltischen Traditionen. Doch vertraue ich der Aussagekraft der Werke und hoffe, dieses Bild später auch in genauer Auseinandersetzung mit LOOMIS (Arthurian Tradition and Chrétien de Troyes, 1949), mit HOFER, mit BEZZOLA u. a. festhalten zu können. Der Versuch ist jedenfalls so nicht gemacht worden.

[19] Artusweg Lanzelets: über mehrere Aufforderungen (zuletzt Gawans), dreitägiges Turnier, bis zur Aufnahme in die Tafelrunde; im zweiten Teil Ausgang von dort und Rückkehr. Minneweg Lanzelets: über mehrere Stationen der falschen und erreichten Minne-Einheit, hier aber in den verschiedenen Frauen je einzeln verkörpert.

[20] R. S. LOOMIS a. a. O., S. 78.

[21] GERARDUS VAN DER LEEUW, Phänomenologie der Religion, [2]1956.

[22] Zum Mythischen hier vergleiche das scharfsinnige Buch von KÄTE HAMBURGER, Thomas Manns Roman 'Joseph und seine Brüder', 1945.

[23] ARMGART TRENDELENBURG, Aufbau und Funktion der Motive im Lanzelet Ulrichs von Zatzikhoven im Vergleich mit den deutschen Artusromanen um 1200, masch. Diss. Tübingen 1953, S. 9.

[24] Das zeigt vor allem den schöpferischen Denkprozeß Chrétiens selbst. Wolfram aber hat sicher auch für Struktur und Fortsetzung des Parzival Hartmann noch eigens benutzt. Literatur dazu: EGGERS Fb. S. 279. Ich hebe besonders HERMANN SCHNEIDERS Abhandlung heraus: Parzivalstudien, 1947 (SB München 1944/46, 4), der zuerst den Blick für die Benutzung des Gregorius und des Iwein durch Wolfram öffnete.

[25] W. SCHADEWALDT nach freundlicher mündlicher Mitteilung, im Druck bisher nur angedeutet in der Nacherzählung in Suhrkamps Taschenbuch für junge Menschen 1946. – Auf die reiche und fruchtbare Äneis-Forschung gehe ich hier nicht ein, da ich sie anderwärts gesondert behandeln werde.

[26] Zur Struktur bei Jamblich s. FRANZ ALTHEIM, Literatur und Gesellschaft im ausgehenden Altertum, 1948, Kap. 2 von URSULA SCHNEIDER-MENZEL: Jamblichos'Babylonische Geschichten. Gegen ALTHEIMS und ihre religionsgeschichtliche Deutung bestehen Bedenken (s. unten Anm. 28). Heliodor: Aithiopika. Die Abenteuer der schönen Chariklea, übertragen von RUDOLF REYMER, mit einem Nachwort von OTTO WEINREICH, 1950. Das Nachwort von OTTO WEINREICH gibt jetzt die beste Einführung in den hellenistischen Liebesroman, mit Literatur. Mehrere seiner Elemente werden in der französischen und deutschen Literatur des 12. Jahrhunderts bedeutsam: nicht nur die o. a. Struktur; auch die Verbindung des Liebes- mit dem Reiseroman und der chronikalischen Geschichtsneugier, insbesondere für Figuren wie Ninos und Semiramis, Sesonchosis u. a. als Reichsgründer; überhaupt der geschichtliche und geographische Schauplatz der hellenistisch-römischen Mittelmeerwelt; der Wahrheitscharakter des Romans: »glaubhaft sein sollende Erfindung als eine potentielle Wirklichkeit« (WEINREICH S. 342), gegenüber der geglaubten Wirklichkeit von Mythos und Religion und der erkundeten des Historikers. Eine Verbindung mit unserem 12. Jahrhundert ist über Byzanz leicht möglich. Hier müßten Untersuchungen einsetzen. Die Frankfurter masch. Diss. von ANNEMARIE SCHWANDER, Das Fortleben des spätantiken Romans in der mittelalterlichen Epik, 1945,

ist unbrauchbar. Die stärkste Anregung für das Mittelalter bleibt aber Vergils Äneis. – Heliodor führt das keusche Heldenpaar nach der exponierenden Räuberszene in Ägypten – schon mit der Verlockung des Räuberhauptmanns durch Charikleas Schönheit, mit der Höhle und dem für Chariklea stellvertretenden Tod der Thisbe im Mittelpunkt – noch zweimal unmittelbar vor den Tod. In Memphis wird ein erster, persönlicher Konflikt geschürzt von der buhlerischen Fürstin Arsake, die, verlockt diesmal von der Schönheit des Theagenes, das treue und keusche Paar schließlich zu verderben trachten muß; Chariklea steht schon in den Flammen des Scheiterhaufens – da rettet ein Götterring, die Intrige verdirbt ihre Urheberin und führt das Paar der Götterbestimmung, der Heimat Charikleas zu, nach Äthiopien. In Meroe steht dann Chariklea, steht der mit ihr zum zeitwendenden Herrscher bestimmte Theagenes unerkannt vor den königlichen Eltern – aber am Altar, als Siegesopfer für einen glorreichen Erfolg des Königs; Charikleas Schönheit und Keuschheit, Theagenes' Keuschheit, Mut und Kraft verstricken sie nur noch mehr; doch die Führung des Helios-Apoll, der Durchbruch einer höheren Gotteslehre gibt sie endlich, endgültig dem Leben, den Eltern, einander und ihrer Bestimmung. Eine Selbstentfremdung, ein Selbstverlust tritt bei Heliodor nicht zwischen die Szenen. Er liegt jedoch ständig bereit, in Gesprächen immer wieder als Gefahr zitiert: Verletzung der Keuschheit vor der Ehe!

[27] WALTHER MÜLLER-SEIDEL, Die Struktur des Widerspruchs in Kleists Marquise von O..., DVjs. 28 (1954), S. 497–515. Durch das Dunkel des Kampfes und der Ohnmacht verwandelt zur unglaublichen Schwangerschaft, entschließt sich die Marquise schließlich zu dem ungewußten und ungewollten Kind, zur Mutterschaft als »heilige und unerklärliche Einrichtung der Welt«. Hier aber entsteht erst ein neues, entscheidendes Existenzproblem: sie nimmt die Mutterschaft an, fast wie eine heilige Empfängnis – aber nicht die, selbst durch Todesbereitschaft und Demut gegangene, sühnende Liebe des Grafen; für ihre Person will sie neutral bleiben, versagt ihr »Gefühl«. Erst am Schluß findet sie auch sich selbst, die Einheit im Kleistschen Gefühl, die Einheit von Mutterschaft und personaler Liebe! Man könnte das Strukturprinzip noch anders nuancieren als es MÜLLER-SEIDELS »Widerspruch« tut. Die Struktur selbst scheint mir schlagend bewiesen, im Widerspruch zu den bisherigen Deutungen.

RICHARD ALEWYN, Über Hugo von Hofmannsthal, 1958: Andreas und die Wunderbare Freundin. Andreas sollte als »Reise« einen zyklischen Weg gehen: zuerst zur Geliebten, Romana – dann von ihr fort, um in Venedig durch die, psychisch gespaltene, Wunderbare Freundin und Scaramozzo sich erst eigentlich zu finden – und so zur Geliebten zurück. ALEWYN weist Hofmannsthals psychologische Vorstudien (auch FREUD) über geteiltes und ganzes Selbst nach. Der Roman aber sollte, wie ALEWYN zeigt, nicht eine psychische Demonstration, sondern eine »metaphysische Ausweitung« der psychischen Frage werden. Vgl. die Fülle von Zitaten bei ALEWYN über Selbstfindung, sich gewinnen, wenn bereit sich zu verlieren usw.: durch Unterweisung und Liebe.

[28] F. R. KERÉNYI, Die griechisch-orientalische Romanliteratur in religionsgeschichtlicher Beleuchtung, 1927. Dazu, und zu ALTHEIMS Erneuerung dieses Versuchs, OTTO WEINREICH, S. 340.

[29] FRIEDRICH WULF SJ, Das Hundertfältige in dieser Welt, Geist und Leben 27 (1954), S. 419–428. Für das allerdings auch im Neuen Testament auffällige Herrenwort (Marc. 10, 29; Matth. 19, 29; Luc. 18, 30) von der hundertfältigen irdischen Vergeltung für Haus oder Brüder oder Schwestern oder Mutter oder

Vater oder Kinder, die um Seinetwillen verlassen werden, findet WULF in der
patristischen und mittelalterlichen, auch noch der protestantischen Theologie
nur Umdeutungen des irdischen Lohnes: entweder als der geläufigere himm-
lische Lohn, oder als die irdische Klostergemeinschaft, oder, nur bei Beda (PL
92, 556), als Heiligung durch eheliche Enthaltsamkeit. Zitiert aber wird das
Wort wörtlich in der Kaiserchronik: ...*dem vergiltiz got hie zehenzecvalt und dort
in himelrîche* (2302f.), und ganz ähnlich im Rolandslied, in der zweiten 'Predigt' Karls (184ff. – ich verdanke die Hinweise einer Staatsexamensarbeit von
ELISABETH FÖPPL, München 1956). Sollten dann nicht auch Chrétien, besonders Hartmann, und auch Wolfram es gekannt haben, zur Rechtfertigung des
Märchentyps ihrer Schlüsse – auf welchen Typ dann Willehalm und Titurel wie
Gottfrieds Tristan verzichten?

[30] Weiteres jetzt bei WAPNEWSKI; z. B. sich suchen = *dispersio,* Gott suchen = *se
quaerere* (S. 143 und Anm. 84).

[31] Das Verhältnis der Mystik zur höfischen Literatur bedarf neuer Untersuchung.
Nicht in dem bisher oft behaupteten Sinn direkter Verwendung höfischer Minne
– auch die Untersuchungen von HERMANN TAIGEL, 'Minne' bei Mechthild von
Magdeburg und bei Hadewijch, Diss. (masch.) Tübingen, 1955 und MARGRET
BRÜGGER, Der Weg des Menschen nach der Predigt des Joh. Tauler, Diss.
(masch.) Tübingen, 1955 ergaben wie alle früheren, daß die mystische Minne-
terminologie ganz auf der lateinischen beruht. Aber der Grundansatz der Mystik: *abgescheidenheit,* der Wegfall alles 'Eigenen', selbst des Daseins im *heligen
orden* (Mechthild), selbst der Sakramente (Eckehart), vor der unio, die ein Zu-
sich-Kommen durch Aus-sich-Gehen ist – dieser Grundansatz, in seiner kon-
sequenten Absolutheit, ist auch nicht Sache der lateinischen Tradition. Wirkt
da nicht der Laien-Denkprozeß, die Laientheologie weiter, die sich vorher
– auch – in der höfischen Literatur gestaltet hatte? Anders MERGELL Fb. S. 442,
Anm. 27. – Zur Theologie im Parzival vgl. nochmals die wohltuend besinn-
liche Stellung LUDWIG WOLFFS zu GOTTFRIED WEBER (s. oben Anm. 5).

[32] Damit ist das Stichwort gefallen, das meine Interpretation in den Ruf des Exi-
stenzialismus, der dialektischen Theologie, des Hineintragens moderner Stim-
mungen in den Parzival bringen wird. Ich glaube dagegen schon oben genug
getan zu haben. Zu einer Auseinandersetzung mit BULTMANNS Stichwort ist
hier nicht der Ort. Man könnte jedenfalls den Parzival gerade gegen seine dialektische, existenzialistische Entmythologisierung anführen, wie vieles andere noch,
könnte BULTMANNS eigene, richtige und höchst scharfsinnige Exegesen anführen
gegen seine auf absolute Ich-Du-Beziehung, Sein-schaffende Glaubensentschei-
dung usw. gebaute, ja das Sein als Prozeß selbst mythologisierende Existenzphilosophie. Im übrigen, daß Interpretationen in Richtung auf Mythos und
Entmythologisierung, in dem oben versuchten weiteren Sinn, heute vielfach
in der Luft liegen, mag auch etwas Moroses haben. Als Instrument der Erkenntnis ist das aber nicht schlechter oder verfehlter als das Gesunde – solange es
der historischen Wahrheit dient.

[33] Zu dieser Zwiesträngigkeit s. zuletzt WAPNEWSKI S. 127 und Anm. 32; roma-
nistisch FIERZ-MONNIER, S. 66ff.: tiefenpsychologisch interpretiert; HOFER
(siehe oben Anm. 3) will die Gawanhandlung Chrétien absprechen.

[34] Die eucharistischen Elemente der Gralvorstellung sind in alle Märchenwunder
wie mit Absicht hineingestellt, bei Chrétien und Wolfram. Mit Recht weist
WESSELS (s. oben Anm. 2), S. 124ff. wieder auf Eucharistie-Legenden als Quellen hin, und zwar sehr viel näherliegende, als die von MOCKENHAUPT beigebrach-

ten. Das 13. Jahrhundert wird ja die Blütezeit nicht nur der Eucharistie-Heils-
schau (JUNGMANN, Missarum sollemnia, Bd. 1, ³1952, S. 153 f. und Anm. 75 und
S. 158 ff.), sondern auch der Eucharistie-Wunder: Messe von Bolsena 1263 usw.

[35] Vgl. W. J. SCHRÖDER, Der Ritter zwischen Welt und Gott, 1951, S. 118 ff.

[36] Zur Datierungsfrage s. die klare Zusammenfassung von FRIEDRICH NEUMANN,
Verf.-Lex. V, 322–331. GÜNTHER JUNGBLUTHS Versuch (Euph. 49 [1955],
S. 145–162), aus dem Lied MF 218, 5 Friedrich Barbarossa als Hartmanns Herrn
zu erweisen, bleibt trotz kritischen Scharfsinns unbefriedigend. Der Frage der
Kreuzzugs-Stimmung in den 1180er Jahren bin ich noch nicht nachgegangen.

[37] HOFER, S. 201 ff.; MERGELL, Gral S. 97.

[38] FRANZ BEYERLE, Der »Arme Heinrich« Hartmanns von Au als Zeugnis mittelalterlichen Ständerechts, in: Kunst und Recht, Festschrift Hans Fehr, 1948
(Arbeiten zur Rechtssoziologie und Rechtsgeschichte 1), S. 27–46.

[39] Die *wîlsælde* ist Thema der Faustinianus-Geschichte der Kaiserchronik, nach
ihrer Quelle, den Clementinischen Recognitionen. Vgl. weiter GEORG-KARL
BAUER, Sternkunde und Sterndeutung der Deutschen im 9.–14. Jahrhundert,
1937. Jetzt, mit dem Ergebnis einer vertieften Gesamtinterpretation von Wolframs Parzival: WILHELM DEINERT, Ritter und Kosmos im Parzival, Untersuchungen zur Sternkunde Wolframs von Eschenbach, Diss. München 1959
(erscheint voraussichtlich in Kürze im Druck).

Über nordische und deutsche Szenenregie in der Nibelungendichtung

(S. 181–195)

[1] s. dazu F. GENZMER, Vorzeitsaga und Heldenlied, in: Kluckhohn-Schneider-
Festschrift, 1948, S. 1 ff.

[2] s. zuletzt W. MOHR, Entstehungsgeschichte und Heimat der jüngeren Edda-
lieder südgermanischen Stoffes, ZfdA 75 (1938), S. 217–80; Wortschatz und
Motive der jüngeren Eddalieder mit südgermanischem Stoff, ZfdA 76 (1939),
S. 149–217.

[3] HANS NAUMANN, Höfische Symbolik. I. Rüdigers Tod, DVjs. 10 (1932), S. 387 ff.

[4] Auf FR. PANZERS Thesen (Studien zum Nibelungenlied, 1945) kann hier nicht
eingegangen werden. Doch scheinen die Stilkriterien der Szenenregie dagegen
und für HEUSLERS Entwicklungsbild im großen ganzen zu sprechen. Vgl. SCHNEI-
DERS Bericht Euph. 45 (1950), S. 493 ff.

[5] Brünhild war bei Kriemhilds Auftreten *vol hin unz an den tisch gegân* (611): Soll
damit Brünhilds Weinen (618) im Sinne der Motivierung des *man*-Motivs bei
dem Nibelungendichter vorbereitet werden? Diese Verbindung der Werbungs-
und Mordhandlung über den toten Punkt zwischen beiden hinweg trüge dann
Spuren unserer Raumregie. Das *gegensidele* ist allerdings typisches Motiv im frühhöfischen und Heldenroman.

[6] Wenn HEUSLER (Nibelungensage und Nibelungenlied, ⁴1944, S. 276) von dem
»eigentümlich stumpfen Raumsinn des Nibelungendichters« spricht und darunter auch die glänzend räumlich gestalteten Szenen einschließt, von denen
oben die Rede war, so zeigt das deutlich genug die Notwendigkeit, hier zu
scheiden.

[7] Was an sich ganz ohne die Fiktion bei der Brünhildwerbung bestehen könnte –
wie ja der Herkunftsvorwurf der Senna in allen Fassungen deutlich derselbe
ist fast bis in die Formulierung hinein: *man* Nl., *thraell* Vs., etwas weiter ab die
»Spur der Hinde« Ths. (hrsg. v. BERTELSEN, II, 260, 2) und der *vallari* der Ths.
(II, 262, 17f.) – die Motivierung aber jeweils ganz verschieden in den Vorgeschichten vorweg gegeben: als Fiktion im Nl. und damit am oberflächlich-
sten, aus dem Waldleben Jung-Sigurds in der Ths., aus der Völsungen-Kompi-
lation in der Vs. – was doch auf den sekundären Charakter all dieser Begründungen und damit auf ihr Fehlen in einer gemeinsamen Vorstufe weisen sollte.

[8] Daß diese Formulierung (Brünhild *mannes kebse*: Brünhild als Subjekt) überhaupt erst durch die Zweitstellung des Frauenvergleichs aus der der Ths. (*frumver,* Siegfried als Subjekt: im Anschluß an den Männervergleich) gewonnen
wurde, verbietet sich doch deshalb, weil im Nl. selbst die Pointe *man* (821) –
mannes kebse (839) durch die Umstellung ja gerade zerstört wurde. Es bleibt
hier also bei der Quellendoppelheit im Sinne SCHNEIDERS (Die deutschen Lieder von Siegfrieds Tod, 1947, S. 30ff.), aber in der Verteilung: A Brünhild *mannes
kebse* (Nl. 839) – B Siegfried *frumver* (Ths. und Nl. A 800).

Wenn wir freilich den Frauenvergleich des Nl. (Vortritt ins Münster) auf das
Konto des 'Regisseurs' setzen, so wird uns hierfür die Quellendoppelung
fraglich.

[9] Ältere Strophen mit Hilfe der HEUSLERSCHEN Kriterien nachzuweisen, fällt in
der Senna schwer – abgesehen von einem Teil der Eingangsstrophen (814–821),
die im Ton (814) und weiter auch gerade durch ihre sehr verschiedenartigen
Begründungen für Siegfrieds Rang beim Männervergleich herausfallen. 815:
daz elliu disiu rîche ze sînen handen solden stân (Herrschaftsmotiv. In der Ths. erst
in der Hvöt und da wahrscheinlich eingeschoben). – 817: *wie rehte hêrliche er vor
den recken gât* (Bühnenschau des 'Regisseurs'). Oder im Zusammenhang mit dem
Norden (SCHNEIDER, a.a.O., S. 31)? – 819: *an vil manegen dingen so ist sîn êre grôz*
(was durch den im Prolog vorausgenommenen Satz der Ths.: *Sigurdr svaeinn
var ok firir thaeim of alla luti* [259, 4], eine wörtliche Entsprechung findet) – *man*
(821; Herkunftsmotiv: als Fiktion hier) und als Antwort Kriemhilds im Sinn
der Nl.-Herkunftsgeschichte: *er ist tiwerr danne sî Gunther… der vil edel man* (824)
– dann der Frauenvergleich.

[10] Siehe NAUMANN, a.a.O. Diese Symbolik erscheint mit dem Gürtel voll ausgebildet gerade nur im Nl. – nicht ohne mit der Raumregie des Münsterauszugs
in etwas bedenkliche Konkurrenz zu geraten: Warum sieht und erkennt Brünhild den Gürtel erst jetzt?

[11] Brünhild beklagt sich bei Gunther über Siegfrieds Ausschwatzen des Geheim-
nisses. Darauf antwortet merkwürdigerweise *Hagen* mit dem Rat, so zu tun als
ob nichts gewesen sei – doch wohl um damit die folgende Intrige einzuleiten.
Dann aber spricht nochmals Brünhild, mit einer *neuen* Reizung zum Mord: Er,
der Landstreicher, wird bald über Euch herrschen; darauf antwortet Gunther!
Zeile 263, 1 aber schließt an die *Hagen*-Antwort oben mit den Worten an: Brünhild tat, was der *König* (also doch Gunther) verlangte!?

Hier ist – soviel scheint deutlich – zum Brautnachtbetrug hinzu das zweite
Motiv gegen Siegfried erst nachträglich eingefügt, das Herrschaftsmotiv, das
ja auch noch im Nl. neben der *man*-Fiktion und dem Brautnachtsbetrugsmotiv
herläuft. Siegfrieds Herkunft, seine Herrschaft und sein Hort gehören an sich
zusammen in diesen Umkreis, und vielleicht zeigt wieder die Vielzahl der Moti-
vierungen ihren sekundären Charakter an? Das Nebeneinander aber von Braut-

nachtbetrug und Herrschaftsmotiv hat seinen Platz nur in der Senna: Brün-
hildens Pointe gegen Kriemhild muß dem Kreis des Herrschaftsmotivs angehören
(dort wahrscheinlich in der besonderen Form des Herkunftsmotivs) – Kriemhild muß mit dem Brautnachtbetrugsmotiv antworten. In der Hvöt der Ths.
steht, wie die schlechte Einfügung des Herrschaftsmotivs zeigt, wohl nur das
Brautnachtbetrugsmotiv ursprünglich am Platze. Das Herrschaftsmotiv im
Munde Brünhilds hat die Saga womöglich ihrer Kenntnis nordischer Quellen
verdankt (aus der ja auch viele Namensformen stammen); es begegnet so am be-
tontesten im »Brot«. Oder sie müßte es von anderer Stelle und von einer andern
Person der Vorlage genommen haben: Im Nl. trägt Hagen die Andeutungen des
Herrschafts- und Hortmotivs, die da noch stehengeblieben sind, so auch in der
Fortsetzung des Mordrats (870). Das wird, bei der Verkümmerung des ganzen
Motivs im Nl., kaum erst durch den Nibelungendichter auf Hagen übertragen
sein, sondern einer Vorlage gehören. Hat sie also folgendermaßen verteilt: Senna
mit Herkunftsvorwurf durch Brünhild und Brautnachtvorwurf durch Kriem-
hild – Hvöt mit Brautnachtbetrugsanklage durch Brünhild – Mordrat mit Herr-
schaftsvorwurf durch Hagen (oder Hortgier)? Worauf dann noch der Herr-
schaftstriumph Hagens nach dem Mord antwortete: Nl. 939? Auch SCHNEI-
DER gibt diese Strophe, obwohl sie in der Ths. keine Bestätigung findet, seinem
B-Lied (Die Lieder von Siegfrieds Tod, 1947, S. 42f.).

[12] Nur Brünhild ist freudlos, was kaum in das Täuschungsprogramm paßt. Darin
steckt wohl ein Rest einer anderen Darstellung.

[13] Daß Kriemhild sich nach Siegfrieds Aufbruch ins Bett legt, um nichts mit Brün-
hild zu tun zu haben, dürfte allerdings nur rationalistische Vorbereitung des
Sagamannes für die spätere Situation sein, wo man ihr Siegfrieds Leiche ins
Bett wirft; s. dazu unten.

[14] c) = 1012, d) = 1045/46, und auch a) sehen wir im Nl. 1100 noch angedeutet:

Prünhilt diu schœne   mit übermüete saz.
swaz geweinte Kriemhilt,   unmære was ir daz.

[15] Nur b) (fehlt Nl.), das man als Gipfel brutaler Kraft preist, verträgt diese Bewertung doch nicht recht. Es ist in der Ths., genau besehen, doch eine frag-
würdige Szene: Die Leiche wird hinaufgetragen, Kriemhilds Kammer erbro-
chen, man wirft ihr den Toten in die Arme – und nun erst erwacht sie und
sieht, daß Jung-Sigurd bei ihr im Bett liegt und tot ist? Sie schaut zuerst nach
seinen Wunden, um festzustellen, daß er ermordet sei – ohne sich zu wundern,
wie der zur Jagd gerittene Mann wiederkam? Hagen aber hat trotz der unmiß-
verständlichen Brutalität gleich darauf die Stirn, seine Schuld auf den Eber ab-
zuwälzen? Auch HEUSLER sieht hier eine »handgreifliche Mischung von Waldtod und Bettod« (Nl.³ 270). In der Tat wird kein Dichter Siegfried im Wald
ermorden lassen, damit ihn dann Kriemhild tot im Bett findet. HEUSLER schreibt
aber die Mischform schon seiner deutschen »Urstufe« zu. Doch sie ist so pein-
lich unwahrscheinlich (– auch MOHR lehnt ab: ZfdA. 75, S. 276 Anm. 1. Die
»glänzende Motivierung«, die SCHNEIDER a.a.O. S. 47 erneut betont, scheint mir
aus dem oben dargelegten Bericht der Ths. doch nicht zu rechtfertigen –), und
die Naht (beim Erwachen Kriemhilds) so deutlich, daß man niemand sonst dafür verantwortlich machen sollte, als den Sagamann der Ths. Er erst hat den
deutschen Waldtod und die nordische Bettodsituation, auf deren Doppelheit
man nach Ausweis der Eddaprosa im Norden ja aufmerkte, vereinigt.

Wie sah dann die Heimkehr in der Nl. und Ths. gemeinsamen Vorlage aus?
Für diese Waldtodfassung spielte Kriemhilds Klage sicher nicht im Walde (wie

in Gdkv. II, 12). Siegfried, der tot auf dem Schild heimkehrt – das symbolhafte Bild ließ sich ein Dichter, wie er sonst in der Heimkehr sich zeigt, nicht nehmen. Aber auch die zur Todesnachricht erst erweckte Kriemhild ist zu fest verbürgt. Zu ihrem Schluß aus Siegfrieds Wunden auf den Mord und zu Hagens Entschuldigung paßt doch nur eine Form, in der man ihr Siegfrieds Leiche brachte und sie zu diesem Zweck weckte – also ähnlich dem, was der räumlichen Umgestaltung des 'Regisseurs' im Nl. zugrunde gelegen haben muß.

[16] Siehe HEUSLER, SCHNEIDER, POLAK zur Stelle.

[17] Den doch in dieser Form schon der Hagenkonflikt des Waltharius bezeugt. NAUMANN möchte alles, was er (a.a.O. S. 399f.) an »Symbolismus« im Nl. zusammenstellt, der Zeit um 1200 und dem Nl.-Dichter geben – mir scheint aber umgekehrt Gebärden- und Gegenstands-Symbolik gerade für die »ältere Not« bezeichnend, während NAUMANNS »höfische Symbolik« in Wirklichkeit nicht mehr eigentlich 'symbolische', sondern realer deutliche Darstellungskunst bedeutet.

[18] s. dazu SCHNEIDER, Germanische Heldensage, 1928, I, 106ff.

[19] Kriemhild als Lohn für die Werbungshilfe um Brünhild: Das müßte fast schon der Vorlage gehört haben. Die Regie der jüngsten Stufe beschränkt sich hier auf die Kleideranfertigungsszenen.

[20] Die Tarnkappe spielt nur hier und in der Brautnachtepisode eine Rolle; sie wird außerdem eingeführt durch die Jugendtatenerzählung, die auch nur im weiteren Umkreis der Brünhildwerbung, im Nibelungenabenteuer der 8. Aventiure nochmals aufgegriffen ist.

[21] Die Szenenbildung ausschließlich durch die Gebärde betont hier HANS JANTZEN, Ottonische Kunst, 1947, S. 80f. besonders.

[22] Der Schritt vom Lied zum Epos relativierte sich damit, gegenüber der scharfen Absetzung durch HEUSLER, im Zuge einer längeren Entwicklung.

[23] Hier sei nur vorläufig auf Formeln wie *oster over se* (65), *der waldindiger got* (1010) und auf die Stellung einer Gebärdenszene wie der Schuhprobe im Höhepunkt der Handlung verwiesen.

[24] s. dazu TH. FRINGS, Die Entstehung der deutschen Spielmannsepen, Zs. f. dt. Geisteswiss. 2 (1939/40), S. 306f. und TH. FRINGS und MAX BRAUN, Brautwerbung, 1947 (Ak. Abh. Leipzig 96, 2).

[25] W. MOHR, DuV 42 (1942), H. 4, S. 106.

[26] Wie auch Mohr, a.a.O. S. 105, bestätigt.

[27] Es klingt auch in Gudruns Mund 6, 7–8 an, aber wie wir sehen werden, unter anderen Voraussetzungen.

[28] Auch MOHR (a.a.O. S. 107) verneint die Zugehörigkeit der »losen Strophen« der Vs. und bezweifelt Waberlohe und Flammentritt.

[29] s. zuletzt DE VRIES, Altnordische Literaturgeschichte, 1942, II, 139.

[30] s. zur genau so stilisierten Hvöt der Ths. oben S. 202ff.

[31] MOHR, a.a.O. S. 106, WIESELGREN, a.a.O. S. 364ff.; DE VRIES, a.a.O. S. 139.

[32] Vgl. allgemein die klärenden Ausführungen von GEORG WEISE, Das 'gotische' oder 'barocke' Stilprinzip der deutschen und der nordischen Kunst, DVjs. 10 (1932), S. 206ff.

[33] Aber was für NECKEL (S. 146) nur die »zweite Hälfte« des Liedes, hinter der »Stilgrenze« 27 kennzeichnet: die »mehr undramatischen Schilderungen« ein »Vorwärtsschieben, kein Springen«, ohne Lücken, mit »genrehaften« Zügen, das trifft doch nicht minder seinen ersten Teil. Auch er enthält nicht einfach »zwei äußerst dialogreiche Szenen«, sondern zeigt fast noch stärker die gleiche Form.

Vor allem die kleinen Zwischenszenen: Botenankunft 1; Botschaftsszene 2; die Beratung 6–11 ist wieder als neue Szene zu denken, bei der der Bote nicht anwesend ist (bei der Warnung Gudruns), ähnlich wie in Nl. und Ths. und auch innerhalb ihrer gibt das 'Stimmungsbild' 9 und der Aufruf an den Schenken 10 »genrehafte« Einzelschritte an, so daß gerade die Beratung fast am weitesten zur kontinuierlichen Erzählung gestaltet scheint; Abschied 12 und Fahrt 13 (und Ankunft 14?) schließen sich ebenso an. In diesem Betracht wirkt die Akv., und besonders ihre erste Hälfte, vorgeschrittener als selbst die deutsche »Ältere Not«!

³⁴ Über die Angebote Knefröds (3–5) und Gunnars Gegenrede (6–7) hat Neckel Wesentliches gesagt (wenngleich seine zeilenweise Aufteilung in Schichten hier so wenig wie sonst im Lied überzeugen kann). Es mischen sich darin verschiedenartige Elemente, von den Anklängen der Hunnenschlachtlied-thula bis zu mittelalterlich 'Diplomatischem' (Landangebot 5, Waffenhäuser 7). Dazu kommt die Unlogik, daß Atli die Burgunden durch Geschenke lockt, obwohl er doch gerade deren besonders reichen Schatz begehrt – dafür fehlt die in Deutschland bezeugte Einladungstäuschung durch das Verwandtschaftsmotiv. Die Vorliebe für Aufzählung von Schätzen mag zur Typik der Gesamtstilisierung gehören. Gunnars Hinweis auf seine Schätze (6–7) ließe sich unmittelbarer als Antwort an Knefröd, noch vor der Beratung, verstehen, wenn nicht die Frage an Högni im ersten Helming von 6 – mit der (anschaulichen, aber formelhaften) Gebärde der Hauptwendung – die erst in 8 weitergeführte Beratung vorwegnähme. So muß man doch daran denken, daß die Schatzaufzählung Gunnars 6–7 und damit auch die Angebote Knefröds 3–5 in dieser Form erst durch die Überarbeitung hereinkamen, als typische Stilmittel, vielleicht an die Stelle älterer Verwandtschaftsstrophen? Diese Einfügung hätte dann als Redeeinleitung für Gunnars Antwort den alten Anfang der Beratung (6, 1–4) mitbenutzt?

³⁵ Denn in Deutschland folgt die Warnung nur aus der Situation (Hagen kennt die Gesinnung Kriemhilds) – in Akv. aus einem eigenen Akt von der Gegenseite, dem Hunnenhof her (Sendung des Rings durch die Schwester). Darin liegt eine stärker symbolische Sinnlichkeit der Warnung; dafür aber geringere Eigenräumlichkeit der Beratungsszene. Gehört erst dem Bearbeiter, was man hier 'springenden Stil' nennen kann: das Verschweigen der direkten Reaktionen (Schweigen der Ratgeber, Aufruf an den Schenken)? Wenn man genau den gleichen Darstellungsstil noch etwa bei Hamsun wirksam sieht, so könnte man von einer nordischen Stilkontinuität zu sprechen versucht sein.

³⁶ 'Selbstverfluchung' trotz Bugges und Neckels Einwänden z. St.? Gunnar erscheint dann als 'Durchgänger' – das ist aber wieder ein bezeichnend nordischer Typ.

³⁷ Schon in den Str. 18–20 möchte man notwendige szenische Glieder der Handlung finden (Gefangennahme Gunnars, Högnis, Hortfrage), und sogar Neckel sieht in einem Teil von ihnen ältestes Gut. Aber sie fallen nicht nur metrisch auf (was wenig durchsichtig ist), sondern noch mehr stilistisch. Sie erzählen nur wie in eiligster Zusammenraffung; subjektlos: »Man fing...«, »man fragte...« (so außerdem nur noch bei der Herzenepisode 22 und 24); mit moralisierender Bewertung (19, 5 ff.); die Hortfrage vor allem (deren 'urtümliche' Bildlichkeit im Nl. freilich keine altersmäßige Gewähr hat, sogar wesentlich an das Gegenspiel Kriemhilds gebunden ist) wird hier (Akv. 20) mit empörender Gleichgültigkeit abgehandelt. So entsteht doch der Eindruck eiliger Lückenfüllung durch 18–20. Auch die Herzenepisode 21–25 bleibt bedenklich: Die heroische

Gebärde Högnis, durch Hjalli kontrastiert, steht auf schwachen Füßen! Daß
der eine Hortbesitzer allein übrig bleiben will, ist ältester Bestandteil der folgenden Trutzantwort (26). Sich über den Tod des anderen zu vergewissern, ist
aber das herausgeschnittene Herz hervorragend ungeeignet, der Kopf wie im
Nl. tut es besser! Und weiter: auch wenn Högni eine Aristie haben sollte, wie
man sagt, ist die Forderung dieser Grausamkeit durch Gunnar doch unsinnig.
So mag die Episode, an der auch sonst Zweifel bestehen (MOHR, a.a.O. 101),
eher das Märchenmotiv vom unterschobenen Tierherzen in nordischer Heroisierung enthalten. Auch das kann zum Konto der deckenden Stilschicht gehören.

Eine bis in die Formulierung hinein noch durch Nl. 2173 bestätigte Szene
wird erst in Gunnars Hortantwort 26 greifbar. (NECKELS Einwände gegen das
Rheingold von Str. 27 sind nicht unberechtigt, sie hat in der Tat viel weniger
Gewähr als 26.)

[38] Schon in 28, 1–2 ist merkwürdig, daß Gunnar erst hier »in Banden« sein soll:
Die Horterfragung setzt doch einen kampfunfähigen Gunnar notwendig voraus. Die Langzeile wird als Rede Atlis aufgefaßt – aber es wäre seine einzige
im ganzen Lied?

Die Zusammenhänge in 29–30 sind erst recht unklar: vielleicht liegt der viel-
gesuchte Ausweg darin, daß Gudruns 'Fluch' in 30 gar nicht eigentlich Fluch
ist (den man sich dann in der Tat in Abwesenheit Atlis gesprochen denken
müßte, wobei doch alles ziemlich pointelos würde: Gudruns Eintritt in die
Halle wie der Fluch selbst), sondern vielleicht ein letzter Versuch Gudruns, den
Bruder dadurch zu retten, daß sie Atli an seine Eide erinnert (allerdings: welche
Eide? Vielleicht im Zusammenhang mit dem oben fehlenden Verwandtschaftsmotiv?). Das läge dann wieder unter dem, hier stark skaldischen, Stil der dek-
kenden Schicht begraben.

[39] Gudruns Wortspiel in 33 ist mehr technisch als im Sinne der Handlung pointiert. Auch die anschaulichen Details von 34 *(gumar gransíðir)* schließen sich
nicht szenisch, sondern stimmungsmäßig zusammen. Die gleiche Schicht deckt
auch 35–37, Gudruns Enthüllung des 'Atreusmahls'. Ein Atreusmahl: muß
gerade das darin stecken – kann es nicht auch das »Herzmäre« sein, d. h. der
verbreitete mittelalterliche Novellenstoff vom gegessenen Herzen, der hier wieder in nordischer Heroisierung erschiene? Die Opferung des eigenen Sohnes
hält allerdings auch noch die deutsche »Not« in neuem Motivzusammenhang
ebenso fest wie die brenna.

[40] 38 ist zwar 'sentimentales' Stimmungsbild im Sinne des Bearbeiters. Aber Gudruns Tränenlosigkeit selbst wird durch Zweifel an der Fassung (ob ursprünglich über Bruder *und* Söhne oder nur über diese: so NECKEL und GERING z. St.)
als älteste Schicht gesichert. Die Schätzeverteilung 39 liegt allerdings stofflich
der deckenden Schicht vielleicht näher. Besonders gut aber sitzen in 40–42 die
Akzente des Stils, ganz anders als bisher. Die Details entstammen nicht mehr
einer ziemlich abstrakten, typischen Variationstechnik, sondern steigern ziel-
strebig den Sinn der Szene. So etwa das Lösen der Hunde und Wecken der
Knechte 41, besonders aber in 42: *forn timbr fello, fiarghús ruko... hnigo í eld
heitan* – nur Einzelheiten weisen hier auf Überarbeitung: die Schildmädchen?
(42, 8 könnte noch spätere Interpolation sein). Sogar die sprachliche Technik
scheint hier weit mehr ins Schwarze zu treffen als vorher (z. B. *Hon beð broddi
gaf blóð at drekka* 41, 1 f.).

Ist es vielleicht etwas Typisches, daß ältere nordische Erzählungsgedichte
und die deutsche Überlieferung gerade die alten Schlußszenen bewahren: Heim-

kehr vom Siegfriedmord und Triumph Brünhilds in Nl.-Ths. (die im »Brot«
gerade noch sichtbar werden) – Horterfragung (dazu auch Sohnestötung und
brenna) in Nl.-Ths. wie hier in Akv.? Während die jüngeren nordischen Lieder
gerade am Schluß zusammenfassende psychologische Situationen mit Rück-
und Ausblick anfügen: schon »Brot«, dem dann die Situationslieder folgen, und
ebenso Am. mit den langen Gesprächen zwischen dem todwunden Atli und
Gudrun.

[41] Vielleicht rührt gerade daher die Lücke zwischen Gudrunwarnung und Gunnars Trotzantwort, die die Str. 18–20 schlecht genug und auch nur mit dem
unpersönlichen »man« als Subjekt ausfüllen.

[42] 29–32: Atli reitet hier nur hinaus und zurück; 28 aber ist als Atlirede fragwürdig:
s. oben S. 282 Anm. 28.

[43] Gerade weil der tragische Konflikt ziemlich unorganisch in der überhaupt reichlich zusammengesetzten Waltherhandlung steht, sollte er mit Hagen und Gunther aus dem Nibelungenkreis, und zwar auch eher aus der Siegfriedfabel, übernommen sein. Sie hätte dann die Konstellation gezeigt: Ein goldgieriger Gunther muß den im Mordrat warnenden Hagen zum Treukonflikt und Treubruch
an Siegfried zwingen? So erhielten dann die Eide und die schwierige Gewinnung des Mörders im »Brot« doch eine Stütze? Doch führt das weit in Kombinationen. Jedenfalls stammt sachlich auch der Rüdigerkonflikt daher.

[44] s. dazu HANS KUHN, Die Ethik des alten Atliliedes, ZfDkde. 55 (1941), S. 402
bis 408.

Virginal

(S. 220–248)

[1] STEINMEYER in der Besprechung von ZUPITZA ZfdPh. 3, 237; WILMANNS, Über
Virginal, Dietrich und seine Gesellen und Dietrichs erste Ausfahrt, ZfdA. 15
(1872), S. 294–309; ERNST SCHMIDT, Zur Entstehungsgeschichte und Verfasserfrage der Virginal, 1906; J. LUNZER, Über Dietrichs erste Ausfahrt, ZfdA. 43
(1899), S. 193–257 und ders., Zu »Virginal« und »Dietrichs erste Ausfahrt«,
Programm Wien 1900/01; CARL VON KRAUS, »Virginal« und »Dietrichs Ausfahrt«, ZfdA. 50 (1908), S. 1–123.

[2] Es sind 3: Erstens h: durch die Heidelberger Hs. und einige Bruchstücke ver-
treten, Abdrucke durch v. D. HAGEN, Heldenbuch [= HB], 1855, II, 103 ff. unter
dem Titel »Dietrich und seine Gesellen«, auch die Ausgabe von ZUPITZA, DHB
Bd. 5, 1870 (Titel, nach MÜLLENHOFFs Vorschlag, »Virginal«) gibt ausschließlich
h wieder. – Zweitens d: der Auszug einer von h verschiedenen Fassung im
Dresdener HB des Kaspar v. d. Rhön, abgedruckt in v. D. HAGEN-PRIMISSERS
HB 1, 1825, S. 143 ff., u. d. Titel »Dietrich und seine Gesellen«. – Drittens w:
die Fassung der Wiener Piaristenhs., die d und h kompiliert, hrsg. von STARK,
1860 (StLV 52) mit dem Handschrift-Titel »Dietrichs erste Ausfahrt«. – Im
folgenden wird h nach dem Text des HB und den Strophenzahlen bei ZUPITZA
(= h) zitiert, d und w (stets mit Siglen) nach v. D. HAGEN bzw. STARK.

[3] Eine Schwierigkeit: VON KRAUS beobachtet, daß die ursprüngliche Strophen-
form (im »älteren Bernerton« = Eckenlied) in den Schlußzeilen zur Form des
»jüngeren Bernertons« geändert wurde – aber erst in E–h (w) bzw. in d (S. 31 f.),
also auf längst getrennter Stufe?

[4] Ergänzungen gab noch LUNZER, ZfdA. 52, 113 ff., 53, 1 ff. und 53, 197 f. Neue Hss.-Bruchstücke zur h-Redaktion machten bekannt: E. SCHRÖDER, ZfdA. 73, 270 ff.; 74, 116. STUTZ, ZfdA. 74, 166. Vgl. Verf.-Lex. IV, 701–705.

[5] Eine Reihe von Widersprüchen hat besonders schon STEINMEYER (ZfdPh. 3, 237 ff.) angemerkt. Nur zum Teil sind diese durch VON KRAUS' Textreinigung behoben.

[6] In der guten Str. 70 erklärt sich Hildebrand ausdrücklich als Lehrer Dietrichs durch *arebeit* – aber nur in 41 erinnert er sich während der ganzen Aventiure überhaupt an Dietrich: er würde ihn holen, wenn es nicht zu lange dauerte – das klingt doch wie eine Verlegenheitslösung.

[7] Die Zahl 80, nur in 30, 3 (daraus in den Interpolationen) und die Teilzahl 24 in 109, 7 stammen aus Wolfdietrich D VIII 181 (s. LUNZER Progr. S. 10 f.); auch Einzelzüge wie die voreilige Verteilung der Beute durch die Heiden 73, 11 f.: Wolfdt. D V 2 ff. bzw. A 510 ff., wie schon ZUPITZA (S. XXIV) annimmt – – das ist aber typisch auch in der französischen Heldendichtung (HEINZEL, Über die ostgotische Heldensage, 1889, S. 86) wie in Sage und Märchen.

[8] Die folgende Szene zwischen Hildebrand und der Jungfrau hat vieles Ähnliche mit der zwischen Dietrich und dem von Vasolt gejagten Waldfräulein. Der gebende Teil ist sicher das Eckenlied (den Vergleich mit dem Eckl. führt für w STARK S. XI f. durch): Die *wilde* Stimme 22, 1: Eckl. 161, 6 (auch sonst: Wolfdt. D VIII 56, 3 s. LUNZER Progr. S. 27) – *Sie sprach: diz lant ist herren vol* 25, 1 = Eckl. 163, 1 – das Horn 38, 1, 4: Eckl. 164, 7 f. – *verwâfent keiserlîchen* 43, 4 = Eckl. 165, 2 f. – das Anerbieten der Jungfrau zur Wundenheilung 67 entspricht der Heilung Eckl. 173 f. Es ist keine Kopie im ganzen, aber doch in Einzelzügen, und da hat das Eckl. nicht nur das ursprünglichere Kolorit des Menschenjägers und des Waldfräuleins voraus, sondern auch die kräftigere Sprache. Ihr gegenüber ist das Gespräch Hildebrands mit der Jungfrau und dem Heiden sogar ausgesprochen matt.

[9] Zu dem ähnlichen Fall Nibelungenlied 1506 s. HEUSLER, Nibelungensage und Nibelungenlied, [2]1922, S. 157 f. ([5]1955, S. 77 f.)

[10] Beispiele: B: Dietrich muß sich auf dem Weg zur Königin verirren, um allein nach *Mûter* zu geraten; nach vielem Ineinanderschachteln der getrennten Handlungen erst kommen alle wieder zusammen. Dasselbe in der Fassung d (Schicht C): auch auf dem Weg zur Königin wird Dietrich durch eine Fährte von den andern weggelockt in lange getrennte Handlungen. Dasselbe vielfach im Kleinen!

[11] Sollte er nicht, nachdem sie ihn in Str. 118 umarmt und geküßt hat, in 120, 2 sagen:

> *Nu hæte ich gerner* (st. *gerne*) *guot gemach:*
> *mîn fröide wil mir truoben?*

Seine Wunden schmerzen (s. Str. 114), darum ist seine Freude trübe. So seufzt er mehr nach *guot gemach* als nach dem Kuß, dessen Wert ja dem jungen Helden noch verborgen ist.

[12] Str. 134 ist sicher unecht: sie ist nur eine billige Kopie (134, 1–4 dieselbe Aufforderung an das Gesinde wie in 133, 1–4 an die *meide,* der Rest inhaltloses Gerede über die Befreier nach 132; *liebe geste* in Vers 4 und 13). 133. 135 und 136 stehen nur in der Fassung h (danach in w). Doch sind sie lebendig wie wenige und im Fortgang unendlich oft kopiert. 137 hat VON KRAUS gestrichen, mit vollem Recht. 138 ist aber auch verdächtig: die reizenden Züge von 130 sind hier übersteigert – die Damen haben nicht nur *hundel* und *salterbuoch* im

Schoß, sondern auch *marder, harm* und *vehe,* dazu singen noch Vögel in Käfigen!
Die gleiche Menagerie Wolfdt. D VII 73 (LUNZER Progr. S. 30). Womöglich
wurde h 130 von Wolfdt. D ausgeschrieben, und dies dann wieder in h 138
übernommen?

¹³ Hildebrand wird nach seinem Sieg von dem Befreiten in seine Heimat eingeladen (160 wie 67). Jetzt erinnert er sich an Dietrich (161 wie 68). Der Befreite kennt Dietrichs Ruhm und möchte ihn sehen (162 wie die 'unechte'
Str. 71). Hildebrand nimmt ihn auf sein Roß (163 wie 72 – für den Ritter
Rentwin wird das Fehlen des Rosses eigens aus der Sage motiviert: die Drachen haben seines gefressen). In der Nähe Dietrichs Absteigen (171 wie in der
jetzigen Anordnung auch 100ff.). Hildebrand freut sich über den jungen Dietrich 172, 9ff. wie 105–106. Darauf wird Dietrichs Kampf nachholend auf gleiche
zeitliche Höhe gebracht (172–174 wie 107). Nun kommen die beiden endlich
zusammen, Hildebrand greift ein (175–176 wie 109). Am Abschluß der Kämpfe
aber steht noch einmal das Streitgespräch über Aventiure (175, 7ff. wie 110ff.).
Es ist hier in die Handlung mehr hereingezogen, aber inhaltlich noch schlechter
motiviert als vorher. Denn von einem Kampf durch *werdiu wîp* (175, 12f.) kann
hier für Dietrich noch weniger die Rede sein. Dafür wird die Rückbeziehung
auf 110ff. ausdrücklich ausgesprochen: *Ir tuot der alten art gelîch* 175, 9! Und
nun schließt sich ab 177 der Empfang in Arona an wie in 130ff. der Empfang
bei der Königin, der dort nur in der Vorbereitung abgebrochen wurde.

¹⁴ s. v. KRAUS S. 66 Anm. 1. Eine versteckte Rekapitulation nach 144ff. ist auch
später die Reise Bibungs nach Arona (218–224).

¹⁵ Wenn auch nicht ganz: 229, 11f. deutet es höfisch an:

> Sie hânt sô vil von iu vernomen
>
> sie wartent (Konjunktiv!) iur ein ganzez jâr!

231–232 sind zu streichen (VON KRAUS S. 28: nur 232): auch 231 ist reine Rekapitulation, sicher zur Glättung gerade dieses Zusammenhangs erst eingeschoben (Wiederholungen und Reminiszenzen in jeder Zeile). 232 aber, die
VON KRAUS aus gültigen Gründen streicht, ironisiert ganz köstlich diesen Widerspruch: »Wenn Ihr nicht bald kommt, dann läßt uns unsere Königin auf der
Heide liegen bis zum jüngsten Tag!« (232, 10f.). Die Königin nennt er und
den Dichter meint er! Einmal auch eine kluge Interpolation!

¹⁶ Er wird an ihre Stelle durch die Königin kommandiert (140ff.) und übernimmt da scheinbar nur ihre Funktion – in Wirklichkeit spricht schon in der
unmotivierten Aussendung anstelle des Mädchens und im Auftrag der Königin
(140–141) das Wissen mit um seine neue Aufgabe, um den – im Schoß der
Zukunft, im Schoß der erst folgenden Rentwin-Arona-Episode verborgenen
– neuen kompositionellen Zweck der Botschaft.

Warum aber hat der Dichter dann nicht gleich in 139 den Zwerg als Boten
eingeführt, warum erst noch die Jungfrau und damit das unsinnige Ersatz-
Manöver 140? Das hätte ihm offenbar schon ein Zuviel an stofflicher Erfindung abgefordert. Er hält sich sklavisch an die Fakten: die Drachen zu Anfang der Episode kann nur die Jungfrau sehen – folglich muß sie zuerst Botin
sein; das Ende der Episode kann nur Bibung zur Rahmengeschichte zurückführen – folglich muß er die Botin ersetzen. Weiter geht seine Erfindung nicht.

¹⁷ w folgt Red. d, nimmt aber eine große Partie aus Red. h auf – s. dazu im einzelnen LUNZER ZfdA. 43, 195, aber mit unzutreffenden Begründungen.

¹⁸ Ohne die Janapas-Episode und nach VON KRAUS (S. 110ff. und 121) in folgender Reihenfolge: w 353–359: Bibung gewappnet bei Tisch – (mit unklar

bestimmter Stelle h 234–239: Aventiure-Gespräch) – w 360–368: Bibungs Rückkehr – w 369–371: nochmals Aventiure-Gespräch – w 410–417: Jagd – w 375
bis 398: Libertin-Episode – w 399–409: Abschied von Arona – w 767–866:
Empfang, Hochzeit, Rückkehr nach Bern. – LUNZER (ZfdA. 43, 253 ff.)
sieht in A ein Fragment, das schon ursprünglich mit 233 abbrach – was aber
ganz unwahrscheinlich ist.

[19] Für die als »echt« eruierten Teile s. v. KRAUS S. 99, LUNZER ZfdA. 43, S.253.
Für die sogenannten »unechten«: »Dehnung offener Kürzen und mehrfache
Reime sind nicht besonders häufig«, muß VON KRAUS S. 120 feststellen (je
6 Fälle in w 418–491; in den als 'echt' angenommenen Strr. w 767–866 auch
6 Fälle).

[20] Sie läßt sich im Anfangsteil, bis h 233, gut beobachten: s. VON KRAUS S. 101 ff.

[21] ZfdA. 43, 240 ff.

[22] Er versäumt aber, die Stelle von h 233–239 in A zu bestimmen – s. unten S. 287
Anm. 29.

[23] w 369 hat gleichen Inhalt mit h 234; w Vers 10 ff.: *habt dank, das ir verschulden...
das manig rosenfarber munt...* entspricht h Vers 12: *habt danc daz irz verdienet hânt,
dazs iuch mit fröiden lachent an* (in h Unsinn, denn angelacht wird Dietrich hier
von niemand!). – w 370, 6: *mit scharpfen worten weisen* = h 235, 8: *mit scharfen
worten* (so h; HAGEN-ZUPITZA dafür *swerten*!) *walken*; w Vers 12 f.: *peid leib und
gut als einen wint in wagen sol auf preises zol* entspr. h V. 5: *sost ûf der wâgen lîp und
guot.* – w 371 teilt mit h 238 die Erwähnung der *lant* und das Bild, das auch
auf ursprünglich gleichen Text weist: w V. 9–10: *als freche held breht ider pawm,
auch tistel auf gereute*: h V. 7 ff.: *ir tuont als alle tage ein lîp die* (lies *wie*, ZUPITZA
bessert falsch *ûf*) *disteln und ûf dornen* (h las sicher ursprünglich ähnlich w: *ûf
geriute*) *mir wahse...*

[24] z. B. das sinnlose:

> *des si ander vürsten gar erlânt
> und hant iuch vür die besten* (h 234, 9)

gegen das schlagende:

> *solch kummer sol man dulden,
> dar von man ewer künfte gert* (w 369, 8).

[25] S. 117. Denn auch da ist V. 6 = V. 10: *mit scharpfen worten wîsen* bzw. *reizen*;
und V. 3 steht *prîsen* im Reim für *prîsent*, während h die richtige Konstruktion
hat.

[26]

h:	w:
Her Hiltebrant sprach: Helferich	*Da sprach von Laue Helfereich*
du solt den jungen Dieterich	*nu sein so hoch all seine reich*
an manheit lützel prîsen.	*als in die werden preisen,*
ob er gewinnet heldes muot,	*so solt ir solche rede lan*
sôst ûf der wâgen lîp und guot	5 *und solt den werden jungen man*
als ich iuch bewîsen.	*mit scharpfen worten weisen*
ich muoz in der vîgende vil	*und solt in halten als ein fogl,*
mit scharpfen worten walken.	*den man zeucht zu der speise,*
sam der reiger vâhen wil	*ee daz er werde gar zu gogl.*
mit ungemachten valken	10 *mit scharpfen worten reissen*
alsô muoz ich ir machen ê	*man einen jungen herren sol:*
ê sîn hant der vînde lîp	*peid leib und gut als einen wint*
mit scharfen swerten tüege wê.	*in wagen sol auf preises zol.*

1: Bis auf *Helferich* unsicher. 2: Der rührende Reim *Helferich*: *Dieterich* in h ist kaum richtig, das Reimwort *rîch* liefert w, aber die Ergänzung bleibt natürlich unsicher. 3: Da es sich ja gerade nicht um Dietrichs *manheit* handelt bei Helferichs Preis, ist die aus w zu gewinnende La. vorzuziehen. Für das Folgende beweist schon der Gedankengang die Ursprünglichkeit des (hier nur, wie auch sonst so oft ab 233, geradezu unsinnig mißverstanden wiedergegebenen) Textes h. Sicherlich hat w ein noch nicht so entstellter A-Text vorgelegen, der aber umgestaltet wurde. Zu 5 vgl. w V. 13 und h 167, 7: *den lîp er sêre wâgen muoz.* 4–6: Wenn er den Sinn eines Helden gewinnen soll, so muß er Leben und Gut wagen und die »Meisterprobe« dafür ablegen. Zu *lîp und guot wâgen* vgl. Hartm. Büchl. 637 u. a. Stellen: s. HELENE ADOLF, Wortgeschichtliche Studien zum Leib-Seele-Problem, Zs. f. Religionspsychologie, Sonderheft 5 (1937), S. 32 f.; zu 7 ff. vgl. w 5 ff., 11–13 ist in h Unsinn (Dietrich hat ja gerade gefochten) und beim Ausfall von w, das diese Verse nicht mit aufgenommen hat, nicht herzustellen.

27 Laa. und Rechtfertigung S. 286 Anm. 26.

28 236 wiederholt frühere Formeln (*durh vrouwen und durh werdiu wîp,* usw.) und ist formal schlecht (Reimwort *tage* 2 = 11, v. KRAUS S. 28; *daz ir mich heizent* 12 = 3 = 113, 7). Die Bedenken gegen 238 treffen nur die Schlußzeilen, die ja auch Unsinn sind (*ê sîn hant der vînde lîp mit scharfen swerten tüege wê* – obwohl Dietrich doch inzwischen schon genügend gefochten hat). – 237 und 239 haben genau gleichen Inhalt, und der ist schlecht: Gott hat Euch Burgen und Länder gegeben, darum müßt Ihr denen (in 239: den Frauen) helfen, die in Not sind! Dasselbe steht in den unechten Anfangsstrr. 11–12, und *lant* stammt deutlich aus 238, 2.

29 So auch v. KRAUS S. 110. Er beläßt w 369–371 an ihrer Stelle. Aber die Strr. h 233–239 verlieren die ihre, da er die Reihenfolge h 233 – w 353 ff. annimmt. Die Strophen, die er S. 110 »jedenfalls echt« nennt, werden so aber zum ewigen Juden: S. 117 stellt er sie vor w 369–371, ohne Angabe wohin!

30 Vv. 11 und 12 *ze dienste bôt sich manegiu hant wîz an klâren megeden kluoc* sind als Schlußzeilen sicher nicht ganz in Ordnung. Auch 208, 11 ff. erwähnt nochmals das *dienen.*

31 Vers 8–10 sicher nicht in Ordnung (bei VON KRAUS S. 28 übergangen): *megede* Reimwort 3 und 8 (einmal auf *geklegede,* einmal *meiden*: *bescheiden* gebunden), V. 9 fehlt in h. Die Schlußzeilen könnten gut im Sinne v. KRAUS' geheißen haben:

> *der mit rede zegelîch*
> *mir dicke leides tuot.*

32 Sehen wir hier also Dietrich in dem Hafen, in den ihn die Aventiure führen sollte, so entsteht dabei der Widerspruch: Dietrich ist hier ja in Arona, wo ihn nichts erwartet als ein Festmahl, insbesondere kein minniglicher Aventiure-Lohn – anstatt bei der Königin, wo all das für ihn bereit ist? Wir kommen im folgenden sogleich darauf zu sprechen.

33 Zur Einzelkritik der Strr. 110 ff. s. unten S. 245 n. Anm. 117. Diese Streitgespräche wurden dann in den späteren Bearbeitungen immer weiter kopiert, als Abschluß von Kämpfen (s. v. KRAUS S. 68). Nach 210, 3 ff.: 773, 3 ff. = 917, 3 ff., ebenfalls w 486–488. Merkwürdige Weiterbildung 921–922. Ganz roh 295, späteste Interpolation. Zu dem Gespräch im interpolierten Anfang s. weiter S. 240 ff.

34 s. dazu oben S. 284 Anm. 12.　　　　　35 s. dazu weiter S. 235.

[36] Wiederholt durch einen Interpolator: Empfang und Aventiure-Gespräch als Abschluß der Janapas-Episode w 481 ff. (5).

[37] Eine gute eigene Darstellung gibt in h der Bearbeiter B: 302–303 und 339 bis 356 (6). Weiter spukt dann das Vorbild der früheren Empfänge in h noch lange mannigfach nach: 557–581 (7); 658–659 (8); 671–695 (9); 768–771 (10).

[38] Ankündigung der Gäste durch die Königin (h 950–w 767–769) – Kleid und Schmuck ihrer Mädchen (Ritter: nur h) und Zwerge (mit Kleid und Hut: h 954–956 – w 771–772!) – Auszug den Gästen entgegen (in w nur 774, 11 – h 954–956) – (Empfang der 3 Mädchen aus Orteneck natürlich nur in Red. d–w) – Begrüßung Dietrichs (in w breiter und lebendiger; das ist in h zwischen den beiden verbindungslosen Strr. 956 und 957 wohl übersprungen) – Entwaffnung (ausführlicher nur in w) – Fest, Essen usw. (w kürzer).

Wörtliche Anklänge zeigen allenfalls h 957–959 mit w 782–783: h 957, 9 entspricht w 782, 4 *manch rôtez mündelîn* (stammt, wie auch an anderen Stellen, aus h 199, 8); h 958, 1 entspricht w 782, 7 *underwant* im Reim; h 958, 12 und w 782, 11: die Zwerge.

[39] Wie ihre ganze Umgebung: s. ZUPITZA S. XXII. 950 stammt aus 133 f.; 951, 1–3 = 135, 1–3; 8 = 136, 6; 11–13 ebenso in 578, 2–9; 952 entspr. 579; 953, 1 f. = 579, 1 f.; 3. 5 = 580, 7. 9; 7 = 576, 11; 956, 1–3 = 659, 1–3; 957–967 übernimmt wörtlich 199–216 (z. gr. T. schon bei ZUPITZA S. XXII und VON KRAUS S. 61) in der Reihenfolge: 199. 200. 207. 208. 209. 208. 217. 213. 214. 215. 216 (also auch ohne 201–205 wie VON KRAUS S. 28 für A annimmt und ohne Aventiuregespräch 209 ff.). Außerdem ist noch 957, 1–3 = 346, 4. 5. 1; 961, 5–11 = 580, 5–12. 962, 1 ff. ist identisch mit 963, 8 ff. und 965, 11 ff. Der Verfasser kannte also die Nrr. (1). (7). (8). (2). (6) der oben aufgeführten Szenen.

Der Kompilator w läßt auf seine Empfangsschilderung nach Red. d–w nochmals einen Empfang aus Red. h folgen: h 922–926 ≈ w 790–792, h 955–959 ≈ w 793–797 und h 960 ≈ w 800, was er nur mit Mühe als zweiten Empfang verständlich machen kann. s. LUNZER ZfdA. 43, 204, dessen Psychologie für w aber kaum zutrifft! Der Red. w war doch sonst ganz umsichtig: s. seine Auswahl bei *Mûter*.

[40] Bei der starken sprachlichen Änderung durch w muß man auch nur ähnliche Formulierung mit heranziehen. – Es kommen aus den oben angeführten Szenen vor: (1). (7). (6). (2). (9). Manche Reminiszenzen [(7). (6). (9)] könnte natürlich w erst aus Red. h geschöpft haben. Andererseits könnte auch w – wenn es die Darstellung von A enthält – umgekehrt in die späteren Fassungen gewirkt haben. Aber die Szenen (1) und (2) sind hier deutlich Vorbild – s. auch LUNZER Progr. S. 22: »...der Schluß (w), in dem der Empfang bei der Königin mit ausgiebigen Entlehnungen aus dem früheren Bericht über den Empfang auf Arone erzählt wird«.

[41] d bestätigt sicher nur w 770–775. 779 – s. STARK z. St., LUNZER.

[42] LUNZER (ZfdA. 43, 253 ff.) hat aus der auch von ihm bemerkten Schwierigkeit den Schluß gezogen, daß A schon von Anfang an mit h 233 abbrach, also nie etwas anderes als ein Torso war: dagegen spricht allzuviel.

[43] Gehen wir zur Sicherheit die ganze Reihe der übrigen Empfänge durch: (10) schreibt wie (4a) vor allem den Arona-Empfang ab, sogar mit Hi.s und Di.s Versöhnungsgespräch (Belege erübrigen sich hier, da sie so klar liegen); (9) schöpft aus (1), (2) und (6); (8) aus (1); (7) sind richtige Schneiderstrr., aus (6) geschöpft und erweitert; einzig (6) zeigt, wie man das Thema ganz selbständig

und sogar einfallsreich ausweiten kann, die Szene ist eindeutig Eigentum von
B; auch in w (5) zeigt schon das mit übernommene Aventiuregespräch, wo-
her die Szene stammt. Damit ist nur noch der unmittelbare Bereich von A
übrig [(1) und (2)]: Einen »echten« Empfang gibt es in A nicht mehr.

[44] Es als Kopie zu betrachten, verbietet schon der ganz andere und doch eben-
bürtige Inhalt.

[45] 217: Die Str. ist bis zur Unkenntlichkeit verdorben. 217, 10 f. lies: *der junge
muoste lâzen, des in sîn kintheit niht erlie*: Hier muß Dietrich fahren lassen, wovon ihn sein kindlicher Sinn bisher nicht lassen ließ: den Trotz gegen die
Aventiure.

[46] Vgl. als Gegensatz etwa Str. 214: Arona-Personal und -Anordnung finden sich
nur hier: das Töchterchen! Sonst tragen Helferich und Portalaphe entweder
nur Zeremoniell oder sie haben die Rolle der Königin übernommen.

[47] Beweis ist Str. 217, 10–11 (s. oben Anm. 45). – Mit 218 setzt die uns sattsam
bekannte Bibungbotschaft ein und füllt den Rest des Grundstocks von A
(bis 233).

[48] Der jetzige Zusammenhang – das Automatenabenteuer – zeigt seinen Geist
schon durch das polternde Streitgespräch zwischen Dietrich und Hildebrand
204 f., das ohne jede Pointe ganz im Sinne der späteren Bearbeiter ist (E).
C. v. KRAUS streicht sogar die ganze Automatenszene für A (S. 28).

[49] Auch der verschwommen höfisch-blassen Begrüßung in Arona (200) gäbe dieser andere Zusammenhang einen präziseren Sinn: ...*von maneger kiuschen megede
lîp* (!) *wart in geschenket manec* (?) *gruoz der sende sorge stôrte* (200, 5. 7–8). Zumal der syntaktische Zusammenhang auch hier wohl durch Überarbeitung gestört ist (2–3. 5–6). Der Schluß: *ûf truoc man bluomen unde gras damite beströuwet
wart der sal?* Hierher vielleicht auch 191–192: Da findet vor der Burg eine Rast
statt: *Vor der burc ein anger was da ensprungen bluomen unde gras dar ûfe stuont ein
linde...* (190, 1 ff.) ...*dâ stuont ein rîch gestüele...* (191, 3). Diese Rast dient nur
zur Anmeldung der Gäste, in recht umständlichem Hin und Her. Ist vielleicht
dieser Anger der Platz des Empfangs bei der Königin? Das hieße eher ein *sal,*
auf dem man Blumen und Gras finden konnte.

[50] Zumal es der Sohn wörtlich vorausnimmt (156), bei der ersten Erwähnung der
Portalaphe (156 stammt wohl aus 196). Dazu kommt es durch die Str. 196 zu
einer sehr gequälten Handlung: Str. 195 geht Port. zu den Gästen, 196 spricht
Helferich zu diesen über Port., 197 geht er ihr entgegen und spricht über die
Gäste, 198 begrüßt sie die Gäste.

[51] s. LUNZER ZfdA. 43, 217: die Königin ist allerdings durchweg auch in d
namenlos. Zu Parthenope und Virginal s. LUNZER ZfdA. 53, 1 ff. – Portalaphe
gehört deutlich nicht zum Sagenpersonal der Rentwin-(= Sintram-)Episode,
und sie tritt nur in Arona auf und verschwindet ab w 407 (Abschied von
Arona) spurlos in Red. d–w (d. h. in A): s. LUNZER ZfdA. 43, 248.

[52] Dann wußte B erheblich mehr von dem 'echten' Gedicht als wir. Die Namen,
die B eigen sind, sind so 'lateinisch', wie die in A 'griechisch': Valentrius, Ga-
macitus (Frauenname) – und Virginal als 'Übersetzung' von Portalaphe? – Ein
'Hierospont' ist mir in antiker und mittelalterlicher Literatur aufzutreiben nicht
gelungen, zumal nicht in Beziehung zu 'Parthenope' in persönlicher oder
in geographischer Bedeutung.

[53] Also unser (3 a). Die Szene schließt unmittelbar an 217 an. Unterbrochen ist
der Zusammenhang auf wenig glückliche Weise durch die ganze Bibungreise,
-botschaft und die Szene Bibung bei Tisch in w. Kritischer Text VON KRAUS

(S. 115). Daß auch hier noch viel zu viel von w drinsteckt, ist ja in Wiederholungen usw. deutlich. – Die folgende Str. (w 361) gehörte möglicherweise
auch noch dazu, obwohl 4–5 an h 217, 4–5 anklingt. Text VON KRAUS S. 115.
Kaum aber w 362 (*hanttuch fein und dar zu clug* 4? *hie mit begund sich enden* 6?).
Auch VON KRAUS ist skeptisch (S. 116 Anm. 1).

Die Str. h 240: (3 b), mit der man die Bearbeitung B beginnen läßt, benutzt
noch den gleichen Anfang wie w 360: *Die rede liezens underwegen, des Berners
wart dâ wol gepflegen.* Damit ist also w 360 mindestens für A durchaus gesichert.

[54] So auch LUNZER ZfdA. 43. Der Red. A mochte sie durch Variation mildern.
Das werden dann die einzelnen Fassungen durch erneute Rückgriffe auf die
nunmehrige Aronaszene vergröbert haben; ähnlich etwa, wie es w 769–770
zeigen: w 770, 1–5 (= d 116, 4–5), variiert h 136, 7–10 – mit w 769 tritt die
direktere Anleihe bei dieser Str. hinzu. – Natürlich war es möglicherweise auch
umgekehrt: Der Red. A hat die alte echte Empfangsszene an ihrem Platz belassen (jetziger Schluß), trotzdem er sie bereits für Arona ausgebeutet hatte.
So entspräche h 957–9 eigentlich dem alten Schluß. Aber in der Überlieferung
sind h wie w so stark überarbeitet und verdorben, auch durch erneute Rückgriffe auf Arona, daß daraus weniger Echtes zu holen ist als aus der Aronaszene.

[55] Bis hierher war w breiter als h (239 Strr. in h entsprechen 371 in w), von jetzt
an kehrt sich das Verhältnis um (h 857–w 495 Strr., obwohl w zu seinem eigenen
Stoff noch den ganzen Sonderstoff aus h übernimmt). D. h. h wird von jetzt
an breiter als es die Aufschwellung durch w bisher schon war. Ist w also im
Strophenbestand (relativ) treuer, so doch h im Text.

[56] Fassung d–w hat hier noch eine weitere Szene, ohne Parallele in h: Bibung bei
Tisch (w 353–368, kritischer Text VON KRAUS' S. 112ff.), die »unvergleichlich
besser« an den gemeinsamen Stock A (also an h 233 = w 352) anschließt als
das in h folgende Aventiuregespräch, und die VON KRAUS als »köstliches Intermezzo« in »ausgezeichneten« Strr. lobt: Bibung wird zu Tisch gebeten und
behält dabei sein Schwert umgebunden – dafür erfährt er von Hildebrand eine
so ironische wie höfische Zurechtweisung. Das ist in der Tat reizend gegeben.
Aber wie gerade der Botenzwerg zu dieser Rolle kommt, ist nicht motiviert.
So wird es hier wohl doch eine Anleihe bei dem jungen Riesen Rennewart in
Wolframs Willehalm sein – s. LUNZER ZfdA. 52, 113ff. –, die der Red. A zur
weiteren Aufschwellung hereinnahm in wirklich recht hübscher Form. Der
Ansatzpunkt war vielleicht kurz vorher Str. 228 (= w 349): Bibung kommt
als vollkommener kleiner Ritter und ärgert sich deshalb über das Erstaunen,
das er hervorruft:

> 'Sî hânt selten mê vernomen
> ein ritter alsô kleine.
> irst wênec mê ze hûse komen
> mit harnesch alsô reine!
> sî tuont reht als ich wilde sî!'
> man sach dâ ritter megede wîp
> alle ezzens sitzen vrî. (228, 7–13)

[57] In h gehört die Stelle in den Bereich des 2. und 3. Bearbeiters (B und E), von
dem letzteren stammen sicher die vielen Rekapitulationen, Briefe usw. zum
größten Teil; s. VON KRAUS S. 81ff.

[58] Unecht sind nach v. KRAUS (S. 116 A. 1): w 373. 374. 382. 398–403. 407.

⁵⁹ Zum Zweikampf mit Libertin s. H. SCHNEIDER, Germanische Heldensage, 1928, I 275: die Episode verwertet jedenfalls eine Jung-Wittich-Ausfahrt.

⁶⁰ s. dazu auch LUNZER ZfdA. 43, 253 f.

⁶¹ In d entsprechend 118, 1 ff. – 118, 11 ff. – 119, 8 ff.

⁶² Auf das Paradoxe dieser Strr. in h machen schon aufmerksam STEINMEYER ZfdPh. 3, 239 und VON KRAUS S. 110.

⁶³ (Umgekehrt LUNZER ZfdA. 43, 244.) In w 822 scheinen eigentlich Bibung und Lodober miteinander zu stechen – das ist sicher das Ursprüngliche. – Der Text dieser Strr. ist in w schauerlich, niemals für A in Anspruch zu nehmen: w 819, 4–5 ≈ w 820, 1–2 ≈ w 821, 1–2 ≈ w 821, 8–9! w 819, 7 ≈ w 820, 3–4; w 821, 6–8 ≈ w 823, 9–10 (darin könnten zwei ursprüngliche Zeilen stecken).

⁶⁴ Zeile 3 lies: *er woldeʒ hân gerochen*; Z. 5 nicht *Hiltbrant,* was metrisch schlecht paßt, sondern einen anderen Namen; 10–11: *und wænst niht mit gewinne scheiden als von hie dem man…* von einem solchen Mann, d. h. dem Zwerg.

⁶⁵ V. 9: du willst heute dies und morgen etwas anderes…

⁶⁶ V. 7: *ein getwerc?*

⁶⁷ V. 10: *Er dunket sich (gebâret?) ungemeine und wil gar mîn geselle wesen?*

⁶⁸ lies V. 10–11: *vuorte in vür den ʒwerc (gemeit?) der bant ûf den helm (bereit?)* – jedenfalls andere Reimworte als in h. 11: *ûf ime,* d. h. Wolfhart.

⁶⁹ B ist überhaupt anders, und zwar erheblich höher zu bewerten als bisher.

⁷⁰ 981 paßte noch eher, wirkt aber auch ungeschickt durch die Verdoppelung des Anfangs von 977.

⁷¹ Die Namen haben in h natürlich nicht mehr die geringste Gewähr. – h 976, 3–4 wird dem Zwerg der Helm von einem andern aufgebunden wie w 823, 4–5; h 976, 11: *sîn ros er sprengen dô began* und w 823, 5: *die roß sprungen nach irer art (die ros sie sprengten ûf die vart?).* Z h 980, 9 *er wil eime ligen obe* vgl. d 118, 9: *daʒ einer auf dem andern lag!* – Das ist freilich nicht viel.

⁷² In d: *engellweide* (118, 10 – lies *äugelweide*) – in w: *lachen* 822, 3 – in h lies 976, 13 *des lahten frouwen unde man.*

⁷³ Tafelaufheben, Wassernehmen, Musik und Gesang in d 118, 11–3, w 824–825, h 970 sind typisch. Aber dann heißt es in d 119, 1 ff.: *Die Kungin het so schon junck frawen, als man sie in eim lant solt schawen; die recken mit in schimpfften und gingen spaczieren fur den perck.* – In w 826: *Sie gingen auf ein anger weit… da man vil schoner frawen sach… die fursten mit den frawen zart sich treüten also schone; manch cluge red vollendet wart…* Dazu in h 970, 5–971, 8: *die juncvrowen… die ritter se umbeviengen… 'wir zugen mit in vür daʒ geʒelt…' wâren sie sô wunnenclîch daʒ* (lies: *dâ's!) zesamen jahen…* Hier ist ein Zusammenhang zu greifen. Am besten klingen sicherlich die Dinge in h; aber gerade hier ist der Text schon geradezu zerstört.

⁷⁴ Einige Strr. gibt in kritischem Text nach w VON KRAUS S. 107 f.

⁷⁵ Die zudem in w und d ganz verschieden geführt sind, in w mit vielen Wiederholungen. Die Verhältnisse im einzelnen zu verfolgen lohnt sich hier nicht – s. dazu STEINMEYER ZfdPh. 3, 239; LUNZER ZfdA. 43, 245 f. – w erwähnt vorher schon einmal Dietrichs Minne: w 812–815; sicher, um seine herrliche Pointe – Dietrich ißt plötzlich nicht mehr vor lauter Liebe! – an das Festessen in w 808 ff. anzuknüpfen. Das wird vom Red. w stammen.

⁷⁶ V. 1 HAGEN *tugen(t)liche(en),* ZUPITZA ohne Angabe *tugentlichen* – 2–3 viell.: *dô er die küneginne sach sô harte minneclîche* (Verderbnisse der ursprünglichen Form *küneginne,* allerdings durch w, weist v. KRAUS 6mal nach: S. 106).

⁷⁷ Es sind z.T. später sehr mißbrauchte Formeln: V.8 ff.: s. 1026,6 ff.; 8 = 1066,4;

9 und 11 = 944, 7–8; 10–11 s. w 837, 11; auch w 768, 13 und h 1066, 4: *iuwer eigen diu ich bin.*

[78] Merkwürdig ist, daß h diese Formulierungen noch mehrfach als Formeln aufnimmt, so daß, da es ja hier zu keiner Verbindung kommt, die Königin und ihre Mädchen einen ziemlich leichtfertigen Eindruck machen. Auch die höchst törichten Gewissensbisse Dietrichs beim Abschied (1075) sind vielleicht eine Folgeerscheinung des geänderten Schlusses.

[79]

h 972	h 230
Die kunigin was zu wunsche gestalt	*Ir fürsten beide merkent daʒ*
wer möht bî ir werden alt	*nie schœner maget ûf stul gesaʒ*
den sie mit triuwen meinet	*geliutert und gereinet*
ir ougen brehen gît liehten schîn	*vor allem valsche wol gestalt*
ir mundelîn ir wengelîn	5 *wer bî ir solte werden alt*
sie grawet und erscheinet	*den sie mit triuwen meinet*
mit ir rôten mündelîn	*ir rôter munt gît liehteʒ brehen*
sie machent ouch grôsse qwâle	*ir smieren und ir lachen*
mitten in daʒ herze sîn	*und solt ein sieche daʒ an sehen*
sie brennent in ʒe mâle	10 *dem muoste sorge swachen*
durch ougen in der minnen grunt	*ir ougen clâr ir varwe glanz*
sol daʒ ein siecher an sehen	*die erbrechent vensch und turn*
von frôide wurde er schier gesunt	*ir herze die sie vindent ganz*
	(ZUPITZA: *diu erbrechent wünschen tür*
	in herzen diu sî vindent ganz)

[80] z. B. ist: *ir rôter munt gît liehteʒ brehen* (230, 7) Unsinn, gegenüber: *ir ougen brehen gît liehten schîn* (972, 4). Ebenso gehört zu dem *siechen* das *gesunt* (972, 13) eher als: *dem muoste sorge swachen* (230, 10). Auch der geblümte Schluß 230, 12–13 (wenn ZUPITZA richtig konjiziert) gehört dem Red. A.

[81]

h 973	w 828
Minne ist kreftig sam der dot	*Die werde minn mit irer kraft*
su vindet und machet not	*mit ihrer suessen meisterschaft*
züwischent liebe lüte	*auch in der kunigin wante*
	die ir auch in ir herze trang
su bindet in der minne cloben	5 *und sie ser nach dem herren zwang*
5 *und lit danne und und oben*	*das sich ir lieb enprante*
su kan nit betüten	
und bürnet durch das hertʒe hin	*also ir herʒ in minn auch bran*
hie ʒu allen stunden	*in grosser lieb und quale*
su kan suochen under in	*sie sach den fursten liplich an*
	10 *wan auch der minne strale*
10 *und machet grôße wunden*	*ir junges herze het verwunt*
	dar von ir beider angesicht
	in grosser liebe ward entʒunt.
	w 829
	Man mus der minne siges jehn
	an allen dingen mag man spehn
	die maisterschaft der Minne
	4 *ir werder gwalt der ist so groß*
	kein herʒ sich nie vor ir ver-
	schloß
11 *und kumet zu ime geslichen dar*	*Minn ist ein rauberinne*
und stilt im hertʒe unde muot	
das er sin niemer wurt gewar.	

wan si mit irer hohen kunst
in manig herze dringet...

In w folgen noch 2 minnetheoretische Strr. (w 830, 13: *Minn ist ein weib und*
auch ein man! In 831 das Gesinde der Minne), die der Fassung w gehören mögen.

[82] Daß beim Aufbruch nach Bern in h (1069) wie in w (860) *miule* beladen werden, daß in h wie in d–w die Bürger Dietrich in Bern empfangen, besagt all-
zuwenig. (Die Bürger, die am Anfang interpoliert waren, sind es wohl auch
am Schluß.)

[83] Dürfen wir Strophen so nach Willkür herauslösen und verbinden? Doch gewiß! Denn wie der Bearbeiter und Red. A alle irgendwie passenden Strr. des
AI-Schlusses für seinen Arona-Empfang verbrauchte (sogar die Minnestrr. 230
und w 360–361), so hat er natürlich die dort gar nicht verwendbaren Werbungs-
strr. an ihrer richtigen Stelle am Schluß des Gedichts belassen. So ist der Empfang am Schluß Kopie von Arona geworden, was wir von Minne und Werbung erraten, zeigt kräftigere Züge.

[84] So auch LUNZER ZfdA. 52, 125.

[85] Ähnlich, nur schon mehr spielmännisch an die Zuhörer gewendet auch Sigenot 1; noch breiter und persönlicher Albrechts v. Kemnaten Goldemar 1. 2
und vor allem 3, die fast wie eine Kontrafaktur von Virg. 14 wirkt. Daß Virg. 14
nicht zur Interpolation 15–18 gehört, zeigt die ungeschickte Anknüpfung 15, 1 f.

[86] Was VON KRAUS S. 19 tadelt, LUNZER ZfdA. 53, 14 A. 1 in *heiden* bessern will.

[87] 14, 13 heißt also, ganz im Sinn der VON KRAUSschen metrischen These, ursprünglich: *und vil der risen twanc*.

[88] Zweifel an den *heiden* äußert weiter VON KRAUS (S. 21) auch für 52, 11 und 53, 1
aus guten metrischen Gründen.

[89] Eckl. 88, 9 sagt Dietrich zu Ecke: *der herren tücke bewîst du mich* – da ist also
deutlich ebenfalls *rise* zu lesen. (In 132, 8 wird Ecke im Reim *herre* genannt?)
Die beiden im Text angeführten Stellen 162, 7 und 163, 1 stehen in der nach
Eckes Tod mit merkwürdigem Neueinsatz (*Nu lâze wir die rede hie und sagen wiez*
dem Berner ergie 161 – obwohl gerade von Dietrich die Rede war!) beginnenden,
mit unserem Gedicht wie wir sahen besonders nahe verwandten Erzählung von
dem Waldfräulein und Vasolt.

[90] Nach Wolfram Willehalm 58, 14: LUNZER ZfdA. 52, 119.

[91] D VII 224, s. SCHNEIDER, Die Gedichte und die Sage von Wolfdietrich, 1913,
S. 187 ff.

[92] So auch LUNZER Progr. S. 4 f.

[93] s. SCHNEIDER, Wolfdietrich S. 188.

[94] 2, 12 f. ≈ 9, 12 f.; 2, 8–11 entspricht 10, 7–11: gleich sind noch die Reimworte
liden: strîten!

[95] *Er reit gen Tirol alzuhant* 2, 1 = d 3, 13; *er stifte roup mort unde brant* 2, 2 =
d 2, 12, w 3, 12; *er het ir (der künegîn* 2, 3) *al ir friunt benomen* 2, 4 = d 4, 3; von
dem Gespräch 2, 5–13 war eben die Rede: ihm entspricht d 4, 5–12 (und in
h selbst nochmals Str. 9–10); auch in w, wo h 2 ebenfalls übergangen ist, erscheinen Verse daraus in der großen Interpolation der Vorgeschichte durch w
selbst (w 8–28): h 2, 1–3 = w 16, 4–6; h 2, 4–6 = 25, 4. 5. 8.

[96] In der Folge von d 2. 4. 7 (d 1. 3. 5–6 sind Interpolationen der Redaktion
d–w!).

[97] s. LUNZER, Programm Wien 1900/01, S. 2. Von seinen allzuvielen Parallelen
sind aber überzeugend nur die von 3 mit 31 (Roß, Rüstung), 4 mit 37 (Schwert),
36 (Helm) – 35 (Schild) (5 hat mit 34 [Brünne] kaum Beziehung); 6 mit 33

(der Speer mit der automatischen Nachtigall). Auch daß h 3–6 noch besser zu den Laa. der entsprechenden Strr. in w stimmen als in h 31–37, hat LUNZER schon angemerkt (nicht aber zu dem Sondergut in d–w, wie LUNZER angibt), auch die Einleitungsformel (h 3–4 *der heiden was*) stimmt mehr zu w (87 usw. d 61: *der heiden vuort*) gegenüber h (35–37 *da vuort der held*). Daraus die Interpolationsgeschichte genauer zu kombinieren lohnt sich hier aber nicht. Die *wapenliet* beziehen sich deutlich auf Laurin 185 ff.: s. ZUPITZA S. XXIII, LUNZER Progr. S. 11 ff.; einzelne Berührungen mit Wolframs Willehalm: LUNZER ZfdA. 52, 124.

[98] s. WILMANNS ZfdA. 15, 298 ff. und SCHMIDT § 86–7. Wohl aus Eckl. 159 ff. – nicht umgekehrt, wie JIRICZEK, Deutsche Heldensagen, 1898, S. 193 annimmt.

[99] VON KRAUS S. 28 streicht nur 232 – s. dazu oben S. 285 Anm. 15.

[100] Mit VON KRAUS S. 28 gegen LUNZER Progr. S. 9 ff.

[101] Nach VON KRAUS S. 16 ff. sind im ganzen zu streichen: 1–18 (doch s. oben zu 14). 31–37. 42 (?). 48–49. 55. 57. 61(?). 63 65(?). 71. 77–78(?). 79–92. 101–102. 116. 119. 123–129, das Folgende bis 239 »in der Hauptsache jedenfalls echt« (S. 27), jedoch sehr »verdächtig« 137. 148. 169. 192. 201–205. 220. 225, 7 bis 226, 6. 232 (S. 28).

[102] Die Strr., die durch das (erschlossene) Wort *rise* gesichert sind, werden hier und weiter durch ! bezeichnet.

[103] Eine Vielzahl von Strr. bleibt natürlich sprachlich 'neutral', d. h. in ihnen kommt weder einerseits *herre* u. ä. (urspr. *rise*) vor, noch andrerseits *heide*. So 20: sie scheint aber den wichtigen Zusammenhang von *aventiure* 19, 11 und 21, 4 zu stören, und ihr 'idyllisches' Naturbild scheint dem 'heroischen' in 19 und 21 zu widersprechen. Es enthält Reminiszenzen an Walther: s. v. KRAUS S. 56, HEINZEL, Kleine Schriften, 1907, S. 223.

[104] 26 unecht: 26, 4: *heidenischen man*; 1 widerspricht 27, 4, wo der hohle Berg neu und anders eingeführt wird: *er saz in eime berge hol*; auch der Jungfrauen-Tribut wird erst in 28 im Zusammenhang eingeführt.

[105] Zu 29, 12: *der uber mich ein elle gienc*, s. oben S. 241.

Str. 30 unecht: neutral; aber die 80 Mann, wie Wolfdt. D VIII 181 (s. LUNZER Progr. S. 28–30) aus Laurin (LUNZER Progr. S. 16), gehören erst zur Red. A.

31–37: die interpolierten *wapenliet* (s. oben S. 374 f.).

38, 10 *der heiden* im Versinnern – vielleicht aber doch zu den Ecke-Reminiszenzen von A I?

39–40 sehr religiös; Zugehörigkeit zu A I fraglich; 40, 13 *den heiden*.

41 neutral: »wäre Di. nicht so weit, ich holte ihn her, daß er hier *durch schœne frouwen strite*...« könnte (in sehr veränderter Form) zu A I gehören (s. VON KRAUS S. 20); der Gedanke an Dietrich an sich motiviert.

42 von v. KRAUS ausgeschieden (S. 20): nur Schuld der Überlieferung? (Die Strr., die VON KRAUS als Interpolationen in A streicht, werden weiterhin nur durch Verweis auf seine Seitenzahl gekennzeichnet.)

[106] 43: weist das *armgrôze sper* V. 5 auf den Riesen hin, trotz *heiden* V. 3 und 9 (im Versinnern); Strophen, die trotz des Wortes *heide* für A I in Anspruch genommen werden, sind hier und weiterhin durch ? gekennzeichnet.

103 unecht: 103, 10 *heiden* im Reim; zur Stellung der Str. s. VON KRAUS S. 25.

44 unecht: 44, 13 *heidenischen man*.

45 unecht? 45, 11 *der heiden starc*.

46 unecht: 46, 1 *der heiden*.

47 neutral. – All das ist sehr breit und ziemlich unnötig!

48–49: VON KRAUS S. 20f.

50, 2 und 51, 9 *der heiden*; Parallelen zu 50 s. LUNZER Progr.; Tjost vor dem Schwertkampf für A I möglich.

[107] Gegen *heiden* 52, 11 und 53, 1 äußert VON KRAUS (S. 21) Bedenken, die zeigen, daß hier wohl auch ursprünglich *rise* stand. In 52, 11 ist aber, um einem weiteren Bedenken v. KRAUS' zu begegnen, wohl zu schreiben: *Her Hiltebrand dem risen sluoc eine wunden lanc und tief* – ähnlich erhält im Eckl., dem ja die ganze Darstellung hier auffallend gleichläuft, der Riese eine tiefe Wunde 185, 12. Die Strr. 52 und 53 zeichnen sich durch Anschaulichkeit und Bilderreichtum aus. Ähnlich 52, 1–2 ist Laurin A 661f., s. LUNZER Progr. S. 14.

54 unecht: 54, 11 *Sarrazín* im Reim; charakteristisch, wie die Str. im ganzen gegen 52–53 abfällt; (anders v. KRAUS S. 21).

Die Zwergenbotschaft 55–59 hat z. T. VON KRAUS gestrichen (S. 21f.), z. T. ist sie zweifelhaft oder neutral. Inhaltliche Bedenken s. oben S. 223.

60 ist eine hübsche Str. (auch v. KRAUS S. 22), aber V. 2 *den heiden*?

61 unecht: v. KRAUS S. 23; *Sarrazín* im Reim V. 4.

62 »vortreffliche« Str. (v. KRAUS S. 23), deren Bildhaftigkeit zu 52–53 paßte; aber 7 *der heiden,* 12 *Trevíant* im Reim; formale Bedenken doch auch v. KRAUS S. 23; das Zerhauen der Nieten ist auch ein häufiges Motiv!

64 neutral; aber wie die *wurme* V. 10 zeigen, erst von Red. A.

65 unecht: v. KRAUS S. 23.

[108] 66 neutral; aber merkwürdig die nachträgliche Rechtfertigung: seine *untriuwe* und *unstæte* haben den Riesen getötet.

67, 1 *den heiden*; die Erwähnung der Wundenheilung schon hier angebracht?

68, 1–6 vielleicht echt; V. 7 *heiden*; und V. 7–13 recht töricht: sie fürchtet die Heiden für Hildebrand!

69, 6 *heiden* im Reim; hübsch die Ironie der Jungfrau für Dietrich; aber im Zusammenhang unmöglich.

[109] 70, 11–13 (die Schlußzeilen!) unecht: billige und hier unpassende Formel *(von scharfen swerten wunden tief...!).*

71 unecht: s. v. KRAUS S. 23.

[110] 72, 6ff. muß anders interpungiert werden und wohl heißen:

> *der vorhte sich nie sô vaste:*
> *hæt er síns meisters niht gebiten*
> *– des warte er vil ungerne –*
> *von danen sô wær er geriten,*
> *den rechten wec gen Berne.*

ZUPITZA nach h und B: *hæt er... (des warte er vil gerne)...*; 72, 11–13 (die Schlußzeilen) unecht: 11 *manec heidensch man,* 12 *den wart kunt ir herren tôt* bezieht sich auf das interpolierte Gespräch mit dem Todwunden: s. 81.

73 unecht: 73, 7–8: *Trevíant, Apolle* im Reim.

74 unecht: neutral; aber der Gedanke an Hildebrands *untriuwe* wohl etwas zu breit geschlagen: Daß er Dietrich beerben sollte, ist doch Unsinn.

[111] 75 neutral; aber unbedingt alt: die Pointe des Gedichts hängt mit daran (s. Str. 19 usw.).

76 unecht: *bürge unde lant* auch in dem Aventiuregespräch des Red. A 234–239 und in den interpolierten Anfängen. Auch V. 9: *ich hæte ouch anders von im nicht wan strâfen unde schelten* trägt seinen Geist herein.

77–78 unecht: v. KRAUS S. 24. 77, 1 und 78, 3, 7 *heiden.*

79–92 Interpolation: das Gespräch mit dem Todwunden (v. Kraus S. 24f. s. oben S. 244).

93 neutral; so jedenfalls nicht möglich: s. V. 12–13: *dû bist ze lange und ist dir kunt daz ez mir angestlîchen stât*; auch die Reime *ræte* 8 und *rât* 11 kaum richtig.

94 unecht: 94, 8 *heiden* im Reim.

95, 9 *heiden*; aber eine hübsche Str.

96, 1 *sîn swert wart der heiden hagel*: s. Wolfr. Wh. 54, 23 (Lunzer ZfdA. 52, 120); die Nieten V. 3 (auch in Str. 62. 109, 12) fast gleich in Wolfdt. D V 216, 1f. (Lunzer Progr. S. 29).

[112] 97, 4 und 12 *heiden*! Deutet V. 9: *schefte grôz, dürr als ein bein* (lies: *schefte grôze als ein bein*) eine Riesenwaffe an wie die ihres Herrn 43, 5 *(ein armgrôzez sper)*?

98 neutral; die Erwähnung des Rosses wäre möglich, ist aber sehr formelhaft; zu den 2 Aussetzungen v. Kraus' (S. 25) noch: *schiezen ûf in bogen unde swert* 10?

99,1 *heiden*.

100 unecht: 100, 11 *heiden*.

101–103: unecht: v. Kraus S. 25.

[113] 104, 13 *heiden*; die schöne Str. zeigt die Natur im Sinne von 20 und 60.

[114] Das Bild des edlen Hundes, der, ins Wasser geworfen, selbst schwimmen lernt, V. 3ff. ist ganz im Sinne des Programms.

106 unecht: neutral; aber die Str. gehört zu 7 und den zu dieser Str. erwähnten Stellen.

107 unecht: 107, 1 *Ein heiden der hiez Triureiz*.

[115] Sicher alte Str., ganz im alten Ton.

109, 2 *heiden*: unklar die Zahlen V. 7ff. Formelhaft die *nagelniet* V. 12. Beides in Parallelen zu Wolfdt. (Lunzer Progr. S. 26f.).

[116] Neutral wie von jetzt an alle Strr., da der Riese von der Szene verschwunden ist; V. 5: *do lac vil maneger als ein ron tôt vor dem jungelinge* weist aber doch auch auf die Riesengestalt der Erschlagenen hin.

[117] Der Grundgedanke der Wechselrede 111–114: Dietrichs Schimpfen über die Aventiure wegen seiner Wunden und eben bestandenen Gefahren ist sicher echt: an ihm hängt der Übergang zur Minne (*wîse meister* 114, 12!); das wird durch 209f. rückwirkend bestätigt. Was jetzt dasteht, macht aber einen etwas wirren und pointelosen Eindruck und ist nicht ohne Wiederholungen:

111. 112. 113 sind gute Strr., aber klingen matt. Die Schlüsse von 111 und 112 sind verändert. 113, 1–6 wäre ironische Übertreibung in Dietrichs Mund; denn Hildebrand hat ihn ja gar nicht fechten heißen; vielleicht hat sich hieran aber gerade die spätere Umdeutung des Verhältnisses angesetzt. In 113, 9ff.: *dô zôch ich aber* (lies mit L: *ab ich*) *schâchzabelspil, sprach Hildebrand, bî frouwen* steckt eine originelle Pointe, sie kommt aber nicht heraus; daß auch Hildebrand gekämpft hat, darin liegt ja keinerlei Verdienst (und V. 13 widerspricht mindestens Str. 67, wo Hildebrand auch verwundet ist?). Wohl aber muß Hildebrand auf den Unterschied hinweisen, daß er für schöne Frauen gekämpft hat; und in ihnen die *wîsen meister* gegen Wunden und gegen *arbeit* kennt. Das wäre der Übergang, den wir im jetzt Dastehenden vermissen. Wie er im einzelnen gelautet hat, ist kaum zu sagen.

114, 6 *heiden* im Reim.

115 unecht: wiederholt zu sehr den Inhalt von 113, 1–8.

116 unecht: s. v. Kraus S. 26.

In 117 ist die Betonung von Dietrichs *zucht* an dieser Stelle auffällig. Der umständliche Weg zur Jungfrau ist möglicherweise erst durch die Manier der Handlungsführung des Red.s A entstanden.

[118] 118,6 lies: *der ist durch iu* (statt *uns*) *worden munder*.

119 unecht: s. v. KRAUS S. 26.

[119] Sagt Dietrich auf ihren Kuß hin als das *kint*, das er noch ist: V. 1f. *Nû hæte ich gerner* (statt *gerne*) *guot gemach: mîn fröide wil mir truoben?* s. oben S. 284 Anm. 11. Das idyllische Naturbild stünde hier am rechten Platz:

[120] Für AI immerhin möglich; s. oben. 122 unecht; unmögliche Vordeutung auf die Drachen; s. oben S. 223. – 123–129 Interpolation: s. v. KRAUS S. 26.

[121] Zur ganzen Stelle s. oben S. 284 Anm. 12.

131 unecht: 131, 10 *heiden*.

132, 8 *heiden Orkîse*, 11 *heiden*; die Ursprünglichkeit des Namens *Orkîse* läßt sich schwer entscheiden; er kommt in A nur hier vor, in h sonst auch nur in der spätesten Bearbeitung in Str. 451 und in der Interpolation 81–85; da aber später kein Grund zur Einführung des Walddämonennamens bestand (s. SCHNEIDER, Germ. HS, S. 271), müßte er doch schon im ältesten Gedicht so geheißen haben (anders VON KRAUS S. 27); eine Antwort der Jungfrau wäre hier an sich zu erwarten.

133, 12–13 unecht (s. VON KRAUS S. 27f.).

134 ist billige Wiederholung von 133 und 130.

137 unecht: s. v. KRAUS S. 28.

138 Wiederholung von 130 und s. oben.

Mit 139 unterbricht der Red. A und fügt die Rentwinepisode ein. Der Fortgang von A I ist aus der Aronaszene und dem späteren Schluß herauszulösen.

[122] s. oben S. 222.

[123] s. H. SCHNEIDER, Ludwig Uhlands Leben, Dichtung, Forschung, 1920, S. 210.

[124] s. JIRICZEK, Deutsche Heldensagen S. 238.

[125] s. dazu SCHNEIDER, Germ. Heldensage I, 271.

[126] s. zu den Aventiuregespr. Hartm. Büchl. 637 *beide sêle unde lîp muoz man wâgen durh diu wîp*, B 613: 1215 *da gehœret arbeit zuo*.

[127] Das wenige, das von LUNZERS Parallelen (Progr. S. 14ff.) A I trifft, könnte allerdings eher umgekehrt von hier aus in Laurin gedrungen sein. Auf die späteren Bearbeitungen, schon auf Red. A, hat dann wieder der Laurin zurückgewirkt – das gleiche Verhältnis wie so oft in der Heldenepik. Selbständigkeit gegenüber Laurin könnte also sogar als Kriterium für A I dienen.

[128] Parallelen zu Laurin gibt LUNZER Progr. S. 10ff.; zu Wolfdietrich D: LUNZER Progr. S. 26ff.; ebendort S. 32 Hinweise auf Parallelen zu Alpharts Tod, Rosengärten, Eckenlied und Sigenot bei MARTIN DHB II, S. XXIX; HOLZ, Die Ged. vom Rosengarten S. CXIII; JIRICZEK S. 240; ZUPITZA DHB V, S. VIIIf.; JIRICZEK S. 191. 193. 217, die aber zum größten Teil spätere Partien der Virginal betreffen; zu Wolframs Willehalm: LUNZER ZfdA. 52, 133, das betrifft z. T. sicher A I: s. 130ff., 206ff. und LUNZER S. 118ff., wenn nicht gerade umgekehrt im Willehalm Wolfram Stilmittel der (dt. u. frz.) Heldendichtung übernimmt. Dafür sprächen die durch alle Schichten der Virg. gleichmäßig verteilten Parallelen. Von den Konrad von Würzburg-Parallelen VON KRAUS' fällt 53, 8 (= Engelhard 2984) in unsern Bereich; aber die Texte auch der für A I in Anspruch genommenen Strr. sind so wenig im einzelnen gesichert, daß Schlüsse daraus kaum erlaubt sind, jedenfalls die wirklichen Zusammenhänge kaum treffen werden.

NACHWEISE

Zur Deutung der künstlerischen Form des Mittelalters: Studium Generale Bd 2, 1949, S. 114–121.

Struktur und Formensprache in Dichtung und Kunst: Atti del Quinto Congresso Internationale di Lingue et Letterature Moderne, Firenze 27–31 Marzo 1951, Firenze, Valmartina 1955, S. 37–45.

Soziale Realität und dichterische Fiktion am Beispiel der höfischen Ritterdichtung Deutschlands: Soziologie und Leben, hrsg. von Carl Brinkmann, Tübingen, Rainer Wunderlich 1952, S. 195–219.

Gattungsprobleme der mittelhochdeutschen Literatur: Sitzungsberichte der Bayerischen Akademie der Wissenschaften, Phil.-hist. Kl., Jg. 1956, Heft 4, München 1956.

Stil als Epochen-, Gattungs- und Wertproblem in der deutschen Literatur des Mittelalters: Erscheint im Sammelband über die 7. Tagung der Fédération internationale des langues et littératures modernes in Heidelberg vom 26. bis 30. August 1957, Heidelberg, Winter 1959.

Germanistik als Wissenschaft (als Erstdruck unter dem Titel: Sprach- und Literaturwissenschaft als Einheit?): Festschrift für Jost Trier, hrsg. von Benno von Wiese und Karl Heinz Borck, Meisenheim/Glan, Hain 1954, S. 9–33.

Hrotsviths von Gandersheim dichterisches Programm: Deutsche Vierteljahrsschrift für Literaturwissenschaft und Geistesgeschichte Bd 24, 1950, S. 181–196.

Minne oder reht: Studien zur deutschen Philologie des Mittelalters, Festschrift zum 80. Geburtstag von Friedrich Panzer, Heidelberg, Winter 1950, S. 29–37.

Gestalten und Lebenskräfte der frühmittelhochdeutschen Dichtung. Ezzos Lied, Genesis, Annolied, Memento mori: Deutsche Vierteljahrsschrift für Literaturwissenschaft und Geistesgeschichte Bd 27, 1953, S. 1–30.

Erec: Festschrift für Paul Kluckhohn und Hermann Schneider, Tübingen, Mohr 1948, S. 122–147.

Parzival. Ein Versuch über Mythos, Glaube und Dichtung im Mittelalter: Deutsche Vierteljahrsschrift für Literaturwissenschaft und Geistesgeschichte Bd 30, 1956, S. 161 (17)–198 (54).

Zugang zur deutschen Heldensage: Jahresgabe des Ensslin und Laiblin Verlags, Reutlingen 1952, S. 36–58.

Über nordische und deutsche Szenenregie in der Nibelungendichtung: Edda, Skalden, Saga, Festschrift für Felix Genzmer, Heidelberg, Winter 1952, S. 279 bis 306.

Virginal: Beiträge zur Geschichte der deutschen Sprache und Literatur Bd 71, 1949, S. 331–386.

REGISTER